الطائر المُقلَّد

MOCKINGJAY

الطائر المُقلَّد

MOCKINGJAY

سوزان كولنز
Suzanne Collins

ترجمة

سعيد الحسنية

مراجعة وتحرير

مركز التعريب والبرمجة

الدار العربية للعلوم ناشرون ش.م.ل
Arab Scientific Publishers, Inc. S.A.L

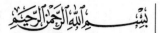

بسم الله الرحمن الرحيم

يتضمن هذا الكتاب ترجمة الأصل الإنكليزي

MOCKINGJAY

حقوق الترجمة العربية مرخّص بها قانونياً من الناشر

Scholastic Press

بمقتضى الاتفاق الخطي الموقّع بينه وبين الدار العربية للعلوم ناشرون، ش.م.ل.

Copyright © 2010 by Suzanne Collins

All rights reserved

Arabic Copyright © 2011 by Arab Scientific Publishers. Inc. S.A.L

الطبعة الأولى

1432 هـ - 2011 م

ردمك 978-9953-87-985-7

الدار العربية للعلوم ناشرون ش.م.ل

Arab Scientific Publishers, Inc. S.A.L

عين التينة، شارع المفتي توفيق خالد، بناية الريم

هاتف: 786233 - 785108 - 785107 (1-961+)

ص.ب: 5574-13 شوران - بيروت 2050-1102 - لبنان

فاكس: 786230 (1-961+) - البريد الإلكتروني: asp@asp.com.lb

الموقع على شبكة الإنترنت: http://www.asp.com.lb

إن الآراء الواردة في هذا الكتاب لا تعبر بالضرورة عن رأي الدار العربية للعلوم ناشرون ش.م.ل

التنضيد وفرز الألوان: **أبجد غرافيكس**، بيروت - هاتف 785107 (1-961+)

الطباعة: **مطابع الدار العربية للعلوم**، بيروت - هاتف 786233 (1-961+)

القِسْمُ الأوّل

الـرمــاد

الفصل الأول

حدّقت إلى حذائي، وراقبت تلك الطبقة الرقيقة من الرماد وهي تستقر على جلدِه البالي. هنا كان السرير الذي كنت أتقاسمه مع شقيقتي بريم. بعد ذلك، رأيت طاولة المطبخ التي تراكمت فوقها أحجار الطوب التي سقطت من المدخنة وأصبحت كومة من الأحجار المحترقة. كانت الطاولة هي التي شكّلت علامة تدل على ما تبقى من المنزل. من دونها، ما كنت لأعرف الاتجاهات وسط بحر الرماد هذا!

لم يتبقَ أي شيء آخر - تقريباً - من المقاطعة 12. تسببت القنابل الحارقة التي ألقتها طائرات الكابيتول قبل شهرٍ بتدمير منازل عمال المناجم الفقراء في السيم، ومتاجر المدينة، حتى مبنى قصر العدل نال نصيبه من الدمار. أما المنطقة الوحيدة التي نجت من ذلك الحريق الهائل فكانت قرية فيكتوري فيليدج. لا أدري بالضبط كيف حدث هذا. يُحتمل أنها تُركت تحسباً لقدوم إحدى الشخصيات من الكابيتول المكلّفة بعمل ما، وهكذا تتمكن من النزول في مكانٍ محترم. يُحتمل أن يأتي أحد المراسلين الفضوليين، أو إحدى اللجان التي تريد تقييم الأوضاع في مناجم الفحم، أو ربّما تأتي فرقة من ضباط الأمن بحثاً عن اللاجئين العائدين إلى المقاطعة.

لكن، لم يعد أحد غيري، حتى إنني عدت في زيارة قصيرة. وقفت السلطات في المقاطعة 13 ضد فكرة عودتي، واعتبرتها مغامرة مكلفة وعديمة الجدوى، وذلك نظراً إلى وجود اثنتي عشرة حوّامة غير مرئية تحوم فوقي لحمايتي، لكن من دون عثورها على أي معلومات. مع ذلك، شعرت بدافعٍ قوي لرؤية مقاطعتي. كان هذا الدافع قوياً إلى درجة أنني اعتبرته شرطاً لقبولي التعاون مع هذه السلطات في خططها.

أخيراً، رفع بلوتارك هيفنزبي يديه، وهو رئيس صانعي الألعاب الذي نظّم حركة المتمردين في الكابيتول، وقال: «دعوها تذهب، لأنه من الأفضل لنا أن نهدر يوماً واحداً بدلاً من هدر شهر. يُحتمل أن تُفلح هذه الجولة الصغيرة في المقاطعة 12 في إقناعها بأنّنا في الحلف ذاته».

الحلف ذاته! شعرت بوخزة ألم في صدغي الأيسر، فضغطت بيدي على موضع الألم، حيث ضربتني جوانا مايسون بلفة السلك المعدني. تدافعت الذكريات في ذهني عندما حاولت فرز ما هو حقيقي عما هو غير حقيقي. حاولت تذكّر سلسلة الأحداث التي قادتني إلى الوقوف في خرائب مدينتي. كان ذلك أمراً صعباً، لأن ترددات الصدمة التي سببتها لي هذه الأحداث لم تتلاشَ تماماً بعد، كما أن أفكاري لا تزال متشابكة في ذاكرتي. يُضاف إلى ذلك أنّ تلك الأدوية التي يستخدمونها من أجل السيطرة على آلامي وتحسين مزاجي، هي التي تجعلني في بعض الأحيان أرى الأشياء على غير حقيقتها. هذا ما أعتقده على الأقل، لأنني لا أزال غير متأكدة تماماً من أنني كنت أهذي في تلك الليلة التي تحولت فيها أرض غرفتي في المستشفى إلى سجادة مؤلفة من أفاعٍ متلوية.

إنني أستخدم تقنية اقترحها أحد الأطباء، وأبدأ بأبسط الأمور التي أعرف أنها حقيقية قبل انتقالي إلى الأمور الأكثر تعقيداً. بدأت اللائحة بالدوران في ذهني...

اسمي كاتنيس إيفردين. أبلغ السابعة عشرة من عمري. أنا من المقاطعة 12. اشتركت في ألعاب الجوع. هربت. الكابيتول تكرهني. أُسِرَ بيتا. يظن كثيرون أنه ميت. أغلب الاحتمالات تشير إلى أنه ميت. أعتقد أنه من الأفضل لو أنه ميت بالفعل...

«كاتنيس. أتريدين أن أنزل؟». تناهى إلى مسمعي صوت غايل - وهو أعزّ أصدقائي - عبر السماعة التي أصرّ الثوار على أن أضعها. إنه في

الحوّامة التي تحلّق فوقي. أعرف أنه يراقبني باهتمامٍ شديد، كما أنه على أتم الاستعداد للهبوط إذا حدث ما يستدعي ذلك. أدركت أنني أجلس القرفصاء في هذا الوقت. أسندت مرفقيّ إلى ركبتيّ، وأحطتُ رأسي بيديّ. كان منظري يوحي بأنني على وشك الانهيار بطريقة ما. لم يتغيّر شيء، وعلى الأخص عندما توقفوا أخيراً عن إعطائي تلك الأدوية.

وقفت، وأشرت إليه أنني أرفض وقلت: «كلا، أنا بخير». أردت التأكيد له أنني بخير، فبدأت بالابتعاد عن منزلي القديم، وتوجهت نحو المدينة. طلب غايل النزول معي من الحوّامة في المقاطعة 12، لكنه لم يصر على طلبه عندما رفضت مرافقته لي. فهم غايل أنني أريد أن أكون بمفردي هذا اليوم، وأنني لا أريد مرافقة أحد. يتعيّن على الإنسان أن يسير وحيداً في بعض الأحيان.

كانت أشعة الشمس حارقة. لم تسقط على المقاطعة سوى كمية قليلة من الأمطار، وهكذا بقيت أكوام الرماد على حالها بعد الهجوم. تغيّرت مواقع بعض هذه الأكوام هنا وهناك نتيجة خطواتي، لكنها لم تتبعثر بسبب عدم هبوب الريح عليها. أبقيت تركيزي على ما أتذكر أنها الطريق. انتبهت أكثر إلى أنني لم أكن حذرة عندما اصطدمت رجلي بحجرٍ بعد هبوطي في المرج. لم يكن ذلك الشيء حجراً، بل جمجمة شخصٍ ما. تدحرجت الجمجمة مسافة معيّنة قبل أن تستقر ووجهها نحو الأعلى. عجزت لوقتٍ طويل عن النظر إلى أسنانها، ورحت أتساءل عن صاحبها، وفكرت في أن جمجمتي كانت ستبدو هكذا تماماً في ظروفٍ مشابهة.

سرت على الطريق التي أعرفها جيداً لكثرة ما سرت عليها، لكن ذلك كان خياراً سيئاً، لأن هذه الطريق امتلأت ببقايا الذين حاولوا الهرب. كانت بعض الجثث محترقة بالكامل، فيما نجا بعضها الآخر من ألسنة اللهب التي لا ترحم. لكن، لعل أصحابها قد اختنقوا بسبب الدخان، وها هي

جثثهم قد تحلّلت، وأصبحوا طعاماً مغطى بطبقة من الذباب للحيوانات المفترسة. فكّرت فيما كنت أمرّ قرب كومة من الجثث: أنا قتلتكم. وأنتم، وأنتم كذلك.

قلت هذا لأنني فعلت ذلك. فعلت ذلك بسهمي الذي صوّبته على الثغرة الموجودة في حقل الطاقة الذي يحيط بالميدان، وهو الأمر الذي تسبب بعاصفة الانتقام النارية هذه، التي نشرت الفوضى في كل أنحاء بانيم.

ترددت في رأسي كلمات الرئيس سنو التي قالها لي في صبيحة اليوم الذي بدأت فيه رحلة النصر: كاتنيس إيفردين، أنتِ التي كنت وسط ألسنة اللهب. لقد أطلقت شرارة إذا تُركت وشأنها فقد تتطوّر إلى حريق مستعر يدمّر بانيم بأسرها. تبيّن لي أنه لم يكن يبالغ مطلقاً، ولم يكن يحاول تخويفي فقط. يُحتمل أنه كان يحاول، ببساطة، طلب مساعدتي. لكنّني كنت قد أطلقت حركة شيء لم أمتلك أي قدرة على التحكم به.

الحرائق. الحرائق لا تزال مشتعلة. هذا ما فكّرت فيه وسط حالة من الخدر. نظرت إلى الحرائق التي لا تزال تنفث دخانها الأسود في مناجم الفحم البعيدة. لكن، لم يبقَ أحد كي يكترث بأمر هذه الحرائق بعد أن مات أكثر من تسعين بالمئة من سكان المقاطعة. أما المواطنون الثمانمئة الباقون، أو نحو ذلك، فقد أصبحوا لاجئين في المقاطعة 13؛ وهو الأمر الذي أعتبر أنه يعني بقاءهم مشردين إلى الأبد.

أعرف أنه عليّ يجب ألاّ أفكر بهذه الطريقة. وأعرف كذلك أنه عليّ أن أكون ممتنة لأنهم لقوا كل ترحيب. بالرغم من كل ذلك، لم أتمكن من تجاوز حقيقة أن المقاطعة 13 لعبت دوراً فعالاً في تدمير المقاطعة 12. لكن، ذلك لا يعفيني من اللوم الذي أتحمّل قدراً كبيراً منه. لكنّني لولا هذه المقاطعة لما تمكنت من أن أصبح جزءاً من الخطة الكبرى التي تهدف إلى قلب الكابيتول، وما كنت لأمتلك الوسائل الضرورية كي أفعل ذلك.

10

لا يمتلك سكان المقاطعة 12 مقاومة منظمة، وليس لديهم رأي خاص بهذه المقاومة. من سوء حظهم، أنني وجدت بينهم. لكن بعض الناجين يعتقدون أن وجودي كان من حسن حظهم لأنهم في النهاية تحرّروا من المقاطعة 12، وتخلصوا من الجوع والقهر اللذين لا نهاية لهما، ومن المناجم الخطرة، ومن سيطرة آخر قائد لضباط الأمن، رومولوس ثريد. أما وجود موطن جديد لهم، فكان يُنظر إليه على أنه ضرب من الخيال، وذلك لأننا قبل وقتٍ قصير فقط لم نكن نعرف أن المقاطعة 13 لا تزال موجودة.

وقعت عملية تهريب الناجين على عاتق غايل بالكامل، لكنه كان يستاء من الاعتراف بذلك. فقد قُطعت الكهرباء عن المقاطعة 12 ما إن انتهت الألعاب الربعية، أي عندما رفعوني من الميدان، وانقطع البثّ التلفزيوني، وساد الصمت كل منطقة السيم إلى حدّ أن الناس تمكّنوا من سماع نبضات قلوب بعضهم بعضاً. لم يقم أي شخص بأي عملٍ من أعمال الاحتجاج، أو الاحتفال بما حدث في الميدان. لكن الحوّامات ملأت السماء في غضون خمس عشرة دقيقة، وما لبثت القنابل أن بدأت بالانهمار.

كان غايل هو الذي فكّر في المرج، وهو أحد الأماكن القليلة غير المليئة بالمنازل الخشبية القديمة التي لا يكسوها غبار الفحم. قاد غايل أكبر عددٍ ممكن من الأشخاص نحو المرج، وكانت والدتي وبريم من بينهم. بعد ذلك شكّل الفريق الذي قام بنزع السياج الذي تحوّل إلى مجرد أسلاك معدنية غير مؤذية بعد انقطاع الكهرباء عنه. أخذهم غايل إلى المكان الوحيد الذي أمكنه التفكير فيه؛ إلى البحيرة التي قادني والدي إليها عندما كنت طفلة. من هناك تمكّن الناجون من رؤية ألسنة اللهب البعيدة وهي تلتهم كل شيء عرفوه في العالم.

غادرت الحوّامات قبل طلوع الفجر بوقتٍ طويل، كما انطفأت الحرائق، وتم تطويق آخر التائهين. أقامت والدتي وبريم ما يشبه

المستوصف لمعالجة الجرحى، وحاولتا معالجتهم بما تمكنتا من جمعه من نباتات الغابة. أما غايل، فكان يحتفظ بمجموعتين من الأقواس والسهام، وبسكّين صيدٍ واحدة، وبشبكة صيد، وكان مسؤولاً عن إطعام ما يزيد على ثمانمئة من الأشخاص المرتعبين. سارت الأمور على ما يرام لمدة ثلاثة أيام، وذلك بفضل المساعدة التي قدّمها أولئك الأقوياء جسدياً. بعد ذلك، ظهرت الحوّامة فجأة، وهي التي أتت من أجل إخلائهم إلى المقاطعة 13 حيث توافر لهم عدد يفيض عن حاجتهم من حجرات المعيشة النظيفة المطلية باللون الأبيض، والكثير من الملابس، وثلاث وجبات غذائية يومياً. أما سيئات تلك الحجرات فتمثّلت بوجودها تحت الأرض. وكذلك، كانت الملابس متشابهة، أما الطعام، فكاد أن يخلو من أي طعم. لكن، لم يحمل هذان الأمران أهمية تُذكر بالنسبة إلى اللاجئين من المقاطعة 12. فقد كانوا بأمان وتلقوا العناية الكاملة، وهكذا بقوا على قيد الحياة، ولقوا ترحيباً حاراً.

بدت هذه الحفاوة وكأنها نوع من التعاطف، لكن رجلاً يدعى دالتون، وهو لاجئ من المقاطعة 10، كان قد وصل إلى المقاطعة 13 سيراً على قدميه منذ سنوات قليلة، أفضى إليّ بالدافع الحقيقي من وراء هذه الحفاوة. قال لي: «إنهم يحتاجون إليك، ويحتاجون إليّ، بل يحتاجون إلينا جميعاً. اجتاح المقاطعة قبل فترة من الزمن نوعٌ من وباء داء الزهري، وأودى بحياة عدد كبير منهم، كما تسبب بإصابة عددٍ كبير آخر منهم بالعقم. وهم يريدون أن نكون احتياطاً بشرياً جديداً للتناسل». عمل هذا الرجل في المقاطعة 10 في إحدى مزارع الماشية، وكان مسؤولاً عن المحافظة على التنوع الجيني (الوراثي) عن طريق زرع أمضغة (الجنين في الأسابيع الثمانية الأولى) الأبقار التي تم تجميدها منذ وقتٍ طويل. يُحتمل جداً أن يكون على صواب في ما يتعلق بالمقاطعة 13، وذلك لأنني لاحظت أن عدد الأطفال الصغار

كان قليلاً في تلك المقاطعة. لكن، ما الذي يعنيه كل ذلك؟ إننا لا نقيم في مزارع، ونتدرب على القيام بالأعمال، كما أن الأطفال يتلقون تعليمهم في المدارس. أما الأولاد الذين هم فوق الرابعة عشرة من أعمارهم فيُمنحون رتباً عند التحاقهم بالجيش، ويُخاطبون باحترام بكلمة جندي. وقد أعطت السلطات في المقاطعة 13 كل لاجئ حق الجنسية على الفور.

إنني أكرههم بالرغم من كل ذلك. لكنّني أشعر – بطبيعة الحال – بكراهية تجاه الجميع. وأنا أكره نفسي أكثر من أي شخص آخر.

شعرت أن السطح الذي أدوس عليه بقدميَّ أصبح صلباً، وهكذا تمكنت من الإحساس بأحجار الباحة المرصوفة تحت هذه الطبقة من الرماد. ظهرت في محيط الباحة كومة دائرية غير عالية من الركام حيث كان صف من المتاجر الصغيرة مرتفعاً سابقاً. أما قصر العدل في المدينة، فقد ظهرت مكانه كومة كبيرة من الركام أسود اللون. مشيت إلى المكان الذي قدّرت أنه المخبز الذي تمتلكه أسرة بيتا. لم يبقَ من المخبز شيء غير مادة الفرن المعدنية الذائبة. أما والدا بيتا، وشقيقاه الأكبر منه سناً، فلم يتمكن أحد منهم من الوصول إلى المقاطعة 13. لم يتمكن سوى عدد يقل عن الدزينة من أثرياء المدينة من النجاة من الحرائق. مما يعني أن بيتا لن يجد من يعود إليه، إذا عاد إلى المقاطعة على أي حال، عداي أنا...

ابتعدت عن المخبز، لكنّني اصطدمت بشيء ما. فقدت توازني، ووجدت نفسي جالسة على كتلةٍ من المعادن التي سخّنتها أشعة الشمس. تساءلت عن طبيعة هذه الكتلة، ثم تذكرت التجديدات التي أدخلها ثريد على الباحة: آلات التعذيب، أعمدة الجَلد، بالإضافة إلى هذه؛ أي بقايا أعواد المشانق. يا للفظاعة! يا لهذا الأمر السيّئ! عاد إلى ذاكرتي سيلٌ من الصور التي تعذّبني، سواء أكنت صاحيةً أم نائمةً؛ صورة بيتا تحت التعذيب، عندما أغرقوه، وأحرقوه، وجرحوه، وعندما تعرّض للصدمات،

13

والتشويه، والضرب. حدث كل ذلك عندما حاول الكابيتول الحصول على معلومات يجهلها بشأن الثورة. أغمضت عينيّ بشدة، وحاولت الوصول إليه عبر مئاتٍ ومئاتٍ من الأميال. حاولت إيصال أفكاري إلى عقله. أردت أن أقول له إنه ليس وحيداً. لكنه في الحقيقة وحيد، وأنا عاجزة عن مساعدته.

ركضت. ابتعدت عن الباحة، وتوجهت نحو المكان الوحيد الذي لم تدمره النيران. مررت من أمام ركام منزل رئيس البلدية حيث كانت تعيش صديقتي مادج. لكن، لم أسمع أي شيء عنها أو عن أسرتها. هل أَجلَتهُم السلطات إلى الكابيتول بسبب مركز والدها، أم تُركوا طعاماً للنيران؟ تصاعد الرماد من حولي، فرفعت ياقة قميصي ووضعتها فوق فمي. لم أُدهش ممّا أتنفسه، لكنّني دُهشت إزاء من يهدد بخنقي.

كان العشب قد احترق، وتساقط الثلج الرمادي هنا أيضاً، لكن المنازل الرائعة الاثني عشر في فيكتوري فيليدج بقيت كما هي ولم تمس. أسرعت بالدخول إلى المنزل الذي عشت فيه طوال السنة الماضية، وأغلقت الباب بسرعة، ثم أسندت ظهري إليه. بدا المنزل وكأنه لم يمس؛ كان نظيفاً، وهادئاً بشكلٍ مخيف. لماذا عدت إلى المقاطعة 12؟ أيُمكن أن تساعدني هذه الزيارة على الإجابة عن السؤال الذي لا مهرب منه؟

همست للجدران: «ماذا سأفعل؟». لم أكن أعرف ماذا عليّ أن أفعل بالفعل.

لم يتوقف الناس عن التحدّث إليّ. تحدّثوا مرة بعد مرة، وتكلموا معي. هذا ما فعله بلوتارك هيفنزبي، وكذلك مساعِدته الذكية فولفيا كارديو، بالإضافة إلى مجموعة من زعماء المقاطعة، والمسؤولين العسكريين. لكن ألما كوين، وهي رئيسة المقاطعة 13، والتي تكتفي بالمراقبة، لم تفعل ذلك. تبلغ ألما الخمسين من عمرها أو نحو ذلك. وينسدل شعرها الأشيب والمسرّح على كتفيها. يدهشني شعر تلك المرأة المنتظم من دون أي عيب.

أما عيناها فرماديتان، لكنهما لا تشبهان أعين سكان السيم. إنهما شاحبتان جداً وكأن اللون قد سُحب منهما، أو كأن ذلك اللون هو لون الثلج الذي يتمنى المرء أن يذوب.

أما الهدف من تكلمهم معي فهو الطلب منّي أن أتولى الدور الذي خطّطوه لي، أي أن أكون رمز الثورة؛ الطائر المقلّد. لم يكفهم ما فعلته في الماضي، أي عندما أقدمت على تحدي الكابيتول في الألعاب، وهو الأمر الذي جعلني محطّ اهتمام الجميع. الآن، يتعيّن عليّ أن أكون القائدة الحقيقية للثورة، وواجهتَها، وصوتها، والتجسيد المادي لها. ذلك يعني أن أكون أيضاً الشخص الذي تستطيع الولايات – ومعظمها منشغل في حربٍ علنية مع الكابيتول – أن تعتمد عليه من أجل إنارة طريق النصر. لا يتحتم عليّ أن أفعل ذلك بمفردي، فقد خصّصت السلطات فريقاً بأكمله للاهتمام بمظهري، وللعناية بملبسي، ولكتابة خطاباتي، ولتنظيم مشاركتي في الاجتماعات – وكأن ذلك لا يبدو مألوفاً بما يكفي – وهكذا، لا يتوجب عليّ سوى تأدية دوري. إنني أستمع إليهم في بعض الأحيان، لكنّني أكتفي في أحيانٍ أخرى بمراقبة تسريحة شعر كوين الرائعة، وبالتساؤل إذا كان شعرها مستعاراً. وفي النهاية، كنت أغادر الغرفة بسبب شعوري بالألم في رأسي، أو بسبب حلول موعد تناول الطعام. أما إذا لم أصعد إلى ما فوق سطح الأرض، فسأشعر برغبة في الصراخ. كنت لا أكترث بقول أي شيء، بل أكتفي بالنهوض والخروج.

سمعت كوين البارحة، وهي تغلق الباب ورائي قائلة: «طلبت منكم أن تنقذوا الشاب أولاً». كانت تقصد بيتا. إنني أوافقها على قولها تماماً. فأنا أعرف أنه سيكون بوقاً ممتازاً.

لكن، انظروا من التي أنقذوها من الميدان. بدلاً منه؛ لقد أنقذوني؛ أنا التي لا أرغب في التعاون. أما بيتي، ذلك المخترع من المقاطعة 3، فكنت

أراه نادراً لأنه أُخذ إلى وحدة تطوير الأسلحة في اللحظة التي تمكن فيها من الجلوس. في واقع الأمر، لقد عمدوا إلى سحب سريره من المستشفى إلى منطقة بالغة السرية، وهو لا يظهر هذه الأيام إلا بين حينٍ وآخر في أوقات وجبات الطعام. إنه ذكيٌّ جداً ومتحمسٌ للمساعدة على هذه القضيّة، لكنه ليس من النوع الذي يمتلك شخصية القيادة. يأتي بعد ذلك فينيك أوداير، وهو رمز الإثارة الذي أتى من المقاطعة المتخصصة بالصيد، وهو الشخص الذي أبقى بيتا حياً في الميدان عندما عجزت عن القيام بهذه المهمة. أرادت السلطات تحويل فينيك إلى قائد للثورة. لكن، تعيّن عليهم أولاً أن يبقوه واعياً لمدة تزيد على الدقائق الخمس. يضطر المرء – حتى عندما يكون واعياً – إلى أن يكرر الكلام ثلاث مرات قبل أن يتمكن من استيعابه. يقول الأطباء إن الصدمات الكهربائية التي تلقاها في الميدان هي التي سبّبت له ذلك، لكنّني أعرف أن الأمر أكثر تعقيداً من هذا بكثير. أعرف كذلك أن فينيك لا يستطيع التركيز على أي شيء في المقاطعة 13 لأنه يجهد ذهنه كثيراً في استيعاب ما تتعرض له آني في الكابيتول، وهي الفتاة المجنونة الآتية من مقاطعته. إنها الشخص الوحيد الذي يحبّه في هذا العالم.

إنني أجد نفسي، وبالرغم من بعض التحفظات الجدّية، مضطرة إلى مسامحة فينيك على الدور الذي لعبه في المؤامرة التي أوصلتني إلى هذا الوضع. فعلى الأقل، امتلك فينيك فكرة عما يدور بشأني، فالمعروف عنه أنّه يستهلك الكثير من الطاقة ليظلّ غاضباً من شخصٍ يذرف الكثير من الدمع.

سرت في الطابق السفلي محاولة عدم إصدار أي صوت. أخذت بعض التذكارات القليلة: صورة تجمع والدي ووالدتي في يوم زفافهما، وربطة شعرٍ تخص بريم، وكتاب العائلة حول النباتات الطبية، وتلك الصالحة للأكل. كان الكتاب مفتوحاً على صفحة تحتوي على رسومات

أزهار صفراء. أغلقته بسرعة لأن فرشاة بيتا هي التي رسمتها.

ماذا سأفعل؟

هل يحمل أي شيء نقوم به أي معنى؟ إن والدتي، وشقيقتي، وأفراد عائلة غايل أصبحوا بأمان أخيراً. أما بالنسبة إلى بقية سكان المقاطعة 12 فهم إما في عداد الموتى؛ أي في مكانٍ لا رجعة منه، أو موجودون تحت حماية المنطقة 13. يبقى المتمردون في المقاطعات. إنني أكره الكابيتول بطبيعة الحال، لكنّني لست واثقة من أن مجرد كوني الطائر المقلّد سيفيد أولئك الذين يحاولون الانقلاب عليها. كيف يمكنني مساعدة المقاطعات إذا كنت أتسبب في كل حركة أقوم بها بمعاناة كبيرة، وخسائر في الأرواح؟ أي مثلما حدث مع الرجل الذي أُطلق الرصاص عليه بسبب الصفير، وكذلك القمع الذي حصل في المقاطعة 12 بعد تدخّلي في عملية جلد غايل بالسياط. يُضاف إلى ذلك ما حدث مع سينّا، المزيّن الذي كان يهتم بمظهري، عندما جرّوه قبل المباريات من قاعة الإطلاق وهو فاقد الوعي والدماء تنزف منه. تعتقد مصادر بلوتارك أنه قُتل خلال الاستجواب. مات سينّا الرائع، والغامض، والمحبوب بسببي أنا. أبعدتُ هذه الفكرة عن ذهني لأنه من المؤلم جداً أن أستمر بالتفكير فيها من دون أن أفقد سيطرتي على الوضع كلياً.

ماذا سأفعل؟

هل سأصبح طائراً مقلّداً؟ أيمكن لحسنات أي شيء أقوم به أن تفوق الأضرار الناجمة عنه؟ وهل هناك شخص أثق به يمكنه الإجابة عن هذا السؤال؟ لا أثق، بالتأكيد، بذلك الفريق الذي يهتم بي في المقاطعة 13. أقسم إنني أستطيع الهرب بعد أن أصبحت أسرتي وأسرة غايل بعيدتين الآن عن يد الأذى. لكنّني لن أفعل ذلك، لأنه بقي عندي عمل لم يُنجز بعد؛ بيتا. فلو كنت متأكدةً من أنه ميت، لكنت اختفيت في الغابات من دون أن أنظر

ورائي أبداً. أشعر بأنني عالقة إلى أن أنفذ ذلك.

درت على عقبي قدميّ ما إن سمعت هسهسة. نظرت نحو باب المطبخ فرأيت ظهراً مقوساً، وأذنين ممدودتين. رأيت أبشع هرٍّ في العالم. قلت: الحوذان. مات ألوف الناس، لكنه نجا. بدا أنه يتغذى جيداً. لكن، ممَّ يتغدّى؟ يستطيع هذا الهر أن يدخل المنزل ويخرج منه من خلال نافذة المخزن التي تبقى مفتوحة على الدوام. أعتقد أنه لا بد من أنه يأكل فئران الحقول. رفض عقلي استعراض الاحتمال البديل.

قرفصتُ ومددت يدي قائلة: «تعالَ يا صديقي». أعتقد أن مجيئه إليّ أمرٌ مستبعد بسبب غضبه لأن الجميع هجروه. يُضاف إلى ذلك أنني لم أقدم له أي طعام، لا سيّما وأنّ قدرتي على تقديم الطعام له كانت الميزة التي تقرّبني منه. بقينا لفترة نلتقي في المنزل القديم لأننا كلينا كنّا نكره المنزل الجديد، وهذا ما شكّل رابطة في ما بيننا. كان من الواضح أن تلك الفترة قد انتهت. رمشت عينا الحوذان الصفراوان.

سألته: «أترغب في رؤية بريم؟». استرعى اسمها انتباهه. إن اسمها هو الاسم الوحيد الذي يعني شيئاً بالنسبة إليه إلى جانب اسمه. أصدر مواءً غريباً قبل اقترابه مني. رفعته بيديَّ، ومسّدت فراءه، ثم توجهت إلى الخزانة. تناولت حقيبة الصيد ووضعته فيها بخشونة. لا توجد طريقة أخرى تمكنني من نقله بالحوّامة، كما أنني أعرف أنه يعني الكثير بالنسبة إلى شقيقتي. أما عنزتها، لايدي، وهي حيوان ذو قيمةٍ كبيرة بالنسبة إليها، فلم أعثر لها على أثر مع الأسف.

سمعت عبر سماعتي صوت غايل وهو يبلغني بضرورة العودة. ذكّرتني حقيبة الصيد بشيء آخر أرغب فيه. علّقت الحقيبة على كرسي، وصعدت مسرعة نحو غرفة نومي. كانت سترة الصيد التي كان والدي يستخدمها معلقة داخل الخزانة. أحضرت السترة من منزلنا القديم

قبل المباراة الربعية، وذلك لأنني اعتقدت أنّ وجودها قد يُشعر والدتي وشقيقتي بالراحة بعد موتي. أشكر الله لأنني أحضرتها إلى هنا وإلا كانت قد تحوّلت إلى رماد في هذا الوقت.

بدا ملمس الجلد الناعم مريحاً. شعرت بالهدوء لفترة قصيرة نتيجة ذكرياتي عن الساعات التي أمضيتها وأنا ملتفة بها. بدأ العرق بالتسرّب من راحتَي يديّ بشكلٍ مفاجئ، وشعرت بإحساسٍ غريب يسري في عمودي الفقري. استدرت كي أتفحص الغرفة فوجدتها خالية، ومرتبة. كان كل شيء في مكانه. لم أسمع أي صوت يثير عندي الريبة. ماذا سيحصل بعد ذلك؟

شعرت بارتعاشٍ في أنفي. كانت الرائحة القويّة والمصطنعة هي السبب. وكانت صادرة عن الورود المجفّفة الموضوعة في إناء فوق خزانتي، وتبرز منها وردة بيضاء مقطوفة حديثاً. تقدمت بخطوات حذرة، ورأيت الوردة كاملة حتى آخر شوكة فيها مع تويجاتها الحريرية.

أدركت على الفور هوية الشخص الذي أرسلها إليّ.

الرئيس سنو.

تراجعت إلى الوراء، وخرجت من الغرفة بعد أن شعرت بأنني على وشك أن أتقيأ بسبب الرائحة الكريهة. كم مضى على وجودها هنا؟ أهو يوم واحد؟ أم ساعة واحدة؟ نفّذ الثوار عملية مسحٍ أمنية في فيكتوري فيليدج قبل السماح لي بالحضور إلى هنا، كما بحثوا عن متفجرات، أو عن أجهزة تنصت، وعن أي شيء غير عادي. لكن، يُحتمل أنهم اعتبروا أن هذه الوردة ليست ذات قيمة بالنسبة إليهم. أما أنا على الأقل، فأعرف ما تعنيه.

هرعت إلى الطابق السفلي، وتناولت حقيبة الصيد عن الكرسي، ثم جررتها فوق أرضية الغرفة إلى أن تذكرت أن الهرّ موجود فيها. وصلت إلى باحة المنزل، ولوّحت يائسة نحو الحوّامة بينما أخذ الهرّ يضرب بقوائمه

داخل الحقيبة. وجهت إليه ضربات عدة بمرفقي، لكن ذلك زاد من غضبه. ظهرت الحوّامة، وما لبث أن نزل سلمٌ منها. صعدت عليه، وشعرت أن تيار الهواء قد جمّدني إلى أن رُفعت إلى متن الحوامة.

ساعدني غايل على تسلّق آخر درجات السلّم وقال لي: «هل أنتِ بخير؟».

قلت وأنا أمسح بكمّ قميصي العرق الذي تصبب من وجهي: «أنا بخير».

أردت أن أقول صارخة: ترك لي وردة! لكن هذه لم تكن معلومة يجدر بي أن أتقاسمها مع شخصٍ مثل بلوتارك الذي يراقب الجميع. أولاً، ستجعلني هذه المعلومة أبدو وكأنني مجنونة. وسيبدو الأمر وكأنني تخيّلت وجودها، وهو أمرٌ محتملٌ تماماً، أو كأنني أبالغ في ردّ فعلي؛ وهو الأمر الذي سيضمن لي عودةً إلى عالم الأحلام الذي تكوّنه المخدرات، وهو العالم الذي أحاول الفرار منه بكل جهدي. ثانياً، أعرف أن أحداً لن يفهم تماماً أنها ليست مجرد وردةً عادية، وأنّها ليست مجرد وردة من الرئيس سنو، لكنها وعدٌ بالانتقام. لم يجلس أحد غيري معه في المكتب عندما هدّدني قبل انطلاقي في جولة النصر.

إن تلك الوردة التي يماثل بياضها لون الثلج ليست إلا رسالةً شخصية لي. أوحت لي هذه الوردة بتحركٍ لم ينتهِ بعد. شعرت أن تلك الوردة تهمس لي: أستطيع أن أجدكِ. أستطيع أن أصل إليكِ. يُحتمل كذلك أنني أشاهدكِ في هذه اللحظة.

الفصل الثاني

هل توجد حوّامات تابعة للكابيتول تستعد للانقضاض علينا كي تفجرنا من السماء؟ راقبت بتوتر أي علامات تدل على بدء الهجوم في أثناء تحليقنا فوق المقاطعة 12، لكنّني لم ألاحظ أن هناك من يطاردنا. سمعت بعد مرور دقائق عدة محادثة بين بلوتارك والطيّار الذي أكّد أن المجال الجوي خالٍ من أي تهديد، وهكذا شعرت ببعض الارتياح.

أومأ غايل نحو ذلك الضجيج المتصاعد من حقيبة الصيد، ثم قال: «عرفت الآن لماذا اضطررتِ إلى العودة».

وضعت الحقيبة على المقعد، وعندها بدأ ذلك المخلوق الكريه يصدر أصوات زمجرة مكبوتة. قلت للمخلوق الذي في الحقيبة بينما كنت أسترخي على المقعد الوثير قرب النافذة: «أوه! اخرس».

جلس غايل إلى جانبي: «هل الأوضاع سيئة هناك في الأسفل؟».

أجبت: «لا يُمكن أن تكون أسوأ». حدّقت إلى عينيه ورأيت فيهما الحزن الذي يسيطر عليّ. تلاقت أيدينا وتمسكت بجزء من المقاطعة 12 حيث فشل سنو في تدميره لسببٍ ما. جلسنا بصمت في ما تبقى من الرحلة نحو المقاطعة 13، وهي الرحلة التي استغرقت نحو خمس وأربعين دقيقة. تستغرق هذه الرحلة مدة أسبوع فقط سيراً على الأقدام. لم تكن بوني وتويل، وهما المرأتان اللتان هربتا من المقاطعة 8، واللتان التقيتهما في الغابة في الشتاء الفائت، بعيدتين كثيراً عن مقصدهما. أعتقد أنهما لم تتمكنا من بلوغ هدفهما، لأنني عندما سألت عنهما في المقاطعة 13 لم يقل أحد إنّه يعرفهما. أظن أنهما ماتتا في الغابة.

تبدو المقاطعة 13 من الجو مثلما بدت المقاطعة 12. لم أشاهد دخاناً

يتصاعد من بين الركام، أي مثلما يُظهر الكابيتول على شاشات التلفزة، لكنّني لم ألاحظ أي مظهر من مظاهر الحياة تقريباً فوق الأرض. شُيّدت كل المباني الجديدة تقريباً تحت الأرض، وذلك منذ السنوات الخمس والسبعين التي مضت على الأيام المظلمة، أي عندما قيل إن المقاطعة 13 قد دمّرت نتيجة الحرب التي جرت بين الكابيتول والمقاطعات. كان عدد كبير من المنشآت تحت الأرضية قد شُيّد عبر القرون، ولقد قُصد بها إما أن تكون مخابئ سرية لِكبار المسؤولين الحكوميين في أوقات الحروب، أو أن تكون ملاذاً أخيراً للبشرية عندما تصبح الحياة فوق الأرض غير ممكنة. أما الأهم من كل ذلك بالنسبة إلى سكان المقاطعة 13، فهو أن مقاطعتهم كانت مركز برنامج تطوير الأسلحة النووية للكابيتول. لكن ثوار المقاطعة 13 انتزعوا – خلال الأيام المظلمة – السيطرة على هذا البرنامج من أيدي الحكومة، ثم أقدموا على توجيه صواريخهم النووية نحو الكابيتول. توصّل الثوار بعد ذلك إلى عقد صفقة: فهم سيتظاهرون بأن المقاطعة قد تعرضت للتدمير عن بكرة أبيها مقابل تركهم وشأنهم. تمتلك الكابيتول ترسانةً نووية أخرى في الغرب، لكنها لم تمتلك القدرة على مهاجمة المقاطعة 13 من دون توقع قدرٍ معيّن من الانتقام. هذا هو السبب الذي دفع الكابيتول إلى قبول الصفقة التي عرضتها عليها المقاطعة 13. أزالت الكابيتول البقايا المرئية من المقاطعة، كما عزلتها عن الخارج تماماً. يُحتمل أن قادة الكابيتول ظنوا أن سكان المقاطعة 13 سيموتون من تلقاء أنفسهم إذا لم يتلقوا دعماً من الخارج، وهو الأمر الذي كاد أن يحدث أكثر من مرة، لكن المقاطعة تمكنت من الاستمرار نظراً إلى التقاسم الحازم للموارد بين المواطنين، والانضباط الفعّال، واليقظة المستمرة تحسباً من أيّ هجمات إضافية من جهة الكابيتول.

يعيش سكان المقاطعة تحت الأرض بشكلٍ دائم. يمكن للمرء أن

يخرج قليلاً لممارسة الرياضة، وطلباً لأشعة الشمس، لكن ذلك يحدث في أوقاتٍ محددة تخصّص في برنامج كل شخص. لا يستطيع المواطن ألاّ يطبّق برنامجه. يُفترض بالمرء كل صباح أن يدسّ ذراعه اليمنى في جهازٍ مثبت في الجدار. فيُطبَع برنامج عمل المواطن لذلك اليوم بحبر باهت على شكل وشم على باطن الذراع الناعمة. يظهر الوشم على هذا الشكل: 7:00 - الفطور. 7:30 - أعمال في المطبخ. 8:30 - مركز التعليم، الغرفة ١٦، وهكذا دواليك. يبقى الحبر ثابتاً حتى 22:00 - الاستحمام. وفي ذلك الوقت، يختفي كل ما يجعل الحبر مقاوماً للماء. وعندها يُمحى الجدول بكامله. تُطفأ الأنوار عند الساعة 22:30، إشارة إلى ضرورة أن يلجأ الجميع إلى النوم باستثناء الأشخاص الذين يتناوبون على العمل ليلاً.

أعفتني السلطات من وشم يدي عندما كنت مريضة جداً في المستشفى. لكن، ما إن نُقلت إلى الحجرة رقم 307 إلى جانب والدتي وشقيقتي حتى طُلب مني الخضوع للبرنامج كالآخرين. كنت أتجاهل الكلمات المطبوعة على ذراعي، ما عدا الحضور في أوقات تناول الوجبات. كنت أعود إلى حجرتي، أو أتجوّل في المقاطعة 13، أو كنت أستسلم للنوم مختبئة في مكانٍ ما، مثل أنبوب تهوئة مهجور، أو خلف أنابيب المياه في المصبغة. توجد خزانة في مركز التعليم اعتبرتها مكاناً عظيماً للاختباء، لأنه يبدو أن لا أحد يحتاج إلى المواد المدرسية. إنهم مقتصدون جداً بالتجهيزات في هذا المكان لأن الهدر يُعتبر نشاطاً جرمياً. لحسن الحظ، تعوّد سكان المقاطعة 12 على الاقتصاد دوماً، لكنّني رأيت فولفيا كارديو ذات يوم وهي تجعّد ورقة كُتِبت عليها عدة كلمات. بدت النظرات التي وجّهت إليها وكأنها تقول إنّها قتلت شخصاً ما. تلوّن وجهها باللون الأحمر القاني، وهو الأمر الذي جعل الوردات الفضية المرصعة على خدّيها المنتفخين أكثر بروزاً. إنها رمز الرخاء. كانت إحدى لحظات

سروري القليلة في المقاطعة 13 هي عندما أراقب زمرةً من متمردي الكابيتول الذين كانوا مرفّهين وهم يحاولون التكيّف مع أوضاعهم الجديدة.

لا أعلم إلى أي مدى سأتمكّن من تجنّب العقاب بسبب تجاهلي التام لذلك الانضباط التام في الحضور الذي تطلبه سلطات المقاطعة التي تستضيفنا. أما الآن، فإنهم يتركونني وشأني لأنهم صنّفوني مع المضطربين عقلياً – وهذه هي الكلمات التي كُتِبت صراحة على السّوار الطبي البلاستيكي الذي يحيط بمعصمي – وهكذا تعيّن على الجميع أن يتحملوا تصرفاتي. أعرف أن ذلك لا يمكن أن يستمر إلى الأبد، وكذلك الحال مع احتمالهم مسألة الطائر المقلّد.

سرت مع غايل من منصة الهبوط، ونزلنا معاً عدة درجات حتى وصلنا إلى الحجرة رقم 307. كان بإمكاننا استخدام المصعد، لكنه يذكّرني كثيراً بذلك المصعد الذي رفعني إلى الميدان. إنني ألاقي صعوبة كبيرة في التكيّف مع العيش تحت الأرض لفتراتٍ طويلة. شعرت لأول مرة بالأمان وأنا أنزل منذ أن رأيت تلك الوردة الغامضة.

ترددت قليلاً أمام الباب الذي يحمل الرقم 307، وتوقعت أن تطرح عليّ أمي وأختي أسئلة عديدة. سألتُ غايل: «ماذا سأخبرهما عن المقاطعة 12؟».

لمسَ غايل خدّي: «أشك في أنهما ستسألانك عن أيّ تفاصيل. رأتا كل شيء يحترق في المقاطعة. أعتقد أنهما ستقلقان بشأن رد فعلك، أي مثلي أنا».

ضغطت خدّي على يده للحظة، ثم قلت: «سأكون على ما يرام».

أخذت نَفَساً عميقاً وفتحت الباب. ستعود والدتي وشقيقتي إلى المنزل، وبحسب البرنامج المرسوم، من أجل جلسة 18:00 – التأمل،

24

وهي الفترة التي تستمر نصف ساعة من الاستراحة قبل تناول طعام العشاء. لاحظت نظرة القلق المرتسمة على وجهيهما وهما تحاولان تقدير حالتي النفسية. لم أنتظر سؤالاً من أيّ منهما بل أفرغت حقيبة الصيد، وهكذا تحوّل البرنامج إلى 18:00 – التعاطف مع الهر. اكتفت بريم بالجلوس على الأرض، وبكت وهي تؤرجِح الحوذان المرعب الذي لم يقطع خرخرته إلا كي يفحّ نحوي بين حينٍ وآخر. وجّه الهر نحوي نظرة متعجرفة عندما ربطت شقيقتي ذلك الشريط الأزرق حول رقبته.

أما والدتي فقد ضمّت صورة زفافها إلى صدرها بشدة، ثم وضعتها مع كتاب النباتات في الخزانة التي تحتوي على عددٍ من الأدراج؛ وهي الخزانة التي قدّمتها لنا السلطات. ثم علّقت سترة والدي على الكرسي وهكذا بدا المكان، للحظة، وكأنه منزل. استنتجت أن رحلتي إلى المقاطعة 12 لم تكن مضيعة للوقت تماماً.

بدأ جهاز اتصالات غايل بالرنين في أثناء نزولنا إلى قاعة الطعام، وذلك في فترة 18:30 – العشاء. بدا الجهاز مثل ساعةٍ كبيرة، لكنه قادر على استقبال رسائل مطبوعة. ليس باستطاعة أي شخص الحصول على جهاز اتصال لأنه امتياز مخصصٌ للأشخاص المهمّين للقضية، وهو مركزٌ تمكّن غايل من التأهل له بإنقاذه مواطني المقاطعة 12. قال لي: «إنهم يحتاجون إلينا نحن الاثنين في مركز القيادة».

سرت خلف غايل بعدة خطوات، وحاولت استجماع شجاعتي قبل استسلامي لما أعرف أنه جلسة طائرٍ مقلّدٍ مؤلمة. ترددت قليلاً أمام باب مركز القيادة، وهو عبارة عن قاعة اجتماعات مجلس حرب ذي تقنية عالية. كانت القاعة مجهزة بجدرانٍ ناطقة، وخرائط إلكترونية تُظهر تحركات الجنود في مختلف المقاطعات، وكذلك ظهرت طاولة عملاقة مستطيلة الشكل تشتمل على لوحات تحكمٍ يُمنع عليّ لمسها. لم يلاحظني أحد

لأنهم كانوا متجمعين أمام شاشة تلفزيونية في الطرف الآخر من القاعة، التي كانت تنقل بثّ تلفزيون الكابيتول على مدار الساعة. فكرت في إمكانية مغادرتي عندما لمحني بلوتارك الذي كان يحجب عني شاشة التلفزيون بجسمه الضخم. أشار إليّ ملحاً للانضمام إليهم. تقدمت إلى الأمام بتردد، وحاولت أن أتخيّل مدى أهمية الأمر بالنسبة إليّ. يتكرّر الأمر ذاته على الدوام: شريط عن الحرب، تليه دعاية، ثم إعادة بثّ مشاهد قصف المقاطعة 12. جاءت بعد ذلك تلك الرسالة المشؤومة من الرئيس سنو، وهكذا كان من المسلي تقريباً مشاهدة سيزار فليكرمان، وهو المضيف الدائم في مباريات الجوع، والذي يظهر مرتدياً بذلته البراقة في أثناء تحضيراته لإجراء مقابلة. استمر المنظر على تلك الحال إلى أن تراجعت الكاميرا إلى الخلف، ولاحظت أن ضيفه هو بيتا.

صدرت عنّي صرخة مكتومة. كانت تلك الصرخة تماثل مزيجاً من شهقاتٍ وأنين ناتجة عن إغراق شخصٍ ما في المياه من دون السماح له بالحصول على الأكسجين إلى حدّ الشعور بالألم. دفعتُ الحاضرين جانباً إلى أن أصبحت أمامه ولمست الشاشة بيدي. بحثت في عينيه عن أي علامة تدل على تعرضه للأذى، وأي دليلٍ يوحي بالألم الناتج عن التعذيب. لم أجد أي إشارة إلى التعذيب. بدا بيتا بصحة جيدة وقوي البنية. كانت بشرته متوردة من دون عيوب، وملتمعة، وكأنه دَهَنَ جسمه بالكامل. رأيته رابط الجأش وجديّ الملامح. عجزت عن التوفيق بين صورته هذه وبين صورة ذلك الشاب المنهك والنازف التي تلاحقني في أحلامي.

جلس سيزار براحة أكبر على مقعده مقابل بيتا، ونظر إليه مطولاً ثم قال له: «إذاً... أهلاً بك مجدداً... يا بيتا».

ابتسم بيتا قليلاً ثم قال: «أراهن أنك ظننت أنك قد أجريت معي آخر مقابلة لك يا سيزار».

26

قال سيزار: «أعترف بأن هذا صحيح. إنك تعني في الليلة التي سبقت المباريات الربعية... حسناً، من كان يظن أننا سنراك مجدداً؟».

قال بيتا عابساً: «لم يكن ذلك من ضمن خطتي، هذا مؤكد».

انحنى سيزار نحوه قليلاً قائلاً: «أعتقد أن خطتك قد توضحت لنا جميعاً. أردتَ أن تضحي بنفسك في الميدان كي تتمكن كاتنيس إيفردين وطفلك من البقاء على قيد الحياة».

مرّر بيتا أصابعه على الجزء المنجّد من ذراع المقعد، وقال: «هذا ما حدث. وهو واضح وبسيط. لكن الآخرين يمتلكون خططهم كذلك».

استغرقت في التفكير، أجل، يمتلك الآخرون خططهم. إذاً، هل خمّن بيتا كيفيّة استخدامنا الثوار كبيادق؟ وكيف أن عملية إنقاذي قد خُطِّط لها منذ البداية؟ وأخيراً، كيف أن مرشدنا هايميتش آبرناثي قد خاننا كلينا من أجل قضية سبق أن ادّعى أنها لا تهمه أبداً.

لاحظت في فترة الصمت التي تلت، ومن خلال الخطوط التي تكونت بين حاجبَي بيتا، أنّه إما قد خمّن ذلك، أو أن شخصاً ما قد أخبره. لكن الكابيتول لم تقتله ولم تعاقبه. تعدى ذلك أقصى آمالي في الوقت الحاضر. ارتحت كثيراً لسلامته؛ لسلامة جسده وعقله. سرى هذا الارتياح في أوصالي مثل سريان المورفلنغ الذي أعطوني إياه في المستشفى، وهو الذي سكّن أوجاعي في الأسابيع الأخيرة.

قال سيزار مقترحاً: «لماذا لم تخبرنا بهذا في تلك الليلة الأخيرة في الميدان؟ أريدك أن تساعدنا على فهم بعض الأمور».

أومأ بيتا، لكنه تحدث بشيء من التفصيل: «في تلك الليلة الأخيرة... إذا أردت أن أخبركم عن تلك الليلة الأخيرة... حسناً، أريدكم أن تتخيلوا قبل كل شيء الأوضاع في الميدان. يشبه الأمر حشرة علقت تحت إناء مليء بهواء ساخن. تحيط بك الغابة من كل جانب... الغابة الكثيفة

27

الخضراء المليئة بالحياة. أما الساعة العملاقة التي تُنذر بالخطر فهي تُخفي مع كل ساعة تمرّ رعباً جديداً. يمكنك التخيّل أنه في اليومين الماضيين مات ستة عشر شخصاً، وبعضهم ماتوا وهم يدافعون عني. وسيموت ثمانية آخرون بحسب هذا المعدل عند حلول الصباح. سيموتون جميعاً عدا واحداً: المنتصر. يحدث هذا في حين كانت خطتي تقضي بألاّ أكون أنا الفائز».

تعرّق جسدي عند استعادتي تلك الذكرى. انزلقت يدي بيأس نزولاً فوق الشاشة، ثم انسدلت إلى جانبي من فرط الدهشة. لا يحتاج بيتا إلى فرشاة كي يرسم صوراً من المباريات. إنه ينجح في ذلك مستخدماً الكلمات.

تابع بيتا كلامه: «ما إن تدخل الميدان حتى يتباعد عنك العالم الخارجي كثيراً، فيتلاشى عند ذلك كل الأشخاص الذين تحبهم، وكل الأشياء التي اعتدت عليها، أو اهتممت بها. تتحول السماء زهرية اللون، والوحوش التي تملأ الغابة، والمجالدون إلى واقعك النهائي؛ وهو الواقع الذي لا يهمك غيره. يتعيّن عليك أن تقتل بعض الأشخاص مهما كان نوع الشعور السيِّئ الذي يولّده هذا العمل في نفسك، وذلك لأن المرء يمتلك رغبةً واحدة فقط، وهي رغبة مكلفة جداً».

قال سيزار: «تكلّفك هذه الرغبة حياتك».

قال بيتا: «أوه! كلا، إنها تكلّفك أكثر من حياتك. أتعرف أن قتلَ الأبرياء يكلّفك كلّ ما أنت عليه؟».

كرّر سيزار بهدوء: «كلّ ما أنت عليه».

خيّم صمتٌ ثقيل على الغرفة، لكنّني شعرت بأن هذا الصمت ينتشر عبر بانيم بأكملها، ويخيّم على هذه البلاد التي ينحني سكانها أمام شاشات التلفزيون. يعود سبب هذا إلى أن أحداً لم يتحدث قطّ عما جرى في

الميدان من قبل.

مضى بيتا في حديثه: «وهكذا تتمسك برغبتك. أما أنا، فكانت رغبتي في تلك الليلة الأخيرة هي إنقاذ كاتنيس. شعرت بأن هذه الرغبة ليست صواباً حتى من دون علمي بشأن المتمردين. كان كل شيء معقّداً جداً. شعرت بالندم الشديد لأنني لم أهرب معها في وقتٍ سابق من ذلك اليوم كما سبق أن اقترحت. لكن، كان من المستحيل مغادرة المكان في تلك المرحلة».

قال سيزار: «كنت منشغلاً جداً بخطة بيتي لكهربة بحيرة المياه المالحة».

ردّ بيتا بانفعالٍ شديد: «كنت منشغلاً جداً بالتظاهر بأنني متحالف مع الآخرين. ما كان يجدر بي أن أسمح لهم بالتفريق بيننا! فقدتها عند تلك النقطة».

قال سيزار موضحاً: «أي عندما بقيتَ قرب شجرة البرق، بينما أخذت هي وجوانا مايسون لفة الأسلاك نزولاً حتى المياه».

انفجر بيتا غاضباً: «لم أرغب في ذلك! لكنّني لم أتمكن من مجادلة بيتي من دون التلميح إلى أننا كنا على وشك الانفصال عن التحالف. تفجّر كل شيء عندما قُطع ذلك السلك. إنني أتذكر جيداً كل تلك الشظايا والقطع المتطايرة. حاولت إيجادها، وشاهدت بروتوس عندما قتل شاف. قتلتُ بروتوس بنفسي بعد ذلك. أعرف أنها كانت تناديني باسمي. ضربت الصاعقة الشجرة بعد ذلك، وما لبث حقل الطاقة في الميدان... أن تفجّر».

قال سيزار: «كاتنيس هي التي فجّرته يا بيتا. سبق لك أن رأيت الشريط المصوّر الذي يعرض ذلك».

قاطعه بيتا بحدة: «لم تكن تعرف ما تفعله، ولم يكن في وسع أي واحدٍ منا فهم الخطة التي وضعها بيتي. يمكنك أن تراها في الشريط

29

المصوّر وهي تحاول فهم ما يمكنها عمله بذلك السلك».

قال سيزار: «حسناً، يبدو الأمر مريباً. وكأنّ ذلك كان جزءاً من خطة الثوار منذ البداية».

هبّ بيتا واقفاً، وانحنى نحو سيزار، وقرّب وجهه من وجه هذا الأخير، وأمسك بقبضتيه ذراع مقعد الرجل الذي يُجري معه المقابلة، وبدأ بالصراخ عند هذه النقطة: «حقاً؟ وهل كانت محاولة جوانا قتلها جزءاً من الخطة؟ وهل كانت تلك الصدمة الكهربائية التي هدفت إلى شلّ حركتها جزءاً من الخطة كذلك؟ وكذلك إطلاق كل تلك التفجيرات؟ لم تكن تعرف يا سيزار! لم يكن أحدنا يعرف شيئاً إلا أن كل واحدٍ منا كان يحاول إبقاء الآخر على قيد الحياة!».

وضع سيزار يده على صدر بيتا لتهدئته، وفي إشارة تدل في الوقت ذاته على حماية النفس والرغبة في المصالحة، وقال له: «حسناً يا بيتا، أنا أصدّقك».

ابتعد بيتا عن سيزار، وأبعد يديه عن مقعده كذلك، ومرّر أصابعه بين شعره، ثم عبث بخصلات شعره الأشقر المسرحة بعناية، واسترخى بعد ذلك على مقعده وهو في حالةٍ من الذهول.

انتظر سيزار للحظة، وراح يتفحص بيتا ثم سأله: «ماذا بشأن مرشدك، هايميتش آبرناثي؟».

تصلّب وجه بيتا: «لا أعرف ما الذي كان هايميتش يعرفه».

سأل سيزار: «أيُحتمل أنه كان جزءاً من المؤامرة؟».

قال بيتا: «لم يذكر ذلك قطّ».

عاد سيزار إلى إلحاحه: «وماذا يقول لك قلبك؟».

قال بيتا: «يقول لي إنه ما كان يجدر بي أن أثق به. هذا كل شيء».

لم أشاهد هايميتش منذ أن هاجمتُه على متن الحوّامة، وهو الأمر

الذي ترك خدوشاً طويلة على وجهه. أعرف أن وضعه هنا لن يكون مريحاً، وذلك لأن المقاطعة 13 تمنع منعاً باتاً إنتاج أي كمية كانت من المشروبات أو استهلاكها، حتى إن استخدامها كمطهر في المستشفيات يُعتبر ممنوعاً. أُجبر هايميتش في نهاية الأمر على أن يظل في حالة الصحو، ولم يعد يخفي أي زجاجات، كما حُرِم من الشراب الذي يحضّر في المنازل، وذلك من أجل تسهيل عملية تخليصه من الإدمان على الشراب. فُرضت على هايميتش حالة من العزل إلى أن يشفى تماماً، وذلك لأنه اعتُبر في حالة لا تسمح له بالظهور علناً. أعتقد أن الأمر كان مؤلماً بالنسبة إليه، لكنّني فقدت أي تعاطف مع هايميتش عندما علمت أنه خدعنا. إنني أتمنى لو أنه يشاهد ما تبثّه الكابيتول في هذه اللحظة، وذلك كي يعرف أن بيتا قد فضحه بدوره.

ربّت سيزار في هذه اللحظة على كتف بيتا قائلاً: «يمكننا أن نتوقف الآن إذا أردت».

قال بيتا بلهجةٍ ساخرة: «وهل هناك شيء آخر نتحدث عنه؟».

بدأ سيزار بالقول: «كنت سأسألك عن أفكارك بشأن الحرب، لكنك إذا كنت منزعجاً...».

أخذ بيتا نَفساً عميقاً، ثم تطلع نحو الكاميرا مباشرة وقال: «أوه! لست منزعجاً إلى درجة أنني أعجز عن الإجابة عن هذا السؤال. أريد من كل المشاهدين – سواء أكانوا من جهة الكابيتول أم من جهة المتمردين – أن يتوقفوا للحظة واحدة كي يفكروا في ما يُمكن أن تعنيه الحرب بالنسبة إلى البشر. هل نسينا أنه سبق لنا أن خضنا حرباً كادت أن تتسبّب بانقراضنا من قبل؟ ألم نلاحظ أن أعدادنا أصبحت أقل، وأن أوضاعنا أصبحت أكثر دقة؟ هل هذا هو ما نريد أن نفعله حقاً؟ هل نريد إفناء أنفسنا كليًّا؟ وعلى أمل ماذا؟ هل نفعل ذلك كي يأتي جنسٌ آخر أكثر رقياً، ويرث ما تبقّى من هذه الأرض التي يتصاعد منها الدخان؟».

قال سيزار: «إنني لا... أفهمك في واقع الأمر...».

مضى بيتا مفسراً: «لا يمكننا الاستمرار بمقاتلة بعضنا بعضاً. فعندها، لن يتبقى منا عدد كافٍ كي تستمر الحياة. وإذا لم يلقِ كل واحد منا أسلحته، وأعني في أسرع وقتٍ ممكن، فإن كل شيء سينتهي على أي حال».

سأل سيزار: «إذاً... هل تدعو إلى وقف إطلاق النار؟».

قال بيتا بصوتٍ متعَب: «أجل. إنني أدعو إلى وقف إطلاق النار. لماذا لا نطلب الآن من الحراس أن يعيدوني إلى المركز كي أبني مئات المنازل الكرتونية الأخرى؟».

التفت سيزار نحو الكاميرا: «حسناً. أعتقد أن هذا يختم المقابلة. سنعود إلى برامجنا المعتادة».

ترافقت الموسيقى مع مشهد ختام المقابلة، وسرعان ما ظهرت امرأة قرأت لائحة بالمواد التي يتوقّع ظهور النقص فيها في الكابيتول: الفواكه الطازجة، والبطاريات التي تُشحن على الطاقة الشمسية، والصابون. راقبت المذيعة بتركيزٍ غير معهود، وذلك لأنني أعرف أن الجميع ينتظرون رؤية ردّ فعلي على المقابلة. أخفيت عنهم كل مشاعر البهجة التي شعرت بها عندما رأيت بيتا حياً وسليماً من الأذى، وعندما سمعت دفاعه عني وتركيزه على براءتي من التعاون مع المتمردين، وعندما لاحظت التواطؤ الواضح من جهته مع الكابيتول عندما دعا إلى وقف إطلاق النار. بدا أنه يدين الطرفَين المشاركَين في الحرب. لكن وقف إطلاق النار في هذه المرحلة التي شهدت انتصارات محدودة للثوار، سيُسفر عن العودة إلى أوضاعنا السابقة؛ أو ربما عمّا هو أسوأ منها.

سمعت خلفي أصواتاً تدين ما قاله بيتا. ترددت كلمات مثل خائن، كاذب، وعدو بين جدران القاعة. قررت أنه لا يمكنني الشعور بالغضب من الثوار أو مواجهتهم، ولذا، فإن أفضل شيء يمكنني عمله هو الانسحاب.

اقتربت من الباب، لكنّني سمعت صوت كوين يرتفع من بين كل الأصوات الأخرى: «لا نسمح لكِ بالمغادرة أيتها الجندية إيفردين».

وضع أحد رجال كوين يده على ذراعي. كنت أعرف أنها ليست حركة عدائية في واقع الأمر، لكن بعد كل الذي جرى في الميدان أصبحت أتصرف بطريقة دفاعية لدى كل لمسة غير معتادة. لذا، حررت ذراعي، وبدأت بالركض نزولاً. سمعت خلفي أصوات عراك، لكنّني لم أتوقف. أجرى عقلي مسحاً سريعاً لأماكن اختبائي القديمة، لكن انتهى بي الأمر بالاختباء في خزانة مخصصة للتجهيزات، وتكوّرتُ قرب صندوقٍ من الطبشور.

همست لنفسي: أنا حيّة. ضغطت براحتَي يديّ على خدّيّ، وشعرت بأنني أبتسم ابتسامة عريضة كانت أقرب ما يكون إلى تكشيرة. فرحت لكون بيتا حياً. إنه خائن، لكنّني لم أكترث بذلك في هذه اللحظة. لم أكترث بما قاله، أو لصالح من قاله، لكنّني فرحت لأنه لا يزال قادراً على الكلام.

فُتح الباب لفترة، ودخل شخصٌ ما إلى الغرفة. تسلّل غايل إلى جانبي، لكن أنفه كان ينزف دماً.

سألته: «ماذا حدث؟».

أجابني وهو يهزّ كتفيه: «هاجمني بوغز». استخدمتُ كمّ قميصي كي أمسح أنفه، فقال: «انتبهي!».

حاولت أن أكون أكثر لطفاً: «أي واحدٍ هو؟».

«أوه! أنتِ تعرفينه. إنه يد كوين اليمنى، والرجل الذي حاول إيقافك». دفعَ غايل يدي بعيداً عنه: «توقفي! ستسببين حدوث نزيف يؤدي إلى موتي».

تحولت قطرات الدماء إلى سيلٍ مستمر. توقفت عن محاولة إسعافه بهذه الطريقة وسألته: «هل تعاركتَ مع بوغز؟».

قال غايل: «كلا، لكنّني وقفت عند الباب عندما حاول اللحاق بك،

فاصطدم مرفقه بأنفي».

قلت: «يُحتمل أنهم سيعاقبونك».

«لقد فعلوا ذلك حقاً». رفع معصمه قليلاً. حدّقت إليه من دون أن أستوعب ما حدث له. «انتزعت كُوين جهاز الاتصال الخاصّ بي».

عضضتُ شفتي، لكنّني حاولت أن أبقى هادئة. بدت السخرية في نبرتي عندما قلت له: «أنا آسفة، أيها الجندي غايل هوثورن».

قال مبتسماً: «لا تأسفي أيتها الجنديّة كاتنيس إيفردين. كنت أشعر بأنني أحمق عندما كنت أتجوّل حاملاً ذلك الجهاز». بدأنا بالضحك معاً قبل أن يُكمل: «أعتقد أنهم أخفضوا رتبتي».

إنها إحدى الميزات الجيدة القليلة التي تتواجد في المقاطعة 13. استعدتُ غايل، واختفت كل الضغوطات التي مارسها الكابيتول بشأن زواجي، وهكذا تمكنّا من استعادة صداقتنا. لم يحاول غايل الضغط عليّ من أجل تعميق صداقتنا كأن يقبّلني أو يتحدّث إليّ بكلمات الحب. إمّا لأنني كنت في تلك الفترة مريضة جداً، أو لأنه حاول إعطائي المزيد من الوقت، وإما لأنّه يعرف أن بيتا يقاسي عذاباً قاسياً وهو في قبضة الكابيتول. لكن، مهما يكن الأمر، فقد حصلت على شخصٍ يمكنني مقاسمته أسراري.

قلت له: «من هم هؤلاء الناس؟».

أجاب: «إنهم نحن، لو كنا نمتلك أسلحة نووية بدلاً من كتلٍ محدودة من الفحم».

قلت: «أعتقد أن المقاطعة 12 ما كانت لتتخلى عن بقية الثوار في حقبة الأيام المظلمة».

قال غايل: «يُحتمل أننا كنا سنفعل ذلك لو كان الخيار بين هذا التخلي، أو البدء بحربٍ نووية. أعتقد أن تمكّنهم من النجاة ضرب من الخيال».

أعطيت سكان المقاطعة 13، وللمرة الأولى، شيئاً يستحقونه، وهو شيء حجبته عنهم لفترة طويلة: الفضل. يُحتمل أن ذلك يعود إلى رماد مقاطعتي الذي لا يزال عالقاً في حذائي. أعطيتهم الفضل لأنهم بقوا على قيد الحياة بالرغم من كل المخاطر التي تحيط بهم. أعرف أن تلك السنوات الأولى كانت مريعة بالنسبة إليهم، لأنهم مكثوا في حجرات تحت الأرض بعد أن سويت مدينتهم بالأرض نتيجة القصف. قُتل في تلك الأيام عدد كبير من السكان، ولم يجدوا أيَّ حليفٍ محتمل يمكنهم اللجوء إليه لطلب المساعدة. تعلّم السكان عبر السنوات الخمس والعشرين الماضية الاكتفاء الذاتي، وحوّلوا مواطنيهم إلى جيش، وكوّنوا مجتمعاً جديداً من دون مساعدةٍ من أحد. أعرف أنه كان من الممكن أن يكونوا أقوى لولا وباء الزهري الذي أسفر عن تقليص عدد الولادات عندهم، وجعلهم يسعون يائسين للحصول على مصادر جيناتٍ جديدة من آباء جدد. يُحتمل أنهم تشبعوا بالروح العسكرية، وأنهم مبرمجون بشكلٍ مفرط، ويفتقدون قليلاً إلى روح المرح. لكنهم متواجدون هنا، ومستعدون للسيطرة على الكابيتول.

قلت: «لقد تطلب منهم الأمر مدة طويلة قبل أن يظهروا على مسرح الأحداث».

قال لي: «لم يكن الأمر سهلاً. تعيّن عليهم تشييد قاعدة مقاومة في الكابيتول، وكذلك تعيَّن عليهم الحصول على بعض التنظيم السري في المقاطعات الأخرى. احتاجوا بعد ذلك إلى الحصول على شخصٍ ما يتمكن من تحريك الأمر برمته. احتاجوا إليك».

أجبته: «احتاجوا إلى بيتا أيضاً. لكن، يبدو أنهم نسوا ذلك».

تصلّبت ملامح غايل: «يُحتمل أن يكون بيتا قد أحدث ضرراً كبيراً هذه الليلة. أعتقد، بطبيعة الحال، أن معظم الثوار سيرفضون ما قاله على

الفور. لكن، هناك مقاطعات لا تزال مترددة. إن فكرة وقف إطلاق النار من اقتراح الرئيس سنو من دون شك، لكنها بدت معقولة عندما خرجت من فم بيتا».

سألته بالرغم من خشيتي من جوابه: «برأيك، ما هو السبب الذي دفعه إلى قول ما قاله؟».

«يحتمل أنه تعرّض للتعذيب، أو أنهم تمكّنوا من إقناعه. أعتقد أنه عقد صفقة تهدف إلى حمايتك. يقترح بيتا بموجب هذه الصفقة فكرة وقف إطلاق النار مقابل أن يسمح له سنو بتقديمك على أنك تلك الفتاة الحامل مشوّشة الأفكار، التي لا تمتلك فكرة عما جرى عندما أسرها الثوار. ستتوفر عند ذلك الفرصة لإظهار بعض اللين تجاهك إذا خسرت المقاطعات. هذا إذا لعبتِ دورك جيداً». يبدو أنني أظهرت بعض الحيرة، لأن غايل قال جملته التالية ببطءٍ شديد. «كاتنيس... لا يزال بيتا يحاول إبقاءك على قيد الحياة».

إبقائي على قيد الحياة؟ فهمت كل شيء بعد ذلك: لا تزال المباريات جارية. تركنا ذلك الميدان. لكن، بسبب نجاتي أنا وغايل، لا تزال رغبته في الحفاظ على حياتي قائمة. تمثّلت فكرته في الاختفاء عن الأنظار، وأن أبقى آمنة حتّى وإن كنت سجينة، هذا بينما تستمر الحرب، وهكذا لن يتوفر للطرفين سبب لقتلي. لكن، ماذا سيحدث لبيتا؟ إذا ربح الثوار، فإن ذلك سيكون كارثة بالنسبة إليه. أما إذا ربح الكابيتول، فمن يعلم ماذا سيحدث؟ يُحتمل أن يُسمح لكلينا بالبقاء على قيد الحياة - هذا إذا قمت بدوري جيداً - وهكذا سنتمكن من مشاهدة المباريات في المستقبل...

تتابعت الصور في عقلي: الرمح الذي انغرز في جسم رو في الميدان، وغايل المعلّق على عمود الجلد في حالة فقدان الوعي، والجثث المنتشرة في براري مقاطعتي. تساءلت: لأجل ماذا حدث كل ذلك؟ لأيّ سبب؟

أحسست بأن دمي يغلي بعد أن تذكرت أموراً أخرى: المرة الأولى التي لمحت فيها بوادر الثورة في المقاطعة 8، وإمساك المنتصرين بأيدي بعضهم بعضاً في الليلة التي سبقت المباريات الربعية، وإطلاقي السهم على حقل الطاقة في الميدان، متمنّيّةً من كل قلبي أن ينغرز ذلك السهم عميقاً في قلب عدوي.

نهضت، وصدمت في أثناء نهوضي صندوقاً مليئاً بمئة قلم رصاص تبعثرت كلها على الأرض.

سألني غايل: «ما الأمر؟».

«لا يمكن أن يكون هناك وقفٌ لإطلاق النار». انحنيت كي أعيد أقلام الرصاص ذات الخط الداكن إلى صندوقها ثانية وقلت: «لا يمكننا التراجع الآن».

«أعرف ذلك». تناول غايل حفنة من أقلام الرصاص ووضعها على الأرض بشكلٍ منتظم.

«إن بيتا مخطئ لأنه قال تلك الأشياء؛ بغض النظر عن الأسباب التي دفعته إلى ذلك». لم تعد تلك العصيّ الغبية إلى الصندوق فتناولت عدداً منها وسط نوبة الإحباط التي شعرت بها.

انتزع غايل الصندوق من يدي، وأعاد ملأه بحركاتٍ سريعة ودقيقة: «أعرف ذلك. اتركي الأقلام لأنك ستكسرينها وتحوّلينها إلى قطعٍ صغيرة».

بدأت بالقول: «لم يعلم بعد ما فعلوه بالمقاطعة 12، وإذا لم يتمكن من رؤية ما حصل على الأرض...».

«كاتنيس، إنني لا أناقشك أو أجادلك. ولو كان بإمكاني أن أضغط على زرٍّ واحدٍ وأقتل كل إنسان يعمل لصالح الكابيتول لكنت فعلت، ومن دون أي تردد». وضع آخر قلمٍ في الصندوق ثم أغلق غطاءه. «لكن السؤال هو: ماذا ستفعلين أنتِ؟».

تبيّن لي أن هذا السؤال الذي يشغلني كثيراً ليس له إلاّ جواب واحدٌ محتمل. لكن، تعيّن على بيتا أن يجد ذريعة كي يحملني على فهمه.

ماذا سأفعل أنا؟

أخذت نَفَساً عميقاً، ورفعت ذراعيّ قليلاً وكأنني أستعيد الجناحين الأبيض والأسود اللذين أعطاني إياهما سينّا، ثم أخفضتهما إلى جانبيّ.

«سأكون الطائر المقلّد».

الفصل الثالث

عكست عينا الحوذان الوهج الضئيل لأنوار الأمان المتواجدة فوق الباب بينما كان مستلقياً فوق مرفق بريم. عاد الحوذان إلى العمل في حمايتها من الظلمة. نامت بريم إلى جانب والدتي. بدت شقيقتي ووالدتي وهما متعانقتان مثلما كانتا عليه في صبيحة يوم الحصاد الذي انتهى بإرسالي إلى المباريات لأول مرة. أما أنا، فأمتلك سريري الخاص لأنني لا أزال في فترة النقاهة، ولأن أحداً لم يعد بإمكانه أن يقاسمني السرير على أيّ حال، وذلك بسبب كوابيسي وكثرة حركتي في أثناء النوم.

تقبلت أخيراً أن هذه الليلة ستكون ليلة قلق بالنسبة إليّ وذلك بعد أن استمررت بالتحرك والتقلب لساعات عدة. سرت تحت أنظار الحوذان المراقبة على أطراف أصابعي فوق البلاط البارد نحو الخزانة.

يحتوي الدرج الأوسط في الخزانة على ثيابي التي أعطتني إياها الحكومة. يرتدي الجميع هنا سراويل وقمصاناً رمادية اللون. إنني أحتفظ تحت ملابسي ببضعة أشياء جلبتها معي عندما رفعوني من الميدان، مثل دبوس الطائر المقلّد، وتذكار من بيتا، والعلبة المذهبة التي تحتوي في داخلها على صور لوالدتي وبريم وغايل، ولفافة صغيرة تحتوي على أنبوب يساعد على تجميع لحاء الشجر، واللؤلؤة التي أعطاني إياها بيتا قبل ساعات قليلة من قيامي بتفجير حقل الطاقة. صادرت مني المقاطعة 13 الأنبوب الذي يحتوي على مرهمٍ للجلد يُستخدم في المستشفيات، وقوسي وسهامي، وذلك لأنه لا يُسمح بحمل الأسلحة إلا للحراس. لذا، وُضع قوسي وسهامي في مخزن للأسلحة.

بحثت عن اللفافة الصغيرة، ودسستُ أصابعي داخلها إلى أن عثرت

على اللؤلؤة فأطبقت أصابعي عليها. جلست على سريري، ووضعت رجلاً فوق أخرى، ثم مسحت بشفتيّ سطح اللؤلؤة ذات الألوان القزحية ذهاباً وإياباً. تشعرني هذه الحركة بالارتياح لسببٍ ما. وأشعر بأن الذي أعطاني إياها هو الذي يقبّلني بنفسه.

همست لي بريم: «كاتنيس». كانت مستيقظة وتحدّق إليّ وسط الظلمة ثم سألتني: «ما الأمر؟».

«لا شيء. إنه مجرد حلم مزعج. عودي إلى النوم». إنني أقوم بذلك بصورة آلية، وذلك لأنني أريد إبعاد بريم ووالدتي عما يجري.

حرصت بريم على عدم إيقاظ والدتي فنهضَت من السرير، وحملت معها الحوذان، ثم جلست إلى جانبي. لمست يدي التي تُطبق على اللؤلؤة قائلة: «إنك باردة». تناولت غطاءً إضافياً كان إلى جانب السرير، ثم نشرته فوقنا نحن الثلاثة فنقلت إلينا حرارة جسمها، والحرارة التي يبعثها فراء الحوذان. «يمكنك أن تقولي لي. تعرفين ذلك. إنني أحفظ الأسرار جيداً، ولا أخبر أحداً إيّاها؛ حتّى والدتي».

هكذا إذاً، لقد كبرت تلك الفتاة الصغيرة التي كان قميصها يتدلى من الخلف فيبدو مثل ذيل بطة؛ الفتاة التي كانت تحتاج إلى المساعدة كي تصل إلى الصحون، والتي كانت تتوسّل إليّ كي ترى قطع الحلوى المثلجة (frosted cakes) في واجهة المخبز. اضطرها الزمان والمآسي التي شهدتها إلى أن تكبر بسرعة كبيرة، وعلى الأقل كما أراها أنا، لتصبح شابة تتمكن من تقطيب الجروح النازفة. وأصبحت تعرف المدى الذي تتحمل والدتي سماعه.

قلت لها: «سأوافق غداً صباحاً على أن أصبح الطائر المقلّد».

سألتني: «هل ستوافقين لأنك ترغبين في ذلك، أم لأنك تشعرين بأنك مضطرة؟».

40

ضحكت قليلاً: «أعتقد أنهما الأمران معاً. كلا، أنا أريد ذلك. أنا مضطرة إلى القيام بذلك إذا كان هذا سيساعد الثوار على هزيمة سنو». شددت قبضتي على اللؤلؤة وتابعت: «لكن، يبقى... بيتا. أخشى أن يقدم الثوار على إعدامه بتهمة الخيانة إذا ربحنا الحرب».

فكّرت بريم قليلاً في هذا الكلام ثم قالت: «كاتنيس، لا أعتقد أنك تدركين كم أنتِ مهمة للقضية. لكنّ الأشخاص المهمّين يحصلون عادة على ما يريدونه. إذا أردتِ إبقاء بيتا بمأمنٍ من الثوار فستتمكنين من القيام بذلك».

أعتقد أنني شخصية هامة. بذل الثوار جهداً كبيراً من أجل إنقاذي، كما أخذوني إلى المقاطعة 12. «أتعنين... أنه يمكنني أن أطلب منهم منح بيتا الحصانة؟ وأنهم مضطرون إلى الموافقة على هذا الطلب؟».

«أعتقد أنك تستطيعين أن تطلبي أي شيء تقريباً، وسيضطرون إلى تلبيته». غضّنت بريم حاجبيها وتابعت: «لكن، كيف ستتأكّدين من أنهم سيفون بوعدهم؟».

تذكرت كل تلك الأكاذيب التي ردّدها هايميتش أمام بيتا وأمامي، وذلك كي يدفعنا إلى القيام بما أراده. ما الذي يمنع المتمردين من الرجوع عن وعودهم؟ إن الوعد الذي يُقطع من وراء أبوابٍ مغلقة، وحتى لو كان مكتوباً على الورق، يُمكن أن يتبخر بعد الحرب. يُمكن للثوار إنكار صدقيته أو حتى وجوده، كما أنه لن تؤخذ شهادة أولئك الذين هم في مركز القيادة، وستكون من دون قيمة. يُحتمل، في واقع الأمر، أن يكون هؤلاء هم الذين سيكتبون مذكرة إعدام بيتا. إنني أحتاج إلى مجموعة أكبر من الشهود، وسأحتاج إلى كل شخصٍ يمكنني إحضاره.

قلت: «لا بد من أن يكون الأمر علنياً». حرّك الحوذان ذيله بحركة سريعة فاعتبرتها علامة على الموافقة. «سأحمل كوين على إعلان ذلك أمام

41

جميع سكان المقاطعة 13».

ابتسمت بريم قائلة: «أوه! هذا جيّد. ومع أنها ليست ضمانة كافية، لكن ذلك سيصعّب عليهم نكث الوعد الذي قطعوه».

شعرت بذلك النوع من الارتياح الذي يتبع الوصول إلى حلٍّ حقيقي فقلت لها: «أعتقد أنني سأوقظك مرات أكثر أيتها البطة الصغيرة».

قالت بريم: «أراهن أنك ستفعلين ذلك». طبعت بريم قبلةً على خدّي قبل أن تضيف: «حاولي أن تنامي الآن، اتفقنا؟». كان ذلك ما فعلته حقاً.

لاحظت في ذلك الصباح أن الموعد 7:00 – الفطور يتبعه مباشرة الموعد 7:30 – مركز القيادة، وهو أمرٌ مناسب لأنني سأتمكّن من مباشرة تحركي. عرضت جدول عملي أمام جهاز مسح إلكتروني في قاعة الطعام، وهو الجدول الذي تضمّن شيئاً يشبه رقم بطاقة الهوية. دفعت صينيتي فوق الرف المعدني الذي يمر أمام أوانٍ كبيرة مليئة بأنواع الأطعمة. لاحظت أن طعام الفطور هو ذاته على الدوام: فهو عبارة عن وعاء مليء بالحبوب الساخنة، وكوب من الحليب، وكمية صغيرة من الفواكه أو الخضار. كان اليوم دور اللفت المهروس. تأتي كل الخضار والفاكهة من مزارع المقاطعة 13 الموجودة تحت الأرض. جلست إلى الطاولة المخصصة لعائلتَي إيفردين وهوثورن، وبعض اللاجئين الآخرين، وبدأت بتناول طعامي. تمنيت الحصول على المزيد من الطعام، لكن ذلك أمرٌ لا يُسمح به هنا. تتعامل السلطات هنا مع التغذية بشكلٍ علمي. يحصل المرء على ما يكفي من السعرات الحرارية التي تكفيه حتى يحين موعد الوجبة التالية؛ لا أكثر ولا أقل. والكمية التي توضع في الطبق تستند إلى عمر المرء، وطوله، ونوع بنيته، وصحته، وكمية العمل الجسدي الذي يتطلبه البرنامج. أما المواطنون الآتون من المقاطعة 12 فيحصلون على حصصٍ أكبر بقليل مما يحصل عليه السكان المحليون، وذلك في محاولة من السلطات لزيادة أوزاننا.

أعتقد أن الجنود ذوي البنية النحيلة يشعرون بالتعب في أوقات أقصر بكثير. مع ذلك ينجح الأمر. بدأنا في غضون شهرٍ بالظهور بصحةٍ أفضل، ويصدق هذا على الأولاد بشكلٍ خاص.

وضع غايل صينيته بالقرب من صينيتي، وحاولت ألاّ أحدّق بشهية إلى طبقه الذي يحتوي على اللفت المهروس، وذلك بالرغم من أنني أريد الحصول على المزيد وأنا أعرف أنه سرعان ما سيعطيني حصته. ركّزت على طي منديلي الورقي بطريقة مرتبة، لكن ملعقة اللّفت سرعان ما استقرت في طبقي.

قلت: «يجب أن تقلع عن ذلك». لم يكن كلامي مقنعاً لأنني بدأت بغرف اللفت المهروس بملعقتي وأنا أقول: «يُحتمل أن يكون ذلك عملاً غير مشروع، أو ما يشبه ذلك». وضعت السلطات قوانين مشددة بشأن الطعام. وإذا أراد المرء أخذ ما تبقى من طعامه كي يتناوله في ما بعد فلا يُسمح له بإخراجه من قاعة الطعام. يبدو أنه حدثت في الأيام الأولى محاولات لتخزين الطعام. اعتبر بعض الأشخاص، مثل غايل وأنا، والذين يحملون مسؤولية تأمين قوت أُسَرِهِم منذ سنوات طويلة، أن هذا الأمر لا يناسبهم. إننا نعرف ما معنى أن يكون المرء جائعاً، لكننا لا نريد أن يعطينا أحدٌ ما تعليمات حول كيفيّة التصرف بالأطعمة الموجودة بحوزتنا. أعتقد أن المقاطعة 13 هي أكثر تشدداً من الكابيتول في بعض النواحي.

قال غايل: «ماذا بإمكانهم أن يفعلوا؟ وعلى الأخص بعد أن صادروا مني جهاز الاتصال؟».

أفرغت طبقي من محتوياته، وخطرت فكرة في ذهني: «اسمع. يُحتمل أنه يتعيّن عليّ جعل هذا شرطاً لقبولي أن أصبح الطائر المقلّد».

قال لي: «أتعنين بأن يُسمح لي بإطعامك حصتي من اللّفت؟».

«كلا. أعني أن يُسمح لنا بالصيد». يبدو أن ذلك حاز على انتباهه

تماماً. «سنقدّم كل ما نحصل عليه إلى المطبخ، ومع ذلك ستتمكّن من...». لم أكن مضطرة إلى إكمال الجملة لأنه يعرف ما أعنيه. يمكننا أن نكون في أعالي الأشجار، هناك في الغابات، حيث يمكننا أن نكون على سجيّتنا مجدداً.

قال لي: «افعلي ذلك. هذا هو الوقت المناسب. يمكنك أن تطلبي القمر، وسيجدون طريقة لإعطائك إياه».

لم يعرف أنه سبق لي أن طلبت القمر عندما طلبت منهم إنقاذ حياة بيتا. قُرع الجرس الذي يُعلن انتهاء الوقت المخصّص لتناول الطعام، وذلك قبل أن أتمكن من تقرير ما إذا كان يجدر بي أن أخبره عن هذا الأمر أم لا. أصابتني فكرة مواجهة كوين بمفردي بالتوتر فسألته: «ما هو برنامجك المحدد لهذا اليوم؟».

تفحّص غايل ذراعه: «سأحضر صفّ التاريخ النووي. وبالمناسبة، لقد لاحظوا غيابك».

سألته: «يتعيّن عليّ الذهاب إلى مركز القيادة. هل ستأتي معي؟».

«حسناً، لكن يُحتمل أن يطردوني بسبب ما حصل البارحة». قال لي عندما نهضنا كي نسلّم صينيتينا الفارغتين: «أتعرفين؟ أعتقد أنه من الأفضل أن تضعي الحوذان ضمن لائحة شروطك. لا أعتقد أن فكرة اقتناء حيوانات أليفة عديمة الجدوى معروفة هنا».

قلت: «أوه! سيجدون له وظيفة، وربما سيقومون بوشم مخلبه كل صباح». لكنّني صمّمت على ضمّه إلى لائحتي من أجل بريم.

سبقتني كوين، وبلوتارك، وكل مساعديهما إلى مركز القيادة. مشاهدة غايل دفعت العديد من العيون للتحرك تعجباً، لكن لم يقم أحد بطرده. تشابكت المطالب في ذهني، ولذلك سارعت إلى طلب قصاصة من الورق وقلم. فوجئ الحاضرون باهتمامي الظاهر بالإجراءات الروتينية، وعلى

الأخص لأنها كانت المرة الأولى منذ قدومي إلى هنا. تبادل الحاضرون النظرات في ما بينهم. أعتقد أنهم حضّروا محاضرة ما شديدة الخصوصية يريدون إلقاءها على مسمعي. لم يحدث ما توقعته لأن كوين ناولتني شخصياً ما طلبته. انتظر الجميع بصمت بينما جلست إلى الطاولة كي أكتب طلباتي. الحوذان، الصيد، حصانة بيتا، وأن يُعلن هذا على الملأ.

هذا هو كل شيء. يُحتمل أن تكون هذه فرصتي الأخيرة للمساومة. فكّري، ماذا تريدين غير هذا؟ شعرت به واقفاً قرب كتفيّ. أضفت إلى لائحتي، غايل. لا أعتقد أنني أستطيع القيام بدوري من دونه.

شعرت بألم في رأسي وبدأت أفكاري بالتشابك. أغمضتُ عينيّ وبدأت بمراجعةٍ صامتة للائحتي.

اسمي كاتنيس إيفردين. أبلغ السابعة عشرة من عمري. قدمت من المقاطعة 12؛ وهي مقاطعتي. شاركت في مباريات الجوع. هربت. الكابيتول تكرهني. أُخذ بيتا أسيراً. إنه حي. إنه خائن لكنه حي. يتعيّن عليّ أن أُبقيه حياً...

اللائحة. بدت لي صغيرة جداً، لذلك يجب عليّ التفكير في تكبيرها إلى ما يتجاوز وضعي الراهن حيث أتمتع بأهمية قصوى؛ إلى المستقبل حيث يُمكن ألاّ أساوي شيئاً. ألا يمكنني أن أطلب المزيد؟ لأجل عائلتي على الأقل؟ أو لأجل من تبقى من شعبي؟ أحسستُ أن رماد الموت في المقاطعة 12 يُحرق جلدي. شعرت كذلك بذلك التأثير المقيت الذي أحسست به عندما اصطدم حذائي بالجمجمة، أما أنفي فقد شمّ رائحة الدماء والورود.

خطّ قلمي كلماته على الورقة على هواه. فتحت عينيّ فرأيت الأحرف التي تكاد أن ترتعش. سأقتل سنو. أريد أن أحظى بذلك الامتياز إذا ألقي القبض عليه.

سعل بلوتارك سعلةً رصينة: «هل أنهيت؟». أبعدتُ نظري فلاحظت الساعة. مضت عشرون دقيقة على جلوسي هنا. يبدو أن فينيك ليس الشخص الوحيد الذي يعاني من مشاكل في الانتباه.

قلت بصوتٍ أجش: «أجل». تنحنحت قليلاً: «أجل، هذا هو اتفاقنا. سأكون طائركم المقلّد».

انتظرت قليلاً كي يتمكنوا من التعبير عن ارتياحهم، وتهانيهم، ومن التربيت على أكتاف بعضهم بعضاً. بقيت كوين باردةً كعادتها، وراقبتني من دون تأثرٍ قطعاً.

سويت الورقة المجعدة وبدأت بالكلام: «لكن، لديّ بعض الشروط. ستتمكن أسرتي من الاحتفاظ بالهر». أطلق أقل طلباتي أهمية مناقشة كبيرة. رأى المتمردون في الكابيتول أنه لا أهمية لذلك، وأنني سأتمكن من الاحتفاظ بذلك الحيوان الأليف بطبيعة الحال، بينما بدأ أولئك في المقاطعة 13 بسرد الصعوبات الجمة التي تترافق مع هذا الأمر. اتفق الحاضرون في آخر الأمر على أن ننتقل إلى أعلى طابق، وهو الطابق الذي يتمتع بميزة امتلاك نافذة تعلو ثماني بوصات فوق مستوى سطح الأرض. وهكذا سيتمكن الحوذان من الدخول والخروج لقضاء حاجته، لكن، يبقى عليه أن يبحث لنفسه عن الطعام. أما إذا خرق قانون حظر التجوّل، فسيُسجن. وإذا تسبب بمشاكل أمنية فسيتعرّض للقتل على الفور.

بدت لي هذه الشروط مقبولة، لأن الأمور لن تتغيّر كثيراً عما اعتاده منذ مغادرتنا، باستثناء القسم المتعلق بإطلاق النار عليه. يمكنني أن أهرّب إليه بعض الأحشاء إذا كان نحيفاً جداً، هذا إذا قبلوا طلبي التالي.

قلت: «أريد أن يُسمح لي بالصيد في الغابات، وبرفقة غايل». فرضت كلماتي هذه جواً من الصمت على الجميع.

أضاف غايل: «لن نتوغّل كثيراً في الغابة. كما أننا سنستخدم الأقواس

46

الخاصة بنا. يمكنكم أن تحتفظوا باللحوم في مطبخكم».

أسرعت لإكمال حديثي قبل أن يتمكنوا من رفض طلبي: «كل ما في الأمر... هو أنني لا أستطيع العيش وأنا معزولة هنا مثل... سأتحسّن، وبسرعة أكبر، إذا... تمكنت من الصيد».

بدأ بلوتارك بشرح العوائق الموجودة هنا: الأخطار، والترتيبات الأمنية الإضافية، والتعرّض للإصابة، لكن كوين قاطعته قائلة: «كلا، دعهما. أعطهما ساعتين كل يوم على أن تُحسما من أوقات تدريبهما، وبشرط أن تكون مساحة الصيد بشعاعٍ يبلغ ربع ميل. سيحصلان على أجهزة اتصال وأساور التتبع. ما هو الشرط التالي؟».

تفحصت لائحتي وقلت: «غايل. أحتاج إليه، ليقوم بالأمر معي».

سألَت كوين: «وكيف سيكون معك؟ هل سيكون بعيداً عن كاميرات التصوير؟ أتريدينه أن يكون إلى جانبك على الدوام؟ أم تريدين تقديمه على أساس أنه حبيبك الجديد؟».

لم تقل هذه الجملة الأخيرة بنبرة حقد، بل على العكس تماماً، بدت كلماتها كأمر واقع. لكنّني فغرت فمي من فرط الصدمة وقلت: «ماذا؟».

قال بلوتارك: «أعتقد أنه يجب عليّ الاستمرار بقصّة حبها الحالية. إن انفصالها عن بيتا بهذه السرعة يُمكن أن يُفقدها تعاطف الجمهور معها، وعلى الأخص لأن الجميع يعتقد أنها حاملٌ بطفله».

قالت كوين: «موافقة، وسيكون ذلك على الشاشة. يمكننا تقديم غايل، بكل بساطة، بوصفه أحد الزملاء من الثوار. هل توافقين على ذلك؟». اكتفيت بالتحديق إليها. كرّرَت ما قالته بصبر: «بالنسبة إلى غايل، هل سيكون ذلك كافياً؟».

قالت فولفيا: «يمكننا معاملته على أنه ابن عمك».

قلت أنا وغايل بصوتٍ واحد: «إننا لسنا ابنَيّ عمّ».

قال بلوتارك: «حسناً، لكن ربما ينبغي لنا أن نتظاهر بأنكما ابنا عمّ أمام كاميرات التصوير. أما بعيداً عن هذه الكاميرات، فسيكون تحت تصرفك. هل من شيء آخر؟».

ذُهلت ممّا آلَ إليه هذا الحديث. إن كل التلميحات إلى أنه يمكنني التخلص من بيتا بكل سهولة، وأنني على علاقة حب مع غايل، وأن الأمر كله مجرد تظاهر جعلتني أغضب. بدأت أشعر بالحرارة الشديدة في خدّي. شعرت بالإهانة لمجرد وجود احتمال بأنني أخصّص وقتاً للتفكير في من أريد تقديمه على أنه حبيبي في هذه الظروف التي نعيشها. سمحت لغضبي بأن يدفعني إلى طلب أقصى ما يمكنني أن أطلبه: «أريد أن يُمنح بيتا عفواً إذا خرجنا منتصرين من هذه الحرب».

خيّم صمتٌ عميق. شعرت بأن جسم غايل يتوتر. أعتقد بأنه كان ينبغي لي أن أخبره عن الأمر في وقتٍ أبكر، لكنّني لم أكن متأكدة من رد فعله، وعلى الأخص إذا كان الأمر متعلّقاً ببيتا.

تابعت كلامي: «لا أريد أن يلحق به أي نوعٍ من العقاب». خطرت في ذهني فكرة أخرى. «ينطبق الأمر ذاته على المجالدَتين الأسيرتين جوانا وإينوباريا». في الواقع إنني لا أكترث بشأن إينوباريا، فهي المجالدة الشريرة من المقاطعة 2. إنني أكرهها في واقع الأمر. لكن، بدا لي أنه من غير الصائب أن أتركها لمصيرها.

قالت كوين بفتور: «لا».

أجبتها بحدة: «نعم، فهم ليسوا مسؤولين عن ترككم لهم في الميدان. من يعلم ما يفعله الكابيتول بهم؟».

قالت: «سيحاكمون مع مجرمي الحرب الآخرين، ويُعاملون بالطريقة التي تراها المحكمة مناسبة».

أحسستُ بأنني أرتفع عن مقعدي، وقلت بصوتٍ جهوري ترددت

أصـداؤه في القاعة: «سيُمنحون حصانة! أنتِ ستطلبين منحهم هذه الحصانة أمام جميع مواطني المقاطعة الثالثة عشرة، ومن تبقى من سكان المقاطعة 12. أريد أن يحدث ذلك على وجه السرعة من أجل الأجيال القادمة. ستتحملين أنتِ وحكومتكِ مسؤولية سلامتهم، أو يمكنك البحث عن طائرٍ مقلّدٍ غيري!».

ترددت أصداء كلماتي في الأجواء لفترةٍ طويلة.

سمعت فولفيا تهمس في أذن بلوتارك: «إنها هكذا! إن موقفها مؤقت فقط بزيّها، وأصوات إطلاق النار التي تُسمع من البعيد».

قال بلوتارك بصوتٍ مكتوم: «إن هذا هو ما نريده».

أردت أن أحملق بهما، لكنّني شعرت بأنه من الخطأ أن أحوّل انتباهي عن كوين. تمكنت من ملاحظتها وهي تحسب عواقب عرضي النهائي مقابل القيمة المحتملة التي أمثّلها بالنسبة إليها.

سأل بلوتارك: «ماذا تقولين أيتها الرئيسة؟ يمكنك أن تصدري عفواً رسمياً نظراً إلى الظروف الراهنة. لم يبلغ ذلك الولد... سن البلوغ بعد».

قالت كوين في النهاية: «حسناً. لكن، من الأفضل لك أن تؤدي دورك جيداً».

قلت: «سأبدأ بالعمل ما إن تصدري الإعلان».

قالت بلهجة آمرة: «أريد عقد اجتماعٍ لمجلس الأمن خلال الفترة المخصصة للتأمل. سأعلن الأمر في ذلك الوقت. هل بقي شيء على لائحتك يا كاتنيس؟».

تحولت اللائحة إلى كتلةٍ ورقية في قبضة يدي اليمنى. أعدت تسوية الورقة على الطاولة ثم قرأت الأحرف المرتعشة. «بقي أمر واحد وأخير. أريد أن أقتل سنو بنفسي».

لاحظت، وللمرة الأولى، شبح ابتسامة على شفتَي الرئيسة وهي

تقول: «سأوكل إليك الأمر عندما يحين الوقت».

يُحتمل أنها محقّة. لا أمتلك بالتأكيد الحق الحصري بإنهاء حياة سنو، وأعتقد أنه يمكنني الاعتماد عليها في القيام بهذه الوظيفة. «هذا يكفي بالنسبة إليّ».

تحولت عينا كوين إلى ذراعها، ونحو الساعة بالتحديد، فهي تمتلك، بدورها، برنامجها الخاص الذي تلتزم به. «سأتركها في عهدتك يا بلوتارك». خرجت الرئيسة من الغرفة، وما لبث فريقها أن تبعها، وهكذا لم يبقَ في الغرفة غيري أنا وبلوتارك، وفولفيا، وغايل.

استرخى بلوتارك على مقعده قائلاً: «ممتاز. ممتاز». وضع مرفقيه على الطاولة، وفرك عينيه قائلاً: «أتعلمون ما أحتاج إليه أكثر من أي شيء آخر؟ القهوة. هل تمانعين أن تتناولي شيئاً بعد الثريد (الهريسة) واللفت؟».

مضت فولفيا تقول في أثناء تمسيدها كتفي بلوتارك: «لم نعتقد أن الأمور صارمة جداً هنا. على الأقل في المراكز العليا».

قال بلوتارك: «اعتقدنا أن هناك مجالاً لأمور أخرى. أعني أنه حتى المقاطعة 12 تمتلك سوقاً سوداء، أليس كذلك؟».

قال غايل: «أجل، الهوب، أي حيث كنا نتبادل بعض السلع».

قال بلوتارك وهو يتنهد: «أرأيتما؟ هل لاحظتما كم أنتما على درجة عالية من الأخلاق!؟ أنتما غير فاسدين بالفعل. أوه! حسناً، لا تستمر الحروب إلى الأبد. إذاً، أنا مسرور لأنكما في فريقي». مدّ يده جانباً حيث كانت فولفيا تمسك بيدها دفتر رسومات ذا غلافٍ جلدي أسود اللون. أنتِ تعرفين يا كاتنيس ما نطلبه منك بشكلٍ عام. أعرف أنك تمتلكين مشاعر متضاربة في ما يتعلق بالمشاركة. آمل أن تساعدك هذه المشاركة».

دفع بلوتارك دفتر الرسومات نحوي من فوق سطح الطاولة. نظرت إليه بتشكك للحظة من الزمن. تملّكني شعور بالفضول بعد ذلك. فتحت

50

غلاف الدفتر فوجدت رسماً لي يمثّلني وأنا واقفة منتصبة القامة بكل قوة. أظهرني الرسم وأنا مرتدية زياً موحداً أسود اللون. كان يُمكن لشخصٍ واحدٍ أن يصمّم هذا الزي. بدا الزي عملياً بالكامل من النظرة الأولى، لكنه يبدو قطعة فنية عند التمعّن فيه بغطاء رأسه، ودرع صدره، والانتفاخ البسيط لكميه الذي يسمح للطيات البيضاء الموجودة تحت الذراعين بالظهور. تحولت على يديه إلى الطائر المقلّد مجدداً.

قلت هامسةً: «سينّا».

قال بلوتارك: «أجل. جعلني أعده بألاّ أريك دفتر الرسومات هذا إلا بعد أن تقرري من تلقاء نفسك أن تصبحي الطائر المقلّد. صدّقيني عندما أقول لك إنّني شعرت بدافعٍ شديد كي أتصفحه. هيا، تصفحيه».

قلّبت الصفحات ببطء، وتفحصت كل تفصيلٍ من تفاصيل الزي. تأملت الطبقات المفصّلة بعناية لدرع الصدر، والأسلحة المخبأة في الحذاء والحزام، والحماية الخاصة فوق منطقة قلبي. أما في الصفحة الأخيرة التي حملت رسم دبوس الطائر المقلّد، فقد رأيت ما كتبه سينّا بخط يده، مازلت أراهن عليك.

أحسست بأن صوتي يخونني عندما قلت: «ومتى...؟».

قال بلوتارك: «مهلاً. حسناً، حدث ذلك بعد الإعلان عن المباريات الربعية، وربما قبل أسابيع قليلة من المباريات؟ لا يقتصر الأمر على الرسومات، لأننا نمتلك أزياءك أيضاً. أوه! يمتلك بيتي شيئاً خاصاً بالفعل ينتظرك في مستودع الأسلحة. لا أريد أن أسلبك متعة المفاجأة».

قال غايل مبتسماً: «ستكونين أفضل من ارتدى ملابس الثوار في التاريخ». أدركت فجأة أنه كان ينتظر منّي اتخاذ هذا القرار مثلما فعل سينّا منذ البداية.

قال بلوتارك: «قضت خطتنا بشنّ هجومٍ عبر الهواء، وأن نبثّ سلسلة

مما نسميه الأفلام الدعائية التي تظهرك أنت، في أنحاء بانيم كافة».

قال غايل: «وكيف؟ يمتلك الكابيتول سيطرة كاملة على البثّ التلفزيوني».

«لكنّ بيتي بيننا. أعاد بيتي تصميم كل الشبكات تحت الأرض التي تبث كل البرامج. إنه يعتقد أن هناك فرصة معقولة لنجاح هذه العملية، كما نحتاج بطبيعة الحال إلى شيء نبثّه. إذاً، يمكنني القول يا كاتنيس إن الاستديوهات تنتظر تشريفك». التفت بلوتارك إلى مساعدته قائلاً: «فولفيا؟».

قالت فولفيا بصوتٍ ينضح بالبهجة: «تحدثت إلى بلوتارك عن طريقة تنفيذ هذا العمل. توصلنا إلى قناعة تفيد بأنه من الأفضل أن نكوّن شخصيتك؛ أنت قائدة ثورتنا، من الخارج... إلى الداخل. أعني أن نعثر على أكثر المظاهر روعة من مظاهر الطائر المقلّد التي يمكننا الحصول عليها، ثم نمضي بعد ذلك، وبأسرع وقتٍ في العمل على شخصيتك حتى تتلاءم معها!».

قال غايل: «لقد حصلتم على زيّها بالفعل».

«أجل. لكن، هل هي مجروحة ودامية؟ وهل تشع بنار الثورة؟ وإلى أي حدٍّ يمكننا وضع الوحول على وجهها من دون إثارة اشمئزاز الناس؟ يجب عليها، على أي حال، أن تكون شيئاً، أعني أن هذا»، اقتربت فولفيا مني بسرعة وأحاطت وجهي بيديها، «لن ينجح». أرجعت رأسي إلى الوراء بصورة غير إرادية، لكنها بدأت بالفعل بتجميع أغراضها قائلة: «فكّرنا، انطلاقاً من هذا، في إعداد مفاجأة أخرى لك. تعالي، تعالي».

أشارت فولفيا نحونا، لذلك سرت أنا وغايل وراءها، ووراء بلوتارك نحو القاعة.

همس غايل في أذني: «إن نيّتها حسنة، لكنها تبدو مهينة جداً».

تمتمت له بدوري: «أهلاً بك في الكابيتول». لم أتأثر بكلمات فولفيا. ضغطت بذراعيّ بشدة على دفتر الرسومات، وسمحت لنفسي بأن أشعر بالأمل، فإذا كان ذلك ما يريده سينّا، فلا بد من أنه القرار الصحيح.

استقللنا المصعد، وما لبث بلوتارك أن تفحص أوراقه قائلاً: «اسمحوا لي بلحظة. إنها الحجرة ثلاثة - تسعة - صفر - ثمانية». ضغط على زرٍّ يحمل الرقم 39، لكن لم يحصل شيء.

قالت فولفيا: «لا بد من أن يكون المفتاح معك».

سحب بلوتارك مفتاحاً مربوطاً بسلسلة رفيعة من تحت قميصه، ثم أدخله في فتحة لم يسبق لي أن لاحظتها، فانزلق الباب وانغلق.

هبط بنا المصعد عشرة طوابق، ثم عشرين، وبعد ذلك هبط ما يزيد على ثلاثين طابقاً، وهو عمق يزيد كثيراً عن أكبر عمقٍ لاحظته في المقاطعة 13. انفتح باب المصعد على ممر عريض مطلي باللون الأبيض ويشتمل على أبوابٍ حمراء، والتي بدت جميلة مقارنة مع الأبواب الرمادية التي شاهدتها في الطوابق الأعلى. حمل كل باب رقماً معيناً. 3901، 3902، 3903...

خرجنا من المصعد، وما لبثت أن نظرت ورائي فرأيت باب المصعد ينغلق، ثم رأيت شبكة معدنية تنزلق في مكانها أمام باب المصعد العاديّ. التفتّ فوجدت حارساً خارجاً لتوه من إحدى الغرف الموجودة في نهاية الممر. انغلق باب وراءه من دون إحداث أي صوت بينما كان يقترب منا.

اقترب بلوتارك منه كي يلتقيه، ورفع يده تحيةً له، وما لبثنا أن تبعناه جميعاً. أحسست بأنّ شيئاً ما ليس على ما يرام هنا. لا يتعلق الأمر فقط بالمصعد المزود بحماية إضافية، أو بالخوف الذي أحسست به من الأماكن المغلقة بسبب وجودي على هذا العمق، أو بسبب رائحة موادّ التعقيم. نظرت إلى وجه غايل فاستنتجت أنه يشم هذه الرائحة بدوره.

بدأ بلوتارك بالكلام: «صباح الخير، كنا نبحث عن...».

قال الحارس فجأة: «وصلتم إلى الطابق الخطأ».

دقّق بلوتارك بأوراقه مجدداً: «حقاً؟ لدي الرقم ثلاثة - تسعة - صفر - ثمانية. إنّه مكتوبٌ هنا. أتستطيع أن تتصل بـ...».

قال الحارس: «أخشى أن أقول لكم إنّه يتعيّن عليكم الرحيل الآن. يمكنكم المراجعة بالأخطاء عند الإدارة العامة».

كانت الحجرة التي تحمل الرقم 3908 أمامنا مباشرة، ولا تبعد عنا سوى خطوات قليلة. بدا هذا الباب - وفي الواقع جميع الأبواب الأخرى - غير كامل بسبب عدم وجود مقابض. أعتقد أن هذه الأبواب تتحرك بواسطة مفصلات، وهذا ما حصل للباب الذي ظهر منه الحارس.

سألت فولفيا: «وأين يمكننا إيجادها؟».

قال الحارس وهو يمدّ ذراعيه كي يحثّنا على العودة إلى المصعد: «ستجدون الإدارة العامة في الطابق السابع».

سمعنا صوتاً آتياً من وراء باب الحجرة 3908. كان نشيجاً ضعيفاً يشبه ذلك الصوت الذي يُطلقه كلب كي يتجنب الضرب، لكنه كان صوتاً بشرياً ومألوفاً. التقت عيناي بعينَي غايل هنيهة قصيرة، لكنها كانت طويلة بما يكفي بالنسبة إلى شخصين يعملان بالطريقة التي نعمل بها. أوقعت دفتر رسومات سينّا بالقرب من قدمي الحارس فأحدث قرقعةً عالية. انحنى الحارس بعد ذلك بلحظة واحدة كي يرفعه عن الأرض، فانحنى غايل بدوره، واصطدم برأس الحارس متعمّداً، ثم قال وهو يضحك: «أوه! أنا آسف». أمسك بذراعَي الحارس وكأنه فعل ذلك كي يتجنب الوقوع على الأرض. أبعدَ غايل بهذه الطريقة الحارس عني.

كانت هذه هي الفرصة التي أردتها. وثبت والتففت حول الحارس المرتبك، ودفعت الباب الذي يحمل الرقم 3908 فانفتح ورأيتهم. كانوا

شبه عراة. وبدت الكدمات على وجوههم وأجسامهم، وكانوا مقيدين إلى الجدار.

رأيت فريقي الذي يهتم بزينتي.

الفصل الرابع

شقّت الرائحة النتنة للأجساد التي لم تُغسل منذ فترة، ورائحة البول الكريهة، طريقها عبر سحابة من المواد المعقّمة. تعرفت الأجساد الثلاثة من خلال ما يفضلونه من أدوات الزينة والموضة. تعرفت إلى فينيا من خلال الوشم الذهبي الذي يزيّن وجهها، أما فلافيوس فقد تعرفت إليه من خصلات شعره اللولبية ذات اللون البرتقالي، فيما عرفت أوكتافيا من خلال جلدها الأخضر الذي أصبح مترهّلاً، وكأن جسدها أشبه ببالون يفرغ من الهواء ببطء.

دفع فلافيوس وأوكتافيا جسديهما نحو الجدران المبلطة عندما شاهداني وكأنهما يتوقعان هجوماً مني، وذلك بالرغم من أنني لم أُنزل بهما الأذى من قبل. أعترف أنه كانت لدي أفكار غير ودّية تجاههما، هذا إذا كان من الجائز تسميتها هجوماً عليهما، غير أنني احتفظت لنفسي بهذه الأفكار. إذاً، لماذا ارتعدا بهذه الطريقة؟

أمرني الحارس بالخروج، لكنّني أدركت من خلال الضجيج الذي سمعته أن غايل قد أعاقه بطريقة ما. أردت معرفة ما حصل للفريق، فتوجهت على الفور إلى فينيا التي كانت الأقوى على الدوام. انحنيت كي أمسك بيديها الباردتين اللتين سرعان ما أمسكتا بيديّ بشدة وكأنهما ملزمة.

سألتها: «ماذا حدث يا فينيا؟ ماذا تفعلون هنا؟».

قالت بصوتٍ أجش: «لقد أخذونا من الكابيتول».

دخل بلوتارك ورائي: «ماذا يحصل هنا بالله عليكم؟».

تابعت الضغط عليها وسألتها: «ومن الذي أخذكم؟».

قالت بشيء من الغموض: «الناس، وذلك في الليلة التي خرجتم فيها».

قال بلوتارك من خلفي: «ظننا أنك سترتاحين لوجود فريقك الذي اعتدتِ عليه. سينّا هو الذي طلب ذلك».

صرخت في وجهه: «هل طلب سينّا ذلك؟». إنني متأكدة من أن سينّا لن يوافق أبداً على إلحاق الأذى بهؤلاء الثلاثة، وهو الذي كان يديرهم بكل لطفٍ وصبر. «ولماذا يُعاملون كالمجرمين؟».

«صدقاً، أنا لا أعرف ذلك». جعلني شيء ما في صوته أصدّق ما قاله، كما أن الشحوب الذي بدا على وجه فولفيا ساهم في تأكيد كلامه. التفت بلوتارك نحو الحارس الذي ظهر لتوه عند الباب بينما مشى غايل خلفه. «قيل لي إنهم مقيّدون فقط. لماذا يُعاقبون؟».

قال الحارس: «عوقبوا لأنهم سرقوا طعاماً. اضطررنا إلى حجزهم بعد مشاجرة جرت للحصول على بعض الخبز».

قطّبت فينيا حاجبيها وكأنها لا تزال تحاول فهم ما تسمعه وقالت: «لم يقل لنا أحد شيئاً. شعرنا بجوعٍ شديد. لم نأخذ سوى كمية صغيرة جداً».

بدأت أوكتافيا بالنشيج، لكنها حاولت أن تكتم صوت بكائها داخل سترتها البالية. فكّرت كيف هرّبت لي أوكتافيا قطعة خبزٍ من تحت الطاولة في المرة الأولى التي نجوت فيها في الميدان لأنها لم تتحمل رؤيتي وأنا جائعة. زحفت نحو جسدها المرتعش وسألتها: «أوكتافيا؟». لمستها فأجفلت على الفور: «أوكتافيا؟ ستكونين على ما يُرام. سأخرجك من هنا، هل اتفقنا؟».

قال بلوتارك: «يبدو هذا مبالغاً فيه كثيراً».

سأل غايل: «هل حدث ذلك لأنهم أخذوا قطعة صغيرة من الخبز؟».

«حدثت خروقات عدة قبل هذه الحادثة، كما تلقوا تحذيراتٍ عديدة»، سكت الحارس قليلاً وكأنه مذهول من إلحاحنا، ثم تابع: «لا يمكن للمرء أن يسرق خبزاً».

57

لم أتمكن من حمل أوكتافيا على كشف وجهها، لكنها رفعته قليلاً. تحركت الأصفاد التي تكبّل يديها بوصات عدة نزولاً فظهرت القروح مكانها. قلت لها: «سآخذك إلى والدتي»، ثم خاطبت الحارس بعد ذلك: «أريدك أن تفكّ قيودهم».

هزّ الحارس رأسه: «لا أمتلك تصريحاً بذلك».

صرخت به: «فكّ أغلالهم! الآن!».

أخرجه صراخي عن طوره، لأن المواطنين العاديين لا يخاطبونه بهذه الطريقة، فأجابني: «ليس لديّ أمر بإخلاء سبيلهم، وأنت لا تمتلكين سلطة تخوّلك...».

قال بلوتارك: «افعل ذلك بناءً على سلطتي أنا. أتينا، على أي حال، كي نصطحب هؤلاء الثلاثة معنا. إننا نحتاج إليهم في الدفاع الخاص. سأتحمل أنا كامل المسؤولية».

تركنا الحارس كي يجري مكالمةً هاتفية. عاد بعد قليل حاملاً معه مجموعة من المفاتيح. أُجبر المحتجزون على البقاء في أوضاعٍ جسدية معينة لأوقاتٍ طويلة، حيث وجدوا صعوبة في المشي بعد نزع قيودهم. اضطررت أنا وغايل وبلوتارك إلى مساعدتهم. علقت رجل فلافيوس بشبكة معدنية وُضعت فوق فجوة دائرية في أرضية الغرفة. شعرت باشمئزازٍ عميق عندما فكرت في سبب وجود هذه الحفرة في الغرفة. فكرت في أن بقايا المعاناة الإنسانية يجب تصريفها عن بلاط الغرفة الأبيض...

عثرت على والدتي في المستشفى، وهي الوحيدة التي أثق بقدرتها على معالجتهم. أجلسَتهم في غضون دقيقة بسبب وضعهم الصحي، لكن ملامح القلق ارتسمت على محيّاها. أعرف أن هذه الملامح لم تكن نتيجة رؤيتها أجساداً تعرضت للتعذيب، لأنها اعتادت التعامل مع أجسادٍ كهذه في المقاطعة 12 بشكلٍ يومي، لكن القلق كان نتيجة معرفتها أن هذه الأمور

تجري في المقاطعة 13 كذلك.

رحبت إدارة المستشفى بوالدتي، لكنها نظرت إليها كممرضة وليس كطبيبة، وذلك بالرغم من تمضيتها عمراً بأكمله في العمل على شفاء المرضى. لم يعترض أحدٌ طريقها، بالرغم من ذلك، عندما قادت الثلاثة إلى غرفة الفحص من أجل تقييم جروحهم. جلست على مقعد في قاعةٍ خارج مدخل المستشفى وانتظرت سماع رأي والدتي. أعرف أنها ستكون قادرة على معرفة الألم الذي قاسوه من خلال أجسادهم.

جلس غايل قربي ووضع ذراعه على كتفي قائلاً: «ستعالجهم». أومأت، لكنّني تساءلت ما إذا كان يفكّر في الجَلد الذي تعرّض له في المقاطعة 12.

جلس بلوتارك وفولفيا على المقعد المقابل لمقعدنا، لكنهما لم يعلّقا مطلقاً على حالة فريق التحضير الخاص بي. تساءلت عن رأيهما بالدور الذي تلعبه الرئيسة كوين بعد معرفتهما بإساءة معاملة الفريق. قررت أن أساعدهما فقلت لهما: «أعتقد أن هذا تحذير موجّه إلينا جميعاً».

سألتني فولفيا: «ماذا؟ كلا، ماذا تعنين؟».

قلت لها: «إن معاقبة الفريق الذي يُشرف على تجهيزي إنذار بحدّ ذاته، وهو موجّه ليس إليّ فقط، بل إنّه موجّه إليكما كذلك. لكن، من يُمسك بزمام السيطرة هنا؟ وماذا يحدث إذا لم تُطَع؟ أما إذا كانت تراودكما أي أوهام بشأن السلطة، فإنني أنصحكما بأن تطرداها كلياً. يبدو أن الانتساب إلى الكابيتول لا يوفر أي حماية هنا، بل لعله يشكل عبئاً».

قالت فولفيا ببرود: «لا يمكننا إجراء مقارنة بين بلوتارك الذي فجّر ثورة المتمردين وبين فريق التزيين».

هززت كتفي: «حسناً، إذا كان هذا رأيك. لكن، ماذا سيحدث لو علقتما مع الجانب السلبي من كوين؟ خُطف فريقي الذي يهتم بزينتي.

يُمكن لهؤلاء أن يحلموا على الأقل بالعودة إلى الكابيتول في يومٍ من الأيام، أما أنا وغايل، فيمكننا العيش في الغابات. لكن، ماذا عنكما؟ إلى أين ستذهبان؟».

قال بلوتارك من دون اكتراث: «يُحتمل أن نكون أكثر أهمية للمجهود الحربي مما تقدّرين».

قلت: «بالطبع، أنتما أكثر أهمية. كان المجالدون ضروريين للمباريات كذلك، أعني إلى أن زالت هذه الضرورة. تحولنا بعد ذلك إلى مخلوقاتٍ لا حاجة إليها أبداً. أليس كذلك يا بلوتارك؟».

انتهت المحادثة عند هذا الحد. انتظرنا بصمت إلى أن جاءت والدتي ورأتنا. أعطتنا رأيها على الشكل التالي: «سيكونون على ما يرام، لأنه لا وجود لأضرارٍ جسدية دائمة».

قال بلوتارك: «حسناً، هذه أخبار سارة. لكن، متى يستعيدون القدرة على العمل؟».

أجابت والدتي: «ربّما غداً. لكن، يجب أن تتوقعا شيئاً من الاضطراب العاطفي نتيجة ما مرّوا به. لم يكونوا مهيئين لما حدث لهم نظراً إلى الحياة التي عاشوها في الكابيتول».

قال بلوتارك: «ألسنا جميعاً هكذا؟».

أعفاني بلوتارك من الواجبات المفروضة عليّ نتيجة كوني الطائر المقلّد لما تبقى من اليوم. إما بسبب عدم قدرة فريق التحضير على العمل، وإما بسبب التوتر الشديد الذي خيّم عليّ. توجهت أنا وغايل لتناول طعام الغداء الذي اشتمل على الفاصولياء، وحساء البصل، وقطعة سميكة من الخبز، وكوبٍ من الماء. علقت قطعة خبز في بلعومي بعد القصة التي سمعتها من فينيا، ولذلك مرّرت ما تبقى من قطعة الخبز إلى صينية غايل. لم نتحدث كثيراً في أثناء وجبة الغداء. لكن، عندما فرغت أطباقنا رفع

غايل كمّ قميصه، وكشف عن جدول عمله: «يتعيّن عليّ الآن التوجّه إلى التدريب».

رفعتُ كمّي بدوري، وقرّبت ذراعي من ذراعه: «وأنا أيضاً». تذكرت أن التدريب يعادل الصيد في هذه الأيام.

تغلّبت لهفتي الشديدة إلى الفرار نحو الغابات، ولو لساعتين فقط، على مخاوفي الحالية. أردت السير بين الأشجار الكثيفة الخضراء التي تغمرها أشعة الشمس، وهو الأمر الذي سيساعدني على تنظيم أفكاري. تسابقت أنا وغايل مثل أطفال المدارس نحو مستودع الأسلحة. وصلت إلى المستودع لاهثةً، وشعرت بدوار في رأسي. ذكّرني هذا بأنني لم أتعافَ تماماً بعد. أعطانا الحراس أسلحتنا القديمة بالإضافة إلى السكاكين، وكيسٍ من الخيش يكون بديلاً عن حقيبة الصيد. تمكنت من تحمّل جهاز الاقتفاء المثبت حول كاحلي، وحاولت التظاهر بأنني أصغي عندما شرحوا لي كيفية استخدام جهاز الاتصال المحمول باليد. أما الشيء الوحيد الذي علق في ذهني، فكان أن الجهاز يشتمل على ساعة، وأنه يتعيّن علينا العودة إلى المقاطعة 13 عند الساعة المحددة، وإلا سيُسحب منا امتياز الصيد. أعتقد أنني سأبذل جهدي كي ألتزم بهذا النظام.

ذهبنا إلى منطقة التدريب الواسعة والمسيّجة التي تقع بجوار الغابات. فتح الحراس البوابات التي شحّمت جيداً من دون أن يعلّقوا بشيء. كان احتمال اجتيازنا السياج بمفردنا أمراً في غاية الصعوبة، وعلى الأخص لأن ارتفاعه يبلغ ثلاثين قدماً، كما أن طنين التيار الكهربائي الذي يمرّ به مستمر بشكل دائم، هذا بالإضافة إلى لفافات الفولاذ الحادة مثل حدّ الشفرة. توغّلنا في الغابات إلى أن غاب عنا منظر السياج. توقفنا قليلاً في فسحةٍ صغيرة ورفعنا رأسينا كي نستمتع بضوء الشمس. استدرت على شكل دائرة بعد أن مددت يديّ على جانبيّ، لكنّني فعلت ذلك ببطء كي لا أشعر بأن

61

الأرض تدور بي.

أضرت قلة الأمطار التي لاحظتها في المقاطعة 12 بالنباتات هنا كذلك. لكن، بقيت بعض الأوراق الهشّة التي تساقطت لتشكل سجادة تحت أقدامنا. خلعنا حذاءينا، وعلى أي حال، إنّ مقاس حذائي لا يناسب مقاس قدمي كثيراً. أعطتني سلطات المقاطعة 13 حذاءً لشخصٍ كبير بسبب سياسة لا تهدر شيئاً، ولا تطلب شيئاً. أعتقد أن أحدنا يمشي بطريقة غير صحيحة لأن حالة الحذاء يُرثى لها.

مضينا نتصيّد مثلما كنا نفعل في الماضي. فعلنا ذلك بصمت لأننا لم نكن بحاجة إلى الكلمات كي نتواصل في ما بيننا، ولأننا نتحرك هنا في الغابات وكأننا قسمان من كائنٍ واحد. كنا نتوقع تحركات بعضنا، ونحرس بعضنا. كم مضى علينا من الوقت منذ أن تصيّدنا آخر مرة؟ ثمانية أشهر؟ تسعة أشهر؟ منذ متى لم نتمتّع بهذه الحرية؟ لا تشبه رحلة صيدنا هذه رحلاتنا السابقة تماماً، وذلك نظراً إلى الأحداث التي مررنا بها، وكذلك نظراً إلى جهازَي الاقتفاء المثبتين بكاحلينا، هذا بالإضافة إلى اضطراري إلى الاستراحة مرّات كثيرة. لكن هذه الجولة كانت أكثر ما يمكنني الحصول عليه من السعادة في الوقت الحالي.

لاحظت أن الحيوانات في هذه الغابة أقل احتراساً من المعتاد. إن اللحظة الإضافية التي تستغرقها تلك الحيوانات كي تعرف أن رائحتنا غريبة لحظة مميتة بالنسبة إليها. حصلنا في فترة ساعة ونصف الساعة على دزينة من الحيوانات المتنوعة: أرانب، وسناجيب، وديكة رومية. قررنا في ما تبقى من الوقت أخذ قسطٍ من الراحة إلى جانب مستنقعٍ لا بد من أنه يستقي مياهه من نبعٍ تحت الأرض. عرفت ذلك لأن المياه باردة وعذبة.

لم أعترض عندما عرض غايل تنظيف الطرائد. وضعت عدة وريقات من النعناع فوق لساني، وأغمضت عينيّ، ثم استندت إلى صخرة كبيرة.

استمتعت بسماع الأصوات الصادرة عن الغابة، كما سمحت لأشعة شمس الظهيرة بلسع بشرتي. استمتعت بوضعي هذا إلى أن قاطعني غايل: «كاتنيس، لماذا تهتمين كثيراً بفريق التزيين؟».

فتحت عينيّ كي أتأكد إذا كان يمازحني، لكنني لاحظت أنه يركّز على الأرنب الذي يسلخه فأجبت: «وهل يُفترض بي ألاّ أفعل ذلك؟».

قال في محاولة منه للتخمين: «همم. تمهلي قليلاً. هل يعود ذلك إلى أنهم أمضوا السنة الماضية في تزيينك استعداداً لعملية قتلك؟».

«الأمر أكثر تعقيداً من ذلك بكثير. إنني أعرفهم، وهم ليسوا أشراراً أو قساة القلوب. لا أقول حتى إنهم أذكياء. يماثل إلحاق الأذى بهم إلحاق الأذى بالأطفال. إنهم لا يرون... أعني إنهم لا يعرفون...». علقت الكلمات في فمي عند هذا الحد.

قال لي: «وما الذي لا يعرفونه يا كاتنيس؟ ألا يعرفون أن المجالدين - وهم الأطفال الحقيقيون في هذه الحالة، وليس أولئك الثلاثة من أصحابك المهووسين - هم الذين يجبرون على القتال حتى الموت؟ ألا يعرفون أنك تتوجهين إلى الميدان لا لشيء إلا لتسلية الناس؟ هل كان ذلك سراً كبيراً في الكابيتول؟».

قلت: «كلا، لكنهم لا ينظرون إلى الأمر بالطريقة التي ننظر بها إليه نحن، كما أنهم نشأوا على هذه و...».

سلخ غايل جلد الأرنب بحركة سريعة واحدة وسألني: «هل تدافعين عنهم حقاً؟».

أزعجني تلميحه، وذلك لأنني كنت أدافع عنهم بالفعل. بدا الأمر مضحكاً. جهدت كي أعثر على موقفٍ منطقي: «أعتقد أنني سأدافع عن أي شخص يُعامَل بهذه الطريقة لأنه أخذ قطعة خبز. يُحتمل أن هذا الأمر يذكّرني كثيراً بما حدث لك بسبب الديك الرومي!».

لكنه على حق مع ذلك. يبدو الأمر غريباً بالفعل، أو أن الغريب هو درجة اهتمامي بالفريق الذي كان يهتم بزينتي. كان يجدر بي أن أكرههم وأتمنى رؤيتهم على أعواد المشانق. لكنهم ضعفاء وينتمون إلى سينّا، وهو الذي وقف إلى جانبي. أليس كذلك؟

قال غايل: «إنني لا أسعى إلى التخاصم معك. لكنّني لا أعتقد أن كوين تبعث إليك برسالةٍ ما من خلال تعذيبهم لأنهم خرقوا الأنظمة المعمول بها هنا. يُحتمل أنها ظنت أنك ستعتبرين ذلك بمثابة خدمة». وضع غايل الأرنب في الكيس ثم نهض قائلاً: «أعتقد أنه من الأفضل لنا أن ننصرف الآن إذا كنا نريد العودة في الوقت المحدد».

تجاهلت يده التي مدّها إليّ ونهضت مترنحة وقلت: «هيا بنا». لم نتبادل الحديث في طريق عودتنا. لكن، ما إن عبرنا البوابة حتى بدأت بالتفكير في شيء آخر: «اضطرت أوكتافيا وفلافيوس إلى الانسحاب خلال المباريات الربعية لأنهما لم يتمكنا من التوقف عن البكاء لأنني اضطررت إلى العودة للمشاركة في المباريات. كان من الصعب على فينيا أن تودعني».

قال غايل: «سأحاول أن أتذكر ذلك خلال الوقت... الذي يعملون فيه على إظهارك بصورة جديدة».

قلت: «افعل ذلك».

سلّمنا الطرائد إلى غريسي سي في المطبخ. إنها تحب المقاطعة 13 كثيراً بالرغم من أنها تعتقد أن الطهاة هنا يفتقدون إلى المخيلة. لكن، أي امرأة كانت تعد كلباً برياً لذيذاً وحساء الروبارب، لا بد من أن تشعر هنا وكأن يديها مقيدتان.

شعرت بالتعب نتيجة الصيد وقلة النوم فعدت إلى حجرتي. وجدت الحجرة خالية من كل شيء، لكنّني تذكرت بعد ذلك بأنهم نقلونا بسبب الحوذان. صعدت إلى الطابق الأعلى وبحثت عن الحجرة E. بدت هذه

الحجرة مثل الحجرة 307، عدا النافذة التي كانت بعرض قدمين اثنتين، وبارتفاع ثماني بوصات، وهي التي تقع في أعلى الجدار الخارجي. يتواجد لوح معدني ثقيل أمام النافذة، لكنها كانت مفتوحة في هذا الوقت، إلا أنني لم أرَ أي أثرٍ لأي هر. استلقيت على سريري، وكانت حزمة من ضوء شمس الظهيرة تتسلل إلى وجهي. لم أشعر بشيء بعد ذلك إلى أن أيقظتني شقيقتي كي أشارك في 18:00 - التأمل.

أبلغتني بريم أنهم كانوا يعلنون عن الاجتماع منذ وقت الغداء. طُلب من جميع السكان أن يحضروا الاجتماع عدا الذين يعملون في مهامّ ضرورية. تبعنا التعليمات حتّى وصلنا إلى القاعة العامة، وهي قاعة ضخمة تتسع للآلاف الذين يحضرون. يمكن للمرء أن يخمّن أن القاعة قد شيّدت لاجتماعات أكبر، ويُحتمل أن اجتماعاً كهذا قد عُقد بالفعل قبل تفشي وباء الزهري. أشارت بريم بهدوء إلى الآثار الواسعة التي نتجت عن تلك الكارثة، أي إلى الندوب التي تركها مرض الزهري على أجساد الناس، والأطفال الذين يعانون من بعض التشوهات. قالت لي: «لقد عانوا كثيراً هنا».

توقفت عن الشعور بالأسف تجاه المقاطعة 13 بعد ما حدث هذا الصباح. قلت لها: «لم تكن معاناتهم أكثر من معاناتنا في المقاطعة 12». رأيت والدتي وهي تقود مجموعة من المرضى الذين يتنقلون وهم يرتدون ثياب النوم أو العباءات. وقف فينيك بينهم فبدا رائعاً بالرغم من أنه يشعر بدوار في رأسه. أمسك فينيك جزءاً من حبلٍ رفيع لا يزيد طوله على قدمٍ واحدة، أي أنه كان قصيراً جداً حيث لا يسمح له بعقد أنشوطة مفيدة. تحركت أصابعه بسرعة، وحاول بصورة آلية عقد أنشوطة بعد أخرى بينما كان يحدّق إلى المنطقة المحيطة به. يُحتمل أن يكون ذلك جزءاً من برنامج علاجه. تقدمت منه وقلت: «مرحباً فينيك». لم يُظهر مطلقاً أي إشارة تدل

65

على ملاحظته وجودي قربه، لذلك وكزته كي أحوز على انتباهه قائلة: «فينيك! كيف حالك؟».

قال بعد أن أمسك بيدي: «كاتنيس» أعتقد أنه شعر بالارتياح لأنه رأى وجهاً مألوفاً لديه وسألني: «لماذا نجتمع هنا؟».

قلت له: «أبلغت كوين أنني سأكون طائرها المقلّد. لكنّني حملتها على أن تقطع لي وعداً بإعطاء المجالدين الآخرين الحصانة إذا ربح الثوار. طلبت منها أن تفعل ذلك علناً أمام شهود كُثُر».

قال فينيك: «أوه! هذا جيّد. لأنني قلقت أنا وآني كثيراً بسبب هذا الأمر. قلقت لأنها قد تقول شيئاً من دون قصد يُمكن أن يفسّر على أنه خيانة».

آني. آه! لقد نسيتها تماماً. «لا تقلق لأنني تحسبت لهذا». قرصت يد فينيك قليلاً ثم توجهت نحو المنصة التي أقيمت أمام القاعة. كانت كوين تنظر إلى نصّ كلمتها، لكنها رفعت حاجبيها عندما رأتني. قلت لها: «أريدك أن تضيفي آني كريستا إلى لائحة الذين يتمتعون بالحصانة».

عبست الرئيسة قليلاً: «ومَن تكون هذه؟».

«إنها تخص فينيك أوداير...». لكن، بمَ تخصّه؟ لا أعرف حقاً ماذا أسميها. «إنها صديقة فينيك، وهي من المقاطعة الرابعة، وهي منتصرة أخرى في المباريات. ألقيَ القبض عليها ونُقلت إلى الكابيتول عندما تفجّر الميدان».

قالت لي: «أوه! أنت تعنين الفتاة المجنونة. لا أعتقد بوجود ضرورة إلى ذلك، لأنه ليس من عادتنا معاقبة أشخاص في حالة ضعف إلى هذه الدرجة».

فكّرت في المشهد الذي رأيته هذا الصباح. فكّرت في أوكتافيا التي ألصقت نفسها بالجدار. فكّرت كذلك في أنني لا أتقاسم مع كوين التعريف

ذاته للضعف. اكتفيت بالقول: «حقاً؟ إذاً، لا تمثّل إضافة اسم آني أي مشكلة».

قالت الرئيسة وهي تخطّ اسم آني بقلم الرصاص: «حسناً. أتريدين أن تكوني هنا عند إعلان تصريحي؟». هززت رأسي نفياً وقلت: «لا أظن ذلك. أفضل أن أسرع كي أختلط بالجمهور. سأفعل ذلك على الفور». عدت أدراجي إلى حيث يجلس فينيك.

تُعتبر الكلمات من بين الأمور الأخرى التي لا تُهدر في المقاطعة 13. طلبت كوين من الجميع الإصغاء إليها، وأبلغت الحاضرين بأنني وافقت على أن أكون الطائر المقلّد، شرط أن يُمنح المنتصرون الآخرون مثل بيتا، وجوانا، وإينوباريا، وآني، العفو التام عن أي أضرار قاموا بها تجاه قضية الثوار. سمعت أصوات الاحتجاج وسط ضجيج الجمهور. أعتقد أن لا أحد يشك في رغبتي في أن أكون الطائر المقلّد. غضب المحتجون لأنني وضعت شرطاً على تلك الموافقة، وعلى الأخص ذلك الذي يمنح العفو لأعداء محتملين. بقيت غير مكترثة إزاء النظرات العدائية التي صوّبها المعارضون نحوي.

سمحت الرئيسة بلحظات عدة للمعترضين، ثم تابعت كلامها بطريقتها الحيوية. لكن الكلمات التي تفوهت بها بعد ذلك كانت مفاجئة بالنسبة إلي. «لكن الجندية إيفردين وعدت مقابل هذا الطلب غير المسبوق بأن تكرس نفسها لقضيتنا. هذا يعني أن أي انحراف عن مهمتها سيُنظَر إليه على أنه خرقٌ لهذا الاتفاق. وستُلغى الحصانة الممنوحة للمنتصرين الأربعة، أما مصيرهم فسيتقرر بحسب قوانين المقاطعة 13. ينطبق الأمر نفسه على مصيرها هي. شكراً لكم».

يعني ذلك أننا سنموت جميعاً إذا ابتعدتُ عن خط هذا الاتفاق.

الفصل الخامس

وُضِعتُ في مواجهة قوةٍ أخرى، وها هي لاعبة أخرى قد قررت استخدامي كحجر شطرنج على رقعة لعبتها. يجري كل ذلك بالرغم من أنّه يبدو أنّ لا شيء يسير بحسب الخطة الموضوعة. واجهت صانعي الألعاب في البداية، وهم الذين أرادوا أن يجعلوا مني نجمةً لهم، ثم كافحت كي أتخلص من آثار تلك الحفنة السامة من التوت البري. حاول الرئيس سنو بعد ذلك استخدامي لإطفاء نيران الثورة، لكن كل خطوة من الخطوات التي قمتُ بها أوقدت لهيب الثورة بصورةٍ أكبر. أوقعني الثوار بعد ذلك في هذه الكماشة الفولاذية التي رفعتني من الميدان، وأوكلوا إليّ مهمة أن أكون طائرهم المقلّد، وكان عليّ بعد ذلك أن أستفيق من صدمة عدم رغبتي في أن يكون لدي جناحان. جاءت كوين في النهاية بمجموعتها النووية الثمينة، وماكينة نظامها التي تُحكم بواسطتها قبضتها على المقاطعة، لكنها اكتشفت أن عملية ترويض طائرٍ مقلّد أكثر صعوبة بكثير من القبض عليه. لاحظت كوين بسرعة أنني أمتلك برنامجاً خاصاً بي، ولهذا يجب عدم الوثوق بي. كانت كوين الأولى في وصفي علانية بأنني أشكّل تهديداً.

مـرّرت أصابعي من خلال طبقة الفقاعات السميكة في حوض استحمامي. إن عملية تنظيفي ما هي إلا الخطوة التمهيدية لتقرير طبيعة مظهري الجديد. تعيّن على فريق التزيين أن يجعلي جميلة بعد التغلب على مشكلة شعري الذي أتلفته الحوامض، وعلى تلك الندوب البشعة، وذلك كي يتفرّغ بعد ذلك لإلحاق الضرر بي، وإحداث بعض الحروق في جسمي، وترك آثارٍ على جلدي، شرط أن يجري كل ذلك بطريقة أكثر جاذبية.

كان أول أمرٍ أصدرته فولفيا هذا الصباح على الشكل التالي: «جدِّدوها بحسب قاعدة الجمال صفر، وسننطلق من هناك». تبيّن لي أن قاعدة الجمال صفر تعني المظهر الذي يبدو عليه المرء حين ينهض من سريره بمظهرٍ خالٍ من العيوب وبشكلٍ طبيعي. يعني ذلك الاعتناء بشكل أظفاري من دون طلائها، وأن يكون شعري ناعماً من دون تسريحة معينة، وأن تكون بشرتي ناعمة ونقية من دون أي رسومات، وكذلك تشميع شعر جسمي، ومحو الحلقات الداكنة لكن من دون إجراء أي تعديلاتٍ ظاهرة. أعتقد أن سينّا قد أصدر التعليمات ذاتها في اليوم الأول لوصولي كمجالدة إلى الكابيتول. لكن الأمر يختلف قليلاً هذه المرة لأنني كنت متبارية. أما بصفتي ثائرة فقد اعتقدت أنه يتعيّن عليّ أن أبدو على طبيعتي أكثر ما يكون. لكن، يبدو أن الثائرة التي تظهر على شاشة التلفزيون تمتلك معاييرها الخاصة التي تلتزم بها.

غسلت الرغوة عن جسمي. التفتّ فرأيت أوكتافيا تنتظرني وهي تحمل منشفة. كانت امرأة مختلفة كثيراً عن تلك التي عرفتها في الكابيتول. وكانت مجردةً من ملابسها الفاخرة، وزينتها المفرطة، ومن كل الأصباغ والمجوهرات، ومن كل الأغراض زهيدة الثمن التي كانت تزيّن بها شعرها. تذكرت كيف ظهرت في أحد الأيام وقد زيّنت خصلات شعرها بأشكال فئران ملوّنة كانت تومض تحت الأنوار. أبلغتني في ذلك الوقت أنها تمتلك في منزلها عدة فئران، وأنها تعتبرها حيواناتها الأليفة. صدمتني الفكرة في ذلك الوقت، وذلك لأننا نعتبر الفئران من الآفات إلا إذا طُبخت. يُحتمل أن أوكتافيا أحبّت تلك الفئران لأنها صغيرة وناعمة، كما أنها تصأصئ، أي أنها تماثلها كثيراً. جفّفت أوكتافيا شعري وجسمي وحاولت في هذه الأثناء تعرّف أوكتافيا المقاطعة 13. تبيّن لي أن لون شعرها الحقيقي كستنائي رائع. بدا وجهها عادياً لكنه ذو حلاوةٍ ملحوظة. كانت أصغر سناً مما كنت

69

أظن، ويُحتمل أنها كانت في العقد الثاني من عمرها. لم تضع أظفار الزينة التي يبلغ طول الواحد منها ثلاث بوصات، كما بدت أصابعها قصيرة ولم تتوقف عن الارتعاش. أردت إبلاغها أنها بخير، وأنني سأحرص على ألاّ تؤذيها كوين مرةً أخرى. لكن الخدوش عديدة الألوان التي انتشرت تحت جلدها الأخضر ذكّرتني بمدى عجزي.

أما فلافيوس فرأيته نظيفاً، لكن من دون طلاء الشفاه الأرجواني وثيابه اللامعة التي اعتاد عليها. تمكّن مع ذلك من الحفاظ على جدائله المرتّبة برتقالية اللون. كانت فينيا هي الوحيدة التي تعرضت لأقل قدر ممكن من التغيير. كان شعرها الأخضر الذي يميل إلى الزرقة مسرحاً بدلاً من الجدائل الرفيعة حيث كان يُمكن للمرء رؤية جذور الشعر بلونها الرمادي. وبقي الوشم الرائع ذهبي اللون، بالرغم من ذلك، أبرز ميزاتها. اقتربت فينيا وتناولت المنشفة من يدَي أوكتافيا.

أبلغت أوكتافيا بلهجة هادئة، لكنها حازمة في الوقت ذاته: «لن تتعرض لنا كاتنيس بالأذى. لم تكن كاتنيس على علم بأننا هنا. ستكون الأحوال أفضل الآن». أومأت أوكتافيا قليلاً، لكنها لم تجرؤ على النظر إلى عيني.

لم تكن عملية إعادتي إلى قاعدة الجمال صفر عمليةً سهلة حتى مع استخدام تلك المجموعة الواسعة من المنتجات، والأدوات، والأجهزة التي فطن بلوتارك إلى ضرورة جلبها معه من الكابيتول. قام الفريق بعمل جيد إلى أن حاول معالجة تلك البقعة في ذراعي حيث نزعت جوانا جهاز الاقتفاء منها. لم يكترث الفريق الطبي بمظهري عندما حاولوا تقطيب الفجوة، فبقيت تلك الندبة المتعرجة بكتلها الظاهرة المتموجة على مدى حيّزٍ يساوي حجم تفاحة. يقوم كمّ قميصي بتغطية هذه الندبة عادة، لكن التصميم الذي وضعه سينّا لزيّ الطائر المقلّد يشتمل على كمين قصيرَين

ينتهيَان عند منطقة المرفق فقط. كانت تلك مشكلة كبيرة استدعت التشاور مع فولفيا وبلوتارك. أقسم أن منظر هذه الندبة يُطلق روح الفكاهة عند فولفيا. إنها حساسة جداً بالنسبة إلى شخصٍ يعمل مع صانعي الألعاب، لكنّني أعتقد أنها لم تعتد رؤية الأشياء المزعجة إلا على الشاشة.

قلت بعبوس: «يعرف الجميع بوجود هذه الندبة هنا».

قالت فولفيا: «إن معرفة وجودها ورؤيتها أمران مختلفان. إنها منفرة جداً، لكنّني سأفكر مع بلوتارك في شيء على مائدة الغداء».

قال بلوتارك ملوحاً بيده علامة على رغبته في إنهاء الحديث: «ستكون على ما يرام. يُحتمل أنها تحتاج إلى عصابة ذراع، أو إلى شيء من هذا القبيل».

شعرت بالغثيان. ارتديت ملابسي استعداداً لتوجهي إلى قاعة الطعام، والتقيت فريق التزيين الذي شكّل مجموعة صغيرة عند الباب. سألتهم: «هل سيُحضرون طعامكم إلى هنا؟».

قالت فينيا: «كلا. يُفترض بنا أن نذهب إلى قاعة الطعام».

تنهدت بصمت عندما تخيّلت مسيري إلى قاعة الطعام متبوعة بهؤلاء الثلاثة. اعتاد الناس التحديق إليّ على أي حال. سيتكرر الأمر هنا حسبما أعتقد. قلت: «سأريكم أين تقع. هيا بنا».

تُعتبر النظرات المختلسة، والتمتمات الهادئة التي يثيرها حضوري، ضئيلة بالمقارنة مع رد الفعل الذي سبَّبه ظهور فريق التزيين بمظاهرهم الغريبة. فُغرت الأفواه، وامتدت الأصابع التي تشير إليهم، وسرت همسات الاستغراب. أبلغت أفراد الفريق: «لا تكترثوا أبداً». توجهت أنظار أفراد الفريق نحو الأرض، وساروا بخطوات آلية، وتبعوني في أثناء مروري بصفّ لسكب الطعام، تناولوا أطباقاً مليئة بالأسماك رمادية اللون، وحساء البامية، وأكواباً من المياه.

جلسنا جميعاً إلى الطاولة المخصصة لي وكانت قريبة من طاولة مجموعة من مواطني السيم. أظهر هؤلاء قدراً من ضبط النفس أكثر من بقية سكان المقاطعة 13. لكن، يُحتمل أن يكون ذلك ناتجاً عن الشعور بالحرج فقط. ألقى ليفي، وهو جاري في المقاطعة 12، تحية خجولة على فريق التزيين، وعلى والدة غايل، هازيل التي لا بد من أنها قد علمت بسجن أفراد الفريق. كانت تمسك بيدها ملعقة مليئة بالحساء. قالت: «لا تقلقوا، إن مذاقها أفضل من مظهرها».

لكن بوسي، شقيقة غايل التي تبلغ الخامسة من عمرها هي التي ساعدت أكثر من غيرها على تلطيف الأجواء. تجولت بوسي بمحاذاة المقعد نحو أوكتافيا، ولمست جلدها بإصبعٍ حذرة وسألتها: «أنتِ خضراء اللون. هل أنتِ مريضة؟».

قلت لها: «هذا نوع من الزينة، أي مثلما تضعين أنتِ أحمر الشفاه».

همست أوكتافيا: «كان يُفترض به أن يكون جميلاً». تمكنت من رؤية الدموع التي أوشكت على النزول عبر رموشها.

فكّرت بوسي في الأمر قليلاً، ثم قالت من دون اكتراث: «أعتقد أنك جميلة مهما كان اللون».

لاح شبح ابتسامة باهتة على شفتي أوكتافيا وقالت: «شكراً لكِ».

قال غايل: «إذا أردت إثارة إعجاب بوسي، فيجب عليك أن تصبغي نفسك باللون الزهري الفاتح». وضع غايل صينيته بالقرب مني وتابع: «إنه لونها المفضّل». قهقهت بوسي، وما لبثت أن جلسَت قرب والدتها. أشار غايل إلى طبق فلافيوس وقال: «لو كنت مكانك لما تركته يبرد حيث يفقد نكهته».

جلس الجميع كي يأكلوا. لم يكن مذاق الحساء سيئاً إجمالاً، لكننا لم نتمكن من تجاهل وجود بعض الطعم غير المستساغ فيه. يشبه الأمر

الاضطرار إلى ابتلاع كل لقمة ثلاث مرات قبل أن تُكمل طريقها.

أما غايل الذي لا يتكلم كثيراً عادةً في أثناء تناول الطعام، فقد بذل جهداً كبيراً كي تستمر المحادثة، فسأل عن التغيّر الذي طرأ على مظاهرهم. أعرف أن هذه طريقته في محاولة التخفيف من وطأة الأمور. تجادلنا في الليلة الماضية بعد أن قال إنني لم أترك أي خيار أمام كوين إلا أن تردّ على طلبي الحصانة للمنتصرين بشرطٍ من عندها. «كاتنيس، إنها تحكم هذه المقاطعة. لا يمكنها أن تفعل ذلك إذا ظهرت بأنها تستسلم أمام إرادتك».

أجبته: «هل تريد أن تقول إنها لا تحتمل وجود أي معارضة لها، حتى ولو كانت محقة».

قال لي غايل: «أعني أنك وضعتِها في موقفٍ صعب. فقد أجبرتِها على إعطاء بيتا والآخرين الأمان في وقتٍ لم نعرف فيه بعد مدى الضرر الذي قد يتسببون به».

«هل ترغب في أن تقول إنّه كان يجدر بي المضي في البرنامج وترك المجالدين الآخرين لأقدارهم؟ لا يحمل الأمر أي أهمية لأن هذا هو ما نفعله على أي حال!». قلت له ذلك قبل أن أغلق الباب في وجهه بدفعةٍ قوية. لم أجلس قربه في وقت تناول طعام الفطور، وعندما أرسله بلوتارك إلى مركز التدريب هذا الصباح تركته يذهب من دون أن أقول له أي كلمة. أعرف أنّه قال ما قاله نتيجة قلقه عليّ، لكنني أحتاج إليه بالفعل، ليكون إلى جانبي، وليس إلى جانب كوين. ألا يعرف ذلك؟

كان من المفترض أن أتوجه أنا وغايل بعد الغداء إلى مركز الدفاع كي نلتقي بيتي. قال لي غايل أخيراً عندما استقللنا المصعد: «لا تزالين غاضبة».

أجبته: «وأنت بقيتَ غير آسف».

قال لي: «لا أزال عند موقفي. أتريدين مني أن أكذب بشأنه؟».

قلت له: «كلا، أريدك أن تعيد النظر في ما قلته كي تخلص إلى الرأي

الصائب». لم يثِر كلامي عنده غير الضحك. اضطررت إلى السكوت لأنني أعرف عجزي عن التحكم بما يفكر فيه. إنه، وبصراحة، أحد الأسباب التي تدفعني إلى الوثوق به.

يقع الطابق المخصص للدفاع الخاص على العمق ذاته تقريباً الذي تتواجد فيه الزنزانات التي عثرنا فيها على فريق التزيين. يُعتبر ذلك المركز خلية نحلٍ مؤلفة من غرفٍ مليئة بأجهزة الكمبيوتر، والمختبرات، وأدوات البحث، وأجهزة الاختبار.

سألنا عن مكان وجود بيتي فأُرسلنا عبر متاهة إلى أن وصلنا إلى واجهة زجاجية ضخمة. رأيت في الداخل أول شيء جميلٍ أراه في المقاطعة 13: نسخة طبق الأصل عن مرج مليء بأشجار حقيقية، ونباتات مزهرة، وكلها تضج بالطيور الطنانة. شاهدت بيتي جالساً على كرسيه المتحرك وسط المرج بسكون، وكان منشغلاً بمراقبة طائر أخضر اللون في أثناء امتصاصه الرحيق من شجرة برتقال كبيرة ومزهرة. كانت عيناه تتبعان الطائر في أثناء تحليقه السريع، ثم لاحظ وجودنا. لوّح لنا بطريقة ودية كي ننضم إليه في الداخل.

كان الهواء منعشاً وصالحاً للتنفس. لم يكن رطباً أو حاراً مشبعاً بالرطوبة كما كنت أتوقع. تناهت إلى أسماعنا أصوات رفرفة الأجنحة الصغيرة، وهي الأصوات التي كنت أخلط بينها وبين أصوات الحشرات الموجودة في غابات مقاطعتنا. تساءلت عن نوع الظروف التي سمحت بتشييد هذا المكان الممتع هنا.

لاحظت عند بيتي الشحوب ذاته الذي يرافق الشخص الذي يمر بفترة نقاهة. لكن، لاحظت أن عينيه المختبئتين وراء نظارة غير مناسبة بسبب حجمهما كانتا تشعان بالإثارة. «أليست رائعة؟ دأبت المقاطعة 13 على دراسة الديناميكات الهوائية لهذه الطيور منذ سنين. درس العلماء طيران

هذه الطيور جيئة وذهاباً بسرعات تصل إلى ستين ميلاً في الساعة. ليتني أستطيع صنع أجنحة مثل هذه لك أنت يا كاتنيس!».

قلت ضاحكة: «أشك في قدرتي على استخدامها يا بيتي».

سألني: «يمكن لهذه الطيور أن تأتي إلى هنا في لحظة واحدة ثم تذهب هكذا. أيمكنك إصابة طائر طنان بسهمك؟».

أجبته: «لم يسبق لي أن حاولت، لأن هذه الطيور ليست مكتنزة».

قال: «أعرف ذلك، وأعرف أنك لستِ ذلك الشخص الذي يقتل للتسلية. أراهن، مع ذلك، أنّه من الصعوبة بمكان إصابتها».

قال غايل: «يُحتمل أنه بإمكانك أن تنصبي لها شركاً». حمل وجهه تلك النظرة البعيدة التي اعتاد عليها عندما يفكّر في شيء ما وتابع: «خذي شبكة دقيقة جداً، وانصبيها حول مساحةٍ معينة، ثم اتركي فتحة بمساحة أقدامٍ عدة. ضعي طعماً بعد ذلك من أزهار الرحيق. أغلِقي الفتحة في أثناء امتصاص الطيور الرحيق. ستسارع الطيور إلى الطيران مبتعدة عن الضجيج، لكنها لن تلاقي سوى الجانب البعيد من الشبكة».

سأل بيتي: «هل ستنجح هذه الطريقة؟».

قال غايل: «لا أعلم. إنها مجرد فكرة، يمكن لهذه الطيور أن تنجو بذكائها».

قال بيتي: «يحتمل ذلك، لكنها ستعتمد على غريزتها الطبيعيّة للهروب من الخطر. ستعثر على نقاط ضعفها إذا فكّرت بالطريقة التي تفكر بها طرائدك».

تذكرت شيئاً لا أحب التفكير فيه. فقد سبق لي أن رأيت شريطاً في أثناء فترة تحضيرنا للمباريات الربعية. أظهر الشريط بيتي في أثناء قيامه بوصل سلكين معدنيين، وهو الأمر الذي أدى إلى قتل مجموعة من الشبان الذين كانوا يطاردونه بالصدمة الكهربائية. شاهدت الأجساد المنتفضة،

75

والملامح البشعة لأولئك الشبان. راقب بيتي الآخرين وهم يموتون في تلك اللحظات التي أدت إلى فوزه في مباريات الجوع التي جرت منذ وقتٍ طويل. لا أعتقد أن اللوم يقع عليه، لأنه كان يتصرف انطلاقاً من مبدأ الدفاع عن النفس فقط. كنا نتحرك جميعاً في ذلك الوقت دفاعاً عن النفس...

شعرت فجأة، برغبة قوية في مغادرة قاعة الطيور الطنانة قبل أن يبدأ أحدهم بنصب شركٍ لها. «بيتي، قال لي بلوتارك إنّ لديك شيئاً تريد أن تعطيني إياه «.

«هذا صحيح، لديّ شيء لك. إنه قوسك الجديد». ضغط على مقبض تحكّم في ذراع كرسيّه فدار دولاباه واتّجه إلى خارج الغرفة. تبعناه عبر التعرجات والمنعطفات التي تؤدي إلى قسم الدفاع الخاص، لكنه حدّثنا في هذه الأثناء عن كرسيه. «يمكنني المشي قليلاً هذه الأيام، لكنني أتعب بسرعة، لذلك من الأسهل بالنسبة إليّ أن أتجوّل بهذه الطريقة. كيف هو فينيك؟».

أجبته: «إنه... يعاني مشاكل في التركيز». لم أرغب في أن أقول إنّه يعاني انهياراً ذهنيًّا كاملاً.

ابتسم بيتي بطريقة تخلو من الشعور بالفرح وقال: «هل قلتِ مشاكل في التركيز؟ لو علمتِ بما مرّ به فينيك في السنوات القليلة الماضية فستقولين إن وجوده معنا أمر مدهش. قولي له إنّني عملت على صنع رمحٍ ثلاثي جديد له، هل ستفعلين ذلك؟ سيسلّيه هذا قليلاً». أعتقد أن التسلية هي آخر شيء يحتاج إليه فينيك، لكنّني وعدت بيتي بنقل رسالته.

رأيت أربعة جنود وهم يحرسون مدخل قاعة كُتب عليه أسلحة خاصة. كان التدقيق في الجدول المطبوع على سواعدنا مجرد خطوة تمهيدية. أجروا لنا، إضافة إلى ذلك، مسحاً لبصمات أصابعنا، ولشبكيات أعيننا، وللحمض النووي، كما اضطررنا إلى الدخول عبر كاشفاتٍ معدنية

خاصة. اضطر بيتي إلى ترك كرسيه المتحرك في الخارج، لكنهم أعطوه كرسياً ثانياً بعد أن انتهينا من الإجراءات الأمنية. اعتبرت أن كل هذه الأشياء غريبة لأنني لا أستطيع أن أتصوّر أن أي شخصٍ نشأ في المقاطعة 13 سيشكّل تهديداً حيث تضطر الحكومة إلى التنبه بشأنه. تساءلت إذا كانت هذه الإجراءات قد طبقت بعد هذا التدفق للمهاجرين الجدد.

واجهتنا عند مدخل مستودع الأسلحة جولة ثانية من التحقق من الهوية، وكأن حمضي النووي سيتغيّر إذا سرت مسافة عشرين ذراعاً نزولاً في القاعة. سمحوا لنا في نهاية الأمر بدخول المستودع الذي يحتوي على مجموعة كبيرة من الأسلحة. أجد نفسي مضطرة إلى القول إنّ هذه الترسانة قد أذهلتني. رأيت صفوفاً متعددة من الأسلحة النارية، ومنصات الإطلاق، والمتفجرات، والعربات المدرعة. قال لنا بيتي: «يقع القسم المحمول جواً في مكانٍ منفصلٍ بطبيعة الحال».

قلت وكأنني أتحدث عن أمرٍ مفروغٍ منه: «طبعاً». لكنّني تساءلت في سرّي عن كيفية إيجاد قوسٍ وسهم بسيطين مكاناً لهما في هذا المكان المليء بتجهيزات عالية التقنية. وصلنا بعد ذلك إلى جدارٍ مليء بأسلحة الرماية المميتة. تدربت كثيراً على الأسلحة الموجودة في الكابيتول، لكن تلك الأسلحة لم تكن مصممة للمواجهة القتالية. ركّزت انتباهي على قوسٍ مخيف مجهزٍ بالمناظير والأدوات. كنت واثقة من عدم قدرتي على رفعه، فكيف الحال إذا أردت استخدامه؟

قال بيتي: «غايل، يُحتمل أنك ترغب في تجربة عدد من هذه الأقواس».

سأل غايل: «حقاً؟».

قال بيتي: «ستنال في النهاية بندقية قتالية بطبيعة الحال. لكن، إذا كنتَ من ضمن فريق كاتنيس في فترة التدريب فإن أحد هذه الأقواس سيكون

مدهشاً أكثر. ظننت أنّ أحدهما سيناسبك».

«أجل، سأفعل». تحركت يدا غايل حول القوس ذاته الذي لفت نظري قبل لحظة، وما لبث أن رفعه إلى كتفه، وراح يصوّبه في أنحاء الغرفة، كما نظر من خلال المنظار.

قلت: «لا يبدو أن هذا القوس يناسب الغزلان».

أجابني: «لا أعتقد أنني سأستخدمه لاصطياد الغزلان، أليس كذلك؟».

قال بيتي: «سأعود بعد لحظة». ضغط شيفرة معينة على لوحة المفاتيح، وما لبث باب صغير أن انفتح. راقبته إلى أن غاب عن ناظريّ بعد أن أقفل الباب وراءه.

سألته: «إذاً، سيكون استخدامه سهلاً بالنسبة إليك؟ هل ستستخدمه على الناس؟».

أخفض غايل القوس إلى جانبه وقال: «لم أقل ذلك. لكن، لو امتلكت سلاحاً قادراً على إيقاف ما شاهدته يحدث في المقاطعة 12... ولو امتلكت سلاحاً قادراً على إبعادك عن الميدان... لكنت استخدمته».

قلت معترفة: «وأنا، كنت سأفعل الأمر ذاته». لكنّني لم أعرف كيف أقول له ماذا يحدث في أعقاب قتل إنسان، وأن ذلك الشعور لا يفارقك أبداً.

عاد بيتي بكرسيه المتحرك حاملاً معه صندوقاً مستطيل الشكل كان قد وضعه بطريقة غريبة ما بين لوحة القدمين وكتفه. توقف أخيراً وانحنى نحوي قليلاً وقال: «إنه لكِ».

وضعت الصندوق على الأرض، وفتحت المزاليج من جهة واحدة. فُتح الغطاء بواسطة مفصلات صامتة. رأيت داخله قوساً رائعاً أسود اللون موضوعاً على طبقة من المخمل كستنائي اللون. همست بإعجاب:

«أوه!». رفعته عالياً بحذر كي أختبر توازنه الرائع، وكذلك تصميمه الأنيق، ومنحنيات أطرافه التي توحي بطريقة ما بجناحي طائر في أثناء طيرانه. لاحظت شيئاً آخر. تعيّن عليّ الوقوف ساكنة كي أتأكد من أنني لا أتخيّل. كلا، إنني لا أتخيّل وها هو القوس حياً بين يدي. ضغطت بالقوس على خدّي، وشعرت باهتزاز خفيف يسري عبر عظام وجهي. سألت: «ماذا يفعل القوس؟».

فسّر لي بيتي الأمر مع ابتسامة عريضة: «إنه يلقي التحية بعد أن سمع صوتك».

سألته: «وهل يميّز صوتي؟».

قال لي: «إنه يميز صوتك فقط. أترين؟ لقد طلبوا مني تصميم قوس يستند إلى المظهر فقط، وذلك كي يكون جزءاً من الثياب التي ترتدينها. لكنّني فكرت في أنّ ذلك سيكون مضيعة للوقت. أعني، ماذا لو احتجتِ إليه في أحد الأيام؟ أعني أيضاً، ماذا لو احتجتِ إلى أن يكون أكثر من مجرد إضافة إلى ثيابك؟ هذا هو السبب الذي دفعني إلى ترك مظهره الخارجي بسيطاً كي أترك الداخل لمخيلتي. سيتوضح لك كل شيء عند التدريب. أتريدان تجربة هذين السلاحين؟».

هذا ما فعلناه. لاحظنا وجود مجال للتصويب خصيصاً لنا. كانت السهام التي صمّمها بيتي لا تقل روعة عن القوس. تمكنت من الرماية بدقة عن بعد يزيد على مئة ياردة. كانت أنواع السهام عديدة، مثل تلك الحادة مثل حد الشفرة، والحارقة، والمتفجرة، كما أن هذه السهام حوّلت القوس إلى سلاحٍ متعدد الأدوار. يتميز كل نوع بمقبضٍ ذي لونٍ مميز. امتلكت خيار تعطيل الصوت في أي وقت، لكنّني لم أعرف السبب الذي يدفعني إلى استخدام ذلك الخيار. كان كل ما عليّ فعله هو قول عبارة تصبح على خير، فينام القوس بعد ذلك إلى أن يوقظه صوتي مجدداً.

كانت معنوياتي عالية عندما عدت إلى الفريق الذي يهتم بزينتي، وتركت بيتي وغايل خلفي. جلست بصبر خلال ما تبقى من مهمة الطلاء واختيار الملابس التي سأرتديها، وهي الملابس التي أصبحت تتضمن الآن تلك الضمادة المقيتة التي تغطي الندبة في ذراعي، والتي قُصد منها الإشارة إلى أنني خضت معركة منذ وقتٍ قصير. ثبّتت فينيا دبوس الطائر المقلّد فوق منطقة قلبي. تناولت قوسي وغمداً يحتوي على سهامٍ عادية من صنع بيتي، وذلك مع علمي بأنهم لن يدعوني أتجول مصطحبة معي السهام المحشوة. وصلنا بعد ذلك إلى قاعة مقفلة حيث شعرت بأنني وقفت لساعات في أثناء انشغالهم بتعديل زينتي ومستويات الإضاءة والدخان. قلّت بعد ذلك الأوامر التي كان رجال غير مرئيين في الحجرات الزجاجية يصدرونها عبر أجهزة الاتصالات الخارجيّة. كانت فولفيا وبلوتارك يمضيان وقتاً في الدراسة أطول مما يمضيانه في تعديل زينتي. ساد الهدوء بين الحاضرين كافّة في آخر الأمر. تأملني الآخرون لمدة خمس دقائق كاملة. قال بلوتارك بعد ذلك: «أعتقد أن هذا يكفي».

أشار إليّ الفريق بالتقدم نحو شاشة. أعادوا بثّ الدقائق الأخيرة من الشريط، وشاهدت المرأة على الشاشة. بدا لي جسمها أكبر قامة، وأكثر مهابة. كان وجهها ملطخاً بعض الشيء لكنه محافظ على إثارته، فيما كان حاجباها السوداوان مقوسين على شكل يوحي بالتحدي. رأيت أعمدة دخان رفيعة توحي إما بأنها قد أُطفئت لتوها، أو أنها على وشك التحوّل إلى ألسنة لهب تتصاعد من ثياب المرأة. لم أتمكن من معرفة هوية هذه المرأة.

بقيَ فينيك يتجول حول الجهاز لساعات قليلة إلى أن وقف خلفي وقال بشيء من المرح القديم الذي يتميز به: «إما أنهم يريدون قتلك، أو يريدون تقبيلك، أو يريدون أن يكونوا أنت».

شعر الجميع بالإثارة، وأحسوا بالسعادة بسبب الإنجازات التي

قاموا بها. كان الوقت يقترب من استراحة الغداء، لكنهم أصروا على أن نتابع عملنا. سنركز غداً على الخطابات والمقابلات، كما سيحملونني على التظاهر بأننا وسط معارك الثوار. أما اليوم، فإنهم يريدون شعاراً واحداً، وسطراً واحداً فقط يمكنهم تحويله إلى شريط قصير يمكن عرضه أمام كوين.

«يا شعب بانيم، إننا نقاتل، ونتجاسر، من أجل إشباع تعطّشنا للعدالة!». كان ذلك هو السطر المنتظر. استنتجت من طريقة تقديمهم هذا السطر أنهم أمضوا أشهراً، وربما سنوات، في العمل عليه، ولذلك، فإنهم يشعرون بأنهم فخورون به كثيراً. مع ذلك، شعرت أن هذا السطر يحمل معه معانيَ عميقة، لكنها جامدة. لم أتمكن من تخيّل نفسي وأنا أتلفظ بهذا السطر في الحياة الواقعية، إلا إذا استخدمتُ لهجة الكابيتول وسخرت منها. بدا لي الأمر أشبه ما يكون بذلك الوقت الذي اعتدت فيه أنا وغايل تقليد جملة إيفي ترنكيت: «ليكن الحظ إلى جانبكم على الدوام!». لكن فولفيا تقف الآن أمامي وهي تصف معركة خضتها لتوي، وكيف أن رفاقي بالسلاح يرتمون موتى من حولي، وتقول لي إنّه يجب أن ألتفت إلى الكاميرا وأصرخ بذلك السطر تشجيعاً مني للأحياء!

أسرعت عائدة إلى مكاني، وما لبثت آلة الدخان أن اشتغلت. دعا شخص ما إلى التزام الهدوء، وبدأت الكاميرات بالعمل، ثم سمعت كلمة آكشن (تصوير). حملت قوسي من خلف رأسي، وصرخت بكل الغضب الذي استطعت إظهاره: «يا شعب بانيم، إننا نقاتل، إننا نتجاسر، من أجل إشباع تعطّشنا للعدالة!».

خيّم السكون على الشاشة، واستمر السكون وطال.

أخيراً، علت ضحكة هايميتش الساخرة عبر جهاز الاتصال الداخلي وخيّمت على الاستديو. تمكّن أخيراً من السيطرة على ضحكاته بما يكفي كي يقول: «وهكذا، يا أصدقائي، تموت الثورة».

81

الفصل السادس

أغضبتني كثيراً الصدمة التي شعرت بها لدى سماعي صوت هايميتش البارحة، وكذلك معرفتي بأنه لم يكن فاعلاً في مجريات الأمور فقط، بل إنه يمتلك مجدداً قدراً من التحكم في حياتي. غادرت الاستديو البارحة فور سماعي صوته، كما رفضت اليوم الاهتمام بتعليماته التي أصدرها من حجرته. مع ذلك، أدركت على الفور أنه كان محقاً بشأن أدائي.

استغرق هايميتش الصباح بأكمله كي يُقنع الآخرين بحدودي، وأنه لا يمكنني إنجاز هذا العمل في الاستديو، ولا يمكنني الوقوف وأنا مرتدية الزي الرسمي وبزينتي الكاملة وسط سحابة من الدخان الاصطناعي، وذلك بهدف قيادة المقاطعات نحو النصر. يدهشني مع ذلك صمودي أمام الكاميرات، ويعود الفضل في ذلك بطبيعة الحال إلى بيتا. أعرف أنه لا يمكنني أن أكون الطائر المقلّد بمفردي.

تجمّعنا حول الطاولة الكبيرة في مركز القيادة. كانت كوين ومساعدوها، وبلوتارك، وفولفيا، وفريق التحضير الذي يهتم بي موجودين. كنا مجموعة من 12 شخصاً بمن فيهم هايميتش وغايل، وعدد قليل آخر من الأشخاص الذين لا أستطيع تفسير وجودهم، مثل ليفي وغريسي سي. تمكّن فينيك في اللحظة الأخيرة من إحضار بيتي على كرسيّه المتحرك، وكانا برفقة دالتون، وهو خبير الماشية القادم من المقاطعة 10. أعتقد أن كوين جمعت هذه المجموعة الغريبة من الأشخاص كي يكونوا شهوداً على فشلي.

كان هايميتش، على أي حال، هو الذي رحّب بالجميع، وقال إنني أعرف أن الجميع قد حضروا بناءً على دعوته الشخصية. كانت هذه هي

المرة الأولى التي نجتمع فيها في غرفة واحدة منذ أن سبّبت له خدوشاً كثيرة. تجنّبت النظر إليه مباشرة، لكنني لمحت صورته منعكسة على السطح اللامع لإحدى الطاولات الصغيرة التي تقبع بمحاذاة الجدار. بدا شاحباً قليلاً بعد أن خسر كمية كبيرة من وزنه، وهو الأمر الذي أعطاه مظهراً ضئيلاً. اعتقدت للحظة بأنه مشرفٌ على الموت، لكنّني ذكّرت نفسي بأن الأمر لا يهمني على الإطلاق.

كان أول شيء فعله هايميتش هو عرض الشريط الذي صورناه. بدا الأمر وكأنني وصلت إلى مستوى جديد منخفض تحت إرشادات بلوتارك وفولفيا. أحسست بأن صوتي وجسدي، كليهما، مرتعشان ومفككان. كنت مثل دمية تحركها قوى غير مرئية.

قال هايميتش عند انتهاء عرض الشريط: «حسناً. أيرغب أي شخص في أن يقول إن هذا قد يفيدنا في كسب الحرب؟». لم يقدم أحد على مناقضة هذا الرأي. «حسناً، إن هذا يُكسبنا بعض الوقت. يمكننا في هذه الحالة أن نبقى هادئين للحظة. أريد من الجميع التفكير في مناسبة واحدة تمكنت فيها كاتنيس إيفردين من التأثير فيكم. إنني لا أتحدث عن غيرتكم من تسريحة شعرها، أو عندما رأيتم فستانها تتآكله النيران، أو عندما سدّدت رميتها الصائبة بسهمها. لا أتحدث كذلك عن اللحظة التي جعلكم فيها بيتا تحبونها. أريد أن أسمعكم تتحدثون عن لحظة واحدة تمكنت فيها من جعلكم تحسّون بأنكم شيء حقيقي».

خيّم السكون على القاعة، فبدأت بالاعتقاد أن هذا الصمت لن ينتهي، لكن ليفي تكلّم أخيراً: «إنها اللحظة التي تطوعت فيها كي تحلّ مكان بريم في الحصاد. تأثرت لأنني كنت متأكداً من أنها ستموت».

قال هايميتش: «جيد. إنه مثالٌ». ممتاز. تناول قلماً ذا حبر أرجواني ثم كتب على دفتر ملاحظاته. «تطوعت مكان أختها في الحصاد». نظر

هايميتش حوله ثم سأل: «هل من شخصٍ آخر».

فوجئت عندما تقدم بوغز ليكون المتحدث التالي، وهو الذي أعتبره ذلك الإنسان الآلي (الروبوت) ذا العضلات الذي ينفذ المهمات التي توكلها إليه كوين. «اللحظة التي غنّت فيها الأغنية عندما ماتت الفتاة الصغيرة». قفزت في مكانٍ ما في ذهني صورة بوغز حاملاً إلى جانبه ولداً صغيراً. كان ذلك في قاعة الطعام حسبما أعتقد. يُحتمل أنه ليس إنسانا آلياً في الحقيقة.

قال هايميتش وهو يدوّن ما سمعه: «ومن منا لم يشعر بالاختناق لدى مشاهدته ذلك المنظر. أليس كذلك؟».

صاحت أوكتافيا فجأة: «بكيتُ عندما خدّرت بيتا كي تتمكن من إعطائه الدواء، وعندما قبّلته قبلة الوداع!». غطّت فمها بعد ذلك بيدها وكأنها متأكدة من أن ما قالته كان غلطة كبيرة.

اكتفى هايميتش بالإيماء، ثم قال: «أوه! أجل، خدّرت بيتا كي تنقذ حياته. يا للعمل الرائع!».

بدأت بعد ذلك اللحظات المثيرة بالتوارد بسرعة، ومن دون ترتيب معين: لحظة اخترت رو كحليفٍ لي، وعندما مددت يدي نحو شاف ليلة المقابلة، ولحظة حاولت حمل ماغز، ولحظة حملت تلك الحفنة من التوت البري التي أوحت بأمور متنوعة لأناس مختلفين. أوحت بالحب تجاه بيتا، ورفضِ الاستسلام أمام الاحتمالات المستحيلة، وكذلك تحدي وحشية الكابيتول.

أمسك هايميتش دفتر ملاحظاته: «إذاً، السؤال هو: ما هو الأمر المشترك الذي يجمع بين كل هذه الأحداث؟».

قال غايل بهدوء: «كانت كلها من صنع كاتنيس. لم يخبرها أحد بما يجب عليها أن تفعله أو تقوله».

قال بيتي بهدوء: «أجل، لم تكن مكتوبة!». اقترب مني وربّت على يدي قائلاً: «ذلك يعني أنه يجب علينا أن ندعك وشأنك، أليس كذلك؟».

ضحك الحاضرون، حتى أنا ابتسمت قليلاً.

قالت فولفيا بتوتر: «حسناً. إن كل ذلك رائع جداً، لكنه ليس مساعداً جداً. إن فرصها لإثبات روعتها هنا في المقاطعة 13 ضئيلة جداً، أما إذا كنت تريد أن تلقي بها وسط معمعة المعارك...».

قال هايميتش: «هذا هو ما أقترحه بالضبط، أي أن نضعها في ميدان المعركة، ونصوّب الكاميرات نحوها بشكل دائم».

قال غايل: «لكن الناس يظنّون أنَّها حامل».

ردّ بلوتارك: «يمكننا نشر خبر خسارتها الطفل بسبب الصدمة الكهربائية التي تعرضت لها في الميدان. إنه خبرٌ محزن، وأمرٌ مؤسف».

أثارت فكرة إرسالي إلى ميدان المعركة جدلاً كبيراً، لكن هايميتش امتلك أسبابه المقنعة. قال إنّني إذا تمكنت من التصرّف بطريقة جيدة في ظروف الحياة العملية فقط، فإن ذلك يعني أنه يجب أن أكون في وسطها. «كنا نأمل أن يكون أداؤها جيداً في كل مرة ندرّبها فيها على شيء، أو نلقنها أسطراً معينة. لكن، كان ينبغي أن تكون تصرفاتها وليدة بنات أفكارها. هذا هو ما يسرّ الناس ويستجيبون له».

قال بوغز: «لا يمكننا ضمان سلامتها حتى ولو كنا حذرين. ستكون هدفاً لكل...».

قاطعته: «أريد الذهاب، لأنّني لا أستطيع مساعدة الثوار على شيء هنا».

سألَت كوين: «وماذا لو قُتلتِ؟».

أجبت: «تأكدي من الحصول على شريط الفيديو، ويمكنك أن تستخدميه على أي حال».

قالت كوين: «حسناً. لكن، دعينا نتصرف خطوة خطوة. يمكننا اختيار أقل الظروف خطورة من تلك التي تستثير رداً عفوياً من جانبك». تجولت كوين حول طاولة القيادة، ودرست خارطة المقاطعات المضاءة التي تُظهر مواقع الجنود في أماكن القتال. «خذوها إلى المقاطعة الثامنة هذا المساء. تعرضت المقاطعة إلى قصفٍ عنيف هذا الصباح، لكن يبدو أن الغارة مستمرّة. أريد أن ترافقها مجموعة من الحراس الشخصيين، بالإضافة إلى فريق المصورين الذي يعمل على الأرض. ستكون يا هايميتش في الجو داخل طائرة كي تكون على اتصال مباشرٍ معها. نريد أن نعرف ماذا يحصل هناك. هل يمتلك أي شخص آخر تعليقاتٍ أخرى؟».

قال دالتون: «اغسلي وجهك». التفت الجميع إليه. «إنها لا تزال شابّة، لكنك تجعلينها تبدو وكأنها في الخامسة والثلاثين من عمرها. يبدو الأمر غير مناسب، وهو أشبه بما يُمكن أن تفعله الكابيتول».

طلب هايميتش من كوين عندما أنهت الاجتماع أن يتحدث إليّ على انفراد. غادر الحاضرون عدا غايل الذي بقي إلى جانبي، لكن بتردد. سأله هايميتش: «ما الذي يُقلقك؟ أنا من يحتاج إلى حارس شخصي».

قلت لغايل في أثناء مغادرته: «لا تقلق». لم يُسمع بعد ذلك سوى همهمة الأجهزة، وقرقرة نظام التهوئة.

جلس هايميتش على المقعد المقابل لي: «سيتعيّن علينا مجدداً العمل معاً. يمكنك أن تمضي قدماً. هيا قوليها».

فكرت في الصراخ، وفي ذلك الحديث القاسي الذي دار بيننا في الحوّامة. فكرت في المرارة التي شعرت بها في أعقاب ذلك الحديث. لكنّني اكتفيت بالقول: «لا أصدق أنك أحجمت عن إنقاذ بيتا».

أجابني: «أعرف ذلك».

خيّم عليّ إحساس بأن شيئاً ما ينقصنا غير حقيقة أنه لم يعتذر، فقد

86

كنا نشكل فريقاً واحداً. سبق لنا أن اتفقنا على إبقاء بيتا حياً. عقدت ذلك الاتفاق في عتمة الليل مع رجلٍ ثملٍ وغير واقعي، لكنه كان اتفاقاً على أيّ حال. أدركت في أعماق أعماقي أننا فشلنا.

قلت له: «تأخرت في قولها».

قال هايميتش: «لا أصدّق أنك سمحت له بأن يغيب عن أنظارك في تلك الليلة».

أومأت. هكذا إذاً. «فكرت في الأمر مراراً وتكراراً. فكّرت في ما كان بإمكاني فعله كي أبقيه إلى جانبي من دون الانسحاب من التحالف. لكنّني لم أقرر شيئاً».

«لم يكن لديك أي خيارٍ آخر. أما بالنسبة إليّ، فبالرغم من قدرتي على حمل بلوتارك على البقاء لإنقاذ بيتا في تلك الليلة إلاّ أن المتواجدين الآخرين في الحوّامة ما كانوا ليوافقوا على إنزالها، لأننا بالكاد تمكنا من الخروج من المنطقة وسط الظروف السائدة». التقت عيناي أخيراً عينَي هايميتش. إنهما عينان من السيم. عينان رماديتان وعميقتان تحيط بهما حلقَتان داكنتان نتيجة الليالي العديدة التي أمضاها من دون نوم. «لم يمت بعد يا كاتنيس».

«لم تنتهِ اللعبة بعد». حاولت أن أقول هذه العبارة بشيء من التفاؤل، لكن صوتي خانني.

أشار هايميتش بقلمه نحوي: «لم تنتهِ اللعبة بعد. وهكذا، لا أزال ألعب دور مرشدك. تذكري عندما تنزلين إلى الأرض أنني أحلّق فوقك. سأتمكن من رؤية المشهد بأكمله، ولهذا أريد منك أن تتصرفي مثلما أقول لك».

أجبته: «سنرى».

عدت إلى قاعة الترميم الجمالي، وراقبت المواد التجميلية التي

أخذت طريقها إلى مجرى تصريف المياه بعد أن نظفت وجهي. بدت المرأة التي ظهرت في المرآة متعبة ببشرتها المتغضنة، وعينيها المتعبتين، لكنها بدت مثلي تماماً. نزعت الضمادة التي تحيط بذراعي، فظهرت تلك الندبة البشعة التي تركها جهاز الاقتفاء. حسناً، إنني أنظر الآن إلى الصورة التي تشبهني تماماً.

ساعدني بيتي على ارتداء الدرع التي صممها سينّا لأنني سأدخل منطقة القتال. كانت الدرع عبارة عن خوذة مصنوعة من المعدن المجدول. ناسبت الخوذة مقاس رأسي تماماً، وكانت مرنة وكأنها قبعة مصنوعة من القماش حيث يمكنني إرجاعها إلى الوراء، أي مثل غطاء الرأس في حال لم أرغب في استخدامها طيلة الوقت. واشتملت الدرع كذلك على صدرية من أجل حماية أعضائي الحيوية، وعلى جهاز سمع صغير أبيض اللون مثبت بياقة قميصي بواسطة سلك. ثبّت بيتي كذلك قناعاً في حزامي حيث لا أضطر إلى وضعه إلا في حال تعرضي لهجوم بالغازات الكيميائية. قال لي: «ضعيه على الفور إذا رأيتِ أي شخصٍ يسقط لأسبابٍ لا يمكنك تفسيرها». ثبّت لي بيتي أخيراً حاملة سهام أسطوانية الشكل مقسمة إلى ثلاثة أقسام تضم السهام التي سأحملها على ظهري. «فقط تذكّري: السهام الحارقة في الجهة اليمنى. السهام المتفجرة في الجهة اليسرى. أما السهام العادية ففي الوسط. لا أعتقد أنك ستحتاجين إليها، لكنّني أفضّل أن تكوني بأمان بدلاً من أن تأسفي في ما بعد».

حضر بوغز كي يرافقني إلى القسم المحمول جواً. ظهر فينيك في حالة غضبٍ شديد لحظة وصول المصعد. «كاتنيس. لم يسمحوا لي بالذهاب! قلت لهم إنني بخير، لكنهم لم يسمحوا لي حتى بركوب الحوّامة!».

تأملت فينيك ملياً، وتأمّلت ساقيه العاريتين اللتين تظهران من بين

رداء المرضى، والخفّ الذي ينتعله، وكتلة شعره، والحبل شبه المربوط حول أصابعه، والنظرة المتوحشة في عينيه. لكنّني أدركت أن أي توسّلٍ من جهتي لن ينفع بشيء. يُضاف إلى ذلك عدم اقتناعي بأن مجيئه معي أمر صائب. صفعت جبهتي بيدي وقلت له: «أوه! نسيت شيئاً. يا لتلك الصدمة اللعينة! كان من المفترض أن أخبرك بضرورة ذهابك إلى بيتي في قسم الأسلحة الخاصة. قال لي إنّه صمّم لك رمحاً ثلاثياً جديداً».

بدا لي أن فينيك القديم قد عاد عندما تلفظت بكلمتي رمح ثلاثي. «حقاً؟ ولماذا صنعه؟».

قلت: «لا أعرف. ستحبه كثيراً إذا كان يشبه قوسي وسهامي. ستُضطر إلى التدرّب عليه على أي حال».

قال لي: «أنتِ على حق بطبيعة الحال. أعتقد أنه من الأفضل لي أن أذهب إلى هناك».

قلت له: «فينيك، أليس من الأفضل لك أن ترتدي سروالاً؟».

نظر إلى الثياب التي يرتديها وكأنه يراها للمرة الأولى. خلع بعد ذلك ثوب المرضى فظهرت ثيابه الداخلية. «ولماذا؟ هل تعتبرين هذه الثياب منفرة؟». قال ذلك وهو يتخذ وضعاً مثيراً.

لم أتمكن من عدم الضحك، لأن شكله كان يبعث على الضحك بالفعل. شعرت بالسعادة لأن فينيك بدا الآن مثل ذلك الشاب الذي التقيته في المباريات الربعية.

«إنني من البشر يا أوداير». دخلت المصعد قبل أن ينغلق بابه، وقلت لبوغز: «أنا آسفة».

قال لي: «لا تأسفي. أعتقد أنك... تصرفتِ بلباقة مع الموقف. على أي حال إنّ تصرفك معه أفضل من اضطراري إلى إلقاء القبض عليه».

قلت له: «أجل». سددت نحوه نظرة جانبية. يُحتمل أنه في منتصف

العقد الرابع من عمره، أما شعره الأشيب فقصير جداً، وعيناه زرقاوان. أذهلني موقفه، فقد تحدث إليّ مرتين هذا اليوم بطريقة جعلتني أعتقد أننا قد نكون صديقين بدلاً من أن نكون عدوّين. يُحتمل أنه يجب عليّ أن أعطيه فرصة. لكن، بدا لي أنه ينسّق خطواته مع كوين...

سمعت سلسلة من النقرات العالية. توقف المصعد هنيهة قصيرة وما لبث أن عاد ليتحرك جانبياً نحو اليسار. قلت له: «إنه يتحرك بشكل جانبيّ؟».

أجابني: «أجل. توجد تحت المقاطعة 13 شبكة كاملة من طرقات المصاعد. تقع هذه الطريق فوق خط النقل المؤدي إلى منصة الإطلاق الخامسة. إننا في طريقنا الآن إلى الهنغار (الحظيرة)».

الحظيرة، الزنزانات، الدفاع الخاص. تُزرع المزروعات الغذائية في مكانٍ ما، وتتولد الطاقة، ويجري تعقيم الهواء والماء في مكانٍ ما. «إن المقاطعة 13 أكبر مما كنت أظن».

قال بوغز: «لا يمكننا أن ننسب ذلك إلى أنفسنا لأننا ورثنا هذا المكان أساساً. إن كل ما فعلناه هو إبقاء العمل فيه كما كان عليه».

عادت النقرات من جديد. هبطنا بضعة طوابق مجدداً لفترة قصيرة، وما لبث باب المصعد أن انفتح على الهنغار (الحظيرة).

صدرت عني كلمة أوه بطريقة عفوية عندما رأيت الأسطول. شاهدت صفوفاً إثر صفوفٍ من مختلف أنواع الحوّامات. «هل ورثتم كل هذه أيضاً؟».

قال بوغز: «صنعنا عدداً منها، بينما كان بعضها الآخر جزءاً من قوات الكابيتول الجوية، لكننا قمنا بتحديثها بطبيعة الحال». شعرت مجدداً بوخزة الحقد إزاء المقاطعة 13. «إذاً، أنتم تمتلكون كل هذا، لكنكم تركتم المقاطعات الأخرى عزلاء أمام جبروت الكابيتول».

90

ردّ بحدة: «الأمر ليس بهذه البساطة. لم نكن جاهزين لخوض هجومٍ مضاد حتى وقتٍ قريب. بالكاد تمكنا من البقاء أحياء. كان عدد قليل منا يعرف كيفية استخدام هذه الطائرات، وذلك بعد أن تغلبنا على حكام الكابيتول وقضينا عليهم. أجل، كان بإمكاننا قصف الكابيتول بصواريخ نووية. لكن، يبقى دائماً السؤال الأكبر: هل ستبقى حياة بشرية إذا تورطنا في ذلك النوع من الحروب مع الكابيتول؟».

أجبته: «يتوافق هذا مع ما قاله بيتا، لكنكم اعتبرتموه خائناً».

قال بوغز: «فعلنا ذلك لأنه دعا إلى وقف إطلاق النار. ستلاحظين أن الطرفين قد امتنعا عن استعمال الأسلحة النووية. إننا نتصرف بحسب الطرائق القديمة. من هنا أيتها الجندية إيفردين». أشار إلى واحدة من الحوّامات الأصغر حجماً.

صعدت السلم فوجدت فريق التلفزيون مع كامل أجهزته. ارتدى الجميع، بمن فيهم هايميتش، أزياء المقاطعة 13 العسكرية ذات اللون الرمادي الداكن، لكن هايميتش بدا وكأنه متضايق من ضيق ياقته.

أسرعت فولفيا كارديو بإصدار صوت يعبّر عن الإحباط عندما رأت نظافة وجهي: «هل ذهب كل العمل الذي قمنا به في مجرى تصريف المياه. أنا لا ألومك يا كاتنيس. إن كل ما في الأمر هو أن هناك عدداً قليلاً جداً من الناس يولدون بوجوه جاهزة للتصوير من دون الحاجة إلى تدخلٍ تجميلي، أي مثله هو»، أمسكَت ذراع غايل الذي كان منشغلاً بمحادثة مع بلوتارك ثم أدارته نحونا، «أليس وسيماً؟». بدا غايل وسيماً بالفعل بزيّه الرسميّ، حسبما أعتقد. لكن السؤال أصاب كلينا بالإحراج، وذلك نظراً إلى ما مرّ بنا من أحداث. حاولت التفكير في ردٍّ ذكيٍّ ومناسب، لكن بوغز قال بشيء من العنف: «حسناً لا تتوقعوا منا أن نتأثر كثيراً. رأينا للتو فينيك أوداير مرتدياً ثيابه الداخلية». قررت المضي قدماً في محبة بوغز.

رأينا تحذيراً بالإقلاع الوشيك للطائرة، لذلك جلست قرب غايل وأحكمت ربط حزام الأمان. كان مقعدي في مواجهة هايميتش وبلوتارك. انسابت الطائرة عبر متاهة من الأنفاق التي أوصلتها إلى منصة. ارتفعت الطائرة ببطء عبر طوابق عدة بواسطة جهاز يشبه المصعد، ثم وصلت فجأة إلى حقلٍ واسع محاطٍ بالغابات. ارتفعنا بعد ذلك عن المنصة، وسرعان ما أحاطت الغيوم بالطائرة.

انتهى الآن كل ضجيج الحركة التي انتهت بي بالقيام بهذه المهمة، فأدركت أنني لا أمتلك أدنى فكرة عما سيواجهني في هذه الرحلة إلى المقاطعة 8. إنني أمتلك، في واقع الأمر، فكرة ضئيلة عن الوضع الحقيقي للحرب، أو عن ثمن الفوز بها، أو عمّا سيحدث إذا تحقق هذا الفوز.

حاول بلوتارك تسهيل الأمور بالنسبة إليّ فاستخدم عبارات بسيطة. أولاً، وقبل كل شيء، تنشغل كل المقاطعات بحربٍ مع الكابيتول ما عدا المقاطعة 2، وهي المقاطعة التي كانت تحبذ على الدوام التعامل مع أعدائنا، وذلك بالرغم من مشاركتها في مباريات الجوع. يحصل سكان هذه المقاطعة على طعام أكثر من سائر المقاطعات، كما أنّ أحوالهم المعيشيّة أفضل. تحولت المقاطعة 2، بعد الأيام المظلمة والدمار المفترض للمقاطعة 13، إلى المركز الدفاعي الجديد للكابيتول، وذلك بالرغم من إبرازها في العلن على أنها مقالع حجارة الأمة، أي بالطريقة ذاتها التي كانت تُعرف بها المقاطعة 13 بتعدين الغرافيت. لا تكتفي المقاطعة 2 بإنتاج الأسلحة، لكنها تدرب ضباط الأمن الذين يأتون منها غالباً.

سألتُ: «أتعني... أن بعض ضباط الأمن قد ولدوا في المقاطعة 2؟ ظننت أنهم أتوا جميعاً من الكابيتول».

أومأ بلوتارك وقال: «هذا ما يُفترض بكم أن تظنوه. لكن بعضهم أتوا من الكابيتول بالفعل. غير أنّ عدد سكانها لا يسمح بتحمل قوة بذلك

الحجم. برزت بعد ذلك مشكلة تجنيد المواطنين الذين نشأوا في الكابيتول كي يعيشوا حياةً رتيبة تتسم بالحرمان في المقاطعات. يتضمن ذلك الالتزام بتمضية فترة عشرين عاماً مع ضُباط الأمن من دون زواج، ومن دون السماح بإنجاب الأولاد. يقبل بعض الأشخاص بذلك نظراً إلى الشرف الذي تمنحه الوظيفة، بينما يقبل آخرون بها كبديلٍ عن تحمّل العقوبة. إذا انضم المرء، على سبيل المثال، إلى ضباط الأمن، فإنه يحصل على إلغاء ديونه. يعلق أشخاص كثيرون بالديون في الكابيتول، لكنهم ليسوا مؤهلين جميعاً للخدمة العسكرية. هذا هو السبب الذي يجعلنا نلجأ إلى المقاطعة 2 من أجل الحصول على جنودٍ إضافيين. فالخدمة العسكرية إحدى الوسائل أمام سكانها للتخلص من الفقر والحياة في مقالع الصخور. ينشأ السكان مع عقلية المحاربين. سبق لك أن رأيت أن أولادهم يتلهفون للتطوع كي يكونوا مجالدين».

تذكرت كاتو وكلوف، وبروتوس وإينوباريا. لاحظت كذلك مدى تلهفهم وتوقهم إلى رؤية الدماء. سألته: «هل تقف كل المقاطعات الأخرى إلى جانبنا؟».

قال بلوتارك: «أجل، إن هدفنا هو احتلال المقاطعات واحدة بعد أخرى إلى أن ننتهي بالمقاطعة 2؛ وهكذا نتمكن من قطع خطوط التموين عن الكابيتول. سنقوم باحتلال الكابيتول ذاتها ما إن تضعف. سيكون ذلك تحدياً من نوعٍ مختلف، لكننا سنقوم بحل المشكلة ما إن نصل إليها».

سأل غايل: «إذا ربحنا، فمن سيتولى إدارة الحكومة؟».

قال بلوتارك: «كل واحدٍ منا، لأننا سننشئ جمهورية حيث يتمكن سكان كل المقاطعات، والكابيتول كذلك، من انتخاب ممثليهم ليكونوا أصواتهم في الحكومة المركزية. لا تكوني متشككة لأن الأمر نجح من قبل».

قال هايميتش متمتماً: «نجح نظرياً فقط».

قال بلوتارك: «يمكنك أن تجد هذا في كتب التاريخ، وإذا تمكن أسلافنا من إنجاح الأمر، فإن ذلك يعني أننا سننجح في ذلك بدورنا».

أقول بصراحة إننا لا نستطيع أن نفخر بأسلافنا كثيراً. أعني أنه إذا فكّرنا في الأوضاع التي تركوها لنا، وكل تلك الحروب وهذا الكوكب المتفكك، فسيتضح لنا أنهم لم يكترثوا كثيراً بما سيحدث للناس الذين يأتون من بعدهم. لكن فكرة الجمهورية تلك بدت لي أفضل بكثير من حكومتنا الحالية.

سألت: «وماذا سيحدث لو خسرنا؟».

نظر بلوتارك إلى خارج النافذة من خلال الغيوم، وسرعان ما لاح شبح ابتسامة ساخرة فوق شفتيه المرتعشتين، وقال: «إذا خسرنا؟ سأتوقع عند ذلك أن تكون مباريات الجوع في السنة القادمة شيئاً لا يُنسى. يذكرني هذا بشيء آخر». تناول قارورة من صدريته، وأخرج منها عدة حبوب بلونٍ بنفسجي داكن، ثم قدّمها لنا. «أطلقنا عليها اسم نايتلك تيمناً بك يا كاتنيس. لا يحتمل الثوار الآن أن يُلقى القبض على أي واحد منا. لكنّني أعدك بأن هذه الحبوب لا تترافق مع أي قدرٍ من الألم».

تناولت حبةً، لكنّني لم أعرف أين أضعها. ربت بلوتارك على موضعٍ في كتفي يقع أمام كمّي الأيسر. تفحصت الكمّ فوجدت جعبةً صغيرة يمكن تخبئة الحبة فيها بأمان. يمكنني أن أنحني إلى الأمام، حتى لو كانت يداي موثقتين، وأنتزعها بواسطة فمي.

بدا لي أن سينّا قد فكر في كل شيء.

الفصل السابع

نفّذت الحوّامة هبوطاً لولبياً سريعاً نحو طريقٍ واسعة في إحدى ضواحي المقاطعة 8. انفتح الباب على الفور تقريباً، وانزلق السلم في مكانه، وما لبثنا أن أصبحنا فوق الإسفلت. عادت أجهزة الطائرة للعمل ما إن ترجّل آخر رجل. ارتفعت الطائرة وما لبثت أن اختفت. بقيت مع الحراس الشخصيين الذين تمثلوا بغايل، وبوغز، وجنديين آخرين. اشتمل الفريق التلفزيوني على مصورَين من الكابيتول يحملان كاميرتين منقولتين ثقيلتين فوق كتفيهما، ويبدوان كحشرتين داخل صدفتين، وعلى امرأة تعمل مخرجة وتدعى كريسيدا، والتي حلقت شعر رأسها بالكامل، ووضعت على رأسها وشماً يمثّل كروماً خضراء اللون. أما مساعدها ميسالا النحيل فيضع على أذنيه عدداً من الأقراط. لاحظت بعد تأملٍ عميق أن لسانه مثقوب أيضاً، كما أنه يضع مشبكاً يشتمل على كرة فضية بحجم الكِلّة.

حثّنا بوغز على الابتعاد عن الطريق نحو صفٍّ من المستودعات. وفي هذه الأثناء، سمعنا صوت حوّامة أخرى تستعد للهبوط. حملت هذه الحوامة صناديق محملة بالمواد الطبية وفريقاً من ستة من مساعدي الأطباء. عرفت ذلك من أزيائهم البيضاء المميزة. تبعنا بوغز عبر ممرٍّ يفصل بين مستودعَين باهتَي اللون. لم نشاهد على الجدران المعدنية باهتة الألوان سوى سلالم توصل إلى السطوح. بدا الأمر وكأننا دخلنا عالماً آخر بعد وصولنا إلى الشارع.

أُحضر الجرحى الذين أُصيبوا نتيجة القصف الصباحي، وكانوا يُنقلون على نقالات محلية الصنع، وفي عربات تجرّ باليد، وفي عربات أخرى، وبعضهم حُملوا على الأكتاف، كما تلقى بعضهم الآخر المساعدة

للسير وإن بصعوبة. كان بعض الجرحى ينزفون، بينما فقد بعضهم الآخر أطرافهم، وآخرون كانوا غائبين عن الوعي. أسرع أناس متلهفون لمساعدتهم، ولإيصالهم إلى مستودعٍ كُتب عليه الحرف H بعجلة فوق مدخله. تذكرت ذلك المشهد في مطبخنا القديم حيث كانت والدتي تعالج المحتضرين، لكن أعداد المرضى أكبر بعشر مرات، أو خمسين، أو مئة مرة. توقعت رؤية أبنية مقصوفة، لكنّني رأيت أجساداً مشوهة بدلاً من ذلك.

هل هذا هو المكان الذي اختاروه لتصويري؟ التفتّ نحو بوغز وقلت له: «لن ينجح الأمر، لأن أدائي لن ينجح هنا».

أعتقد أنه لا بد من أنه رأى الرعب في عينيّ لأنه توقف للحظة ووضع يديه فوق كتفي قائلاً: «ستقومين بدورك. فقط دعيهم يرونك. سينفعهم ذلك أكثر مما يعطيهم إياه أي طبيب في العالم».

شاهدتنا امرأة كانت توجّه المرضى القادمين، لكنها تمكنت من إخفاء رد فعلها لفترة، ثم مضت في طريقها. كانت عيناها البنيّتان الداكنتان منتفختين نتيجة التعب، بينما فاحت منها رائحة المعدن والعرق. كانت الضمادة التي تحيط برقبتها بحاجة إلى التغيير منذ ثلاثة أيام، فيما كان حزام سلاحها الأتوماتيكي معلقاً حول رقبتها. حرّكت رقبتها كي تعيد تركيز ذلك الحزام. أمرت بإشارة من إصبعها المساعدين الطبيين بالدخول إلى المستودع، فأطاع المساعدون من دون جدال.

قال بوغز: «إنها القائدة بايلور من المقاطعة 8. إنها قائدة أيتها الجندية كاتنيس إيفردين».

بدت المرأة صغيرة جداً كي تكون قائدة، أي أنها في أوائل العقد الثالث من عمرها. لاحظت أن نبرة صوتها توحي بالسلطة، وهي تدل على أن تعيينها لم يكن عشوائياً. شعرت، وأنا أقف إلى جانبها بالزي الرائع الجديد والنظيف والملتمع الذي أرتديه، بأنني فرخ فقس لتوّه، ويفتقد إلى

الخبرة، لكنه يشق طريقه في هذا العالم.

قالت بايلور: «أجل، أعرف من تكون. إذاً، أنتِ حية، لكننا لم نكن متأكدين من ذلك». شعرت بوجود نبرة اتهامية في صوتها، هذا إذا لم أكن مخطئة.

أجبتها: «لا أزال غير واثقة من ذلك بدوري».

صفع بوغز جبهته قائلاً: «إنها لا تزال في مرحلة النقاهة بعد تلك الصدمة، وبعد إجهاضها جنينها. لكنها أصرت على المجيء من أجل العناية بمرضاكم».

قالت بايلور: «حسناً، لدينا عدد كبير من الجرحى».

قال غايل عابساً وهو ينظر إلى المستشفى: «أتعتقدين أنه من المناسب تجميع جرحاكم على هذا النحو؟».

لم أرَ أن ذلك مناسب على الإطلاق، لأن أي نوعٍ من أنواع الأمراض المعدية ينتشر في هذه المنطقة مثل انتشار النار في الهشيم.

قالت بايلور: «أعتقد أن تجميعهم هنا أفضل بقليل من تركهم ليموتوا وحدهم».

قال لها غايل: «لم أقصد هذا».

قالت لي بايلور وهي تتقدمني نحو الباب: «حسناً، لا أرى خياراً لي غير هذا الخيار في الوقت الحاضر. أما إذا فكّرت في خيار ثالث، وتمكنت من الحصول على دعم كوين له، فإنني سأصغي إليك. ادخلي أيها الطائر المقلّد. أرجوك أن تصطحبي معك أصدقاءك كذلك».

نظرت إلى الخلف؛ نحو المجموعة الفريدة التي تشكل فريقي، واستمددت القوة لنفسي، ثم تبعتها إلى المستشفى. رأيت نوعاً من أنواع الستائر الصناعية المعلقة على طول المبنى مشكلةً بذلك ممراً كبيراً. تكومت الجثث جنباً إلى جنب بينما كانت الستائر تلامس رؤوسها التي

غطتها أقمشة بيضاء. قالت بايلور: «حفرنا إلى الغرب من هنا مقبرة جماعية ليست بعيدة عن هذا المكان، لكننا لا نستطيع الاستغناء عن العمال اللازمين لنقل هذه الجثث». أمسكت بفتحة بين الستائر وفتحتها على اتساعها.

التفّت أصابعي حول معصم غايل، وقلت له بصوتٍ هامس: «إياك أن تبتعد عني».

أجابني بهدوء: «سأبقى معك هنا».

دخلت من خلال فتحة الستارة، وأحسست بأن حواسّي قد تعرضت لهجوم. كانت استجابتي الأولى هي تغطية أنفي كي أمنع دخول تلك الرائحة الكريهة الصادرة عن القماش الملوّث، واللحم الفاسد، والقيء إليه، والتي زادت من حدتها حرارة المستودع. عمد المسؤولون إلى فتح النوافذ في السقف المعدني العالي، لكن الهواء الداخل من خلاها عجز عن فتح ثغرة له في الضباب المنتشر في الأسفل. تمكنت أشعة الشمس المتسللة من توفير قدرٍ ضئيل من الإضاءة. تمكنت من السير بين صفوف الجرحى بعد أن اعتادت عيناي الإضاءة المتوافرة. وُضع الجرحى على أسرّة، وعلى مفارش، وعلى الأرض، بسبب وجود عدد كبير منهم يحتاجون إلى أماكن لهم. أما أسراب الذباب الأسود، وأنين الناس الذين يعانون الألم، ونشيج أولئك الذين يعتنون بأحبائهم فقد اجتمعت كلها لتؤلف جوقةً واحدة.

إننا لا نمتلك مستشفيات حقيقية في المقاطعات، وهكذا نموت في المنازل، وهي التي تبدو في هذه اللحظة بديلاً مريحاً ومرغوباً فيه عما أجده أمامي. تذكرت بعد ذلك أن عدداً كبيراً من هؤلاء الأشخاص قد فقدوا منازلهم نتيجة عمليات القصف.

بدأت حبيبات العرق تتصبب نزولاً فوق ظهري، كما ملأت راحتَي يدَيّ. بدأت بالتنفس عبر فمي في محاولة مني لتخفيف أثر الرائحة. تراقصت بقع سوداء في مجال نظري، فاعتقدت أنّ هناك فرصة كبيرة

لإمكانية إصابتي بالإغماء. شاهدت بايلور في هذه اللحظة وهي تراقبني عن كثب، وتنتظر كي تكتشف مدى صلابتي، وكي ترى إذا كانوا محقين في ظنهم أنّه بإمكانهم الاعتماد عليّ. لهذا السبب، تركت غايل، وأجبرت نفسي على التوغل بعيداً في المستودع، وسرت في ممرٍّ ضيّق يفصل بين صفّين من الأسرّة.

«كاتنيس؟». انطلق صوتٌ من يساري اخترق الضجيج الذي ملأ المكان. «كاتنيس؟». امتدت نحوي يدٌ وسط الضباب. تمسكت بها كي لا أفقد توازني. كانت تلك يد امرأة شابة تعاني إصابة في رجلها. رأيت الدماء النازفة من خلال الضمادات التي تسرح فوقها أسراب الذباب. عكس وجهها الألم الذي تشعر به، لكنه امتزج مع أمرٍ آخر، أمر بدا غير متناسبٍ مع وضعها أبداً. «هل هذه أنتِ حقاً؟».

أجبتها: «أجل. أنا هنا».

الفرح. كان ذلك هو ما عكسته ملامح وجهها. أشرق وجهها، ومحا كل علامات المعاناة؛ وإن كان ذلك لفترة قصيرة.

قالت بحماسة ظاهرة: «أنتِ حيّة! لم نكن نعرف ذلك. توقّع الناس أنك لا تزالين حيّة، لكننا لم نكن متأكدين من ذلك!».

قلت: «تعرضت لصدمة كبيرة، لكنّني تحسنت، وهذا ما سيحصل معك أنت أيضاً».

«يجب أن أخبر شقيقي!». جهدت المرأة كي تقف على قدميها، ونادت مريضاً يبعد عنها بضعة أسرّةٍ: «إدي! إدي! إنها هنا! إنها كاتنيس إيفردين!».

التفت نحونا ولد في الثانية عشرة من عمره تقريباً. غطت الضمادات نصف وجهه. رأيت علامة دهشة تبدو واضحة على فمه المفتوح. اقتربت منه، ورفعت عن جبهته خصلات شعره البنية الرطبة. فتمتم بتحية مبهمة.

أدركت أنه عاجز عن الكلام، لكنه ركّز عينه السليمة عليّ، وبدا وكأنه يحاول أن يحفظ كل تفصيل من تفاصيل وجهي.

سمعت اسمي يتردد من خلال الهواء الحار، وينتشر عبر المستشفى بأكمله. «كاتنيس! كاتنيس إيفردين!». بدأت الأصوات التي تنمّ عن الألم والحزن بالتراجع، وحلّت مكانها كلمات تعبّر عن ترقّب ما سيحدث. توالت الأصوات التي تناديني. بدأت بالتحرك، وصافحت الأيدي التي امتدت نحوي، كما لمست الأعضاء السليمة لأولئك الذين يعجزون عن تحريك أطرافهم. وجّهت التحية إليهم، وسألتهم عن أحوالهم، وأعربت عن سروري للقائهم. لم أقل لهم أي شيء هام، أو أي كلمات إلهامٍ مدهشة. لكن، ليس لذلك أي أهمية على الإطلاق. أعتقد أن بوغز محقّ في قوله إن رؤيتهم لي مصدر إلهامٍ وتشجيع لهم.

اقتربت مني الأصابع التائقة كي تلمس جسمي، وأحاط أحد المصابين وجهي بيديه، وشكرت في هذا الوقت دالتون بصمت لأنه نصحني بإزالة مواد التجميل عن وجهي. أعرف كم كان من السخف والحمق لو أنني أظهرت قناع الكابيتول المليء بالطلاء أمام هؤلاء الناس. تعرّف إليّ الناس عن طريق الأذى الذي تحملته، والتعب الذي شعرت به، ونقاط الضعف التي أحملها، وهذه هي الأسباب التي تجعلني أشعر بأنني أنتمي إليهم.

سألني عدد كبير منهم عن بيتا بالرغم من مقابلته التي أجراها مع سيزار، وهي التي أثارت جدلاً كبيراً، وأكدوا لي أنهم يعرفون أنه تحدّث نتيجة الإكراه. بذلت أقصى جهدي كي أبدو متفائلة بشأن مستقبلنا، لكنّني شعرت بأن الذين عرفوا بما حدث للطفل قد شعروا بالأسف. شعرت في إحدى المرات بأنني أريد قول الحقيقة، وإخبار إحدى النساء الباكيات أن الأمر برمته مجرد خدعة، ومجرد حركة في لعبة، لكن إظهاري بيتا على أنه كاذب أمر من شأنه الإضرار بسمعته، وسمعتي أنا، وحتى بسمعة القضية.

بدأت أدرك في هذا الوقت المدى الذي ذهب إليه الناس في حمايتي، وفي إظهار أهميتي بالنسبة إلى الثوار. تبيّن لي أن صراعي المستمر مع الكابيتول، وهو الصراع الذي لطالما أحسست بأنني وحيدة فيه، لم يكن كذلك. إنني أمتلك إلى جانبي آلافاً وآلافاً من سكان المقاطعات الذين وقفوا إلى جانبي. كنت طائرهم المقلّد قبل وقتٍ طويل من قبولي لعب هذا الدور.

بدأ إحساسٌ جديد بالتكوّن في داخلي. لم يتبلور هذا الإحساس جيداً إلى أن وقفت فوق إحدى الطاولات، ورفعت يدي كي أرد بتحية الوداع على تلك الأصوات الخشنة التي تهتف باسمي. السلطة؛ امتلكت ذلك النوع من القدرة الذي لم أكن أعرف أنني أمتلكه من قبل. أعتقد أن سنو قد عرف ذلك عندما أمسكت بتلك الحفنة من التوت البري. وعرف بلوتارك ذلك أيضاً عندما أنقذني من الميدان، كما أصبحت كوين تعرفه الآن. عرفته كوين الآن بدورها إلى درجة أنها ذكّرت شعبها علناً بأنني لا أمتلك تلك السلطة.

استندت إلى جدار المستودع ما إن أصبحنا في الخارج كي أستعيد أنفاسي، كما تقبلت قارورة المياه التي قدّمها لي بوغز وهو يقول: «كنتِ رائعة».

حسناً، لم أُصب بالإغماء ولم أتقيأ. لم أركض صارخةً إلى الخارج. ركبت، بدلاً من ذلك، موجة العاطفة التي سَرَت عبر المكان.

قالت كريسيدا: «لدينا شيء رائع يجري هنا». نظرت إلى المصورَين اللذين تقاطرت حبيبات العرق فوق كاميرتيهما. وانشغل ميسالا بكتابة الملاحظات. وأدركت عند ذلك بأنني نسيت أنهم يصوّرونني على الدوام.

قلت: «في واقع الأمر، لم أفعل الكثير».

قال بوغز: «يتعيّن عليك أن تعطي لنفسك بعض الفضل نظراً إلى ما

فعلتِه في الماضي».

نظراً إلى ما فعلته في الماضي؟ فكّرت في ذلك الكم من الدمار الذي خلّفته ورائي. شعرت بضعفٍ في ركبتيّ وانزلقت إلى وضعية الجلوس. «تركت ورائي مجموعة متنوعة من الأمور».

قال بوغز: «حسناً، لا أقول إنك كاملة تماماً. لكن، سيتعيّن عليك أن تكوني قوية لأن الظروف تفرض عليك ذلك».

جلس غايل القرفصاء إلى جانبي وهزّ رأسه: «لا أصدّق أنك سمحتِ لكل هؤلاء الناس بلمسك. كنت أتوقع أن تريحي نفسك قليلاً».

قلت ضاحكة: «اخرس».

قال لي: «ستشعر والدتك بفخرٍ كبيرٍ بك عندما تشاهد هذا الشريط».

«لن تلاحظ والدتي وجودي، وذلك لأنها ستتأثر كثيراً نتيجة الأوضاع السائدة هناك». التفتّ نحو بوغز وسألته: «هل الحالة هكذا في كل المقاطعات الأخرى».

«أجل، لأن معظم المقاطعات تتعرض للهجوم، لكننا نحاول إيصال المساعدات إلى كل مكان نقدر أن نصل إليه، لكنها ليست كافية». توقف قليلاً، وانشغل بسماع شيء ما عبر سماعته. تذكرت بأنني لم أسمع صوت هايميتش منذ مدة، ولذلك عبثت بسماعتي قليلاً وتساءلت إذا كانت معطلة. قال بوغز وهو يرفعني عن الأرض بيد واحدة: «يتعيّن علينا الوصول إلى المدرج على الفور. إننا نواجه مشكلة».

سأل غايل: «ما نوع هذه المشكلة؟».

قال بوغز: «تتجه نحونا طائرات قاذفة للقنابل». اقترب مني، ووضع الخوذة التي صمّمها سينّا فوق رأسي قائلاً: «هيا بنا».

ركضت بمحاذاة جدار المستودع من دون أن أعرف تماماً ما يجري، واتجهنا نحو الممر الذي يؤدي بنا إلى المدرج. لم أحسّ مع ذلك بأي

خطرٍ داهم. بدت السماء فوقي زرقاء صافية من دون غيوم، وفارغة تماماً. كان الشارع خالياً تماماً إلا من الأشخاص الذين ينقلون الجرحى إلى المستشفى. لم أعثر على عدو، أو على إشارة إنذار من هجومٍ مباغت. بعد ذلك، بدأت صفارات الإنذار بالعويل. لم يستغرق الأمر سوى لحظات قليلة قبل ظهور الطائرات التابعة للكابيتول والتي تأخذ تشكيلاتها الحرف V، وهي التي تطير على ارتفاعٍ منخفض. لم تتأخر القنابل عن التساقط. شعرت بأن قوة ما ترفعني عن الأرض وتضعني أمام جدار المستودع. شعرت بألمٍ حاد خلف ركبتي اليمنى مباشرة، وأحسست كذلك بأن شيئاً ما قد أصاب ظهري، لكن يبدو أنه لم يخترق درعي. حاولت النهوض، لكن بوغز دفعني على الأرض مجدداً، ووفر بجسده حمايةً لجسدي. تماوجت الأرض تحتي بعد أن تساقطت القنابل من الطائرات واحدة إثر أخرى وبدأت تنفجر.

كان التصاقي بالجدار خلال تساقط القنابل قد ولّد لديّ إحساساً مرعباً. فكّرت في ذلك التعبير الذي كان والدي يستخدمه حين يتحدث عن الطرائد التي يسهل صيدها. مثل إطلاق الرصاص على السمك في برميل. إننا السمك في هذه الحالة، بينما الشارع هو البرميل.

جفلت عند سماعي صوت هايميتش يتردد في أذني: «كاتنيس!».

أجبت: «ماذا؟ أجل، ماذا؟ أنا هنا!».

قال لي: «اسمعيني. لا يمكننا الهبوط في أثناء القصف. لكن، من الضروري ألاّ يكتشفوا مكانك».

افترضت، كالمعتاد، أن وجودي هو الذي استلزم هذا العقاب، وقلت له: «إذاً، إنهم لا يعلمون أنني هنا؟».

قال هايميتش: «تفترض دوائر الاستخبارات أنهم لا يعلمون، ويقولون إنّ هذه الغارة قد خُطّط لها سلفاً».

وصل إلى مسمعي صوت بلوتارك الهادئ والقوي مع ذلك. كان ذلك صوت كبير صانعي الألعاب الذي اعتاد القيام بمهماته تحت الضغط: «يوجد مستودع مطلي باللون الأزرق الفاتح على مسافة قريبة منك. يتضمن ذلك المستودع سرداباً في أقصى جهته الشمالية. أيمكنك أن تصلي إليه؟».

قال بوغز: «سنبذل أقصى جهدنا للوصول إليه». لا بد من أن صوت بلوتارك كان يتردد في آذان الجميع. عرفت ذلك لأن كل حراسي الشخصيين وأعضاء فريقي نهضوا في وقتٍ واحد. بحثت عيناي عن غايل بشكل بديهي. بعد قليل رأيته واقفاً، وبدا أنه لم يصب بأذى.

قال بلوتارك: «أمامكم خمس وأربعون ثانية قبل بدء الموجة التالية من القصف».

أطلقت صيحة ألم عندما وقع ثقل جسمي بأكمله على ساقي اليمنى، لكنّني استمررت بالتحرك. لم أمتلك متسعاً من الوقت كي أتفحص إصابتي. أعتقد أنه من الأفضل لي ألاّ أفعل ذلك على أي حال. كنت أنتعل، لحسن حظّي، حذاءً من تصميم سينّا. يلتصق كعب الحذاء بالإسفلت عندما يطأه ويتفلت منه عند تحريكه. كان وضعي سيكون يائساً لو أنني انتعلت ذلك الحذاء الذي لا يناسب مقاس رجليّ، والذي أعطتني إياه المقاطعة 13. سار بوغز في المقدمة، لكن لم يتمكن أحد من تجاوزي. سار الجميع، بدلاً من ذلك، بحسب خطواتي أنا، وحموا جانبيّ وظهري. أسرعت بالعدو لأن الثواني المتبقية لنا بدأت بالتناقص. تجاوزنا المستودع الثاني ذا اللون الرمادي، واستمررنا بالركض بمحاذاة مبنى بنيّ اللون. رأينا أمامنا مباشرة واجهة مبنى باللون الأزرق الفاتح. كان المبنى الذي يضم السرداب. وصلنا إلى ممرٍّ آخر يفصلنا عن باب السرداب، لكن الموجة التالية من القصف بدأت في هذه اللحظة بالذات. اندفعت فطريًّا نحو الممر، وتدحرجت نحو الجدار الأزرق. كان غايل هذه المرة هو الذي رمى بجسده عليّ كي يوفر

لي حماية إضافية من القصف. بدا لي أن موجة القصف قد استمرت لفترة أطول، لكننا كنا أبعد هذه المرة.

انقلبت على جنبي، ووجدت نفسي أحدّق إلى عيني غايل مباشرة. انحسر العالم من أمامي للحظة، ولم أرَ سوى وجهه المتورّد. كانت سرعة نبضات قلبه واضحة في صدغه، وكانت شفتاه منفرجتين قليلاً في أثناء محاولته التقاط أنفاسه.

سألني بصوتٍ طغى عليه صوت انفجار: «هل أنتِ بخير؟».

أجبته: «أجل، لا أعتقد أنهم رأوني. أعني أنهم لا يلاحقوننا».

قال غايل: «كلا، لأنهم يستهدفون مكاناً آخر».

أدرك كلانا في الوقت ذاته معنى ذلك الكلام: «أعرف. لكن، لا يوجد شيء هناك غير...».

«المستشفى». نهض غايل على الفور وصرخ بالآخرين: «إنهم يستهدفون المستشفى!».

قال بلوتارك بحزم: «هذه ليست مشكلتكم. أدخلوا المخبأ».

قلت: «لكن، لا يوجد شيء هناك غير الجرحى!».

«كاتنيس». سمعت نبرة التحذير في صوت هايميتش، وتوقعت ما سيحدث تالياً. «إياك حتى أن تفكّري في...!». نزعت السماعة وتركتها تتدلى من سلكها. سمعت صوتاً آخر بعد أن تحررت من الصوت الصادر عن السماعة. كان ذلك صوت البنادق الرشاشة، وهو الصوت الذي انطلق من سطح المستودع ذي اللون البني الذي يقع في الجهة الأخرى من الممر. سمعت شخصاً يرد على إطلاق النار بالمثل. انطلقت، قبل أن يتمكن أحد من منعي، نحو سلمٍ يؤدي إلى السطح، وبدأت بتسلقه. إن تسلّق السلالم أحد الأمور التي أتقنها أكثر من غيرها.

سمعت صوت غايل يقول من خلفي: «لا تتوقفي!». سمعت بعد

105

ذلك صوت حذائه وهو يضرب وجه شخصٍ ما. سيدفع غايل الثمن غالياً في ما بعد إذا كان صاحب الوجه هو بوغز. وصلت إلى السطح، وزحفت نحو المنطقة الإسفلتية. توقفت لفترة كانت كافية كي أسحب غايل إلى السطح حتى وصل إلى جانبي. اندفعنا بعد ذلك إلى صف مراكز البنادق الرشاشة الموجودة قبالة المستودع. تبيّن لنا أن عدداً قليلاً من الثوار يشغل كل مركز. توجهنا إلى مركز يشغله جنديان انحنيا وراء متراس.

رأيت إلى يساري بايلور وراء إحدى البنادق الرشاشة، وسرعان ما رمقتني بنظرة تساؤل، وقالت: «هل يعلم بوغز بوجودك هنا على السطح؟».

حاولت تفادي الإجابة مباشرة عن السؤال، لكن من دون الاضطرار إلى الكذب الصريح: «إنه يعلم تماماً مكان وجودنا».

ضحكت بايلور: «أراهن بأنه يعرف. هل تلقيت تدريباً على هذه؟». ضربت بيدها عدة مرات على عقب بندقيتها.

قال غايل: «أنا تدربت عليها في المقاطعة 13، لكنّني أفضّل استخدام أسلحتي الخاصة».

«أجل، إننا نمتلك أقواسنا الخاصة بنا». رفعت قوسي عالياً، ثم أدركت على الفور كم يبدو مزخرفاً. «إنه أخطر مما يبدو».

قالت بايلور: «يجب أن يكون كذلك. حسناً، إننا نتوقع وقوع ثلاث موجاتٍ أخرى من الهجمات. تضطر الطائرات إلى فتح دروعها قبل إسقاط قنابلها. إنها فرصتنا. أخفضا رأسيكما». اتخذت على الفور وضعية الاستناد إلى ركبة واحدة استعداداً للرمي.

قال غايل: «أفضّل أن تبدئي بإطلاق السهام الحارقة».

أومأت، وسحبت سهماً من غمد سهامي الأيمن. أعرف أننا إذا أخطأنا أهدافنا، فإن هذه السهام ستستقرّ في مكانٍ ما، وربما ستستقر في المستودعات التي تقع في الجهة المقابلة من الشارع. يُمكن إطفاء النار،

لكن الأضرار التي يُمكن للمتفجرات أن تخلفها قد لا يُمكن إصلاحها.

ظهرت الطائرات فجأة في السماء وعلى مسافةٍ قريبةٍ منا، وكانت على ارتفاع نحو مئة ياردة فوقنا. ظهر تشكيل يماثل الحرف V يتألف من سبع قاذفات قنابل صغيرة. صرخت بغايل: «إوزّات!». إنه يعرف ما أعنيه تماماً. كنا نخرج في المواسم كي نتصيد، وهكذا طوّرنا نظاماً لتقسيم الطيور، وذلك كي لا نصوّب على الطيور ذاتها. كنت أصوب على الجهة البعيدة من التشكيل V، بينما يتولى غايل التصويب على الجهة القريبة، وكنا نتبادل التصويب على الطائر القائد. لم يكن لدينا متسع من الوقت لنقاشٍ آخر. قدّرت سرعة الطائرات، ثم أطلقت سهمي. أصبت الجناح الداخلي لإحدى الطائرات وهو الأمر الذي أدى إلى احتراقها. أخطأ غايل إصابة طائرة القيادة، فاندلعت النيران في سطح مستودعٍ خالٍ يقع قبالتنا مباشرة، وسمعت غايل يشتم ويتوعد.

انحرفت الطائرة عن تشكيل الطائرات، لكنها استمرت بإطلاق قنابلها. ومع ذلك، لم تختفِ عن أنظارنا. تكرّر الأمر ذاته مع طائرة أخرى افترضت أنني أصبتها بسهمٍ حارق. أعتقد أن الأضرار التي أصابت الطائرتين منعت درعيهما من العمل مجدداً بشكلٍ طبيعي.

قال غايل: «يا للرمية الرائعة!».

تمتمت لنفسي: لم أصوّب على تلك الطائرة. كنت قد صوّبت على الطائرة التي تطير أمامها. إنها أسرع مما كنا نظن.

صاحت بايلور: «إلى موقعيكما!». بدأت الموجة التالية من الطائرات بالظهور على الفور.

قال غايل: «يبدو أن السهام الحارقة لم تجدِ نفعاً». أومأت، ثم جهّز كلانا السهام ذات الرؤوس المتفجرة. كانت المستودعات المتواجدة في طريق هذه السهام مهجورة على أي حال.

تحركت الطائرات نحونا بسرعة وصمت، لكنّني اتخذت في هذه الأثناء قراراً آخر. صرخت باتجاه غايل، وأنا أهبّ واقفة على قدميّ: «سأقف!». إنها الوضعية المناسبة لي كي أسدّد بدقة. صوّبت سهمي إلى نقطة تتقدم طائرة القيادة فأصبتها مباشرة، وانفتحت فجوة في أسفلها. فجّر غايل في هذه الأثناء ذيل طائرة أخرى. انقلبت الطائرة، واصطدمت بالشارع، وهو ما أسفر عن وقوع سلسلة من الانفجارات عندما انفجرت حمولتها من القنابل.

ظهر تشكيل ثالث من الطائرات من دون إنذار. تمكّن غايل هذه المرة من إصابة طائرة القيادة إصابة مباشرة، بينما توليت أنا مهمة تدمير جناح طائرة قاذفة أخرى، وهو ما أدى بها إلى الدوران قبل أن تصطدم بطائرة أخرى كانت خلفها، ثم اصطدمت الطائرتان بسقف المستودع الذي يقع قبالة المستشفى. سقطت طائرة أخرى نتيجة إطلاق نيران البنادق الرشاشة عليها.

قالت بايلور: «حسناً، انتهى الأمر».

تصاعدت أعمدة الدخان الكثيفة من الحطام فحجبت عنا الرؤية تماماً. «هل أصابت الطائرات المستشفى؟».

قالت بتجهم: «لا بد من أنها قد فعلت ذلك».

أسرعت نحو السلالم المتواجدة في الطرف الأبعد من المستودع، لكنّني فوجئت لدى رؤيتي ميسالا وأحد المصورَين الطفيليَّين يظهران من خلف أنبوب تهوئة. كنت أظن أنهما لا يزالان مختبئين في الممر.

قال غايل: «إنهما يقتربان مني».

أسرعت بالنزول على السلّم، ووجدت كريسيدا بانتظاري، وهي واحدة من بين الحراس الشخصيين المكلفين بحمايتي، والمصور الطفيلي الآخر. توقعت أن ألقى مقاومةً منهما، لكن كريسيدا اكتفت بأن أشارت إليّ

بالتقدم نحو المستشفى. كانت تصرخ وتقول: «لا أكترث يا بلوتارك! فقط أعطِني خمس دقائق إضافية!». لم تمنعنا هذه المدة المطلوبة من الدخول، وهكذا انطلقت نحو الشارع.

«أوه! لا». همست بعد أن لمحت المستشفى أو ما كان مستشفى.

مررت أمام الجرحى، وأمام الركام المحترق للطائرات، وركزت تفكيري على الكارثة الماثلة أمامي. كان الناس يصرخون، ويركضون بشكلٍ محموم، لكنهم عجزوا عن تقديم أيّ مساعدة. دمرت القنابل سقف المستشفى وأشعلت النيران في المبنى، وهكذا احتُجز المرضى في الداخل. تجمّع عددٌ من المسعفين، وحاولوا تنظيف ممر يصل إلى داخل المستشفى. كنت أعرف مسبقاً ما سيجدونه في الداخل. أدركت أنه إذا لم يقضِ المصابون نحبهم نتيجة سقوط الركام فوقهم، أو إذا لم تحرقهم ألسنة اللهب، فإن الدخان هو الذي سيتولى المهمة.

وقف غايل قربي. أكّد واقع أنه لا يفعل شيئاً أسوأ مخاوفي. لا يترك عمّال المناجم موقع كارثة إلا إذا كان الوضع ميؤوساً منه.

قال لي: «تعالي يا كاتنيس. يقول هايميتش إنه يستطيع الآن تدبير حوّامة كي تنقلنا». شعرت بأنني عاجزة عن الحركة.

سألته: «ولماذا يفعلون ذلك؟ لماذا يستهدفون الناس المحتضرين؟».

قال غايل: «يريدون إخافة الباقين، ومنع الجرحى من طلب المساعدة. يُمكن التضحية بهؤلاء الناس الذين التقَيتهم، على الأقل بالنسبة إلى سنو. ماذا ستفعل الكابيتول إذا ربحت الحرب بهذه المجموعة من الأسرى العبيد المعطوبين؟».

تذكرت كل السنين التي أمضيتها في الغابات، وكل المرات التي تشدق فيها غايل بكلامٍ ضد الكابيتول. أما أنا فلم أكترث كثيراً بكلامه ذاك. كنت أتساءل عن السبب الذي يدفعه إلى تكليف نفسه بانتقاد دوافعها، وعن

السبب الذي يدفعه إلى التفكير في طريقة تعطي عدوّنا أهمية لا يستحقها. اتضحت لي الآن أهمية الكلام الذي كان يقوله لي. وعندما شكّك غايل في الغاية من تجميع المصابين في المستشفى، فإنه لم يكن يفكر في الأمراض، لكنه فكّر في ما يحصل الآن. إنه لا يقلّل أبداً من قسوة أولئك الذين نواجههم.

أدرت ظهري للمستشفى ببطء فوجدت كريسيدا التي أحاط بها المصوّران الفضوليّان. وكانوا جميعاً يقفون بعيداً عني على بعد ياردات عدة. كانت ملامح وجهها تنم عن الثبات، وحتى عن الهدوء. قالت لي: «كاتنيس. أمر الرئيس سنو لتوه ببثٍّ حي لعمليات القصف. وظهر بعد ذلك على شاشة التلفزيون ليقول إن هذه طريقته لإرسال رسالة إلى الثوار. ماذا بشأنك أنت؟ أتودين أن تقولي أي شيء للثوار؟».

همست لها: «أجل». لفت انتباهي ذلك الضوء الأحمر المتقطع الذي ظهر في إحدى الكاميرات. علمت عندها أنهم يصورونني. قلت بقوة أكبر: «أجل». ابتعد الجميع عني في هذه اللحظة، وأفسحوا لي المجال للكلام: غايل وكريسيدا، والفضوليان. بقي نظري مركزاً على الضوء الأحمر. «أريد أن أقول للثوار إنّني حية، وإنّني هنا في قلب المقاطعة 8، أي حيث قصفت طائرات الكابيتول لتوها مستشفى مليئاً بأشخاص عزلٍ من أيّ سلاح. قصفت الطائرات الرجال، والنساء، والأطفال. لم يخرج أحد حياً من ذلك القصف». تحولت الصدمة التي كنت أشعر بها إلى شعورٍ بالغضب الشديد. «أريد أن أقول للشعب، إذا فكّرتم ولو للحظة واحدة، في أن الكابيتول ستعاملنا برحمة إذا قبلنا بوقف إطلاق النار، فإنكم بذلك تخدعون أنفسكم. إنكم تعلمون جيداً من يكونون وماذا يفعلون». تحركت يداي حولي بصورة آلية، وكأنني أرغب في الإشارة إلى الرعب المنتشر حولي. «هذا هو ما يفعلونه! أما نحن فيجب علينا أن نقاومهم!».

اقتربت من الكاميرا في هذه اللحظة، وشعرت بأن غضبي هو الذي يدفعني قُدُماً. «أيقول الرئيس سنو إنّه يبعث إلينا برسالة؟ حسناً، أنا أيضاً أريد أن أبعث إليه برسالة. يمكنك أن تعذبنا وتقصفنا بطائراتك، وتحرق مقاطعاتنا وتسوّيها أرضاً. لكن، أيمكنك أن ترى هذه؟».

تبعتني إحدى الكاميرات بينما كنت أشير إلى الطائرات التي تحترق على سطح المستودع المقابل لنا. التمع من خلال ألسنة اللهب شعار الكابيتول على جناح إحدى الطائرات. «ستنتشر النيران في كل مكان!». رحت أصرخ في هذا الوقت، وصمّمت على ألاّ يفوته سماع كلامي؛ ولو كلمة واحدة. «وإذا احترقنا، فإنكم ستحترقون معنا!».

علقت الكلمات الأخيرة في الأجواء، وشعرت كذلك بأن الزمن قد جمّدني. أحسست كذلك بأنني وحيدة داخل سحابةٍ من الحرارة غير الناتجة عن البيئة الموجودة حولي، ولكن من أعماقي أنا.

«أوقِفوا التصوير!». أعادني صوت كريسيدا إلى الواقع، وأطفأ النار التي كنت أحسّ بها. أومأت علامة الموافقة. «انتهى التصوير».

الفصل الثامن

ظهر بوغز، وتقدّم مني، وأمسك ذراعي بقبضةٍ حديدية، لكنني الآن لا أخطط للهرب. نظرت إلى المستشفى - فعلت ذلك في اللحظة التي كان فيها ما تبقى من مبنى المستشفى يتداعى - وأدركت أن الصراع يستمر من أجلي. اختفى كل أولئك الناس، ومئات الجرحى والأقارب والمساعدين الطبيين من المقاطعة 13. التفتّ نحو بوغز فرأيت الورم الظاهر على وجهه، والذي تركه حذاء غايل. لا أعتبر نفسي خبيرة في مثل هذه الأمور، لكنّني متأكدة من أن أنفه قد كُسر. كان صوته هادئاً أكثر مما كان غاضباً. «يجب العودة إلى مدرج الهبوط». أطعته، وتراجعت خطوة إلى الوراء، لكنّني جفلت عندما أحسست بالألم خلف ركبتي اليمنى. زال تأثير اندفاع الأدرينالين الذي تمكّن من السيطرة على ذلك الإحساس، وما لبثت أجزاء جسدي الأخرى أن انضمت إلى جوقة الشكاوى. شعرت بألم كبير، وبأنني أنزف. بدا لي أن أحداً ما يطرق على صدغي الأيسر من داخل جمجمتي. تفحّص بوغز وجهي بسرعة، ورفعني عن الأرض، ثم بدأ بالعدو نحو المدرج. تقيأت على سترته المضادة للرصاص عندما اجتزنا نصف المسافة. أعتقد بأنه تنهد، بالرغم من صعوبة التأكد من ذلك، وأنه عجز عن التنفس في تلك اللحظة.

رأيت بانتظارنا على المدرج حوّامة صغيرة، لكنها غير تلك التي أوصلتنا إلى هنا. أقلعت الحوامة بنا ما إن دخلناها. لم نجد هذه المرة مقاعد وثيرة ولا نوافذ. بدا لنا أن هذه الحوامة مخصصة لحمولة من نوعٍ ما. قدّم بوغز إسعافات الطوارئ الأولية للفريق ريثما يصل إلى المقاطعة 13. أردت خلع سترتي لأنها امتلأت بقدرٍ كبير من القيء، لكن البرد القارس

منعني من التفكير في الأمر. استلقيت على أرضية الطائرة ووضعت رأسي في حضن غايل. كان آخر أمرٍ أتذكره هو بوغز عندما وضع عدة أكياس من الخيش فوقي.

شعرت بالدفء عندما استيقظت. كنت مستلقية فوق سريري القديم في المستشفى حيث رأيت والدتي هناك، وكانت منهمكة بفحص نبضات قلبي، وحرارة جسمي، وضغط دمي. «كيف حالك؟».

قلت لها: «أشعر بالإنهاك، لكنني بخير».

قالت: «لم يخبرنا أحد أنك ذاهبة حتى غادرتِ بالفعل».

أحسست بوخزة من الشعور بالذنب. فعندما تضطر عائلتك إلى إرسالك مرتين إلى مباريات الجوع، فإن ذلك ليس تفصيلاً صغيراً يُمكن للمرء أن يتجاهله. حاولت أن أشرح لها: «أنا آسفة. لم يتوقعوا ذلك الهجوم. كان من المفترض أنني سأزور المرضى فقط. سأقول لهم في المرة القادمة أن يحصلوا على إذن منك».

قالت لي: «كاتنيس. تعلمين أن أحداً لن يطلب إذناً مني».

هذا صحيح، لأنّني أنا أيضاً لا أفعل ذلك. على الأقل، منذ أن مات والدي. لماذا أتظاهر؟ «حسناً، سأقول لهم... أن يعلموك على أي حال».

رأيت إحدى الشظايا التي انتزعوها من ساقي موضوعة على الطاولة الصغيرة قرب السرير. قال لي الأطباء إنهم قلقون أكثر من الأضرار التي يُحتمل أنها أصابت دماغي نتيجة الانفجارات، خاصة وأنني لم أتماثل للشفاء كلياً من الصدمة الكهربائية التي أصبت بها. لكنني لا أعاني مشكلة النظر المزدوج، أو أي شيء آخر، كما أنني قادرة على التفكير بصفاءٍ تام. يُضاف إلى ذلك أنني نمت طوال فترة المساء والليل، كما شعرت بالجوع الشديد. كان طعام فطوري ضئيلاً مع الأسف. اشتمل الفطور على مكعبات قليلة من الخبز المبلّل بالحليب الفاتر. استُدعيت إلى الطابق الأسفل

للمشاركة في اجتماعٍ صباحي مبكر في مركز القيادة. بدأت بالنهوض، لكنني أدركت على الفور أنهم يريدون نقل سرير المستشفى إلى هناك. أردت الذهاب سيراً على قدميّ، لكنهم أصرّوا على منعي، إلا أنني توصلت على اتفاقٍ معهم بأن يسمح لي باستخدام الكرسي ذي العجلات. شعرت بأنني على أحسن ما يرام بالفعل؛ عدا رأسي، وساقي، والقروح الناتجة عن الكدمات التي أصبت بها. هذا إضافةً إلى الغثيان الذي أشعر به قبل دقائق عدة من تناولي الطعام. يُحتمل أن تكون فكرة الكرسي ذي العجلات صائبة.

سيطر عليّ في أثناء نقلي بواسطة ذلك الكرسي إلى الطابق السفلي شعور بالقلق إزاء ما سأواجهه. عمدت أنا وغايل إلى عصيان الأوامر التي تلقيناها البارحة، كما أن الإصابة في وجه بوغز دليل على ذلك العصيان. أعرف أن هذا العصيان سيستتبع عواقب معينة. لكن، هل تدفع هذه العواقب كوين إلى إلغاء اتفاقنا بشأن المنتصرين؟ هل أقدمت على حرمان بيتا من تلك الحماية الضئيلة التي يمكنني منحه إيّاها؟

وصلت إلى مركز التدريب فلاحظت أن الوحيدين الذين سبقوني بالوصول إلى هناك هم كريسيدا، وميسالا، والفضوليان. صرخ ميسالا عندما رآني: «ها هي نجمتنا الصغيرة!». وابتسم الآخرون من أعماق قلوبهم حيث لم أستطع إلا أن أبتسم في المقابل. أثار هؤلاء إعجابي في المقاطعة 8، فقد تبعوني إلى السطح في أثناء عمليات القصف، وهم الذين حملوا بلوتارك على التراجع كي يتمكنوا من تصوير الشريط الذي أرادوه. أعتقد أنهم قاموا بأكثر مما هو مطلوب منهم، وهم يستطيعون أن يفخروا بهذا. ينطبق الأمر ذاته على سينّا.

خطرت في ذهني فكرة غريبة، وهي أنني كنت سأختارهم - كريسيدا، ميسالا، و... - حلفاء لي لو كنا معاً في الميدان. صرخت بالمصوّر:

«سأتوقف عن مناداتكما بالفضوليين (الحشرتين)». شرحت له أنني لا أعرف اسميهما، لكنّ بذلتيهما توحيان لي بمخلوقات ذات قشور. لم يظهر عليهما أنهما انزعجا من تلك المقارنة. كانا يشبهان بعضهما إلى درجة كبيرة حتى من دون غطاءَي الكاميرتين. تميّزا بلون شعرهما الأشقر ذاته، وبلحيتيهما الحمراوين، وبالعيون الزرقاء. قُدِّم لي المصور ذو الأظفار المقضومة على أنه كاستور، أما المصور الآخر فهو شقيق له يدعى بولوكس. انتظرت من بولوكس أن يلقي عليّ التحية، لكنه اكتفى بالإيماء. ظننت في البداية أنه يشعر بالخجل، أو أنه قليل الكلام. ثم لفت انتباهي أمرٌ غريب وهو وضعية شفتيه، والجهد الإضافي الذي يبذله عند البلع. فهمت كل شيء قبل أن يتطوع كاستور بإبلاغي. إنّ بولوكس من الآفوكس. قطعوا له لسانه، ولذلك لن يتكلم أبداً. لم أعد أتساءل قطّ عن دوافعه وسبب رغبته في إسقاط الكابيتول.

امتلأت الغرفة بالحضور، وحضّرت نفسي في هذه الأثناء لترحيب أقل ودية. لكنّ الوحيدَين اللذين أظهرا بعض السلبية هما هايميتش وفولفيا كارديو اللذان يبدوان بمزاج سيئ على الدوام. وضع بوغز قناعاً بلاستيكياً بلون الجلد على وجهه، فغطّاه من شفته العليا حتى حاجبيه، أي أنني كنت محقة بشأن أنفه المكسور، لذلك كان من الصعب عليّ معرفة مزاجه الحقيقي. انشغلت كوين وغايل بمحادثة بدت إيجابية وودية.

اقترب غايل من مقعدي ذي العجلات فقلت له: «هل تعقد صداقاتٍ جديدة؟».

صوّب نظرة عاجلة نحو الرئيسة وقال: «حسناً، يتعيّن على أحدنا أن يمدّ جسور التواصل مع الآخرين». لمس صدغي برفق وأضاف: «كيف حالك؟».

شعرت بأنهم وضعوا كمية من الثوم والكوسى المطهوة في الخضار

التي قدموها لنا في وجبة الفطور. وشعرت بأنه كلما ازداد عدد الحاضرين كلما قويت الرائحة. شعرت كذلك باضطرابٍ في معدتي، وبدت الأضواء أكثر سطوعاً على نحوٍ مفاجئ. قلت: «أشعر بدوار. كيف حالك أنت؟».

«أنا بخير. انتزع الأطباء مني بعض الشظايا، لكن ذلك ليس بالأمر الهام».

دعت كوين إلى بدء الاجتماع: «أطلقنا للتو حملتنا التلفزيونية رسمياً. سنبدأ الآن بإعادة عرض الشريط لمن فاتته مشاهدة العرض الأوّل للفيلم الذي أذعناه عند الساعة العاشرة مساءً، أو الإعادات السبع عشرة التي تمكّن بيتي من بثّها حتى الآن». إعادة بث الشريط؟ يعني ذلك أنهم لم يحصلوا فقط على شريطٍ يمكن استخدامه، بل إنهم تمكنوا من إعداد حلقةٍ دعائية وبثّها تكراراً. تكوّنت حبيبات العرق في راحتَي يدي نتيجة توقعي رؤية نفسي على شاشة التلفزيون. ماذا سيحدث لو كان مظهري سيئاً؟ وماذا سيحصل لو ظهرت متصلبة وفاشلة كما ظهرت في الاستديو عندما فقدوا الأمل في الحصول على شيء أفضل؟ ارتفعت الشاشات الفردية فوق سطح الطاولة، و خفتت الأنوار قليلاً، وسرعان ما خيّم صمتٌ عميق على القاعة.

كانت شاشتي سوداء في البداية، وما لبث أن رأيت نقطة مضيئة في الوسط. كبرت هذه النقطة وانتشرت بعد ذلك، وومضت بسكون المساحة السوداء في الشاشة إلى أن ظهرت ألسنة اللهب على طول الشاشة وعرضها، وكانت حقيقية وكثيفة جداً حيث ظننت أن الحرارة تنبعث منها. ظهرت بعد ذلك صورة دبوس الطائر المقلّد الذي أحمله. وهو الدبوس اللامع ذو اللون الأحمر المائل إلى الذهبي. سمعت ذلك الصوت العميق والرنان الذي يلاحقني في أحلامي، وبدأ يتكلم معي. قال لي كلاوديوس تمبلسميث، وهو المذيع الرسمي لمباريات الجوع: «كاتنيس إيفردين، فتاة ألسنة اللهب، تشتعل من جديد».

رأيت نفسي فجأة بدلاً من رؤيتي صورة دبوس الطائر المقلّد. كنت واقفة أمام ألسنة نيرانٍ حقيقية ودخان المقاطعة 8. «أريد أن أقول للثوار إنّني حية، وإنّني هنا في المقاطعة 8، أي حيث قصفت طائرات الكابيتول لتوِّها مستشفى مليئاً بأشخاص عزلٍ من أيّ سلاح. قصفت الطائرات الرجال، والنساء، والأطفال. لم يخرج أحد حيّاً من ذلك القصف». انتقلت الكاميرا إلى المستشفى الذي تداعى في مكانه، كما ظهرت أمارات اليأس على وجوه المشاهدين. انساب صوتي مع الصورة. «أريد أن أقول للشعب، إذا فكّرتم ولو للحظة واحدة، في أن الكابيتول ستعاملنا برفق إذا قبلنا بوقف إطلاق النار، فإنكم بذلك تخدعون أنفسكم. إنكم تعلمون جيّداً من يكونون وماذا يفعلون». عادت صورتي إلى الشاشة وظهرت يداي المرفوعتان في إشارة إلى كل الدمار المنتشر حولي. «هذا هو ما يفعلونه! أما نحن فيجب علينا أن نقاومهم!». لاحظت في هذه اللحظة مونتاجاً رائعاً للمعركة. ظهرت القنابل الأولى، وظهرنا ونحن نركض، وعندما سقطنا على الأرض، ظهرت صورة قريبة لجرحي الذي بدا كبيراً ودامياً. ظهر السقف أولاً، ثم وصلت الكاميرات إلى مراكز البنادق الرشاشة، وما لبثت أن ظهرت صور رائعة للثوار، وغايل، ولكن ظهرت صورتي أكثر من غيرها وأنا أصوّب على تلك الطائرات وأسقطها من السماء. ثم ظهرت وأنا أتحرّك نحو الكاميرا وأقول: «أيقول الرئيس سنو إنّه يبعث إلينا برسالة؟ حسناً، أنا أيضاً أريد أن أبعث إليه رسالة. يمكنك أن تعذبنا، وتقصفنا بطائراتك، وتحرق مقاطعاتنا وتسوّيها أرضاً. لكن، أيمكنك أن ترى هذه؟». ظهرنا الآن مع الكاميرا فوق سطح المستودع. أظهرت الشاشة بعد ذلك شعار الكابيتول على جناح طائرة، ثم عادت الشاشة لتظهر صورة وجهي وأنا أصرخ: «ستنتشر النيران في كل مكان، وإذا احترقنا، فإنكم ستحترقون معنا!». ظهرت ألسنة اللهب على الشاشة مجدداً، وظهرت فوق هذه الصورة أحرف سوداء عريضة:

إذا احترقنا

فإنكم ستحترقون معنا

وصلت ألسنة النيران إلى تلك الكلمات بينما عادت الشاشة إلى اللون الأسود.

مرّت لحظة من الارتياح الصامت، وما لبثت أن ثارت عاصفة من التصفيق متبوعة بمطالبة مشاهدة الشريط مرة أخرى. أسرعت كوين وضغطت زر إعادة البث بكل طيبة خاطر. حاولت أن أتظاهر هذه المرة بأنني أشاهد هذا الشريط على شاشتي في السيم، في المنطقة التي أعيش فيها. إنه تصريح موجّه ضد الكابيتول. لم يسبق أن ظهر شيء كهذا على شاشة التلفزيون، وليس في حياتي أنا على أي حال.

شعرت برغبة في معرفة المزيد عندما عادت الشاشة إلى لونها الأسود مجدداً فسألت: «هل بُثّ هذا الشريط في كل أنحاء بانيم؟ هل رأوه في الكابيتول؟».

قال بلوتارك: «لم يشاهده أحد في الكابيتول. لا يمكننا السيطرة على نظامهم، بالرغم من محاولات بيتي. لكن البثّ شمل كل المقاطعات الأخرى. تمكّنا حتى من عرضه في المقاطعة 2، وهو أمر أكثر أهمية من عرضه في الكابيتول في هذه المرحلة من اللعبة».

سألت: «هل كلاوديوس تمبلسميث معنا؟».

دفع سؤالي هذا بلوتارك إلى الضحك الشديد وقال: «إنه معنا بصوته فقط، كما أن صوته تحت تصرفنا، لكننا لم نضطر بعد إلى إجراء أي تعديلٍ خاص فيه. إنه هو الذي قال ذلك السطر الحقيقي في مباراة الجوع الأولى التي اشتركتِ فيها». ضرب بيده على الطاولة: «أتوافقون على التصفيق مجدداً لكريسيدا وفريقها المدهش؟ وبالطبع للمهارة التي نتمتع بها مباشرة

أمام كاميرات التصوير!».

صفقت بدوري إلى أن أدركت أنني أمام الكاميرا مباشرة. لكن، شعرت بأنه من غير المستحسن أن أقوم بالتصفيق لنفسي، وشعرت أن لا أحد يكترث بما يجري. عجزت عن عدم ملاحظة التوتر الذي ظهر على وجه فولفيا. فكرت في أن هذا الأمر صعب بالنسبة إليها، أي أن تراقب فكرة هايميتش وهي تأخذ طريقها إلى النجاح تحت توجيهات كريسيدا، هذا في حين فشلت الطريقة التي انتهجها استديو فولفيا.

بدا لنا أن كوين قد وصلت إلى خط نهاية تحمل هذه التهنئة الذاتية فقالت: «حسناً، لقد استحققنا ذلك جميعاً، وكانت النتيجة أفضل مما توقعناه. لكن، ينبغي لي التشكيك في هامش المخاطرة الذي يمكنكم العمل ضمنه. أعرف أننا لم نتوقع حدوث تلك الغارة. وأعتقد، بالنظر إلى الظروف، أنه يجب علينا مناقشة قرار إرسال كاتنيس إلى معركة حقيقية».

القرار؟ إقحامي في المعركة؟ إذاً، إنها لا تعلم أنني تجاهلت الأوامر عمداً، وأنني نزعت سمّاعة الأذن، وهربت من حراسي الشخصيين؟ ما هي الأمور الأخرى التي أخفوها عنها؟

قال بلوتارك بعد أن قوّس حاجبه: «كانت تلك مهمة صعبة. لكن، أجمعت الآراء على أننا لن نستفيد شيئاً إذا أقفلنا عليها في ملجأ في كل مرة نسمع فيها طلقة مدفع».

سألت الرئيسة: «أتوافقين على هذا الكلام؟».

اضطر غايل إلى ركلي من تحت الطاولة قبل أن أدرك بأنها تتحدث إليّ: «أوه! إنني أوافق عليه تماماً. شعرت براحةٍ كبيرة لأنني فعلت شيئاً أخرجني من السأم الذي أشعر به».

قالت كوين: «حسناً، فلنكن متحفظين قليلاً في إظهارها إلى العلن. وعلى الأخص الآن؛ عندما أصبحت الكابيتول على علم بما يُمكن أن

تفعله». سرت موجة من همهمات الموافقة بين الجالسين حول الطاولة.

لم يلاحظ أحد شيئاً مريباً بشأني وبشأن غايل. حتى إن بلوتارك الذي تجاهلنا سلطته لم يفعل، وكذلك الحال مع بوغز بأنفه المكسور، والفضوليَّين اللذين دفعنا بهما إلى أتون المعركة. أما هايميتش... حسناً لاحظت أن هايميتش يوجّه نحوي ابتسامة صفراء، لكنه قال بعذوبة: «أجل، إننا لا نريد خسارة طائرنا المقلّد الصغير بعد أن بدأ بالتغريد في النهاية». اتخذت قراراً بألاّ نلتقي في الغرفة معاً، لأنني واثقة من أنه يمتلك أفكاراً انتقامية نحوي بشأن سماعة الأذن التافهة تلك.

سألت الرئيسة: «إذاً، فيمَ فكرتم؟».

أومأ بلوتارك نحو كريسيدا التي نظرت إلى لوح كتابة قائلة: «لدينا شريط مذهل يُظهِر كاتنيس في مستشفى المقاطعة 8. يمكننا إضافة مقطعٍ آخر إلى ذلك الشريط يكون موضوعه لأنكم تعرفون من هم، وماذا يفعلون. سيكون التركيز في ذلك الشريط على التفاعل بين كاتنيس والمرضى، والأطفال منهم على وجه الخصوص، وعلى قصف المستشفى، وعلى الدمار الذي حصل. كان ميسالا هو الذي حضّر تلك المقاطع، كما أننا لا نزال نفكّر في مقطع الطائر المقلّد. يمكننا التركيز على بعض أروع لحظات كاتنيس بعد أن نضيف إليها مشاهد عن تمرد الثوار، ومشاهد من الحرب. أعطينا ذلك المقطع عنوان امتداد النيران. واقترحت علينا فولفيا بعد ذلك فكرة مدهشة بالفعل».

تغيّرت تعابير الاستنكار على وجه فولفيا على الفور، لكنها استعادت هدوءها: «حسناً، لا أعرف مدى الدهشة فيها، لكنّني كنت أفكر في أنه يمكننا عرض مقاطع متتابعة بعنوان إننا نتذكر. سنعرض في كل مقطع صوراً لأحد المجالدين الذين ماتوا. يمكننا أن نعرض رو الصغيرة من المقاطعة 11، أو ماغز العجوز من المقاطعة 4. إن فكرتي هي أن نتوجه إلى

كل مقاطعة بمقطعٍ شخصي جداً».

قال بلوتارك: «إنها لفتة تقدير إلى كل مجالد كما يبدو».

قلت من كل قلبي: «هذا رائع يا فولفيا. إنها طريقة رائعة لتذكير الناس بالسبب الذي يحاربون من أجله».

قالت: «أعتقد أن الفكرة ستنجح. فكّرت في أنه يمكننا استخدام فينيك في تقديم المقاطع، وكي يعرّف بالأمكنة؛ هذا إذا كان ذلك مفيداً».

قالت كوين: «بصراحة، أنا لا أعرف كيف بإمكاننا عرض مقاطع كثيرة تحت عنوان إننا نتذكر. أيمكنكم البدء بإنتاجها اليوم؟».

قالت فولفيا بعد أن شعرت بالارتياح لأن فكرتها لاقت قبولاً: «بالطبع».

رتّبت كريسيدا كل شيء في قسم الابتكار، فأثنت على فولفيا، وعلى فكرتها الرائعة بالفعل، كما أعطت موافقتها على أن تستمر في تقليدها الطائر المقلّد على الهواء. أما المهم في هذا الموضوع، فهو عدم حاجة بلوتارك إلى نيل حصته من هذا الثناء. كان كل ما يريده هو نجاح فترة حملة البث المباشر. تذكرت أن بلوتارك هو كبير صانعي الألعاب، وليس أحد أعضاء الفريق، أي أنه ليس حجر شطرنج في المباريات. ذلك يعني أن قيمته لا تتحدد بعنصرٍ واحد، بل بنجاح إنتاج المقاطع بأكملها. أما عندما نربح الحرب، فعندها سيجد بلوتارك التكريم الذي يستحقه، وعندها سيتوقّع الحصول على مكافأته.

أمرت الرئيسة الجميع بالانصراف إلى أعمالهم. وهكذا عاد بي غايل إلى المستشفى وأنا جالسة على الكرسي ذي العجلات. ضحكنا قليلاً على تلك الخدعة. قال غايل إن أحداً لا يريد أن يظهر بمظهرٍ سيئ عندما يعترف بأنه لا يتحكم بنا. كنت ألطف قليلاً بجوابي، فقلت له إنّهم ربما لا يريدون المخاطرة بفرصة إخراجنا مجدداً، وذلك بعد حصولهم على شريطٍ ناجح.

يُحتمل أن يكون الأمران صحيحين. توجّب على غايل الخروج كي يلتقي بيتي في قسم الأسلحة الخاصة، أما أنا، فقد استسلمت للنوم.

يبدو أنني غفوت لدقائق عدة. لكن، عندما فتحت عينيّ جفلت حين رأيت هايميتش جالساً على بعد أقدام قليلة عن سريري. جلس منتظراً. يُحتمل أنه بقي جالساً لساعات قليلة، هذا إذا كانت الساعة تشير إلى التوقيت الصحيح. فكّرت في أن أصرخ كي أستدعي شخصاً يكون بمثابة شاهد، لكنّني أيقنت أنني سأواجهه عاجلاً أم آجلاً.

انحنى هايميتش إلى الأمام فرأيت أمام أنفي شيئاً ما معلقاً بسلك رفيع. وجدت صعوبة في التركيز على ذلك الشيء، لكنّني كنت متأكدة من طبيعته. أسقطه هايميتش على أغطية السرير. «هذه سماعة أذنك. سأعطيك فرصة إضافية واحدة كي تضعيها. إذا نزعتِها مجدداً فسآمر بتزويدك بهذه». ورفع شيئاً يشبه غطاء الرأس، وهو ما أطلقت عليه على الفور اسم قيد الرأس. «إنها وحدة سماعٍ بديلة تحيط بجمجمتك وتحت ذقنك إلى أن تُفتح بمفتاح. إنني لا أمتلك سوى مفتاحٍ واحد. إذا كنتِ تمتلكين ذكاءً يمكّنك من تعطيلها...». ورمى هايميتش قيد الرأس على السرير، ثم تناول رقاقة فضيّة صغيرة قائلاً: «أو سأعطيهم الصلاحية لزرع هذا المرسِل جراحياً في أذنك، وذلك كي أتمكّن من التحدث إليك أربعاً وعشرين ساعة في اليوم».

هل سيرنّ صوت هايميتش في أذني على الدوام؟ أليس ذلك مرعباً؟ تمتمت: «سأبقي سماعة الأذن في مكانها؟».

قال لي: «عفواً».

قلت بصوت عالٍ بما يكفي لإيقاظ نصف الموجودين في المستشفى: «سأُبقي السماعة في مكانها».

قال لي: «هل أنتِ متأكدة؟ إنني أرتاح لأي خيارٍ من هذه الخيارات الثلاثة».

قلت: «إنني متأكدة». سحقت بقبضتي الغلاف الذي يحمي سماعة أذني، ورميت نحوه قيد الرأس بيدي الأخرى، لكنه أمسكه بسهولة. يُحتمل أنه كان يتوقع أن أقوم برميه. «هل من شيء آخر؟».

نهض هايميتش كي ينصرف: «أكلت طعامك... في أثناء انتظاري استيقاظك».

وجّهت نظري نحو إناء الحساء الفارغ، ونحو الصينية الموضوعة فوق طاولة سريري، وتمتمت وأنا أستلقي على وسادتي: «سأبلّغ عنك».

«افعلي هذا يا عزيزتي». خرج من الغرفة وهو يشعر بالأمان، لأنه يعرف جيداً أنني لست من النوع الذي يقدّم شكوى ضد أحد.

أردت الاستسلام للنوم مجدداً، لكنّني شعرت بالقلق. بدأت صور البارحة بالتدفق إلى ذهني. تذكرت القصف، وسقوط الطائرات المريع، ووجوه الجرحى الذين أصبحوا في عداد الموتى. تخيّلت الموت من كل الجهات، وعادت بي الذاكرة إلى اللحظة الأخيرة التي سبقت رؤيتي قذيفة تصطدم بالأرض. تخيّلت اللحظة التي ينفجر فيها جناح طائرة أستقلّها، والهبوط الحاد للطائرة، وكل الرعب والارتباك الناتجين عن ذلك الهبوط نحو عالم النسيان الأبدي. تصورت سقف المستودع المتساقط نحوي وأنا مقيدة بسريري. رأيت أشياء وأشياء، سواء أكانت شخصية، أم مسجلةً على الأشرطة. رأيت أشياء تسببت بها برميةٍ من وتر قوسي. إنها الأشياء التي لن أتمكن من نزعها من ذاكرتي أبداً.

أحضر فينيك صينيته إلى سريري في وقت العشاء. قال إننا ستتمكن معاً من مشاهدة آخر شريط يُعرض على شاشة التلفزيون. خصّص له جناح في الطابق الذي كنت فيه، لكنه كان مصاباً بانتكاسات ذهنية كثيرة حيث اضطر إلى البقاء في المستشفى وكأنه يسكن فيه. عرض الثوار شريط لأنكم تعرفون من هم، وماذا يفعلون، وهو الشريط الذي أشرف ميسالا على

تحضيره. تخلّلت هذا الشريط مقاطع قصيرة تُظهر غايل، وبوغز، وكريسيدا وهم يصفون الحادثة. تصعب عليّ مشاهدة الاستقبال الذي لقيته في مستشفى المقاطعة 8، وذلك بسبب معرفتي ما سيُعرض لاحقاً؛ أي تساقُط القنابل من السقف. أخفيت رأسي بواسطة وسادتي، ثم نظرت نحو الأعلى مجدداً، وشاهدت في النهاية مقطعاً قصيراً عني بعد أن مات كل الضحايا.

على الأقل لم يصفق فينيك، ولم يتظاهر بأنه سعيد عند نهاية العرض، بل اكتفى بالقول: «يجب على الناس أن يعرفوا ما حدث، وها قد عرفوا الآن».

قلت له بإلحاح: «دعنا نطفئ الجهاز يا فينيك قبل أن يعيدوا عرض الشريط». لكن، ما إن تحركت يد فينيك نحو جهاز التحكم عن بُعد حتى صرخت به: «انتظر!». سيعرض الكابيتول شريطاً خاصاً. يبدو لي أنه مألوف لديّ بطريقة ما. أجل، إنه سيزار فليكرمان. تمكّنت من تخمين هوية الضيف.

أذهلني تغيّر بنية بيتا الجسدية. خسر ذلك الشاب صحيح البنية، ذو العينين الصافيتين، والذي رأيته قبل أيامٍ قليلة ما لا يقل عن خمسة عشر باونداً من وزنه، وأصيب بارتعاشٍ في يديه. حافظوا على أناقته، ووضعوا مساحيق التجميل على وجهه، ولكن عجزت هذه المساحيق عن تغطية التغضنات الموجودة تحت عينيه، كما أن الثياب الأنيقة عجزت عن إخفاء الألم الذي يشعر به عندما يتحرك، فتحتَ كل هذه المظاهر يوجد شخص متضررٍ إلى حدٍّ بعيد.

تسارعت الأفكار في ذهني وحاولت فهمها. سبق لي أن رأيته قبل أربعة - أم هل هي خمسة؟ - أعتقد أنني رأيته قبل خمسة أيام. كيف تدهورت صحته بهذه السرعة؟ ماذا استطاعوا أن يفعلوا به في هذه المدة القصيرة؟ خطرت الفكرة في ذهني. أعدت إلى ذهني ما تمكنت من تذكّره

من المقابلة الأولى التي أجراها مع سيزار، وبحثت عن أي شيء يوضح لي زمانها. لم أعثر على شيء. أعتقد أنهم سجّلوا تلك المقابلة بعد يومٍ أو يومين من قيامي بتفجير الميدان، ولا بد من أنهم فعلوا ما أرادوه منذ ذلك الوقت. همست: «أوه! بيتا...».

تحدث سيزار وبيتا بأحاديث عادية وتافهة قبل أن يبدأ سيزار بسؤاله بيتا عن الشائعات التي تفيد بأنني أقوم بتسجيل أشرطة للمقاطعات. قال بيتا: «إنهم يستغلونها من أجل إثارة حماسة الثوار. هذا واضح. أشك حتى في أنها تعلم ما يجري في ميدان الحرب بالفعل. إنها تجهل ما هو معرّض للخطر».

سأل سيزار: «هل هناك شيء تود أن تقوله لها؟».

نظر بيتا إلى الكاميرا مباشرة، وكأنه ينظر إلى عينيّ مباشرة، ثم قال: «لا تكوني حمقاء يا كاتنيس. فكّري في نفسك، لقد حوّلوك إلى سلاح يمكن أن يكون حاسماً في عملية تدمير البشرية. إذا كنتِ تمتلكين أي نفوذٍ حقيقي، فإنني أريدك أن تستخدميه كي تكبحي هذا الأمر. أريدك أن تستخدمي هذا النفوذ من أجل إيقاف الحرب قبل أن يفوت الأوان. اسألي نفسك إن كنتِ تثقين فعلاً بالأشخاص الذين تعملين معهم. أتعلمين بما يجري بالفعل؟ إذا كنت لا تعرفين... فحاولي أن تكتشفي ذلك بنفسك».

تحوّلت الشاشة إلى اللون الأسود، وظهر شعار بانيم؛ انتهى البرنامج.

ضغط فينيك على زرٍّ في جهاز التحكم عن بعد فتوقّف جهاز التلفزيون عن العمل. أعرف أن عدداً من الأشخاص سيأتون إلى هنا في غضون دقيقة من الزمن كي يزيدوا حالة بيتا سوءاً، ومن أجل تحوير الكلمات التي تفوّه بها. سيتعيّن عليّ إنكارها. لكن الحقيقة هي أنني لا أثق بالثوار، أو بلوتارك، أو كوين. إنني لا أثق بأنهم يقولون لي الحقيقة. أعتقد أنني لن أتمكن من إخفاء هذا الواقع. سمعت وقع أقدام تقترب مني.

أمسك فينيك بذراعي بشدة. وقال لي: «إننا لم نرَ هذا».

سألته: «ماذا؟».

قال لي: «إننا لم نرَ بيتا. رأينا فقط برنامج الساعة الثامنة، ثم أوقفنا التلفزيون عن العمل بسبب الصور التي أزعجتك. هل فهمتِ؟». أومأت. «أكملي عشاءك». حاولت استعادة هدوئي مع دخول بلوتارك وفولفيا الغرفة، ثم تناولت لقمة خبزٍ مع بعض الملفوف. تحدّث فينيك عن حسن ظهور غايل أمام الكاميرا، وقدمنا لهما تهانينا بشأن الشريط. شدّدنا على أنه كان ناجحاً جداً إلى درجة أننا أوقفنا التلفزيون عن العمل بعد انتهاء العرض مباشرة، فبدا الارتياح عليهما، وبدا أنهما صدّقا ما قلناه لهما.

لم يتحدث أحد عن بيتا.

الفصل التاسع

توقفت عن محاولة الاستسلام للنوم بعد فشل محاولاتي الأولى التي تداخلت فيها كوابيس لا يمكنني التحدث عنها. استلقيت ساكنة بعد ذلك، وتنفست بطريقة مصطنعة، وذلك في كل مرة دخل فيها شخص إلى الغرفة كي يفحصني. أخرجوني من المستشفى في الصباح بعد أن نصحوني بعدم القلق. طلبت مني كريسيدا تسجيل أسطر قليلة من أجل إدخالها في الشريط الترويجي الجديد للطائر المقلّد. ترقبت عند حلول موعد الغداء أن يتحدث أحد عن ظهور بيتا في المقابلة، لكن أحداً لم يفعل ذلك. وشعرت بأن شخصاً ما يجب أن يثير هذا الموضوع غيري أنا وفينيك.

تلقيت التدريب الخاص بي. لكن، كان يُفترض بغايل أن يعمل مع بيتي على أسلحة أو ما يشبه ذلك. وبهذه الطريقة، استطعت أن أحصل على إذن كي آخذ فينيك إلى الغابات. تجولنا قليلاً، ثم رمينا جهازَي اتصالاتنا تحت أجمة شجيراتٍ صغيرة. جلسنا بعد أن ابتعدنا مسافة معقولة كي نناقش المقابلة التي أجراها بيتا.

قال لي فينيك: «لم أسمع أي كلمة بشأن هذه المقابلة. ألم يُخبرك أحد أي شيء؟». هززت رأسي. صمت قليلاً قبل أن يسألني: «ولا حتى غايل؟». تمسكت بقدرٍ ضئيلٍ من الأمل بأن يكون غايل لا يعلم شيئاً عن الرسالة التي يريد بيتا أن يرسلها إلينا. لكن، خيّم عليّ شعور سيئ بأنه يعلم. «يُحتمل بأنه يحاول إيجاد الوقت كي يخبرك بينك وبينه».

قلت: «يُحتمل ذلك».

بقينا صامتين لفترة طويلة حتى رأينا ظبياً يتجوّل على مسافةٍ قريبة منا. ‏ ‏يته بسهمٍ من سهامي، وما كان من فينيك إلا أن حمله وعاد به إلى

127

السياج. تكوّن طعام العشاء في تلك الليلة من حساء لحم غزال مفروم. سار غايل معي بعد انتهائنا من تناول الطعام في طريق عودتي إلى الحجرة. سألته عما يجري، غير أنّه لم يُشر إلى بيتا قطّ. ما إن استسلمت والدتي وشقيقتي للنوم حتى تناولت اللؤلؤة من الدُرج، وأمضيت ليلةً ثانية من القلق، لكنني أمسكت بها في قبضتي بإحكام. «اسألي نفسك هل تثقين فعلاً بالأشخاص الذين تعملين معهم؟ أتعلمين بما يجري بالفعل؟ إذا كنت لا تعرفين... فحاولي أن تكتشفي ذلك بنفسك». اكتشفي. أكتشف ماذا؟ ومِمّن؟ وكيف يُمكن لبيتا أن يعرف أي شيء عدا الأمور التي تُخبره إياها الكابيتول؟ إنها مجرد حملةٍ من الكابيتول. سمعت ضجيجاً آخر. لكن، إذا كان بلوتارك يعتقد أنّ ذلك مجرد سطر من دعاية الكابيتول، فلماذا لا يخبرني عنه؟ لماذا لم يقولوا لي أو لفينيك شيئاً؟

يكمن وراء كل هذا الكلام المصدر الحقيقي لقلقي: بيتا. ماذا أنزلوا به من أنواع العذاب؟ وماذا يفعلون به الآن؟ أعتقد أنه من المؤكد أن سنو لم يقتنع بما قلته أنا وبيتا بأننا لا نعلم شيئاً عن الثورة. أعتقد كذلك أن شكوكه قد تعززت بعد أن ظهرتُ بوصفي الطائر المقلّد. يُمكن أن يكون بيتا قد خمّن تكتيكات الثوار، واخترع أشياء يقولها لجلاديه. أعرف أنه عندما تُكتشف الأكاذيب فستترتب عليها عقوبة شديدة. إنه يشعر بوحدةٍ خانقة لأنني تخليت عنه. حاول بيتا في مقابلته الأولى أن يحميني من الكابيتول ومن الثوار على حدٍّ سواء. أما أنا، فلم يقتصر الأمر على عجزي عن حمايته، بل إنني زدت من عذابه.

حلّ الصباح، فأدخلت ساعدي في الجدار، وحدّقت بتكاسلٍ إلى جدول أعمال اليوم. كان من المفترض بي أن أتوجه مباشرة إلى قسم الإنتاج بعد تناول طعام الفطور. تناولت فطوري في قاعة الطعام وكان مؤلفاً من الحنطة الحارة، والحليب، والشمندر المهروس، وما لبث أن لمحت

جهاز الاتصال حول معصم غايل. سألته: «متى استرجعته أيها الجندي هوثورن؟».

قال غايل: «البارحة. ظنوا أنه يمكن أن يكون نوعاً من أنواع وسائل الاتصال الإضافية إذا توجهت معك إلى ميدان المعركة».

لم يعرض عليّ أحد جهاز اتصالٍ يوضع حول المعصم. تساءلت عن إمكانية حصولي على جهاز مماثل إذا طلبته. قلت مع بعض الحدة: «حسناً، أعتقد أنهم يريدون الاتصال بواحد منا».

قال لي: «ما معنى ذلك؟».

قلت: «لا شيء. لم أقل شيئاً غير تكرار ما قلته أنت، وأنا موافقة على أن يجري الاتصال بك أنت، لكنّني آمل فقط أن أبقى على تواصل معك أيضاً».

حدّقنا إلى عيون بعضنا، فأدركت مدى الغضب الذي أشعر به تجاه غايل. أدركت كذلك أنني لا أصدّق بتاتاً أنه لم يشاهد مقابلة بيتا، وأشعر بأنه خانني لأنه لم يخبرني عنها. إننا نعرف بعضنا بما يكفي كي يفسّر مزاجي ويدرك سببه.

بدأ بالقول: «كاتنيس...». بدا شعوره بالذنب واضحاً في نبرته.

أمسكت صينيّتي وحملتها إلى المكان المخصّص لها، ثم وضعت الأطباق على الرف. التقيته عندما أصبحت في الممر.

سألني بعد أن أمسك بذراعي: «لماذا لا تقولين شيئاً؟».

حرّرت ذراعي من قبضته، وقلت له: «لماذا لا أقول شيئاً؟ لماذا أنت لا تقول شيئاً يا غايل؟ هل نسيت أنني سألتك البارحة عما يجري!».

قال لي: «أنا آسف. هل رضيتِ؟ حرتُ بما عساي أن أفعله. أردت أن أخبرك. لكن، خشي الجميع من أن تجعلك مشاهدة مقابلة بيتا مصابة بالإحباط».

«كانوا على حق، لأن ذلك ما حصل بالضبط. لكن، لم يكن ذلك بالحدة ذاتها كما حصل عندما كذبت عليّ بشأن كوين». بدأ جهاز اتصاله بالرنين في تلك اللحظة. «ها هي تتصل بك، لذلك من الأفضل لك أن تهرع وتخبرها بما لديك من معلومات عنّي».

عكست تعابير وجهه مشاعر التأثر الشديد. لكن، سرعان ما حلّ الغضب مكان التأثر. دار غايل على عقبيه ومشى. يُحتمل أنني كنت حانقةً جداً لأنني لم أعطِه فرصة كافية كي يشرح لي ما حصل. يُحتمل أن الجميع يحاولون حمايتي بالكذب عليّ. لا أهتم بذلك أبداً، لأنني سئمت من الناس الذين يكذبون عليّ لمصلحتي. أعتقد أنهم يفعلون ذلك لمصلحتهم هم. اكذبوا على كاتنيس بشأن الثورة كي لا تقوم بشيء يتسم بالحمق. أرسلوها إلى الميدان من دون أن تكون لديها أدنى فكرة عن إمكانية انتشالها. لا تخبروها عن المقابلة التي أجراها بيتا لأن ذلك قد يغضبها، وعندها يصعب علينا أن نحصل منها على شريطٍ لائق.

إنني أشعر بالحنق فعلاً، وبخيبة أمل، وبتعبٍ يمنعني من تمضية اليوم في إنتاج الشريط. اقتربت من قسم الترميم ودخلت. علمت اليوم بأننا سنعود إلى المقاطعة 12. أرادت كريسيدا إجراء مقابلات ارتجالية مع غايل ومعي كي نسلّط الضوء قليلاً على مدينتنا المدمرة.

قالت كريسيدا وهي تنظر إلى وجهي مباشرة: «هل أنتما جاهزان لهذه المقابلات؟». قلت: «يمكنك الاعتماد عليّ». بدأ فريق التحضير بالعمل، بينما وقفت صامتة، وجامدة من دون حركة. بدأ الفريق بإلباسي، وبتسريح شعري، ووضع لمساتٍ من مواد التجميل على وجهي. كانت تلك اللمسات كافية لإزالة حافّتي الدائرتين الداكنتين اللتين تحيطان بعينيّ اللتين أنهكهما الأرق، وليس لإزالتهما كليًّا.

رافقني بوغز نزولاً إلى الهنغار (الحظيرة)، لكننا لم نتبادل حديثاً

130

يتعدى التحيات الأولية. شعرت بالامتنان لأنه أعفاني من حديثٍ آخر يدور حول عصياني الأوامر في المقاطعة 8، وخاصة لأن قناعه يبدو غير مريحٍ إطلاقاً.

تذكرت في اللحظة الأخيرة ضرورة إرسال رسالة إلى والدتي كي أُعلمها بمغادرتي المقاطعة 13، وشدّدت في الرسالة على أن رحلتي خالية من المخاطر. ركبنا الحوّامة في رحلة قصيرة إلى المقاطعة 12. أرشدوني إلى مقعدٍ أمام طاولة جلس إليها بلوتارك وغايل وكريسيدا الذين انكبّوا على تفحّص خريطة. طفح وجه بلوتارك بالارتياح وهو يعرض عليّ التأثيرات التي تركتها الأشرطة الدعائية الأولى. احتشد الثوار في المناطق القليلة التي يسيطرون عليها في مقاطعاتٍ عدة. وتمكّن المتمردون من السيطرة على المقاطعتين 3 و11، وكانت هذه الأخيرة مهمة جداً بالنسبة إليهم لأنها المصدر الرئيس للمواد الغذائية لبانيم، كما تمكنوا من شنّ غارات عديدة على مقاطعات أخرى.

قال بلوتارك: «إنه وضع يدعو إلى التفاؤل، والتفاؤل الشديد في واقع الأمر. ستحرص فولفيا على وضع اللمسات الأخيرة على أشرطة إننا نتذكر هذه الليلة حيث نتمكن من بثها في كل المقاطعات في الوقت المناسب. وبرهن فينيك على أنه في غاية الروعة».

قالت كريسيدا: «في الواقع، أعتقد أنه يشعر بالألم لدى مشاهدتها لأنّه يعرف عدداً كبيراً منهم شخصياً».

قال بلوتارك: «وهذا ما يجعلها فعالة جداً، وذلك لأنها نابعة من القلب. إنكم تقومون بعملٍ رائعٍ جميعاً. ستسر كوين بها إلى أقصى حدٍّ».

تأكدت في هذه اللحظة من أن غايل لم يخبرهم. لم يخبرهم عن ادّعائي أنني لم أشاهد بيتا، وعن غضبي بسبب إخفائهم الأمر عني. أعتقد أن الوقت قد فات قليلاً، لأنني لم أتمكّن حتى هذه اللحظة من نسيان ما

حصل. لا يهم ذلك في أي شيء، كما أنه لا يزال ممتنعاً عن التحدث إليّ كذلك.

لم أنتبه إلى أن هايميتش ليس برفقتنا إلى أن هبطت الحوّامة في المرج. سألت بلوتارك عن سبب غيابه، لكنه اكتفى بأن هزّ رأسه وقال: «لم يستطع تحمّل الأمر».

قلت له: «هايميتش؟ أتقول إنه غير قادر على تحمّل شيء ما؟ أرجّح بأنه أراد التمتع بيوم إجازة إضافي».

قال بلوتارك: «أعتقد أن كلماته الحقيقية كانت: لا أستطيع تحمّل الأمر من دون زجاجة شراب».

أغمضت عينيّ وفتحتهما مرات عديدة بسبب نفاد صبري من مرشدي، ومن ضعفه أمام الشراب، وممّا يمكنه تحمّله أو لا يمكنه تحمّله. لكن، بعد مرور خمس دقائق على عودتي إلى المقاطعة 12، تمنيت لو أستطيع الحصول على زجاجة شراب أنا أيضاً. كنت أظن أنني تقبلت المحنة التي نزلت بالمقاطعة 12، وهي المحنة التي سمعت عنها، ورأيت موقعها من الجو، وتجولت بين رمادها. إذاً، لماذا يتسبب كل شيء بإثارة وخزة حزنٍ عندي؟ هل تناسيتها بسرعة كبيرة قبل أن أتمكن من استيعاب الخسارة في عالمي؟ أم هل النظرة التي بدت على وجه غايل عندما وطئ الرماد بقدميه، هي التي جعلت تلك الأعمال الفظيعة تبدو وكأنها حصلت حديثاً؟

وجّهت كريسيدا الفريق كي يبدأ الجولة معي في منزلي القديم. سألتها عما تريدني أن أقوم به، فقالت لي: «افعلي ما يحلو لكِ». عدت إلى مطبخي ووقفت هناك قليلاً، لكنّني لم أشعر بالرغبة في القيام بأي شيء. وقفت، في واقع الأمر، وأنا أركّز على السماء فوقي - وهي السقف الوحيد الذي سلِم من الدمار - وغرقت في بحر الذكريات. قالت كريسيدا بعد فترةٍ قصيرة:

«هذا رائع يا كاتنيس. هيا بنا لنمضِ من هنا».

لم يتمكن غايل من مغادرة مسكنه القديم بسهولة. صوّرته كريسيدا وهو صامت لدقائق قليلة، لكن ما إن سحب من بين الرماد الأثر الوحيد الباقي من حياته القديمة - ذلك القضيب الحديدي الذي يُستخدم في تقليب الجمر - حتى بدأت بطرح أسئلة عليه؛ عن عائلته، ومهنته، وحياته في السيم. جعلته يعود بذاكرته إلى ليلة القصف بالقنابل، ويعيد تمثيل سير الأحداث بدءاً من منزله، ونزوله إلى المرج، وعبوره الغابات، حتى وصوله إلى البحيرة. لحقتُ بفريق التصوير والحرّاس، وشعرت بأن وجودهم يخرق حرمة غاباتي الحبيبة. إن هذه الغابات مكان خاص، وملاذٌ مميز، لكن شرور الكابيتول أفسدته. بعد أن تركنا جذوع الأشجار المحترقة قرب السياج تعثرنا بالأجساد المتحللة. تساءلت ما إذا كان ينبغي لنا تسجيل كل هذه الأمور كي يراها الجميع. بدا لي أن غايل فَقَدَ قدرته على الحديث في الوقت الذي وصلنا فيه إلى البحيرة. تصبّب الجميع عرقاً، وعلى الأخص كاستور وبولوكس أسفل قناعيهما. دعت كريسيدا الجميع إلى الحصول على فترة استراحة. غرفت بيديّ من مياه البحيرة، وتمنيت لو أستطيع الغطس فيها والعوم وحيدةً وعارية ومن دون أن يلاحظني أحد. تجولت حول البحيرة لفترة. وعندما عدت إلى ذلك البيت الإسمنتي الذي يقبع إلى جانب البحيرة، وقفت قرب المدخل، وشاهدت غايل وقد أسند ذلك القضيب المعدني إلى الجدار قرب الموقد. تخيّلت للحظة رجلاً غريباً ووحيداً في وقتٍ ما في المستقبل وهو يصل إلى هذا الملاذ الصغير ليجد كومةً من الجذوع المقطعة، والموقد، وهذا القضيب المعدني. تساءلت عن ظروف تشييد هذا البيت. التفت غايل والتقت عيوننا. أدركت أنه يفكّر في اللقاء الأخير الذي حصل بيننا في هذا المكان. تجادلنا في ذلك اللقاء حول ما إذا كان يجدر بنا أن نفرّ من المقاطعة أم لا. هل كانت المقاطعة 12

ستبقى لو فررنا؟ أعتقد أنها كانت ستبقى لو فعلنا، لكن الكابيتول كانت ستحتفظ بسيطرتها على بانيم بأكملها.

تناولنا شطائر الجبن في ظلال الأشجار. جلست، متعمّدة في آخر المجموعة إلى جانب بولوكس، كي لا أضطر إلى التحدث. لم يتحدث أحد بكلامٍ كثير في واقع الأمر. استغلت الطيور هذا الهدوء النسبي، وعادت إلى الغابة. نكزت بولوكس بمرفقي، وأشرت إلى طائرٍ صغيرٍ ذي تاج. قفز الطائر إلى غصنٍ آخر فاتحاً جناحيه للحظة، فعرض أمامنا البقع البيضاء التي تتخلّلهما. أشار بولوكس إلى دبوسي، ورفع حاجبيه متسائلاً. فأومأت كي أؤكد له أنه طائر مقلّد. رفعت إحدى أصابعي عالياً، وكأنني أقول له انتظر، سأريك، ثم صفرت نداء الطيور. رفع الطائر المقلّد رأسه، وكرّر الصوت الذي صفرته. فوجئت عندما صفر بولوكس عدة نغماتٍ مرتجلة. انفرجت أسارير بولوكس، وبدا عليه السرور، ثم تبادل مع الطائر المقلّد سلسلة من النغمات. خمّنت أن هذه هي المحادثة الأولى التي يجريها منذ سنوات عدة. تجذب الموسيقى الطيور مثلما تجذب الأزهار النحل. لم يمضِ وقت طويل حتى تجمّع نحو ستة من هذه الطيور، وجثمت على الأغصان التي تظلّل رؤوسنا. ربّت بولوكس على ذراعي، ثم استخدم غصناً كي يكتب كلمة على التراب. غنّي؟

إنني أرفض دعواتٍ كهذه عادة، لكنّني وجدت أنه من المستحيل أن أرفض طلباً جاء من بولوكس، وذلك نظراً إلى الظروف. يُضاف إلى ذلك أن أصوات غناء الطيور المقلّدة تختلف عن صفيرها، ولذلك أحببت أن يسمعها. لم أفكّر فعلياً في ما أفعله عندما انطلقت أغني نغمات رو الأربع، وهي النغمات التي اعتادت أن تشير بها إلى انتهاء يوم العمل في المقاطعة 11. إنها النغمات ذاتها التي انتهت بأن تكون الموسيقى الخلفية لجريمة قتلها. لا تعرف الطيور هذا الأمر، وهي تتلقى الجملة البسيطة وتمضي في

134

ترديدها في ما بينها بتناغمٍ محبّب. يماثل هذا ما حصل في مباريات الجوع قبل أن يظهر المتحوّلون من بين الأشجار كي يلحقوا بنا إلى الكورنوكوبيا، وقبل أن يبدأوا بمهاجمة كاتو ببطء وتحويله إلى كتلة دامية.

قلت له: «أتريد أن تسمع هذه الطيور وهي تؤدي أغنية حقيقية؟». كنت مستعدة لفعل أي شيء كي أوقف تدفق هذه الذكريات. نهضت، وسرت عائدة إلى الأشجار. أسندت يدي إلى جذع شجرة القيقَب الخشن التي تجثم فيها الطيور. لم يسبق لي أن غنّيت أغنية شجرة الشنق بصوتٍ عالٍ منذ عشر سنوات، وذلك لأن الأغنية ممنوعة، لكنني أتذكر كل كلمةٍ وردت فيها. بدأت بالغناء بصوتٍ ناعمٍ وشجي، أي كما اعتاد والدي أن يغنيها:

«هل ستأتين، هل ستأتين
إلى هذه الشجرة
حيث شنقوا الرجل الذي قالوا
إنّه قتل ثلاثة رجال؟
لكنّ أموراً غريبة تحدث هنا
لن نحسّ بالغربة إذا التقينا هنا
في منتصف الليل عند شجرة الشنق».
بدأت الطيور المقلّدة بترديد الأغنية عندما سمعتها:
«هل ستأتين، هل ستأتين
إلى هذه الشجرة
حيث طلب الرجل المحتضر من حبيبته الفرار؟
لكن أموراً غريبة تحدث هنا
لن نحس بالغربة إذا التقينا هنا
في منتصف الليل عند شجرة الشنق».

135

حزتُ الآن على انتباه الطيور، وتأكدت بأن المقطع التالي من الأغنية سيجعل الطيور تستوعب النغمة لأنها بسيطة، وهكذا ردّدتها أربع مرات مع تنويعاتٍ بسيطة:

«هل ستأتين، هل ستأتين
إلى هذه الشجرة
حيث طلبت منك أن نهرب، كي نكون
حرّين أنا وأنت؟
لكن أموراً غريبة تحدث هنا
لن نحس بالغربة إذا التقينا هنا
في منتصف الليل عند شجرة الشنق».

خيّم جوٌّ من الصمت على الأشجار، ولم نسمع سوى حفيف الأوراق عند مرور النسيم من بينها. لم أرَ طيوراً، سواء أكانت طيوراً مقلّدة أو غيرها. أعتقد أن بيتا محقّ. تصمت الطيور عندما أغني، وهو الأمر ذاته الذي فعلَته مع والدي.

«هل ستأتين، هل ستأتين
إلى هذه الشجرة
معلّقة عقداً من الحبال، أنا وأنت
جنباً إلى جنب؟
لكن أموراً غريبة تحدث هنا
لن نحس بالغربة إذا التقينا هنا
في منتصف الليل عند شجرة الشنق».

توقعت الطيور أن أستمر بالغناء، لكن لم يحدث شيء. فقد تذكرت

آخر مقطعٍ من الأغنية. تذكرت المشهد وسط السكون. كنت في المنزل بعد يومٍ أمضيناه في الغابة مع والدي. جلست على الأرض مع بريم التي كانت طفلة آنذاك، وغنّينا أغنية شجرة الشنق، ورحنا نصنع لأنفسنا عقوداً من بقايا حبالٍ قديمة، أي مثلما ورد في الأغنية، ومن دون معرفة المعنى الحقيقي للكلمات. كان اللحن بسيطاً ويسهل التناغم معه. كان من السهل عليّ حفظ أي شيء كُتب كي يغنى من المرة الأولى أو الثانية. جاءت والدتي فجأةً، وانتزعت العقود التي صنعناها من الحبال، وأخذت تصرخ في وجه والدي. بدأت بالبكاء لأن الصراخ لم يكن من عادة والدتي. وبدأت بريم بالبكاء بعد ذلك، بينما ركضت أنا خارج المنزل كي أختبئ. وجدني والدي على الفور لأن المخبأ الوحيد الذي أعرفه كان في المرج تحت شجرة زهر العسل. عمل والدي على تهدئتي وأخبرني أن كل شيء على ما يرام، لكن من الأفضل ألاّ نغني تلك الأغنية بعد الآن. طلبت مني والدتي نسيان تلك الأغنية. هذا هو السبب الذي دفعني إلى حفر كل كلمة من كلمات الأغنية في ذهني.

امتنعنا عن غناء هذه الأغنية، كما أن والدي وأنا لم نتحدث عنها، لكنها كانت تخطر في ذهني كثيراً بعد موته. كبرت الآن، وأصبحت قادرة على فهم كلمات الأغنية. بدا أن مطلع الأغنية يشتمل على دعوة رجلٍ صديقته كي تجتمع به سراً في منتصف الليل. كان من المستغرب أن يُضرب موعد كهذا تحت شجرة الشنق، حيث شُنق رجل لأنه ارتكب جريمة. بدا كذلك أن حبيبة ذلك القاتل لها علاقة ما بالجريمة، أو لعلها كانت ستتلقى العقاب على أي حال لأن جثّته كانت تطلب منها الهرب. يُعتبر هذا مشهداً غريباً بطبيعة الحال، أي ذلك الجزء الذي يتعلق بالجثة التي تتكلم. يزداد التوتر الذي تسببه شجرة الشنق وعلى الأخص في القسم الثالث منها. إذ يدرك المستمع أن الذي يؤدي هذه الأغنية هو ذلك المجرم

المقتول. بقي الرجل معلّقاً على شجرة الشنق. وبالرغم من أنه أبلغ حبيبته بضرورة الفرار، إلا أنه ظل يطلب منها المجيء كي تلتقيه. أما عبارة حيث طلبت منك أن نهرب، كي نكون حرّين أنا وأنت، فهي أكثر العبارات إثارة للقلق لأن المرء يعتقد في البداية أن الرجل يتحدث عن الوقت الذي أبلغها فيه بضرورة الفرار، وربما إلى مكان آمن. لكننا نبدأ بالتساؤل هنا عمّا إذا كان ذلك يعني أن تهرب إليه، أي إلى الموت. يتضح لنا في المقطع الأخير أن هذا هو ما ينتظره. يريد الرجل أن تأتي حبيبته إليه مع عقدها المصنوع من الحبال، وأن تتدلى مشنوقة على الشجرة.

كنت أظن أن ذلك المجرم هو أكثر الأشخاص إثارة للرعب يُمكن أن يتصوره الإنسان. أما الآن، وبعد أن امتلكت الخبرة بعد اشتراكي مرتين في مباريات الجوع، فقد قررت ألاّ أحكم عليه قبل معرفة تفاصيل أكثر. يُحتمل أن تكون محبوبته محكومة بالإعدام، ولذلك يحاول تسهيل الأمر عليها عن طريق إعلامها بأنه سيكون في انتظارها، أو لعله اعتقد أن المكان الذي تركها فيه أسوأ من الموت بالفعل. ألم أرغب أنا في قتل بيتا بتلك الحقنة كي أخلّصه من قبضة الكابيتول؟ هل كان ذلك هو الخيار الوحيد المتاح لي؟ يُحتمل أن يكون الجواب نفياً، لكنّني عجزت عن التفكير في خيار آخر في ذلك الوقت.

أعتقد أن والدتي قد ظنّت في ذلك الوقت أن الأمر مربك برمته بالنسبة إلى فتاة تبلغ السابعة من عمرها، وعلى الأخص بالنسبة إلى فتاة صنعت من الحبال عقوداً لها. لم يكن الأمر وكأن الشنق أمرٌ لا يحدث إلا في القصص. فقد لقي كثيرون مصرعهم بهذه الطريقة في المقاطعة 12. إنني أراهن الآن على أنها لم تكن تريدني أن أغني في صف الموسيقى. أعتقد أنها لا تريدني أن أغني هنا حتى أمام بولوكس، لكنّني لا أفعل ذلك. مهلاً، إنني مخطئة. نظرت حولي، ولاحظت أن كاستور يقوم بتسجيل الأغنية. كان الجميع

يراقبونني بتركيز. رأيت الدموع تنهمر من عيني بولوكس وتكاد تسيل على خدّيه. أعتقد أن أغنيتي البائسة هذه قد ذكّرته بحادثٍ فظيعٍ في حياته. عظيم. تنهدتُ، ثم استندت إلى جذع الشجرة. بدأت الطيور المقلّدة بتأدية أغنية شجرة الشنق في هذه اللحظة. بدت الأغنية جميلة جداً عندما غنّتها. وقفتُ بهدوء مع علمي بأنهم يصورونني إلى أن سمعت صوت كريسيدا وهي تنادي: «أوقِفوا التصوير».

اقترب مني بلوتارك ضاحكاً: «من أين أتيتِ بهذه الأغنية؟ لن يصدقها أحد لو قمنا بتأليفها!». طوقني بذراعه وقبّلني في أعلى رأسي محدثاً صوتاً عالياً. «أنتِ منجم من ذهب!».

قلت له: «لم أقم بتأديتها كي تصوَّر أمام الكاميرات».

قال لي: «من حسن حظنا أن الكاميرات كانت تعمل عندما بدأتِ بالغناء. هيا بنا، لنعد جميعنا إلى المدينة!».

مشينا بتثاقل عبر الغابات في طريق عودتنا حتى وصلنا إلى صخرة. نظرت أنا وغايل باتجاه واحد، وكأننا زوج من الكلاب اشتمّ رائحة حملها الهواء. لاحظت كريسيدا ذلك، وسألتنا ماذا يوجد في ذلك الاتجاه. اعترفنا بأنه مكاننا القديم الذي كنا نلتقي فيه لنصطاد. أرادت أن تراه حتى بعد أن قلنا لها إن الأمر غير هام مطلقاً.

فكرت في سرّي، إنه لا شيء غير المكان الذي كنت أشعر فيه بالسعادة.

كانت حافتنا الصخرية تلك تشرف على الوادي. كانت أقل خضرةً مما كانت عليه سابقاً، لكن أجمات توت العلّيق امتلأت بثمارها. بدأنا من هنا أياماً لا حصر لها من الصيد، ونصب الفخاخ، وصيد الأسماك، وجمع الطرائد، والتجوّل معاً عبر الغابات. كنا نتبادل أفكارنا في أثناء انشغالنا بملء أكياس طرائدنا. كانت هذه الصخرة بمثابة نقطة انطلاقنا لتأمين قوتنا

والحفاظ على توازننا النفسي. كان كل واحد منا طريق الآخر نحو السعادة.

لم تعد المقاطعة 12 التي كنا نهرب منها موجودة، ولم يعد هناك أيّ ضباط أمنٍ كي نخدعهم، أو أفواه جائعة تنتظر إطعامها. أخذت الكابيتول منا كل ذلك، كما أنني على وشك خسارة غايل أيضاً. شعرت أن الرابطة الشديدة التي كانت تشدنا إلى بعضنا بعضاً بدأت بالتلاشي. إن كل ما أراه في المساحات التي تفصلنا هو نقاط داكنة من دون ضوء. كيف وصل الأمر إلى هذا الحد الآن بالرغم من ذلك المصير المظلم الذي لقيته المقاطعة 12. هل وصل بنا الغضب إلى حدٍّ عجزنا معه عن تبادل الكلام مع بعضنا؟

بدا الأمر وكأن غايل كذبَ عليّ، وهو الأمر الذي لم يكن مقبولاً لديّ؛ حتى لو كان قلقاً على سلامتي. ولقد أهنته بصراحة وتأكدت من ذلك. ماذا يحدث بيننا؟ لماذا نحن على خلافٍ دائم هذه الأيام؟ بدا الأمر مشوشاً برمته، لكنّني أشعر بأنني إذا عدت إلى جذور مشاكلنا، فإن تصرفاتي أنا توجد في صميمها. هل أرغب حقاً في إبعاده؟

أمسكت أصابعي بثمرة توت علّيق وانتزعتها من غصنها. أدرتها بلطفٍ بين إبهامي وسبابتي، واستدرت نحوه فجأة، ورميتها باتجاهه قائلة: «ليكن الله...». رميت الثمرة عالياً جداً حيث يتسع له الوقت كي يقرّر تركها أو التقاطها.

ركّز غايل عينيه عليّ أنا، وليس على ثمرة التوت، لكنه فتح فمه في اللحظة الأخيرة والتقطها. مضغها جيداً قبل أن يبتلعها. مرت فترة صمتٍ طويلة قبل أن يقول لي: «... إلى جانبك على الدوام». لكنه قالها بالفعل.

سمحت لنا كريسيدا بالجلوس في مكان منعزل على الصخور حيث كان من المستحيل علينا عدم التلامس، ثم حثّتنا على الكلام عن الصيد، وعن السبب الذي دفعنا إلى الذهاب إلى الغابات، وعن كيفيّة لقائنا، وعن لحظاتنا المفضلة. استرخينا في البداية، ثم أخذنا نضحك قليلاً عندما

قصصنا الأحداث التي مرّت بنا مع النحل، والكلاب. لكنّني توقفت عن الكلام عندما تحولت المحادثة إلى كيفية الاستفادة من مهاراتنا باستعمال الأسلحة عند دكّ المقاطعة 8. أما غايل فاكتفى بالقول: «لقد فات الأوان على ذلك».

حلّ المساء في الوقت الذي وصلنا فيه إلى باحة المدينة. اصطحبتُ كريسيدا إلى أنقاض المخبز، وطلبت منها أن تصوّر شيئاً. كان الشعور الوحيد التي استجمعته هو الإعياء. «هذا بيتك يا بيتا. لم يسمع أي شخصٍ أي خبر عن أفراد عائلتك منذ يوم القصف بالقنابل. اختفت المقاطعة 12 بالكامل، وها أنت تطالب بوقف إطلاق النار!». نظرت إلى الفراغ وتابعت: «لم يبقَ أحد كي يسمعك».

وقفنا أمام كتلة المعدن التي كانت في يومٍ ما مشانق. سألَت كريسيدا إذا كان أحدنا قد تعرّض للتعذيب في يومٍ من الأيام. فأجاب غايل بطريقته عندما خلع قميصه وأدار ظهره إلى الكاميرا. حدّقت إلى الآثار التي خلّفتها السياط على ظهره. سمعت مجدداً صوت السوط، ورأيت جسمه الدامي معلقاً من معصميه، وهو فاقدٌ الوعي.

قلت: «لقد أنهيت. سألاقيكم في فيكتوري فيليدج. أريد تسجيل شيء هناك... لوالدتي».

أعتقد أنني مشيت إلى هناك، لكنّني لم أعِ إلا أنني جالسة على الأرض أمام خزائن المطبخ في منزلنا الكائن في فيكتوري فيليدج. كنت منشغلة في وضع أواني السيراميك والقوارير الزجاجية داخل صندوق. ووضعت ضمادات نظيفة من القطن بينها كي لا تنكسر. وقمت كذلك بتغليف رزمٍ من الأزهار المجففة.

تذكرت فجأة الوردة على خزانتي. هل كانت وردة حقيقية؟ وإذا كان الأمر كذلك، هل بقيت في مكانها؟ تحتّم عليّ مقاومة رغبتي في التأكد

من وجودها. أعرف أن هذه الوردة سترعبني مجدداً إذا كانت في مكانها. أسرعت قليلاً في عملية التوضيب.

نهضت عندما فرغت الخزائن فوجدت غايل في مطبخي. أقلقني ظهوره من دون إصدار أي صوت. رأيته مستنداً إلى الطاولة بعد أن بسط أصابعه فوق سطحها الخشبي. وضعت الصندوق بيننا. سألني: «أتذكرين؟ هذا هو المكان الذي قبّلتِني فيه».

يعني ذلك أن جرعة المورفلنغ (المخدر) التي حقنوه بها بعد عملية الجلد لم تكن كافية لتمحو الحادثة من ذهنه. قلت له: «ظننت أنك لن تتذكر ذلك».

قال لي: «سأموت قبل أن أنسى تلك القبلة، ويُحتمل أنني لن أنساها أبداً، ولعلني سأكون مثل ذلك الرجل في أغنية شجرة الشنق؛ منتظراً الجواب حتى الآن». رأيت الدموع في عينَي غايل، وهو الذي لم يسبق لي أن رأيته باكياً. أردت إيقاف تلك الدموع فتقدمت منه، وضغطت بشفتَيّ على شفتيه. أحسسنا بالحرارة، وبالرماد، وبالمعاناة. كان ذلك طعماً مدهشاً لقبلةٍ لطيفة كهذه. كان هو أول من ابتعد ووجّه نحوي ابتسامة ساخرة قائلاً: «كنت أعرف أنك ستُقبّلينني».

قلت: «وكيف عرفت؟». كيف عرف ما سيحدث في حين جهلت أنا ذلك.

قال: «لأنني تألمت. إنها الطريقة الوحيدة كي أكسب انتباهك». رفع الصندوق عن الأرض. «لا تقلقي يا كاتنيس. سيختفي هذا الحزن». ثم غادر المكان من دون أن ينتظر جوابي.

شعرت بإجهاد شديد منعني من التفكير في فرضيّته الأخيرة. أمضيت رحلة العودة القصيرة إلى المقاطعة 13 وأنا متكورة في المقعد، كما حاولت تجاهل بلوتارك وهو يتحدث عن أحد موضوعاته المفضلة، أي الأسلحة

التي افتقدها الجنس البشري: الطائرات التي تطير على ارتفاعاتٍ عالية، والأقمار الصناعية العسكرية، وأجهزة تفكيك الخلايا، والطائرات التي تطير من دون طيار، والأسلحة البيولوجية مع تواريخ انتهائها. تسبّب تدمير الغلاف الجوي، أو نضوب الموارد، أو الضوابط الأخلاقية، بتعطيل كل تلك الأسلحة. يُمكن للمرء أن يسمع نبرة الأسف في صوت كبير صانعي الألعاب الذي لم يعد في وسعه إلا أن يحلم بمثل هذه الألعاب، والذي يتحتّم عليه الاكتفاء بالحوّامات وصواريخ أرض – أرض، والبنادق البسيطة والقديمة.

توجهت إلى السرير بعد خلعي زيّ الطائر المقلّد، ومن دون أن آكل شيئاً. مع ذلك، اضطرت بريم إلى هزّي بقوّة لأستيقظ صباحاً. تجاهلت برنامجي بعد تناول طعام الفطور، وغفوت بعمق في خزانة التموين. استيقظت بعد أن حان وقت العشاء مجدداً، وزحفت من بين صناديق الطباشير والأقلام. حصلتُ على حصة كبيرة من حساء البازيلاء ثم توجهت عائدة إلى الحجرة E، لكن بوغز اعترض طريقي.

قال لي: «سيُعقد اجتماع في مركز القيادة. تجاهلي برنامجك الحالي».

أجبته: «حسناً».

سأل بنبرة غاضبة: «هل نفذتِ كامل البرنامج اليوم».

«مَن يعلم؟ إنني مشوشة ذهنياً. رفعت معصمي كي أُظهر سواري الطبيّ، لكنّني اكتشفت أنه اختفى. «أترى؟ عجزت حتى عن تذكّر أنهم نزعوا سواري. لماذا يريدونني في مركز القيادة؟ هل تغيبت عن أي نشاط؟».

قال لي: «أعتقد أن كريسيدا ترغب في أن تريكِ شريط المقاطعة 12. لكنّني أظن أنك سترينهم عند بثه مباشرة».

143

قلت: «هذا ما أريد وضعه في البرنامج. أريد أن أعرف موعد البث».

وجّه إليّ نظرة من دون أن يعلّق بشيء آخر.

احتشد الكثير من الناس في مركز القيادة، لكنهم تركوا لي مقعداً بين فينيك وبلوتارك. وُضعت شاشات التلفزيون فوق الطاولات، وكلها تُظهر البرنامج الذي تعرضه الكابيتول.

سألت: «ماذا يجري؟ ألا يُفترض بنا أن نشاهد شريط المقاطعة 12؟».

قال بلوتارك: «أوه! كلا، أعني أن هذا محتمل. لا أعرف بالضبط أي شريط ينوي بيتي عرضه».

قال فينيك: «يعتقد بيتي أنه وجد طريقة للبثّ على صعيد البلاد بأكملها. يسمح له هذا الأمر بعرض شريطنا في الكابيتول أيضاً. إنه يعمل على الأمر الآن في مركز الدفاع الخاص. أما الليلة، فإنهم سيبثون البرامج الحية. سيظهر سنو على شاشة التلفزيون، أو شيء من هذا القبيل. أعتقد أن البرنامج سيبدأ الآن». ظهر شعار الكابيتول مع عزف موسيقى النشيد الوطني. حدّقت بعد ذلك إلى وجه الرئيس سنو مباشرة، وإلى عينيه اللتين تشبهان عينَي أفعى، وهو يحيّي الأمة. بدا متحصناً خلف المنصة، لكن الوردة البيضاء المعلّقة في ياقته كانت واضحة للعيان. تراجعت الكاميرا لتشمل بيتا الذي كان منزوياً أمام خريطة بانيم التي أظهرها جهاز عرض. كان جالساً أمام كرسي مرتفع، كما وضع حذاءه على درجة معدنية. أخذ يقرع برجله الصناعية بنغمة غريبة وغير منتظمة. بدت حبيبات العرق بارزة على شفته العليا وجبهته بالرغم من مسحوق التجميل. لكن نظرته التي ارتسمت في عينيه – الغاضبة وغير المركزة مع ذلك – هي التي أرعبتني أكثر من أي شيء آخر.

قلت هامسة: «لقد ساءت حالته». أمسك فينيك بيدي كي يطمئنني، فحاولت أن أحافظ على هدوء أعصابي.

144

بدأ بيتا الكلام بنبرة محبطة حول الحاجة الماسة إلى وقف إطلاق النار. شدّد كذلك على الضرر الحاصل للبنى التحتية في مختلف المقاطعات. كانت أجزاء من الخريطة تُضاء في أثناء حديثه، فظهرت صور الدمار والخراب، وظهرت صورة سدٍّ متصدعٍ في المقاطعة 7. وأظهرت صورة أخرى قطاراً خرج عن سكّته وسط بركة من النفايات السامة التي انسكبت من عربات القطار. أما الصورة الثالثة، فأظهرت مخزناً للقمح بعد أن انهار تحت تأثير النيران. عزا بيتا كل هذا الدمار إلى أعمال الثوار.

بام! هكذا، ومن دون إنذار رأيت نفسي على شاشة التلفزيون واقفةً وسط حطام المخبز.

هبّ بلوتارك واقفاً على قدميه وقال: «لقد فعلها! تمكّن بيتي من اعتراض بثّهم!».

كانت الغرفة تضج بالحركة عندما ظهر بيتا مجدداً، وقد بدت عليه أمارات الحيرة. رأى صورتي على الشاشة. حاول استئناف حديثه بالحديث عن قصف منشأة لتنقية المياه، لكن المقطع الذي يُظهر فينيك وهو يتحدث عن رو ظهر مكانه. تحوّل الأمر إلى معركةٍ على البث عندما حاول تقنيو الكابيتول إبطال هجوم بيتي، لكنهم كانوا غير مستعدين للأمر. بدا أن بيتي قد توقع أنه لن يقدر على الاستحواذ على البثّ لوقتٍ طويل، لكنه كان جاهزاً مع مقاطع للعرض. شاهدنا البرنامج الرسمي وهو يتعرض للتشويش بمقاطع منتقاة من أشرطة المتمردين.

سيطرت على بلوتارك نوبات من السرور المفرط، كما أن الجميع تقريباً هلّلوا لبيتي، لكن فينيك بقي ساكناً إلى جانبي من دون أن يتكلم. التقت عيناي عينَي هايميتش عبر الغرفة. لاحظت أن الهلع الذي شعرت به قد انعكس في عينيه؛ فلقد أدركنا أنه مع كل هتاف كان بيتا يفلت أبعدَ فأبعد من قبضتنا.

عاد شعار الكابيتول للظهور مترافقاً مع لحنٍ هادئ. استمر هذا المشهد نحو عشرين ثانية قبل عودة بيتا وسنو للظهور مجدّداً. سمعنا ضجيجاً مترافقاً مع الرعب من مقصورتهما. استمر سنو بكلامه وقال إنه من الواضح أن الثوار يحاولون إعاقة نشر المعلومات التي يعتبرونها إدانة لهم، لكن الحقيقة والعدالة ستنتصران في النهاية. أضاف أن البرنامج بأكمله سيُعاد بثّه عند إعادة فرض الإجراءات الأمنية. سأل بيتا إن كان يحتفظ بأفكارٍ ودية تجاه كاتنيس إيفردين بعد عرض هذه الليلة.

تغيّرت ملامح وجه بيتا لدى سماعه اسمي وقال: «كاتنيس... كيف سينتهي هذا الأمر برأيك؟ ماذا سيبقى؟ لم يعد أحد يشعر بالأمان، ليس هنا في الكابيتول، أو في المقاطعات. أما أنتم... في المقاطعة 13...»، تنفس بشدة وكأنه يكافح كي يحصل على نسمة هواء. بدت عيناه مثل عيني مجنون وهو يقول: «فستكونون في عداد الموتى مع طلوع الصباح!».

قال سنو آمراً: «أوقِفوا العرض!». تدخّل بيتي في هذا الوقت، وحوّل العرض إلى فوضى كاملة عندما عرض لقطة ساكنةً عني. أظهرتني اللقطة التي دام عرضها ثلاث ثوانٍ وأنا واقفة أمام المستشفى. كان البث الحي يعود بنا إلى التحركات التي تجري على الأرض. حاول بيتا الاستمرار بالكلام، لكن، بدا أن أحدهم قد أزاح الكاميرا التي أظهرت الأرض التي يغطّيها بلاط أبيض. سمعت أصوات شجارٍ حاد، وسُمع بعد ذلك صوت الضربة التي امتزجت مع صرخة الألم التي أطلقها بيتا.

رأيت دمه الذي تناثر على البلاط.

القسم الثاني

الهـجـوم

الفصل العاشر

بدأت الصرخة في القسم الأسفل من ظهري، وشقّت طريقها صعوداً عبر جسدي لكنّها كُبِحَت في حنجرتي. شعرت بأنني أُصبت بخرس الآفوكس، وكدت أختنق بحزني. لكن، هل سيلاحظني أحد إذا تمكنت من إطلاق صوتي إلى الفضاء عندما أتمكن من فكّ قيود عضلات حنجرتي؟ ملأ الضجيج الغرفة، وانطلقت الأسئلة والطلبات من أفواه الذين حاولوا فهم مغزى كلمات بيتا. «أما أنتم... في المقاطعة 13... فستكونون في عداد الموتى مع طلوع الصباح!». لكن أحداً لم يسأل عن مصير ذلك المُنذِر الذي حلّ التشويش مكان منظر دمائه.

علا صوتٌ تمكّن من أن يحوز على انتباه الآخرين: «اخرسوا!». تسمرت كل العيون على هايميتش الذي قال: «ليس ذلك لغزاً كبيراً! يقول لنا الشاب إننا على وشك التعرض لهجوم. هنا، في المقاطعة 13».

«كيف حصل على تلك المعلومة؟».

«ولماذا يجب علينا أن نثق به؟».

«كيف عرفت؟».

زمجر هايميتش من الإحباط وأجاب: «إنهم يضربونه بوحشية في أثناء حديثنا هذا. هل نحتاج إلى معرفة المزيد؟ كاتنيس، ساعديني هنا!».

اضطررت إلى أن أهزّ نفسي كي أطلق كلماتي: «هايميتش محقّ. لا أعرف كيف حصل بيتا على تلك المعلومة، ولا أعرف إذا كانت صحيحة، لكنه واثقٌ منها. أما هم...». لم أتمكن من التعبير بصوتٍ عالٍ عما يُنزله به سنو من أنواع العذاب.

وجّه هايميتش حديثه إلى كوين: «أنتِ لا تعرفينه، لكننا نعرفه. دعي

149

رجالك يستعدون».

لم تظهر على وجه الرئيسة علامات القلق عدا بعض إشارات الارتباك نتيجة ما آلت إليه الأحداث. فكّرت جيداً في كلماتها، ونقرت بإحدى أصابعها على حافة لوحة التحكم الموجودة أمامها. خاطبت هايميتش بصوتٍ رزين عندما قررت الكلام: «تحضّرنا بالطبع لهذا الاحتمال. فعلنا ذلك بالرغم من أن عقوداً من السنين التي مرت تدعم الفرضية التي تفيد بأن أي هجماتٍ جديدة ومباشرة على المقاطعة 13 ستؤذي قضية الكابيتول كثيراً. ستُطلق القذائف النووية إشعاعات في الجو، وهو الأمر الذي ستترتب عليه عواقب بيئية وخيمة. ستؤدي عمليات القصف العادية إلى إلحاق أضرار جسيمة بمعسكراتنا الحربية، والتي نعلم جيداً أنهم يأملون إعادة السيطرة عليها. ستؤدي هذه العمليات إلى ضرباتٍ مضادة بطبيعة الحال. يعدّ كل ذلك مخاطراتٍ محسوبة ومفهومة، وذلك نظراً إلى تحالفنا الحالي مع المتمردين».

قال هايميتش: «أتعتقدين ذلك؟». بدت كلماته واقعية أكثر من المعقول، لكن المفارقات الدقيقة تضيع عادة في المقاطعة 13.

قالت كوين: «أعتقد ذلك. وعلى أيّ حال، لقد تأخرنا كثيراً عن التدريبات الأمنية من المستوى الخامس، لذا، دعونا نمضي في إجراءات الطوارئ». بدأت بالنقر بسرعة على لوحة المفاتيح كي تعطي الأمر بتنفيذ قرارها. بدأ العمل على تنفيذ الإجراءات بعد أن رفعت رأسها.

أجرت المقاطعة 13 منذ وصولي إليها تدريبين على مستوى منخفض. لا أتذكر شيئاً عن التدريب الأول لأنني كنت في وحدة العناية الفائقة في المستشفى، لذلك أعتقد أن المرضى تلقوا إعفاءً من الاشتراك في التدريب، وذلك لأن تعقيدات نقلنا إلى خارج المستشفى كانت تفوق الفوائد بكثير. لاحظت - وإن بغموض - ذلك الصوت الميكانيكي الذي يأمر الناس

بالتجمّع في المناطق الصفراء. أما التدريب الثاني فكان مخصّصاً للأزمات الصغيرة، مثل الحجر المؤقت الذي يجري في أثناء فحص المواطنين للتأكد من إصابتهم بالعدوى بعد تفشي وباء الإنفلونزا. كان من المفترض بنا العودة إلى الحجرات التي نسكنها. بقيت خلف أنبوبٍ في غرفة الغسيل، وتجاهلت الرنّات المتقطعة الآتية من النظام الصوتي. راقبت عنكبوتاً في أثناء نسجه شبكته. لم أكن جاهزة بعد لسماع أصوات صفارات الإنذار الحادة والمخيفة، والتي تصمّ الآذان، وهي التي شملت المقاطعة 13 بأكملها، ومن دون توجيه أي كلمات. لا يمكنني تجاهل هذا الصوت الذي يبدو وكأنه مصمّم كي يلقي الرعب في قلوب جميع السكان. لكن، هذه هي المقاطعة 13 التي لا تعرف معنى الشعور بالرعب.

أخرجنا بوغز، أنا وفينيك، من مركز القيادة، وسرنا عبر القاعة إلى المدخل. وصلنا بعد ذلك إلى درجٍ عريض. سار الناس في صفوف متقاربة والتقوا كي يؤلفوا سيلاً من البشر يتوجه فقط إلى الطوابق السفلية. لم أسمع أحداً يصرخ أو يحاول دفع أحدهم في طريقه إلى الأمام. سار الأطفال بدورهم على هذا المنوال. نزلنا صامتين طابقاً إثر طابق ومن دون أن تُسمع أي كلمة، أو أي شيء سوى صوت صفارات الإنذار. بحثت عن والدتي وعن بريم، لكن كان من المستحيل بالنسبة إليّ أن أرى أحداً غير الذين يحيطون بي مباشرة. كانت كلتاهما تعملان في المستشفى هذه الليلة، وهكذا كان من غير المعقول ألاّ تتغيّبا عن هذا التدريب.

سيطر على أذنيّ ضجيجٌ قوي وشعرت بثقلٍ في عينيّ. وصلنا الآن إلى عمقٍ يعادل عمق منجم. كانت الفائدة الوحيدة من نزولنا هي أن زعيق صفارات الإنذار يقلّ كلما نزلنا إلى الأسفل. بدا الأمر وكأن صوت هذه الصفارات يُبعدنا فعلياً عن سطح الأرض. أعتقد أن هذا هو المقصود تماماً من هذه الصفارات. بدأت مجموعات من الناس بالتوجه إلى مداخل

مرقمة، لكن بوغز ظلّ يوجهني نحو الأسفل إلى أن انتهى الدرج أخيراً عند حافة كهفٍ ضخم. هممت بالدخول على الفور، لكن بوغز أوقفني، ثم أمرني بإظهار جدول عملي أمام إحدى الماسحات الضوئية، وهو الأمر الذي يسمح بتحديد مكاني. إنني متأكدة من أن المعلومات ستنتهي في أحد الحواسيب وذلك من أجل التأكد من عدم ضياع أحد.

كان من الصعب على المرء تحديد ما إذا كان هذا المكان طبيعياً أم من صُنع الإنسان. رأيت مساحات حجرية معينة من الجدران، بينما كانت دعائم فولاذية وإسمنتية تدعم الجدران الأخرى. كانت أسرّة النوم محفورة في الجدران الصخرية. رأيت مطبخاً، وحمامات، ومحطات الإسعافات الأولية. بدا لي أن المكان مصمّم للإقامات المطولة.

رأيت لوحات تحمل أحرفاً وأرقاماً موزعة في أنحاء الكهف وعلى مسافاتٍ متساوية. أبلغنا بوغز، أنا وفينيك، بضرورة التواجد في المنطقة التي تتناسب مع المساكن المخصّصة لنا. يعني ذلك بالنسبة إليّ أن أتواجد في منطقة E كناية عن الحجرة E. ظهر بلوتارك في هذا الوقت بالذات، وقال لي: «آه! أأنتِ هنا؟». لم تؤثر الأحداث الطارئة كثيراً في مزاج بلوتارك. كان يتوهج سروراً لنجاح بيتي في هجوم البثّ التلفزيوني. كانت عيناه على الغابة، وليس على الأشجار، وليس على العقوبة التي يتعرض لها بيتا، أو على الدمار الوشيك الذي سيلحق بالمقاطعة 13. «كاتنيس، من الواضح أن هذه فترة صعبة بالنسبة إليك بسبب هذه النكسة التي أصابت بيتا. لكن، أريدك أن تنتبهي إلى أنّ الآخرين يشاهدونك».

قلت له: «ماذا؟». صعُب عليّ تصديق أنّه حطّ من قيمة الظروف المحيطة ببيتا إلى درجة وصفها بالنكسة.

شرح لي بلوتارك الأمر: «إن الحاضرين في هذا الملجأ سيحدّدون رد فعلهم بحسب رد فعلك أنتِ. إذا كنتِ هادئة وشجاعة، فإن الآخرين

سيحاولون أن يكونوا كذلك بدورهم. أما إذا ارتعبتِ، فإن رعبك هذا قد ينتشر مثل انتشار النار في الهشيم». اكتفيت بالتحديق إليه. بدا وكأنه يعتقد أنّني بطيئة الفهم. «تنتشر النيران بسرعة كما يقولون».

قلت له: «ما رأيك يا بلوتارك لو تظاهرت بأنني أقف أمام الكاميرا».

قال لي: «أجل، ممتاز. يشعر المرء بأنه أكثر شجاعة أمام الجمهور. هل لاحظتِ الشجاعة التي أظهرها بيتا للتو؟».

كان ذلك كل ما أستطيع فعله كي لا أصفعه.

قال لي قبل أن يمضي في طريقه: «يتعيّن عليّ العودة إلى كوين قبل الإقفال الاحترازي. تابعي عملك الرائع هذا!».

سرت نحو موقع الجدار الذي ثبّتَ عليه الحرف E. اشتمل المكان المخصص لنا على مربعٍ من أرضية صخرية يبلغ طول ضلعه اثنتي عشرة قدماً، وتتخلله خطوط مطلية. رأيت سريرين محفورين في الجدار، وهو الأمر الذي يعني أنه يجب على إحدانا أن تنام على الأرض، كما حُفرت مساحة مكعبة لحفظ الأغراض. رأيت كذلك ورقة بيضاء مغلفة بالبلاستيك الشفاف. قرأت عليها الكلمات التالية بروتوكول الملجأ. حدّقت بتركيز إلى تلك النقاط السوداء الصغيرة الموجودة على الورقة. بدت هذه النقاط محجوبة عني بسبب بقايا نقاط الدماء التي لم أتمكن من محوها عن بصري. بدأت الكلمات تتوضح أكثر فأكثر بعد ذلك؛ لكن ببطء. كان المقطع الأول يحمل عنوان عند الوصول.

1. تأكّد من تواجد كل الأفراد الذين يشاركونك حجرتك.
2. توجّه إلى محطة التموين كي تحصل على علبة لكل فردٍ من أفراد حجرتك. جهّز منطقة معيشتك. أعِد العلبة أو العلب.

تفحصت الكهف جيداً فوجدت محطة التموين، وكانت عبارة عن غرفة عميقة مفصولة بحاجزٍ خشبي. ينتظر الناس خلف هذا الحاجز،

لكنّني لاحظت عدم وجود حركةٍ كبيرة هناك. توجهت إلى المكان وأبرزت الحرف الذي يمثّل حجرتنا، ثم طلبت ثلاث علب. تفحّص أحد الأشخاص الورقة، وأحضر العلب المحددة من بين الرفوف، ثم رفعها إلى الحاجز الخشبي. حملت علبة على ظهري وأمسكت العلبتين الباقيتين بيديّ، ثم استدرت لأكتشف أن جماعة من الناس قد تحلقت خلفي. قلت وأنا أحمل علب التموين وأسير بها بين الآخرين: «عذراً». هل حدث هذا بطريقة عفوية؟ هل بلوتارك محقّ في ما قاله؟ وهل يحذو هؤلاء الأشخاص حذوي في سلوكهم؟

عدت إلى المكان المخصص لنا. فتحت إحدى العلب فوجدت فيها مفرشاً رقيقاً، وأغطية سرير، ومجموعتين من القماش رمادي اللون، ومصباحاً يعمل على البطارية. تفحصت محتويات العلبتين الباقيتين واكتشفت أنها متشابهة عدا عن فرق واضح في أن كل واحدة منهما تحتوي على أزياء بيضاء أو رمادية. سأخصّص الأزياء البيضاء لوالدتي وبريم وذلك تحسباً لقيامهما بواجبات طبية. جهزت الأسرّة، ووضعت الملابس في مكانها، ثم أرجعت العلب، وهكذا لم يبقَ عندي شيء أفعله غير تطبيق القاعدة الأخيرة.

3. انتظر تعليماتٍ أخرى.

تربعت على الأرض بانتظار تلك التعليمات. بدأ سيلٌ من الناس بالتوافد إلى المكان، وكان كل واحد منهم يبحث عن مكانه ويأخذ تموينه. لاحظت أن الأمر لن يطول كثيراً قبل أن يمتلئ المكان. تساءلت ما إذا كانت والدتي وبريم ستمضيان الليل في أي مستشفى يُنقل إليه المرضى. لكنّني لا أعتقد ذلك. إنهما مذكورتان في اللائحة هنا. بدأ القلق يسيطر عليّ، لكن والدتي ظهرت في هذه اللحظة. نظرتُ خلفها إلى بحرٍ من الغرباء، وسألتها: «أين بريم؟».

أجابتني: «أليست هنا؟ كان يُفترض بها أن تأتي من المستشفى مباشرة إلى هنا. تركت المستشفى قبلي بعشر دقائق. أين هي؟ أين يمكن أن تكون قد ذهبت؟».

أغمضت عينيّ بشدة للحظةٍ من الزمن. أردت ملاحقتها وكأنني ألاحق طريدة. رأيتها في مخيّلتي وهي تستجيب لصفارات الإنذار، وكذلك وهي تركض لمساعدة المرضى، وتومئ عندما يشيرون إليها بالنزول إلى الملجأ، ثم توقفت معها فوق الدرج. ترددت للحظة. لكن لماذا؟

فتحت عينيّ. «الهر! عادت كي تجلبه معها!».

قالت والدتي: «أوه! لا». عرفت كلتانا أنني محقة. سرت وإياها في عكس تدفق هذا السيل من البشر، وذلك في محاولةٍ منا للخروج من الملجأ. رأيتهم في الأعلى وهم يستعدون لإغلاق الأبواب المعدنية الثقيلة. دارت عجلات كل جهة من جهتي الأبواب المعدنية ببطء في اتجاهٍ معاكس. أدركت، بطريقة ما، أنه ما إن تُغلق الأبواب حتى تعجز أي قوة في العالم على إقناع الجنود بفتحها. يُحتمل أن ذلك الأمر لا يعود إليهم. دفعت الناس بقوة إلى الجانبين بينما صحت بالجنود أن ينتظروا قليلاً. تقلصت المسافة بين البابين حتى وصلت إلى ياردة واحدة، ثم إلى قدمٍ واحدة، ولم تتبقَ سوى بوصاتٍ قليلة عندما أدخلت يدي من خلال الشق.

صرخت بالجنود: «افتحوا الباب! دعوني أخرج!».

دبّ الذعر في وجوه الجنود وهم يُرجعون العجلات قليلاً. لم تكن المسافة كافية حتّى تسمح لي بالمرور، لكنها كانت كافية لتجنب انسحاق أصابعي، فاغتنمت الفرصة لإدخال كتفي في الشق.

صرخت من فوق الدرج: «بريم!». توسلت والدتي إلى الحراس بينما كنت أحاول التسلّل إلى الخارج. «بريم!».

سمعتها بعد ذلك. كانت أصوات وقع قدميها تُسمع وهي تنزل على

155

الدرج. سمعت صوت شقيقتي وهي تنادي: «إننا قادمان!».

«لا تغلقوا الباب!». كان ذلك صوت غايل.

قلت للحراس: «إنهما قادمان!». فتح الحراس الباب مسافة قدم واحدة. لم أجرؤ على التحرك خوفاً من أن يُقفلوا علينا الباب جميعاً. تحركت عندما ظهرت بريم، وكانت وجنتاها متوردتين من جراء الركض وحمل الحوذان. سحبت بريم، وما لبث غايل أن تبعها مصطحباً معه حملاً من الأمتعة التي أدخلها إلى الملجأ. أُقفلت الأبواب أخيراً مصدرة قرقعة عالية.

هززت بريم بغضب: «فيمَ تفكرين؟». ثم عانقتها بينما كان الحوذان محصوراً بيننا.

بدأت بريم بشرح ما حدث معها: «لم أتمكّن من تركه يا كاتنيس. لم أتمكن من فعل ذلك مرة ثانية. كان يجب أن تريه وهو يجوب الغرفة ويموء ذهاباً وإياباً. عاد كي يحمينا».

«حسناً. حسناً». أخذتُ أنفاساً عدة كي أشعر بالهدوء، ثم تراجعتُ ورفعت الحوذان من رقبته وقلت: «كان يجب عليّ إغراقك عندما كنت أستطيع ذلك». تسطحت أذناه ثم رفع أحد مخالبه. صفرت قبل أن يتمكن من خدشي، وهو الأمر الذي بدا أنه أزعجه قليلاً، وذلك لأنه اعتبر أن الصفير بصوتٍ يشبه صوته الخاص نوعٌ من الاستهانة به. أراد أن ينتقم فأصدر مواءً خافتاً ينم عن ضعف هرةٍ صغيرة، وهو الأمر الذي دفع بشقيقتي إلى حمايته على الفور.

قالت: «أوه يا كاتنيس! لا تضايقيه». ثم حملته بين ذراعيها مجدّداً قائلة: «إنه في الأساس منزعج».

استدعت فكرة أنني جرحت مشاعر ذلك الوحش الصغير إمكانية القيام بأمور أخرى لإزعاجه. لكنّني لاحظت أن بريم قد انزعجت فعلاً من

156

أجله. تخيّلت، بدلاً من ذلك، فراء الحوذان في بطانة زوجٍ من القفازات، وهي الصورة التي ساعدتني على التعاطي معه عبر السنين. «حسناً، أنا آسفة. إننا نمكث في المكان حيث يوجد حرف E كبير على الجدار، لذلك من الأفضل لك أن تجدي له مكاناً قبل أن يفقده». أسرعت بريم مبتعدة بهرّها، وهكذا بقيت أنا وغايل وجهاً لوجه. كان يحمل صندوقاً من المواد الطبية حمله من مطبخنا في المقاطعة 12. كان مطبخنا هو المكان الذي شهد محادثتنا الأخيرة، وقبلتنا الأخيرة، وآخر كل شيء حدث بيننا. وكان الكيس الذي أجمع فيه طرائدي معلقاً فوق كتفه.

قال لي: «إذا كان بيتا على حق، فإن هذه لا تمتلك أي فرصة للنجاة». بيتا. تخيّلت الدماء وهي تنهمر على البلاط مثل انهمار قطرات المطر على النافذة، ثم تخيّلتها وهي تصبح مثل الوحل الذي يعلق بالأحذية.

تناولت منه موادنا الطبية: «شكراً... على كل شيء. ماذا كنت تفعل في غرفنا هناك؟».

قال: «أردت التأكد من أن كل شيء على ما يرام. إذا احتجت إليّ فستجدينني في الحجرة رقم 47».

انسحب الجميع إلى حجراتهم عندما أُغلقت الأبواب، لذلك نزلت نحو مسكننا الجديد بينما كانت أعين خمسمئة شخصٍ على الأقل تراقبني. حاولت أن أبدو هادئة أكثر مما أنا عليه في الواقع، وذلك كي أعوّض عن اندفاعي بين الجمهور بسرعة كبيرة، وكأن ذلك سينجح في خداع أحد. أردت أن أكون نموذجاً لغيري. أوه! من يكترث؟ إنهم يعتقدون أنني مضطربة عقلياً على أي حال. أعتقد أنني أوقعت رجلاً على الأرض، لكنه سرعان ما نظر نحوي، ومسح مرفقه بغضبٍ ظاهر. كدت أصفر نحوه هو الآخر.

وضعت بريم الحوذان على السرير السفلي، ولفّته ببطانية حيث

157

لم يظهر منه غير رأسه. إنه يحب أن يكون في هذه الوضعيّة عندما يسمع صوت الرعد، وهو الشيء الوحيد الذي يرعبه بالفعل. وضعت والدتي صندوقها في المساحة مكعبة الشكل بعناية. وانحنيت وأنا مستندة إلى الجدار لأنني أردت معرفة ما تمكّن غايل من إنقاذه ووضعه في حقيبة الصيد التي كنت أستخدمها. رأيت كتاب النباتات، وسترة الصيد، وصورة عرس والديّ، وأغراضي الخاصة التي كانت في دُرج خزانتي. يقبع دبوس الطائر المقلّد الخاص بي بين الملابس التي أعدّها سينّا، لكنّني لا أزال أحتفظ بإطار الصور الذهبي، والمظلة الفضية التي تحتوي على الأنبوب ولؤلؤة بيتا. وضعت اللؤلؤة في زاوية المظلة، وخبأتها في أعماق الكيس حتى لا يتمكن أحد من أخذها طالما أنها تحت حراستي.

انقطعت أصوات صفارات الإنذار على نحوٍ مفاجئ، وما لبث صوت كوين أن انساب عبر نظام الجهاز الصوتي للمقاطعة. شكرتنا جميعاً على ذلك الإخلاء النموذجي للطوابق العليا. وشدّدت الرئيسة في كلمتها هذه على أن هذا ليس مجرد تدريب، وذلك لأن بيتا ميلارك، وهو المنتصر من المقاطعة 12، قد أشار في كلمته التلفزيونية إلى هجوم محتملٍ على المقاطعة 13 هذه الليلة.

تزامنت جملتها الأخيرة مع سقوط أول قنبلة. أحسست بدايةً بصدمة، تبعها انفجار تردّد في أعماق أعماقي، وفي بطانة أحشائي، وفي نخاع عظمي، وفي جذور أسناني. رحت أفكّر في سرّي في أننا سنموت جميعاً. توجهت عيناي نحو الأعلى، وتوقعت رؤية شقوقٍ تتخلل السقف، وهبوط كتلٍ حجرية كبيرة علينا، لكن الملجأ ذاته اهتزّ قليلاً. انقطع التيار الكهربائي، وعانيت من الشعور بالتيه الذي تسببه الظلمة التامة. تردّدت أصوات بشرية من دون أيّ كلمات محددة في أجواء الملجأ المتوترة. كما سُمِعت صرخات عفوية، وأنفاس متقطعة، وأنين أطفال، وضحكة موسيقية

وصلت إلى حدّ الجنون. سمعت صوت مولّدٍ كهربائي، وما لبثت أضواء خافتة أن حلّت محل الأضواء الساطعة المعتادة في المقاطعة 13. إن هذه الأضواء هي أشبه ما يكون بما اعتدنا عليه في منازلنا في المقاطعة 12، أي عندما نضيء الشموع، ونوقد النيران في ليالي الشتاء الباردة.

اقتربت من بريم وسط هذا الضوء الخافت، ووضعت يدي على ساقها، واقتربت منها أكثر. بقي صوتها ثابتاً وهي تتمتم قائلة للحوذان: «لا بأس يا عزيزي. لا تقلق. سنكون على ما يرام في هذا المكان».

أحاطتنا والدتي بذراعيها. سمحت لنفسي، ولو للحظة وجيزة، بالشعور بأنني طفلة، وهكذا أسندت رأسي إلى كتفها، وقلت لها: «لا تشبه هذه القنابل تلك التي نزلت على المقاطعة 8».

قالت بريم بصوت هادئ كي لا تصيب الهر بالذعر: «يُحتمل أن تكون صواريخ مخصصة لتدمير الملاجئ. أخذنا فكرة عن هذه الصواريخ في أثناء حملة توجيه المواطنين الجدد. صمّمت هذه الصواريخ لتخترق الأرض بعمق قبل انفجارها، وذلك لأنه لم يبقَ أي شيء يصلح للقصف فوق سطح المقاطعة 13».

سألت بعد شعوري بقشعريرة اخترقتني: «هل هي صواريخ نووية؟».

قالت بريم: «ليس من الضروريّ أن تكون كذلك. يُحشى بعض هذه الصواريخ بمتفجرات كثيرة. لكن... أظن أنه يُمكن أن تكون من النوع الآخر».

منعتني الظلمة من رؤية الأبواب المعدنية الثقيلة في نهاية الملجأ. هل اتخذوا الاحتياطات تحسباً من التعرض لضربة نووية؟ تساءلت إن كنّا سنتمكن من مغادرة هذا المكان حتى لو كانت هذه الأبواب فعالة مئة بالمئة في منع تسرّب الإشعاعات، وهو أمر غير محتمل. أرعبتني فكرة تمضية ما تبقى لي من حياة في هذا القبو الصخري. شعرت برغبة تدفعني إلى الركض

نحو الباب كي أطلب السماح لي بالتوجه إلى أي مكانٍ فوق سطح الأرض. لا فائدة من ذلك لأنهم لن يسمحوا لي بالمغادرة، كما أنني سأسبّب حالة من الذعر لو فعلت ذلك.

قالت والدتي بصوتٍ ضعيف: «إننا موجودون على عمقٍ كبيرٍ تحت سطح الأرض. وأنا متأكدة من أننا بأمانٍ هنا». هل تفكر في والدي الذي تفجّر جسده في المنجم؟ «مع ذلك، كان ذلك إنذاراً فورياً. أشكر الله لأن بيتا امتلك الإمكانيات اللازمة كي ينذرنا».

الإمكانيات اللازمة! إنه تعبير عام يتضمن كل شيء يلزمه من أجل إطلاق الإنذار: المعرفة، الفرصة، الجرأة. يُضاف إلى ذلك شيء آخر لا يمكنني تعريفه. بدا أن بيتا كان يخوض معركة في عقله، وكان يحارب كي يعلمنا بما لديه. لماذا؟ إن سهولة تعاطيه مع الكلمات هي أعظم مواهبه. لكن، هل كانت الصعوبات التي يعانيها نتيجة العذاب الذي تعرّض له؟ أم أنها شيء يتجاوز ذلك؟ مثل الجنون؟

ملأ صوت كوين الذي يحمل جدية أكبر الملجأ، بينما كان مستوى الصوت يتفاوت مع التذبذب في سطوع الأنوار. «يبدو أن معلومات بيتا ميلارك صحيحة، وهكذا، فإننا ندين له بفضلٍ كبير. تشير أجهزة الاستشعار إلى أن الصاروخ الأول لم يكن نووياً، لكنه كان قوياً جداً. إننا نتوقع سقوط المزيد من هذه الصواريخ. يُطلب من المواطنين البقاء في الأماكن المحددة لهم حتى سماعهم توجيهاتٍ أخرى».

نبّه أحد الجنود والدتي إلى أنهم يحتاجون إليها في محطة الإسعافات الأولية. ترددت والدتي قليلاً، وذلك بالرغم من أنها لن تبتعد عنا أكثر من ثلاثين ياردة.

قلت لها: «سنكون بخير هنا. لا تقلقي. أتظنين أنه يغفل عن أي شيء؟». أشرت إلى الحوذان الذي أصدر مواءً نصف مصطنع، وهكذا

اضطررنا إلى الضحك جميعاً، حتى إنني شعرت بالتعاطف معه. اقترحت بعد انصراف والدتي قائلةً: «لِمَ لا تجلسين إلى جانبه يا بريم؟».

قالت لي: «أعرف أن الأمر تافه... لكنّني أخشى من احتمال أن ينهار السرير على رأسينا في أثناء الهجوم».

إذا انهار السرير علينا، فإن ذلك يعني أن الملجأ بأكمله سينهار علينا ويدفننا فيه، لكنّني قررت أن هذا النوع من المنطق لن يساعدني أبداً في واقع الأمر. قمت، بدلاً من ذلك، بتنظيف تلك المساحة المكعبة المخصصة للتخزين، ورتبتِ داخلها مكاناً لمبيت الحوذان، ثم وضعت أمامها مفرشاً كي أنام عليه أنا وشقيقتي.

سمحوا لنا باستخدام الحمام، وبتنظيف أسناننا بعد أن قسّمونا إلى مجموعات صغيرة، لكنهم قاموا بإلغاء الاستحمام في ذلك اليوم. تكورت مع بريم فوق المفرش، وطوينا البطانيات لأن الكهف يفيض بالبرودة المليئة بالرطوبة. أما الحوذان المسكين فقد تكور حول نفسه في المساحة المكعبة وأخذ يتنفس في وجهي بالرغم من رعاية بريم المستمرة له.

شعرت، بالرغم من هذه الظروف القاسية، بالسرور لأنني أمضي وقتاً مع شقيقتي، وعلى الأخص لأن انشغالاتي المستمرة منذ أن قدمت إلى هنا – كلا، منذ مباراة الجوع الأولى التي شاركت فيها في واقع الأمر – لم تترك لي سوى وقتٍ قليل للاهتمام بها. أعرف أنني لا أهتم بها كما كنت أفعل في الماضي. كان غايل هو الذي تفحّص حجرتنا وليس أنا. أردت أن أعوّضه.

أدركت أنني لم أكترث بأن أستفسر منها عن تحملها صدمة المجيء إلى هنا. قلت لها: «إذاً، هل أعجبتك المقاطعة 13 يا بريم؟».

سألتني: «أتعنين الآن؟». ضحكنا معاً. «أشتاق إلى موطننا بشدة في بعض الأحيان. أتذكّر بعد ذلك أنه لم يبقَ هناك أي شيء أشتاق إليه. إنني أشعر بأمانٍ أكثر هنا، كما أننا غير مضطّرتين إلى الشعور بالقلق عليك.

حسناً، على الأقل ليس بالدرجة نفسها». توقفت عن الكلام قليلاً، وما لبثت الابتسامة الخجولة أن ارتسمت على شفتيها. «أعتقد أنهم قرّروا تدريبي كي أصبح طبيبة».

كانت هذه أول مرة أسمع فيها هذا الخبر فقلت لها: «حسناً، بالطبع سيفعلون، وسيكونون أغبياء إن لم يفعلوا».

قالت لي: «راقبوني عندما كنت أساعد المرضى في المستشفى. بدأت كذلك في أخذ دروسٍ في الطب، لكنها دروس تعطى للمبتدئين، كما أنني أعرف بعضاً منها من أيام المقاطعة. تبقى أشياء كثيرة مع ذلك يجب أن أتعلّمها».

قلت: «هذا رائع». تخيّلت بريم بعد أن تصبح طبيبة، وهي التي لم يكن بإمكانها أن تحلم بذلك في المقاطعة 12. شعرت بشيء صغير وهادئ ينير الظلمة التي أشعر بها في أعماقي، وكأن عود ثقاب قد اشتعل فجأة. هذه هي طبيعة المستقبل الذي تصنعه الثورة.

«ماذا بشأنك أنتِ يا كاتنيس؟ كيف تتدبرين أمورك؟». تنقلت أصابعها في تمسيداتٍ صغيرة حول عينَي الحوذان. «لكن، لا تقولي لي إنك على أحسن ما يرام».

هذا صحيح. إنني على الحال التي هي عكس على أحسن ما يرام مهما كانت، وهذا هو واقع حالي. أخبرتها عن بيتا، وعن سوء حالته أمام الكاميرا، وكيف أنني أعتقد أنهم يشرعون بقتله في هذه اللحظة بالذات. يتعيّن على الحوذان أن يعتمد على نفسه لفترة من الزمن، وذلك لأن بريم حوّلت اهتمامها نحوي. قرّبتني منها أكثر، وراحت تمشّط بأصابعها خصلات شعري من وراء أذني. توقفت عن الكلام لأنه لم يعد لدي ما أقوله، لكنني شعرت بوخزة من الألم في منطقة القلب. يُحتمل أنني أتعرض لذبحة قلبية، لكن الأمر لا يستحّق الذكر.

قالت لي: «كاتنيس، لا أعتقد أن الرئيس سنو سيقتل بيتا». ستقول شقيقتي ذلك بطبيعة الحال لأنها الكلمات التي ظنّت أنها ستُدخل الطمأنينة إلى قلبي. لكنّني فوجئت بكلماتها التالية: «فإذا فعل ذلك، فلن يبقى لديه أي شخصٍ تريدينه، أي أنه لن يمتلك أي طريقة كي يؤذيك».

تذكرت فجأة فتاةً أخرى سبق لها أن رأت كل أنواع شرور الكابيتول. إنني أتكلم عن جوانا مايسون المجالدة من المقاطعة 7، والتي كانت في آخر معركة جرت في الميدان. كنت أحاول أن أمنعها من الذهاب إلى الأدغال حيث تقوم الطيور المغرّدة بتقليد أصوات الأحباء الذين يتعرضون للتعذيب، لكنها دفعتني جانباً وقالت: «لا يمكنهم إيذائي. إنني لست مثلكم. لم يتبقَ لديّ أي شخصٍ أحبه».

علمت في هذه اللحظة أن بريم محقّة؛ أي أن سنو لا يستطيع إزهاق حياة بيتا، وعلى الأخص الآن، عندما يتسبب الطائر المقلّد بفوضى شديدة. سبق له أن قتل سينّا، كما دمّر بيتي. لكن أسرتي، وغايل، وحتى هايميتش كلهم خارج متناول يده، ولم يبقَ رهن يديه سوى بيتا.

سألت: «إذاً، ما الذي تعتقدين أنهم سيفعلون به؟».

بدت بريم وكأنها تبلغ من العمر ألف سنة عندما تكلمت.

«أي شيء يؤدي إلى تحطيمك».

الفصل الحادي عشر

ما هو الشيء الذي يحطّمني؟

هذا هو السؤال الذي شغلني على مدى الأيام الثلاثة التالية التي أمضيناها في انتظار إطلاق سراحنا من سجن الأمان. ما هو الشيء الذي سيحطّمني إلى مليون قطعة حيث أستعصي على الإصلاح، ويمنعني من أن أكون ذات فائدة؟ لم أتحدث بهذا الأمر مع أي شخص، لكن الأمر جعلني أشعر بالقلق عدّة ساعات، كما دخل في صلب كوابيسي.

سقطتْ في هذه الفترة أربعة صواريخ خارقة للملاجئ، وكانت كلها من الحجم الكبير، وتسببت بحدوث أضرار كبيرة. سقطت القنابل على فترات فصلت بينها ساعات طويلة. وكانت الانفجارات قويّة ومدوّية حيث تصل أصداؤها إلى أعماق المرء عندما يظن أن الغارة قد انتهت. بدا أن الهدف هو إبقاؤنا محتجزين، وليس تدمير المقاطعة 13. إنهم يريدون إحداث شلل في المقاطعة حيث يضطر الناس إلى القيام بأعمال كثيرة من أجل إعادة بثّ الحياة فيها. هل الهدف هو التدمير؟ لا. كانت كوين محقة في هذه النقطة. لا يُقدم المرء على تدمير المكان الذي يريد امتلاكه في المستقبل. أفترضُ أن ما يريدونه على المدى القصير هو إيقاف الهجمات الدعائية، وإبعادي عن شاشات تلفزيون بانيم.

لم نتلقَ تقريباً أي معلومات عما يجري، وبقيت شاشاتنا سوداء، لكننا تلقينا أخباراً من كوين عن طبيعة القنابل، وذلك عن طريق النظام الصوتي. تأكدنا من أن الحرب قد بدأت، لكننا لم نعلم شيئاً عن وضعها.

ساد جوٌّ من التعاون بين الموجودين في الملجأ. كما التزمنا بتطبيق برنامج صارم يرتبط بالوجبات، والاستحمام، والتمرين، والنوم. سُمح

لنا بفتراتٍ قصيرة من الاختلاط من أجل تخفيف الملل. كان المكان المخصّص لنا محبوباً جداً لأن الأطفال والكبار تعلقوا بالحوذان. تمكّن ذلك الهر من الوصول إلى مرتبة المشاهير، وذلك عندما قام بدوره في لعبة الهر المجنون المسائية. سبق لي أن اخترعت هذه اللعبة عن طريق الصدفة في أثناء فترة انقطاع الكهرباء شتاءً. يكتفي المرء بتحريك حزمة ضوء مصباح كهربائي على الجدار فيحاول الحوذان الإمساك بها. لم أتمكن من الاستمتاع بهذه اللعبة لأنني أظن أن هذه اللعبة تجعله يبدو غبياً. لا أفهم السبب الذي يجعل الجميع هنا يعتقدون أنه ذكي ومسلٍّ. أعطاني المسؤولون عن الملجأ مجموعة خاصة من البطاريات لهذا الغرض، وهو أمرٌ يعتبر هدراً كبيراً. وتبيّن لي أن مواطني المقاطعة 13 تائقون فعلاً إلى التسلية.

تمكنت من الإجابة عن السؤال الذي شغلني كثيراً خلال الليلة الثالثة من لعبتي هذه. تحولت لعبة الهر المجنون إلى رمزٍ لحالتي. أنا الحوذان، أما بيتا فهو الشخص الذي أريد التأكد من حمايته أكثر من أي شيء آخر؛ إنّه الضوء. يغلي الحوذان بالمشاعر العدوانية طالما أنّه يشعر بأنه يمتلك فرصة الإمساك بذلك الضوء المراوغ بمخالبه. (هذه حالتي منذ أن تركت الميدان، وطالما بقي بيتا محتجزاً لدى الكابيتول). لكن، عندما يعم الظلام كلياً، فإن الحوذان يشعر مؤقتاً بالحيرة والارتباك، لكنه سرعان ما يستعيد نشاطه وينصرف إلى القيام بأشياء أخرى. (هذا ما سيحدث لي إذا مات بيتا). لكن الأمر الوحيد الذي يدفع الحوذان إلى حالة من الذعر كان عندما أقوم بتثبيت نور المصباح عالياً على الجدار بعيداً عنه حيث لا يستطيع الوصول إليه، وحيث لا تجديه مهاراته في القفز نفعاً. تابع الهر وثبه أسفل الجدار، وراح يموء بحزن، وعجزنا عن تهدئته أو تسليته. بقي على هذه الحال إلى أن أوقفت المصباح عن العمل. (هذا ما يحاول سنو فعله معي، لكن الفرق الوحيد هو أنني لا أعرف الشكل الذي ستتخذه هذه اللعبة).

يُحتمل أن يكون هذا الإدراك من جهتي هو كل ما يحتاج إليه سنو. إن التفكير في وجود بيتا في قبضته وتعرضه للتعذيب بسبب إفشائه المعلومات للثوار، أمر سيئ بما فيه الكفاية. لكن التفكير في أنّه يتعرّض للتعذيب بقصد شلّ قدراتي أنا، فهو أمر لا يُحتمل. بدأت بالانهيار فعلاً تحت ثقل هذا الإدراك.

أصدر المسؤولون أوامرهم لنا بالتوجه إلى النوم بعد انتهاء لعبة الهرّ المجنون، أما التيار الكهربائي فكان يتعرض لانقطاعات متكررة. في بعض الأحيان كانت المصابيح تُضاء فيبدو النور ساطعاً بشكل كامل. وفي أوقاتٍ أخرى كنّا نضطّر إلى التحديق إلى بعضنا جيداً. أما عند حلول موعد النوم، فإن الأنوار كانت تخفت إلى أن تغمرنا العتمة، لكنهم كانوا يضيئون المصابيح الاحتياطية في كل حجرة. قررت بريم أخيراً أن الجدران ستصمد، لذلك احتضنت الحوذان، ونامت على السرير السفلي، فيما نامت والدتي على السرير العلوي. قلت لها إنه بإمكاني النوم على السرير، لكنها أقنعتني بأن أبقى على المفرش على الأرض، وذلك لأنني أتقلب كثيراً عندما أكون نائمة.

لا أستطيع أن أتقلب الآن لأنني أشعر بتصلّبٍ في عضلاتي بسبب التوتر الذي نتج عن محاولتي الحفاظ على هدوء أعصابي. عاودني الشعور بالألم في منطقة القلب، لكنني تخيلت أن شقوقاً صغيرة تتشعب منها إلى باقي أنحاء جسمي. تخيلت أن الشقوق تتخلل جذعي، وتنطلق من ذراعيّ وساقيّ، ووجهي الذي يبدو متشققاً بخطوط متقاطعة. تخيّلت أن سماعي دوي صاروخ آخر من الصواريخ المضادة للملاجئ سيكون كافياً كي أتقطع إلى شظايا صغيرة حادة الأطراف.

استسلم معظم الحاضرين بالرغم من التململ والقلق اللذين شعروا بهما. أما أنا، فنهضت بحذر من تحت بطانيتي، وسرت ببطء على أطراف

أصابعي عبر الكهف الكبير إلى أن عثرت على فينيك. شعرت، ومن دون أي سببٍ محدد، بأنه سيفهم. رأيته جالساً تحت أحد المصابيح الاحتياطية، وكان يعقد حبلاً أمسكه بيديه، لكنه لم يتظاهر قطّ بأنه يأخذ قسطاً من الراحة. همست له بأنني اكتشفت خطة سنو التي تهدف إلى تحطيمي، لكنّني فهمت الأمر في هذه اللحظة. لا تُعتبر هذه الاستراتيجية أمراً جديداً بالنسبة إلى فينيك، وذلك لأنها هي التي تسببت بتحطيمه.

سألته: «إنهم يفعلون معك الأمر ذاته في ما يتعلق بآني، أليس كذلك؟».

قال لي: «حسناً، لم يقبضوا عليها بسبب اعتقادهم أنها ستعطيهم ثروة من المعلومات المتعلقة بالثوار. فهم يعرفون أنني لا أغامر بإخبارها أي شيء من هذا القبيل، وذلك من أجل حمايتها».

قلت: «أوه يا فينيك! أنا آسفة جداً».

أجابني: «كلا، إنني آسف لأنني لم أحذرك بطريقة ما».

تدافعت الذكريات في ذهني على نحوٍ مفاجئ. رأيت نفسي مقيّدة إلى سريري، وأنا أكاد أجنّ من الغضب والحزن بعد عملية إنقاذي، وفينيك يحاول طمأنتي بشأن بيتا. «سيعرفون سريعاً أنه لا يعرف أي شيء. يُضاف إلى ذلك أنهم لن يقتلوه إذا ظنوا أنهم سيتمكنون من استخدامه ضدك».

قلت: «مع ذلك، سبق لك أن حذّرتني. فعلت ذلك عندما كنا على متن الحوّامة. حينها ظننت عندما قلتَ لي إنهم سيستخدمون بيتا ضدي أنك تعني أنهم سيجعلونه طعماً لي، أي أنهم يريدون جذبي إلى الكابيتول بطريقة ما».

«ما كان يجدر بي أن أقول ذلك. فات الأوان على أن تكون هذه المعلومة ذات فائدة لك. كان يجدر بي أن أخرس بالكامل بشأن طريقة عمل سنو، وذلك لأنني لم أحذّرك قبل المباريات الربعية». جذب فينيك

طرف الحبل فتحولت الربطة المعقدة إلى خط مستقيم مجدداً. قال فينيك مع شيء من التردد: «يبدو أنني لم أفهمك جيداً عندما التقيتك. لكن، بعد مباراتك الأولى ظننت أن قصة غرامك كانت كلها تمثيلاً من جانبك. توقعنا جميعاً أنك ستتابعين هذه الاستراتيجية. لكن، عندما اصطدم بيتا بحقل الطاقة وكاد أن يموت...».

عادت بي الأفكار إلى الميدان مجدداً. تذكرت كيف أنني استرسلت في البكاء عندما قام فينيك بإنعاش بيتا. تذكرت النظرة الحائرة التي ظهرت على وجه فينيك، والطريقة التي عذرني بها على سلوكي، وكيف أنه عزا الأمر إلى حملي المزعوم.

قال بلطف: «أدركت أنني أسأت الحكم عليك، وأنك تحبينه. لا أريد القول بأي طريقة، ولعلك أنت نفسك لا تعرفين. إن أي شخص يراقب الأمور عن كثب يستطيع ملاحظة أنك تهتمين لأمره».

أي شخص؟ تحدّاني سنو أن أمحو أي شكوك بشأن حبي لبيتا، وذلك في أثناء الزيارة التي قام بها قبل جولة النصر. قال سنو: «أقنعيني». بدا لي، تحت تلك السماء الزهرية الحارة، أنني فعلت هذا أخيراً بينما الغموض يلف حياة بيتا، وبهذه الطريقة أعطيته السلاح اللازم لتحطيمي.

جلستُ وفينيك صامتَين لفترة طويلة. استغرقت في مراقبة العقَد وهي تتشكل وتختفي. سألته بعد ذلك: «وكيف تتحمّل كل ذلك؟».

نظر إليّ فينيك نظرة استنكار، ثم قال: «أنا لا أتحمّل يا كاتنيس! من الواضح أنني لا أفعل. إنني أصحو مع الكوابيس في كل صباح لأكتشف أنه لا راحة لي في اليقظة». أوقفه شيء ما في ملامحي. «لكن، من الأفضل ألاّ يستسلم المرء. إن سرعة السقوط تفوق الوقت اللازم كي يستعيد المرء رباطة جأشه بعشر مرات».

حسناً، لا بد من أنّه يعرف. أخذت نَفَساً عميقاً وأجبرت نفسي على

استعادة سيطرتي على الأمور.

قال لي: «كلما شغلتِ نفسك أكثر، كلما كان ذلك أفضل. سأحضر لك حبلك الخاص بك قبل أن أفعل أي شيء آخر. يمكنك أن تأخذي حبلي أنا حتى ذلك الوقت».

أمضيت ما تبقى من تلك الليلة وأنا أصنع بحماسة، أنشوطة تلو أخرى فوق مفرشي، كما سمحت للحوذان بأن يختبرها. أما إذا شككتُ في متانة إحداها، فكان الحوذان يرفعها في الهواء ويعضّها مرات عدة كي يتأكد منها. شعرت بتقرّحات في أصابعي عند حلول الصباح، لكنّني تابعت العمل.

مرت أربع وعشرون ساعة من الهدوء قبل أن تعلن كوين أخيراً أنه سيُسمح لنا بمغادرة الملجأ. اكتشفنا أن حجرتنا القديمة قد دمّرها القصف. طُلب من الجميع الالتزام بالتعليمات الجديدة المتعلقة بتحديد حجراتهم الجديدة بحذافيرها. أسرعنا إلى تنظيف أماكننا بحسب التعليمات، ثم سرنا بصفٍّ منتظم نحو الباب.

لم أجتز نصف المسافة قبل أن يظهر بوغز ويسحبني من الصف. أشار بوغز إلى غايل وفينيك للانضمام إلينا. ابتعد الناس جانباً كي يسمحوا لنا بالمرور. ابتسم بعضهم لي. يبدو أن لعبة الهر المجنون جعلتني محبوبة لديهم. خرجنا من الباب، وصعدنا الدرج، ثم هبطنا إلى القاعة التي تحتوي على واحدٍ من تلك المصاعد متعددة الاتجاهات. وصلنا أخيراً إلى قسم الدفاع الخاص. لم يتعرض أي شيء للدمار هناك لكننا كنا لا نزال موجودين على عمقٍ كبير.

وجّهنا بوغز إلى غرفة مماثلة تقريباً لمركز القيادة. بدا الإرهاق على وجوه كلّ من كوين، وبلوتارك، وهايميتش، وكريسيدا، وكل الآخرين المتحلقين حول الطاولة. قدّم أحدهم القهوة في آخر الأمر، وذلك بالرغم

من تأكدي بأنها تُعتبر منبهاً في حالات الطوارئ. لاحظت أن بلوتارك يمسك كوبه بكلتا يديه، وكأن أحداً ما سيأخذه منه في أيّ لحظة.

كانت الأحاديث جدية بالكامل. قالت الرئيسة: «نريد منكم أنتم الأربعة أن ترتدوا أزياءكم الرسمية وأن تتوجهوا إلى فوق الأرض. أمامكم ساعتان فقط لتصوير شريط يُظهر الدمار الذي نتج عن القصف، وكي تُظهروا أن الوحدات العسكرية التابعة للمقاطعة 13 ليست فقط قادرة على العمل، ولكنها مسيطرة. أما الأهم من كل ذلك، فهو إظهار أن الطائر المقلّد رمز الثورة لا يزال حياً».

سأل فينيك: «أيمكننا احتساء القهوة؟».

قدّموا لنا أكواباً تتصاعد منها الأبخرة. حدّقت بشيء من الاستياء إلى ذلك السائل الأسود اللامع، علماً بأنني لست مغرمة جداً بتلك المادة، لكنّني اعتقدت بأنها قد تساعدني على البقاء في حالة يقظة. سكب فينيك بعض القشدة في كوبي، وهمّ بتناول الطبق المليء بالسكر. وسألني بصوته المغري المعتاد: «أتريدين مكعباً من السكر؟». هكذا التقيت فينيك، أي عندما كان يقدّم لي بعض السكر. كانت الخيول والعربات تحيط بنا، نحن اللذين ارتدينا زيّينا الرسميّين، وكنا في أبهى حلّة أمام الجمهور، وذلك قبل أن نتحالف، وقبل أن أفهم ما الذي جعله يتصرّف نحوي بشيء من اللطف. انتزعت هذه الذكرى ابتسامة من شفتيّ. قال لي بصوته الحقيقي وهو يضع ثلاثة مكعبات من السكر في كوبي: «خذي هذه. إنها تحسّن المذاق كثيراً».

انصرفت كي أرتدي زيّ الطائر المقلّد، ولمحت غايل في هذه اللحظة وهو يراقبني أنا وفينيك بحزن. لماذا يفعل ذلك الآن؟ هل يعتقد فعلاً أن أمراً ما يجري بيننا؟ يُحتمل أنه رآني عندما توجهت إلى مكان فينيك في الليلة الماضية. أعتقد أنني مررت بالمكان المخصص لعائلة هوثورن كي أصل إليه. أعتقد أن ذلك قد أوحى إليه بفكرة مغلوطة، وظنّ أنني أطلب

رفقة فينيك بدلاً من رفقته هو. حسناً، لا بأس في ذلك. إنني أمسك بحبلٍ في أصابعي، كما أنني بالكاد أتمكن من إبقاء عينيّ مفتوحتين، أما فريق التصوير فينتظرني لإنجاز شيء رائع. يُضاف إلى ذلك أن سنو يُمسك ببيتا. يُمكن لغايل أن يفكّر كما يشاء.

ساعدني فريق التحضير على ارتداء زيّ الطائر المقلّد في غرفة التجديد الجديدة التي أصبحت في مركز الدفاع الخاص، كما سرّحوا لي شعري، ثم وضعوا على وجهي الحد الأدنى من مواد الزينة. فعلوا كل ذلك قبل أن يبرد كوب قهوتي. بدأ فريق التصوير، والفريق المسؤول عن إعداد المقاطع التالية بالسير فوق الطريق اللولبية التي تؤدي إلى الخارج. استمررت بشرب القهوة في أثناء تجوالنا، فاكتشفت أن القشدة والسكر يحسّنان المذاق كثيراً. شربت كوب القهوة بكامله، فشعرت بأن دفقة صغيرة من النشاط قد بدأت بالسريان في شراييني.

تسلقنا آخر سلّم، وقام بوغز بالطرق على عتلةٍ، ممّا أدّى إلى فتح الكوة التي تؤدي إلى الخارج. تدفق الهواء المنعش إلى الداخل. تنشقت جرعاتٍ كبيرة من الهواء وسمحت لنفسي، للمرة الأولى، بالشعور بمدى كراهيتي لذلك الملجأ. خرجنا إلى منطقة الغابات، ومرّرت أصابعي على الأوراق التي تدلت فوقي. لاحظت أن بعض هذه الأوراق قد بدأ بالتقصف. سألتُ، لكن من دون توجيه سؤالي إلى شخصٍ معيّن: «في أي يومٍ نحن؟». أخبرني بوغز أن شهر أيلول سيبدأ في الأسبوع القادم.

أيلول! يعني ذلك أن خمسة أسابيع أو ستة قد مضت على احتجاز بيتا بين يدَي سنو. وضعت ورقةً فوق راحة يدي فلاحظت أنني أرتجف. لم أتمكن من إجبار نفسي على التوقف عن الارتعاش. أرجعت السبب إلى القهوة، وحاولت التركيز على إبطاء تنفسي لأنه كان سريعاً جداً بالنسبة إلى وتيرة سيري.

بدأت برؤية الركام المتناثر على أرض الغابة. مررنا بأول فجوة في طريقنا، وكان اتساعها نحو ثلاثين ياردة، لكنّني عجزت عن تقدير مدى عمقها. أعتقد أنها كانت عميقة جداً. قال بوغز إن أي شخص تواجد في أول عشرة طوابق لا بد من أنه قد قُتل. تفحصنا تلك الفجوة ثم تابعنا طريقنا.

سأل غايل: «أيمكنكم إعادة بنائها؟».

قال بوغز: «ليس في وقتٍ قريب. لم يحدث ذلك الصاروخ أضراراً كبيرة، لأنه أصاب فقط بضعة مولدات احتياطية ومزرعة دجاج. سنكتفي الآن بتغطيتها».

اختفت الأشجار عند دخولنا المنطقة المحاطة بالسّياج. لاحظنا في أثناء دخولنا أن الفجوات محاطة بمزيج من الركام القديم والجديد. تواجد عدد قليل من منشآت المقاطعة 13 فوق الأرض قبل القصف. اشتملت تلك المنشآت على بضعة مواقع حراسة. لاحظت أن منطقة التدريب التي يعلو سقفها نحو قدمٍ واحدة عن سطح المبنى الذي يشتمل على المكان المخصص لنا، أي حيث تبرز نافذة الحوذان، تعلوها طبقة من الفولاذ بسماكة أقدامٍ عدة. لم يكن من المتوقع أن يتحمل ذلك السقف أكثر من هجومٍ صغير.

سأل هايميتش: «كم من الوقت منحكم إياه تحذير ذلك الشاب؟».

قال بوغز: «أعطانا نحو عشر دقائق قبل أن تبدأ أنظمتنا الخاصة بكشف وجود الصواريخ».

سألته: «لكن التحذير كان مساعداً، أليس كذلك؟». أعتقد أنني عاجزة عن التحمّل إذا كانت الإجابة نفياً.

ردّ بوغز: «كان كذلك بكل تأكيد. فقد تمكنا من إخلاء المدنيين. تحمل الثواني أهمية كبرى عندما يتعرّض المرء للهجوم. أنقذت تلك

الدقائق العشر عدداً كبيراً من الناس».

استغرقت في التفكير. وصل غايل، وبريم إلى الملجأ قبل دقائق قليلة فقط من سقوط الصاروخ الأول. يعني ذلك أن بيتا قد أنقذهما. أضفت اسميهما إلى الأمور التي أدين له بها طوال عمري.

اقترحت كريسيدا أن تصوّرني أمام ركام المبنى القديم لقصر العدل، وهو الأمر الذي كان أشبه بدعابة لأن الكابيتول كانت تستخدمه كخلفية لنشرات أخبارٍ زائفة على مدى سنوات عدة، وذلك كي تبرهن أنه لم يعد هناك وجود لهذه المقاطعة. أما الآن، وبعد هذا الهجوم الجديد، فإن قصر العدل يتواجد على بعد نحو عشر ياردات فقط من حافة الفجوة الجديدة.

اقتربنا من المنشأة التي كانت المدخل الرائع في يوم من الأيام، لكن غايل أشار إلى شيء ما، وسرعان ما أبطأ الفريق في سيره. لم أعلم في البداية طبيعة المشكلة، لكنّني رأيت وروداً يانعةً حمراء وزهرية اللون تتناثر على الأرض. صرخت بالفريق: «لا تلمسوها! إنها لي!».

ملأت رائحة الورود النفاذة أنفي، فتزايدت شدة نبضات قلبي في صدري. لم أتمكن من تخيّل هذا. أعني تلك الوردة فوق خزانتي. رأيت أمامي رسالة سنو الثانية لي. رأيت تلك الورود الحمراء والزهرية الجميلة والطويلة، وهي الورود ذاتها التي زيّنت المقعد الذي جلست عليه أنا وبيتا عندما أجرينا المقابلة التي تلت الفوز الذي حققناه معاً. أعرف أن هذه الورود لا تعني واحداً منا بل هي لزوجٍ من العاشقين.

شرحت للآخرين بقدر ما استطعت. تبدو هذه الورود غير مؤذية عند فحصها، ولو كانت معدّلة وراثياً. انتظرتني دزينتان من الورود التي ذبلت قليلاً، والتي أعتقد أنها أُسقطت بعد آخر جولةٍ من القصف. قامت مجموعة من الأشخاص الذين يرتدون بذلات خاصة بجمعها ونقلها بعيداً. كنت واثقة أنهم لن يجدوا فيها أي شيء غريب. يعرف سنو جيداً ما يفعله

173

بي. يشبه هذا الأمر الاستمرار بضرب سينّا إلى أن يصبح كتلةً من اللحم المطحون بينما أراقب أنا من المصعد المخصّص للمجالدين. إن الهدف من هذا الأمر هو تحطيمي بالكامل.

حاولت جهدي هذه المرة - كما في المرة السابقة - أن أفعل شيئاً. لكن ما إن وضعت كريسيدا كاستور وبولوكس في مكانيهما، حتى شعرت بالتوتر يتصاعد في أعماقي. شعرت كذلك بتعبٍ شديد، وبالتالي، كنت عاجزةً عن تركيز تفكيري على أي شيء غير بيتا منذ أن رأيت تلك الورود. كان احتسائي القهوة غلطة كبيرة من جانبي. كان آخر ما أحتاج إليه مادة منبهة للأعصاب. أخذ جسدي بالاهتزاز بشكلٍ ملحوظ، وبدا أنني عاجزة عن التنفس بطريقة طبيعية. عجزت كذلك عن فتح عيني بطريقة طبيعية، وذلك بغض النظر عن الاتجاه الذي أنظر إليه لأن الضوء يؤذيني، وذلك بعد تمضية أيامٍ عديدة في الملجأ. تصبّب مني العرق حتى مع جلوسي وسط النسيم البارد.

سألتها: «إذاً، ماذا تريدين مني بالضبط هذه المرة؟».

قالت كريسيدا: «لا أريد أكثر من بضعة أسطر سريعة لإظهار أنك حية، ولا تزالين تكافحين».

«حسناً». وقفت في المكان المخصّص لي ثم حدقت إلى الضوء الأحمر. حدقت، وتابعت التحديق وقلت: «أنا آسفة، ليس لديّ ما أقوله».

مشت كريسيدا نحوي، وسألتني: «هل أنت بخير؟». أومأتُ فتناولَت قطعة قماشٍ صغيرة من جيبها ومسحت وجهي قائلة: «ما رأيك بأن نتبع طريقة السؤال والجواب التقليدية؟».

«أجل أعتقد أن هذا سيساعد كثيراً». وضعتُ ذراعيّ فوق صدري بشكلٍ متقاطع كي أخفي ارتجافي. اختلست نظرة نحو فينيك الذي أشار إليّ بإصبعه علامة على استحسانه. لاحظت أنه يرتجف كثيراً بدوره.

عادت كريسيدا إلى مكانها، ثم قالت: «إذاً، نجوتِ يا كاتنيس من قصف الكابيتول للمقاطعة 13. كيف تقارنين هذا القصف بما شهدته على الأرض في المقاطعة 8؟».

«كنا بعيدين جداً في عمق الأرض هذه المرة، أي أننا لم نتعرّض إلى أي خطرٍ حقيقي. إن سكان المقاطعة 13 أحياء وبخير، وأنا كذلك....». تلاشى صوتي بعد أن تحوّل إلى صأصأة جافة.

قالت كريسيدا: «حاولي قول هذا السطر مرة ثانية. إن سكان المقاطعة 13 أحياء وبخير، وأنا كذلك».

أخذت نَفَساً عميقاً، وحاولت دفع الهواء عميقاً نحو صدري وقلت: «إن سكان المقاطعة 13 أحياء وكذلك....». لا، ليس هكذا. أقسمُ إنني لا أزال أشمّ رائحة تلك الورود.

قالت كريسيدا: «كاتنيس، قولي هذا السطر فقط وينتهي عملنا لهذا اليوم. أعدك بذلك. إن سكان المقاطعة 13 أحياء وبخير، وأنا كذلك».

حرّكت ذراعي كي أحرّك نفسي. وضعت يديّ على وركيّ، ثم أنزلتهما بعد ذلك إلى جانبيّ. امتلأ فمي باللعاب بسرعة جنونية، كما شعرت بحاجة إلى التقيؤ. بلعت لعابي بصعوبة، وفتحت شفتيّ لأتمكن من التلفظ بذلك السطر اللعين، وهكذا أستطيع الاختباء في الغابات ثم... شرعت بالبكاء.

يستحيل عليّ أن أكون الطائر المقلّد. يستحيل عليّ حتى قول هذه الجملة الوحيدة. أعرف أن أي شيء أقوله سيؤثّر في بيتا مباشرة، وهو الأمر الذي سيؤدي إلى تعذيبه، لكن ليس إلى موته. لا، لن يُنزلوا به مثل هذه العقوبة الرحيمة. يريد سنو أن يتأكد أن حياته أسوأ من الموت بكثير.

سمعت كريسيدا تقول بهدوء: «أوقفوا التصوير».

قال بلوتارك بصوت منخفض: «ما خطبها؟».

قال فينيك: «فكّرت في الطريقة التي سيعذّب بها سنو بيتا».

صدر عن الأشخاص المتحلقين أمامي بشكل نصف دائرة شيء يشبه تنهيدة جماعية تعبّر عن الأسف. فعلوا هذا لأنني عرفت هذا الأمر الآن، ولأنه لن تكون هناك طريقة أمامي كي لا أعرفه في المستقبل. يعود ذلك أيضاً إلى أنني محطمة، عدا عن الخسارة العسكرية التي تترتب على خسارة الطائر المقلّد.

تقدمت أذرع عديدة كي تعانقني، لكنني في النهاية أعرف أن هايميتش هو الشخص الوحيد الذي أريده أن يطمئنني، وذلك لأنه يحب بيتا هو أيضاً. تقدمت منه وتلفظت بكلمة تشبه اسمه فرأيته أمامي، ثم أمسك بي، وراح يربّت على كتفي قائلاً: «لا بأس. سيكون الأمر على ما يرام يا عزيزتي». أجلسني على عمودٍ رخامي مكسور، ثم أحاطني بذراعه وأنا أجهش بالبكاء.

قلت: «لا أستطيع أن أفعل ذلك مجدّداً».

قال لي: «أعرف ذلك».

قلت: «إن كل ما أستطيع التفكير فيه هو ما سيفعله ببيتا بسبب كوني الطائر المقلّد!».

«أعرف ذلك». أحاطت ذراع هايميتش بي بشدةٍ أكبر.

«أرأيت؟ أرأيت مدى غرابة أفعاله؟ ماذا... يفعلون به؟». تقطعت أنفاسي وأنا أجهش بالبكاء، لكنّني تمكنت من قول عبارة أخيرة. «إنها غلطتي أنا!». تطورت حالتي إلى الهستيريا، وما لبثت أن شعرت بإبرة تنغرز في ذراعي، ثم فقدت الوعي.

مضى نهار بأكمله قبل استعادتي وعيي. يعني ذلك أن المادة التي حقنوني بها كانت قوية جداً. ومع ذلك، لم يكن نومي هادئاً. تملّكني إحساس بأنني أخرج من عالم مظلم، ومن أماكن مسكونة تجولت فيها

وحدي. رأيت هايميتش جالساً على كرسي قرب سريري. كانت بشرة وجهه شاحبة وعيناه محتقنتين. تذكرت بيتا فبدأت بالارتعاش مجدداً.

اقترب هايميتش مني وقرص كتفي: «لا تقلقي، لأننا سنحاول إخراج بيتا».

«ماذا؟». عجزت عن فهم ما يقوله.

قال لي: «يريد بلوتارك إرسال فريق إنقاذ. إنّ لديه أشخاصاً هناك في الداخل. كما أنه يعتقد أننا نستطيع إعادة بيتا حياً».

قلت: «لماذا لم نفعل ذلك من قبل؟».

«لأن العملية مكلفة. لكن الجميع اتفقوا على أن هذا هو الأمر الذي يجدر بنا أن نقوم به. إنه الخيار ذاته الذي اتخذناه في الميدان. أردنا أن نفعل كل ما في وسعنا لإبقائك حية. لا يمكننا خسارة الطائر المقلّد في هذا الوقت. أما أنت، فلن تتمكني من أداء دورك إلا إذا علمتِ أن سنو غير قادر على إيذاء بيتا». ناولني هايميتش كوباً وقال: «خذي هذا، اشربي شيئاً».

نهضت ببطء، وتناولت جرعة ماء: «ماذا تعني بأن الأمر مكلف؟».

هزّ كتفيه وأجاب: «سينكشف عملاؤنا، وقد يموت بعض الأشخاص. لكن، تذكّري أنهم يموتون كل يوم. لا يقتصر الأمر على بيتا لأننا عازمون على إنقاذ آني كذلك من أجل فينيك».

سألته: «وأين هو؟».

قال هايميتش: «إنه نائم وراء ذلك الفاصل بفضل الدواء المنوّم. فقدَ رشده بعد أن أعطيناك الحقنة المسكّنة». ابتسمت قليلاً وشعرت بتحسنٍ على الفور. «أجل، كان ذلك مشهداً ممتازاً بالفعل، أعني عندما فقدتما الوعي. وما لبث بوغز أن غادر كي يرتّب أمر مهمة إنقاذ بيتا. إننا الآن في مرحلة إعادة بشكل رسمي».

177

قلت: «حسناً، سأشعر باطمئنانٍ أكبر إذا كان بوغز هو الذي يقود العملية».

قال هايميتش: «أوه! إنه على رأس العملية. إنه يفعل ذلك متطوعاً، لكنه تظاهر بأنه لم ينتبه إليّ عندما لوّحت بيدي في الهواء. أترين؟ برهن الرجل عن صحّة حكمه على الأمور».

شعرت أن شيئاً ما على غير ما يرام. إذ يحاول هايميتش أن يسلّيني أكثر من اللزوم. أعرف أن هذا ليس أسلوبه أبداً فسألته: «إذاً، من تطوع غيره؟».

قال بطريقة مراوغة: «أعتقد أنهم سبعة في مجموعهم».

شعرت بألم شديد في أعماقي. بقيت على إصراري وقلت: «ومن غيرهم يا هايميتش؟».

تخلى هايميتش عن مراوغته، وقال لي بصراحة وطيبة: «تعرفين مَن يا كاتنيس. تعرفين من تقدّم أولاً».

أعرف بالطبع.

غايل.

الفصل الثاني عشر

يُحتمل أنني سأخسر الاثنين معاً هذا اليوم.

حاولت أن أتخيّل عالماً يخلو من صوتي غايل وبيتا. تخيّلت أيديهما ساكنة، وعيونهما جامدة لا ترف، وأنني جاثمة قرب جسديهما لإلقاء نظرتي الأخيرة عليهما قبل أن أغادر الغرفة التي سجّيا فيها. لكن، عندما فتحت الباب، وخطوت إلى العالم لم أجد حولي سوى الفراغ الرهيب. لا يحمل لي المستقبل سوى الفراغ.

سألني هايميتش: «أتريدين مني أن أطلب منهم تخديرك حتى ينتهي الأمر؟». لم يقل لي الرجل هذا على سبيل المزاح. فهو الرجل الذي دفن عمره بعد بلوغه في قعر زجاجة محاولاً تخدير نفسه كي ينسى جرائم الكابيتول. إنه الفتى الذي ربح المباريات الربعية الثانية عندما كان في السادسة عشرة من عمره، ولا بد من أنه كان لديه أشخاص يحبهم - أسرة، وأصدقاء، وربما حبيبة - وهم الذين كافح كي يعود إليهم. أين هم الآن؟ كيف لم يتواجد أحد في حياته إلى أن ظهرت أنا وبيتا أمامه؟ ماذا فعل سنو بهم؟

قلت له: «لا، أريد الذهاب إلى الكابيتول. أريد أن أكون جزءاً من حملة الإنقاذ».

قال هايميتش: «لقد ذهبوا بالفعل».

«متى غادروا؟ يمكنني اللحاق بهم. يمكنني...». ماذا؟ ماذا أستطيع أن أفعل؟

هزّ هايميتش رأسه وقال: «لن يحدث ذلك أبداً، لأنك مهمّة جداً ومعرضة للمخاطر. استعرضنا فكرة إرسالك إلى مقاطعة أخرى من أجل

تشتيت اهتمام الكابيتول في أثناء تنفيذ عملية الإنقاذ. لكن الجميع قالوا إنك لستِ على استعداد للقيام بذلك».

قلت متوسلة: «من فضلك يا هايميتش، يتعيّن عليّ القيام بشيء. لا يمكنني الجلوس هنا منتظرة احتمال سماع خبر موتهم، لا بد من وجود شيء ما يمكنني فعله!».

«حسناً. دعيني أتحدث إلى بلوتارك. ابقي جاهزة». لم أستطع. كانت أصداء خطوات هايميتش لا تزال تتردد في القاعة الخارجية عندما شققت طريقي من خلال شقٍّ في الستائر الفاصلة بين الأسرّة. وجدت فينيك منبطحاً على بطنه ومعانقاً وسادته. أعرف أن انتشالي إيّاه من عالم التخدير الصامت والمظلم إلى الواقع القاسي بمثابة عملٍ جبان، لكنني مضيت فيه لأنني عاجزة عن مواجهة الأمر بمفردي.

شرحت له الوضع، لكن غضبه الذي عبّر عنه في البداية زال بطريقة غير مفهومة. «ألا ترين يا كاتنيس أن هذا سيحسم الأمور بطريقة أو بأخرى. سينتهي الأمر مع نهاية هذا اليوم، فإمّا أن يموتوا أو أن يكونوا بيننا. إن... ذلك يتجاوز ما كنا نأمله!».

حسناً، كانت تلك نظرة متفائلة جداً إلى وضعنا. لكنني أحسست بالارتياح لدى تفكيري في احتمال انتهاء هذا العذاب.

تراجعت الستارة فرأيت هايميتش. قال إنه يمتلك مهمة لنا إذا تمكّنا من استجماع قوانا. إنهم يحتاجون إلى الشريط الذي يُظهر المقاطعة 13 بعد القصف. «إذا حصلنا على هذا الشريط في غضون الساعات القليلة التالية فسيتمكّن بيتي من بثّه في وقت تنفيذ عملية الإنقاذ، وهكذا يتحوّل انتباه الكابيتول إلى مكانٍ آخر».

قال فينيك: «أجل، إنه عملية لصرف الانتباه، لكنها من نوعٍ غريب».

سألَ هايميتش: «إن ما نحتاج إليه بالفعل هو شيء مثير حيث لا

يتمكن الرئيس سنو من عدم متابعته. ألديكما شيء كهذا؟».

أرجعتني المهمة التي قد تساعد على عملية الإنقاذ إلى تركيزي السابق. تناولت طعام فطوري، وعمل الفريق على تحضيري، لكنّني فكرت في هذه الأثناء في ما عساي أقوله. أعرف أن الرئيس سنو يتساءل الآن عن التأثير الذي تركته فيّ تلك الدماء المتناثرة على الأرض ووروده. إذا أراد أن أكون محطمة، فسيتعيّن عليّ أن أكون متماسكة. لكنّني لا أظن أنني سأنجح في إقناعه بشيء إذا صرخت بأسطر قليلة مليئة بالتحدي أمام الكاميرا. يُضاف إلى ذلك أن هذه الأسطر لن تمنح فريق الإنقاذ أي وقت. إن فورات الغضب هذه لا تستغرق سوى وقتٍ قصير، أما القصص، فهي التي تأخذ وقتاً أطول.

لا أعلم إذا كان من الممكن أن ينجح ذلك، لكن فريق التصوير التلفزيوني تجمّع فوق الأرض. طلبت من كريسيدا أن تبدأ بطرح سؤال عن بيتا. جلست فوق عمود الرخام المكسور حيث فقدت الوعي في المرة الأولى، وانتظرت إضاءة الضوء الأحمر وسؤال كريسيدا.

سألتني: «كيف التقيتِ بيتا؟».

عند ذلك، فعلت الشيء الذي أراده هايميتش منذ مقابلتي الأولى؛ تكلمت بصراحة: «كنت في الحادية عشرة من عمري عندما التقيت بيتا، وكنت شبه ميتة». تحدثت عن ذلك اليوم المريع الذي حاولت فيه بيع ملابس الأطفال تحت سماءٍ ممطرة، وتحدثت عن ملاحقة والدة بيتا لي من باب المخبز، وكيف تحمّل بيتا ضرب والدته له لأنه جلب لي رغيفي الخبز اللذين أنقذا حياتنا. «لم نتحدث يومها. أما المرة الأولى التي تحدثت فيها إلى بيتا فكانت في القطار الذي نقلنا إلى مكان المباريات».

قالت كريسيدا: «لكنه كان واقعاً في حبّك».

سمحت لنفسي بابتسامة صغيرة وقلت: «أعتقد ذلك».

سألتني: «كيف تتحملين فراقكما؟».

قلت: «لا أفعل ذلك كما يجب. أعرف أن سنو قد يقدم على قتله في أي لحظة، وعلى الأخص بعد أن أنذر المقاطعة 13 بشأن القصف. إنه أمر فظيع يضطر المرء إلى العيش معه. لم يعد عندي أيّ تحفظات بسبب الأشياء التي يعرّضونه لها. أعني أي تحفظات بشأن أي شيء يؤدي إلى دمار الكابيتول. لقد تحررت أخيراً». نظرت إلى السماء، ورأيت صقراً يعبر الأجواء. «اعترف لي الرئيس سنو ذات مرة بأن الكابيتول هشة. لم أعرف ما يعنيه في ذلك الوقت. كان من الصعب بالنسبة إليّ رؤية الأمور بوضوح لأنني كنت خائفة جداً، لكنني لست خائفة الآن. أعرف أن الكابيتول هشّة لأنها تعتمد على المقاطعات في كل شيء: الغذاء، الطاقة، وحتى ضباط الأمن الذين يحفظون الأمن في مناطقنا. لذا، إذا أعلنّا حريتنا، فإن الكابيتول ستنهار. إنني أعلن اليوم أيها الرئيس سنو، وبفضلك أنت، حريتي بشكلٍ رسمي».

كنت جيدة في أدائي، هذا إن لم أكن رائعة. أحب الجميع قصة رغيفَي الخبز. لكن رسالتي إلى الرئيس سنو هي التي جعلت عقل بلوتارك يتحرك، فدعا فينيك وهايميتش على عجل، وتحدّث إليهما باختصار وجدّيّة لكنّني لاحظت أن هايميتش ليس سعيداً بهذه المحادثة. بدا لي أن رأي بلوتارك هو الذي فاز في نهاية الأمر، لأنني لاحظت الشحوب على وجه فينيك لكنه أومأ بالإيجاب في نهاية الأمر.

تحرّك فينيك كي يأخذ مكاني أمام الكاميرا، لكن هايميتش استوقفه وقال: «لست مضطراً إلى فعل هذا».

تلاعب فينيك بالحبل الذي كان يمسكه بيديه وقال: «بلى، أنا مضطر إذا كان ذلك يساعد على شيء. أنا جاهز».

لم تكن لديّ أي فكرة عما أتوقعه من فينيك. هل سيروي قصة حبه

مع آني؟ هل سيروي قصة الإساءات التي وقعت في المقاطعة 4؟ لكن فينيك أوداير فضّل اتباع منحى آخر.

بدأ فينيك كلامه بنبرة هادئة: «اعتاد الرئيس سنو أن... يستغلني... أعني جسدياً. لم أكن الوحيد. فلقد اعتاد الرئيس، إذا رأى أن المنتصر مرغوبٌ فيه ومحبوبٌ، إعطاءه كمكافأة، أو كان يسمح للناس بشرائه مقابل مبلغ ضخم من المال. أما إذا رفض المنتصر، فقد كان يعمد إلى قتل شخصٍ يحبه، وهكذا يضطر المنتصر إلى الإذعان».

إذاً، يفسّر كلامه هذا كل شيء. يفسّر استعراضه في الكابيتول. كانوا أشخاصاً مثل كراي، ضابط الأمن عندنا الذي اعتاد على شراء فتيات بائسات ثم يتخلص منهن بعد ذلك، وكل ذلك لأنه قادر على القيام بذلك. شعرت برغبة في مقاطعة التسجيل كي أطلب المسامحة من فينيك على كل فكرة مغلوطة كوّنتها عنه. لكن، تذكرت أنّ لدينا مهمة نقوم بها، كما أحسست بأن دور فينيك سيكون أشد تأثيراً بكثير من دوري أنا.

قال فينيك: «لم أكن الوحيد، لكنّني كنت أكثرهم شعبية، ولعلني كنت الأضعف بينهم، وذلك لأن الناس الذين أحبهم كانوا من دون حماية. أراد أسيادي طمأنتهم فقدموا لهم هدايا مالية، أو المجوهرات، لكنّني اكتشفت طريقة دفعٍ أكثر قيمة بكثير».

قلت في نفسي، الأسرار. هذه هي طريقة الدفع التي قال لي إن أسياده يعتمدونها، لكنّني ظننت أن هذا الترتيب كان من اختياره.

قال وكأنه يردد أفكاري: «الأسرار. لا يمكنك أيها الرئيس سنو عدم الاستمرار بمشاهدة هذا البرنامج لأن عدداً من هذه الأسرار يتعلق بك. لكنّني سأبدأ بالبوح بأسرار بعض الأشخاص الآخرين».

بدأ فينيك برواية مجموعة من القصص الغنية بالتفاصيل التي لا يُمكن للمرء أن يشك في مصداقيتها. تحدّث عن قصص العادات الغريبة البذيئة،

وخيانات القلوب، والطمع الذي لا حدّ له، وألعاب السلطة الدموية. روى كذلك أسراراً عن الرجال الثملين. لقد كان فينيك يُباع ويُشترى، أي أنه كان عبداً في المقاطعة. كان عبداً وسيماً بكل تأكيد، لكنه لم يكن مؤذياً في واقع الأمر. هل كان بإمكانه أن يُخبر أحداً؟ ومن سيصدقه إذا فعل؟ لكن، توجد أسرار تحفّز المرء وتحثّه على معرفتها. لا أعرف الأشخاص الذين يذكرهم فينيك بأسمائهم، لكنهم يبدون جميعاً شخصيات بارزة في الكابيتول. لكنني علمت نتيجة الإصغاء إلى ثرثرة فريق التزيين الذي يهتم بي مقدار الانتباه الذي تثيره أصغر الهفوات. إذا كانت تسريحة شعرٍ سيئة تؤدي إلى ساعات من الأقاويل فما الذي ستفعله اتهامات أكثر أهمية وعمقاً، والطعن بالظهر، والابتزاز، والتخريب؟ كان الناس ينتظرون – مثلي أنا – أن يسمعوا عن الاتهامات التي تطال الرئيس، وذلك بالرغم من موجات الصدمة والاتهامات المضادة التي خيّمت على الكابيتول.

قال فينيك: «سأتحدث الآن عن رئيسنا المحبوب كوريلانوس سنو. كان شاباً عندما تسلّم مقاليد السلطة، وكان ذكياً بما يكفي كي يحتفظ بها. يطرح المرء على نفسه سؤالاً عن كيفية تمكّنه من القيام بذلك. سأقول كلمة واحدة فقط، وهي الكلمة التي لا تحتاجون إلى معرفة غيرها: السم». عاد فينيك إلى سرد قصة صعود سنو في عالم السياسة، وهي التي لا أعرف عنها شيئاً، ثم وصل بعد ذلك إلى قصة تسلّمه الرئاسة، وأشار إلى قضية بعد أخرى من قضايا وفاة خصوم سنو، أو حتى ما هو أسوأ من ذلك، وفاة حلفائه الذين كان من الممكن أن يشكّلوا تهديداً محتملاً له. كان بعضهم يسقطون أمواتاً في أثناء وليمة، أو كانوا يموتون ميتة بطيئة وغامضة بعد أن يتحولوا إلى أشباح على امتداد فترة أشهرٍ عدة. كان السبب يُعزى إلى تناول الأسماك الصدفية الفاسدة، أو إلى فيروسات تستعصي على المعالجة، أو إلى ضعف غير ملحوظ في الشريان الأبهر. كان سنو يشرب من الكوب

184

المسموم من أجل تفادي الشكوك. لكن مثل تلك الأمور لم تكن لتنجح دائماً. قال بعضهم إن هذا هو السبب الذي يدفعه إلى وضع تلك الورود التي تفوح منها تلك الرائحة النفاذة. قالوا كذلك إن هذه الورود يُقصد منها التغطية على رائحة الفم الكريهة التي لا علاج لها. قالوا، وقالوا، وقالوا... يمتلك سنو لائحة، ولا أحد يدري من سيكون التالي.

السم؛ إنه السلاح المثالي للأفعى.

لا أستطيع القول إن اتهامات فينيك قد صدمتني، وذلك لأن رأيي معروف بالكابيتول وبرئيسها النبيل. لكن، يبدو أن هذه الاتهامات أثّرت أكثر في متمردي الكابيتول الذين تركوها، أي من أمثال الفريق الذي يهتم بزينتي وفولفيا، حتى إن بلوتارك نفسه يتصرف أحياناً وكأنه دُهش بما سمعه، ولعله يتساءل كيف فاتته تفاصيل دقيقة كهذه. بقيت الكاميرات تصوّر حتى بعد أن أنهى فينيك كلامه، وذلك إلى أن تمكّن من قول كلمة «أوقفوا التصوير».

هرع فريق التصوير إلى الداخل كي يُجري التعديلات اللازمة على الشريط، كما اصطحب بلوتارك فينيك كي يتحدث إليه، ولعله أراد أن يعرف ما إذا كان يمتلك قصصاً أخرى في جعبته. بقيت مع هايميتش وسط الركام، وتساءلت إذا كنت سألقى مصير فينيك في يومٍ من الأيام. ولمَ لا؟ يستطيع سنو الحصول على ثمنٍ جيدٍ بالفعل مقابل فتاة ألسنة اللهب.

سألتُ هايميتش: «هل حدث ذلك معك؟».

«كلا، ماتت والدتي وشقيقي الأصغر مني، وفتاتي التي كنت أحبها، بعد أسبوعين من تتويجي كمنتصر. لم يعد لدى سنو أي شخصٍ يمكن أن يستخدمه ضدي، وذلك بسبب المجازفة التي أقدمت عليها في حقل الطاقة».

قلت: «إنني مندهشة لأنه لم يقتلك».

قال هايميتش: «أوه! لا، كنت أنا النموذج، والشخص الذي يُشار إليه للشبان من أمثال فينيك، وجوهاناس، وكاشمير، ولما يُمكن أن يحدث لمنتصر تسبب بالمشاكل، لكنه عرف أنه لا يمتلك أي شيء يمكنه أن يستخدمه ضدي».

قلت بنعومة: «وذلك إلى أن ظهرت أنا وبيتا». لم يكلّف الرجل نفسه حتى بهزةٍ من كتفه رداً عليّ.

انتهت مهمتنا، ولم يبقَ أمامنا أنا وفينيك أي شيء نفعله غير الانتظار. حاولنا أن نشغل نفسينا في الدقائق البطيئة التالية في مركز الدفاع الخاص. انشغلنا بعقد الحبل وفكّ العقد، كما لهونا قليلاً بالأطباق التي تحتوي على طعام غدائنا، ولهونا قليلاً في نفخ أشياء في الهواء إلى مسافة قريبة. لم نتلقَّ أي اتصالٍ من فريق الإنقاذ بسبب الخوف من كشف موقعه. وقفنا متوترين عند الساعة 15:00؛ وهي الساعة المحددة لعرض الفيلم الذي صورناه، في آخر غرفةٍ مليئة بالشاشات وأجهزة الحواسيب، وراقبنا بيتي وفريقه وهم يحاولون السيطرة على موجات الأثير. تغيّرت ملامح بيتي التي توحي بالتململ عادة إلى ملامح توحي بعزمٍ وتصميمٍ لم ألمحهما عنده من قبل. لم يُعرض المقطع الخاص بي بأكمله، بل عُرض منه ما يكفي لإظهار أنني لا أزال حية وعلى استعداد للتحدي. سيطرت رواية فينيك المثيرة والدموية عن الكابيتول على أحداث اليوم. هل مهارة بيتي آخذة بالتحسّن؟ أم أن نظراءه في الكابيتول قد دُهشوا ممّا سمعوه، ولذلك لم يرغبوا في قطع حديث فينيك؟ ظلّ البث الذي أذاعته الكابيتول على مدى الساعة التالية يتراوح ما بين نشرة الأخبار المسائية المعتادة، وفينيك، ومحاولات قطع البث. تمكّن الفريق التقني للثوار من السيطرة على تلك المحاولات، كما حقق نقلةً نوعية حين تمكن من الحفاظ على سيطرته على البث في أثناء فترة الهجوم التي طالت سنو.

186

قال بيتي وهو يرفع يديه في الهواء: «توقفوا!». عاد البث إلى الكابيتول في هذه اللحظة. مسح بيتي وجهه بمنديل قماشيّ وقال: «إذا لم يتمكنوا من الخروج في هذا الوقت، فإن ذلك يعني أنهم قد ماتوا جميعاً». استدار بمقعده كي يرى تأثير كلماته فينا، أنا وفينيك، ثم تابع: «مع ذلك، كانت تلك خطة رائعة. هل أخبركما بلوتارك عنها؟».

أجبناه بالنفي القاطع. أخذنا بيتي إلى غرفةٍ أخرى، وشرح لنا أن الفريق سيحاول، أو حاول فعلاً، بمساعدة ثوارٍ في الداخل تحرير المنتصرَين اللذين يقبعان في سجنٍ تحت الأرض. يبدو أن الخطة تتضمّن إدخال غازٍ مخدرٍ إلى نظام التهوئة، وقطع التيار الكهربائي، وتفجير قنبلة في مبنى حكومي يبعد أميالاً عدة عن السجن، كما تضمنت الخطة أيضاً هذا التشويش على بثّ التلفزيون الرسمي. شعر بيتي بالسعادة لأنه صعُب علينا فهم الخطة، ممّا يشير إلى أنّ أعداءنا سيجدون صعوبة في فهمها بدورهم.

سألته: «هل تشبه هذه خطة مصيدتك الكهربائية في الميدان؟».

قال بيتي: «إنها كذلك بالضبط. هل رأيتِ كيفية نجاح تلك الخطة؟».

فكّرت، حسناً... لم أفهمها تماماً.

حاولت أنا وفينيك البقاء في مركز القيادة حيث سيصل، بالتأكيد، أول خبرٍ عن عملية الإنقاذ، لكننا مُنعنا من ذلك بسبب قيامهم بإدارة أعمالٍ حربية هناك. رفضنا مغادرة قسم الدفاع الخاص، ولذلك انتهى بنا الأمر بالبقاء في غرفة الأخبار بانتظار التطورات.

ربطنا العقد من دون أن نتفوّه بكلمة. ربطنا عُقَداً جديدة. تيك - توك؛ تكتكات الساعة. أمرت نفسي ألاّ أفكّر في غايل، وألاّ أفكّر في بيتا. ربطتُ المزيد من العُقَد. رفضنا تناول طعام العشاء. أصاب التصلب أصابعنا النازفة. توقف فينيك بالفعل، واتخذ وضعية الانحناء التي استخدمها في

الميدان عندما هاجمته الطيور المغرّدة. أما أنا، فقد انشغلت بترتيب العقدة الصغيرة التي صنعتها. عادت كلمات شجرة الشنق بالدوران في رأسي. غايل وبيتا. بيتا وغايل.

سألته: «هل أحببتَ آني على الفور يا فينيك؟».

«كلا». مرّ وقت طويل قبل أن يضيف: «تسللت رويداً رويداً إلى أفكاري».

بحثت بعيداً في أعماق قلبي. لكن، في تلك اللحظة، كان الشخص الوحيد الذي شعرت بأنه يحتل تفكيري هو سنو.

كنا حينها في منتصف الليل. فتح هايميتش الباب في وقتٍ افترضت أنه الصباح، وقال لنا: «عادوا. إنهم يحتاجون إلينا في المستشفى». فتحت فمي بسيلٍ من الأسئلة التي قاطعها بعبارة: «هذا كل ما أعرفه».

أردت أن أركض، لكن فينيك تصرّف بطريقةٍ غريبة جداً، إذ بدا وكأنه فقَدَ قدرته على الحركة. أمسكت بيده وقدته وكأنه طفل صغير. سرنا عبر قسم الدفاع الخاص، ووصلنا إلى مصعد ذي اتجاهات عدة. وصلنا بعد ذلك إلى جناح المستشفى. خيّم الضجيج على المكان، وسمعنا الأطباء يصرخون بأوامرهم بينما كان الجرحى يُنقلون عبر القاعات إلى أسرّتهم.

دفعتنا جانباً إحدى الحمالات ذات العجلات التي تحمل شابة هزيلة وحليقة الرأس وفاقدة الوعي. ظهرت الكدمات على جسمها، وظهرت بعض جروحها التي كانت تنز دماً. كانت تلك الشابة هي جوانا مايسون. كانت تلك الشابة تعرف أسرار الثوار، وتعرف عني سراً واحداً على الأقل. أما إصابتها هذه، فهي الثمن الذي دفعته مقابل معرفتها هذا السر.

لمحت غايل من خلال الباب، وكان عارياً حتى منطقة صدره، وكان العرق يتصبب من وجهه بينما كان أحد الأطباء ينتزع شيئاً ما من منطقة عظمة ترقوته مستخدماً ملقطاً طويلاً. كان جريحاً، لكنه على قيد الحياة.

ناديته باسمه، وبدأت بالسير نحوه إلى أن أرجعتني إحدى الممرضات قبل أن تُغلق الباب.

«فينيك!». كان ذلك صوتاً يجمع بين الصراخ وصيحة الفرح. ركضت نحونا شابة رائعة، لكنها متسخة نوعاً ما. كان شعرها الداكن متشابكاً، أما عيناها فكانتا بلون خضرة البحر. لم يكن هناك شيء يغطي جسدها غير ملاءة سرير. «فينيك!». بدا المشهد بعد ذلك وكأن العالم لا يشتمل إلا على هذين الشخصين اللذين اخترقا المسافات للوصول إلى بعضهما بعضاً. تصادما، وتعانقا، وفقدا توازنهما، ثم اصطدما بجدار. التصقا ببعضهما فشكّلا كياناً واحداً لا ينفصم.

اخترقتني وخزة من الألم، ليس بسبب فينيك أو آني، ولكن بسبب قناعتهما الشديدة. لم يكن في وسع من يراهما أن يشك في حبهما.

جاء بوغز المنهك من التعب باحثاً عني وعن هايميتش وقال لنا: «تمكنا من إخراج الجميع ما عدا إينوباريا. لكن، بما أنها من المقاطعة 2، فإننا نشك في كونها محتجزة. يتواجد بيتا في نهاية هذه القاعة، وهو يتعافى الآن من تأثير الغاز. أريدك أن تكوني قربه عندما يستيقظ».

بيتا.

بقي حياً وهو على ما يرام. حسناً، يحتمل ألاّ يكون على ما يرام، لكنه حي وموجود هنا قربي. إنه بعيد عن سنو، وبأمان. إنه هنا، وسأتمكّن من لمسه في غضون دقيقة. سأرى ابتسامته وسأسمع ضحكته.

نظر هايميتش نحوي مبتسماً وقال لي: «هيا، تعالي الآن».

شعرت بأنني أكاد أطير من الفرح. ماذا سأقول؟ أوه، ومن يكترث بالكلمات التي سأقولها؟ سيشعر بيتا بالسعادة بغضّ النظر عما أفعله. يُحتمل بأنه سيقبّلني على أي حال. تساءلت إذا كان طعم هذه القبلات سيُشبه تلك التي تبادلناها على الشاطئ في الميدان، وهي القبلات التي لم

أسمح لنفسي بالتفكير فيها حتى هذه اللحظة.

كان بيتا مستيقظاً وجالساً على جانب السرير. بدا حائراً بينما كان ثلاثة من الأطباء يطمئنونه بعد أن صوبوا أضواءً على عينيه، وفحصوا نبضه. شعرت بخيبة أمل لأن وجهي لم يكن أول وجهٍ رآه بعد استيقاظه، لكنه يراه الآن. عكست ملامح وجهه دلائل عدم التصديق، وشيئاً أكثر عمقاً عجزت عن فهمه. هل هو الرغبة؟ هل هو اليأس؟ إنه يشعر بالاثنين معاً بكل تأكيد، وذلك لأنه دفع الأطباء جانباً، وهبّ واقفاً ثم تحرّك نحوي. ركضت كي ألتقيه، وامتدت ذراعاي كي أعانقه. بحثت يداه عني هو أيضاً كي يداعب وجهي على ما أعتقد.

كانت شفتاي على وشك النطق باسمه عندما أطبقت أصابعه على عنقي.

الفصل الثالث عشر

أزعجني ذلك الطوق البارد الذي يحيط برقبتي، والذي يجعل السيطرة على الارتعاش أمراً أكثر صعوبة. شعرت بالارتياح لأنني خرجت من داخل ذلك الأنبوب الخانق بينما تابعت الأجهزة قرقعتها وطنينها من حولي. أصغيت إلى صوت غامض يطلب مني الصمود، بينما كنت أقنع نفسي بقدرتي على التنفس. أما الآن، وبعد أن تلقيت طمأنات بعدم تعرضي لعاهة مستدامة، فإنني أجهد نفسي كي أتنفس.

اطمأن الفريق الطبي الذي يهتم بي، بعد التأكد من الأمور الأساسية التي تقلقه، أي عدم تعرّض عمودي الفقري، والمجاري التنفسية، وشراييني إلى أي ضرر. أما الكدمات، والصوت الأجش، والألم في الحنجرة، وهذا السعال الخفيف ولكن الغريب في الوقت نفسه، فهي كلها أمور لا تدعو للقلق، وستكون كلها على ما يرام. لن يفقد الطائر المقلّد صوته. لكن، أين الطبيب الذي يقرّر سلامتي العقلية؟ لا يُفترض بي أن أتكلم الآن. لم أتمكّن حتى من شكر بوغز عندما جاء كي يطمئن عليّ. جاء ليراني وليقول لي إنّه سبق له أن رأى إصاباتٍ أسوأ بكثير بين الجنود عندما كان يعطي دروساً في الاختناق في أوقات التدريب.

كان بوغز هو الذي أبعد عني بيتا بلكمةٍ واحدة؛ قبل أن تصيبني عاهة مستدامة. أعلم أن هايميتش كان سيسرع لنجدتي لو لم تصبه المفاجأة الصاعقة بالصدمة. كان من النادر أن نتخلى أنا وهايميتش عن حذرنا الدائم، لكن الفرح الغامر الذي شعرنا به بعد إنقاذ بيتا أغرقنا، وهو الذي تعذّب كثيراً عندما كان في قبضة الكابيتول. فلقد أعمت السعادة بصيرتنا بالكامل. أعتقد أنني لو التقيت بيتا على انفراد لكان من الممكن أن يقتلني

191

بعد التعذيب الذي تعرّض له.

ذكّرت نفسي بأن ذلك لم يكن تعذيباً عادياً. كان مختطفاً. هذه هي الكلمة التي تبادلها بلوتارك وهايميتش، والتي سمعتها عندما مررت أمامهما في الممر على النقالة. كان مختطفاً. لا أعرف ما تعنيه هذه الكلمة.

ظهرت بريم بعد مرور لحظات على الهجوم الذي تعرضت له، وبقيَت إلى جانبي بقدر ما تستطيع منذ ذلك الحين، كما غطتني ببطانية إضافية وقالت لي: «أعتقد أنهم سينزعون ذلك الطوق سريعاً يا كاتنيس، وعندها لن تشعري بالبرد كثيراً». أما والدتي التي كانت تساعد على إجراء العمليات المعقدة، فلم تكن تعلم بعد بالاعتداء الذي قام به بيتا. أمسكت بريم بإحدى يديّ وهي التي كانت مقبوضة من شدة التوتر، وبدأت بتمسيدها حتى انفتحت وبدأ الدم بالسريان مجدداً في أصابعي. بدأت بتمسيد قبضة يدي الثانية، ولم يلبث الأطباء أن ظهروا، ونزعوا الطوق، ثم حقنوني بمادة لتخفيف الألم والورم. استلقيت كما أمروني، وأبقيت رأسي ساكناً كي لا يثور الألم في جروح عنقي.

أما بلوتارك، وهايميتش، وبيتي، فقد انتظروا في القاعة حتى يسمح لهم الأطباء برؤيتي. لا أعلم إذا كانوا قد أخبروا غايل، لكنّني استنتجت من غيابه أنهم لم يفعلوا ذلك. أشار بلوتارك إلى الأطباء بالخروج، وحاول إخراج بريم أيضاً، لكنها اعترضت على ذلك قائلة: «لا، إذا أجبرتني على الخروج فسأتوجّه مباشرة إلى قسم الجراحة كي أخبر والدتي بكل ما حدث. إنني أحذّرك بأنها غير راضية أبداً عن السيطرة التي يفرضها أحد صانعي الألعاب على حياة كاتنيس، وعلى الأخص لأنك لم تعتنِ بها كثيراً».

شعر بلوتارك بالإهانة بينما استغرق هايميتش بالضحك: «كنت سأتساهل يا بلوتارك لو كنت مكانك».

قال بلوتارك: «إذاً يا كاتنيس، كانت حالة بيتا بمثابة صدمة لنا جميعاً. لاحظنا تدهور وضعه في المقابلتين الأخيرتين اللتين أجراهما. اتضح لنا أنه تعرّض للاستغلال، وكان ذلك تفسيرنا لحالته النفسية. لكننا نعتقد الآن أن الأمر يتعدىٰ ذلك. نعتقد كذلك أن الكابيتول قد عرّضته إلى تقنية غريبة نوعاً ما تُعرف بالخطف. بيتي؟».

قال بيتي: «أنا آسف، لكنّني لا أستطيع إخبارك بكل التفاصيل يا كاتنيس. تتكتم الكابيتول كثيراً عن هذا النوع من التعذيب، لكنّني أعتقد أن النتائج متضاربة بعض الشيء. إننا متأكدون من أنّ هذا الشيء نوع من التلاعب بمشاعر الخوف. جاءت عبارة خطف Hijack من كلمة إنجليزية قديمة تعني إلقاء القبض، أو الإمساك. نعتقد أن هذه الكلمة قد اختيرت لأن هذه التقنية تتضمن استخدام سم تراكر جاكر tracker jacker. توحي كلمة jack بكلمة hijack، أي خطف. سبق لك أن تعرضت للسعة من هذا السم في مباراة الجوع الأولى، لذلك فأنت تمتلكين معرفة أولية بتأثير ذلك السم، وهو الأمر الذي يفتقد إليه معظمنا».

الذعر، الهلوسة، رؤية كوابيس، وفقدان أولئك الذين أحبهم. يستهدف السم ذلك الجزء من الدماغ الذي يتحكم بمشاعر الخوف.

سأل بيتي: «إنني متأكد من أنك تتذكرين مدى الرعب الذي يترافق مع هذه الحالة. هل عانيتِ كذلك من التشوّش الذهني بعد تلك اللسعة؟ وهل أحسستِ بالعجز عن تمييز الأمور الواقعية عن الأمور غير الواقعية؟ أبلغ معظم الأشخاص الذين تعرضوا لتلك اللسعة عن شيء من هذا القبيل».

أجل، أتذكر تلك الحادثة مع بيتا. عجزت، حتى بعد أن عدت إلى رشدي، عن التأكد إن كان قد أنقذ حياتي عندما هاجم كاتو، أم أنني تخيلت تلك الحادثة.

وضع بيتي يده على جبهته وقال: «يتحوّل التذكر إلى عملية أكثر

صعوبة لأن الذكريات يُمكن أن تتغيّر. إنها تتقدّم إلى واجهة ذهنك، وتتغيّر، ثم تُختزن مجدّداً بصيغةٍ معدلة. تخيّلي الآن أنني طلبت منك أن تتذكري شيئاً - إما بطلبٍ لفظي أو بجعلك تراقبين شريطاً عن حادثةٍ معينة - وأقوم أنا بإعطائك جرعة من سم tracker jacker بينما تكون هذه التجربة حديثة في مخيّلتك. لا أعني أن تكون الجرعة كافية للتسبب بفقدانك الوعي لمدة ثلاثة أيام، لكنها كافية لزرع الخوف والشك في تلك الذكرى. يعمد دماغك بعد ذلك إلى وضعها في قسم التخزين بعيد المدى».

بدأت بالشعور بالغثيان. بادرت بريم إلى طرح السؤال الذي يجول في خاطري: «هل هذا ما فعلوه لبيتا؟ هل استحضروا ذكرياته عن كاتنيس وعرّضوها للتشوش حيث تصبح مرعبة؟».

أومأ بيتي قائلاً: «لقد جعلوها مخيفة جداً حيث يرى فيها تهديداً لحياته، وحيث يحاول قتلها. أجل، إنها نظريتنا في هذا الوقت؟».

غطيت وجهي بذراعيّ لأن ذلك غير صحيح، وبعيد الاحتمال. هل يستطيع أي شخص أن يجعل بيتا ينسى أنه يحبني... لا يستطيع أحد أن يفعل ذلك.

سألت بريم: «لكن، ألا يمكنك أن تعكس هذه العملية؟».

قال بلوتارك: «همم... لا نمتلك إلا معلوماتٍ قليلة عن ذلك الموضوع. لا نمتلك أي معلومات في الواقع. لا نمتلك سجلات تفيد بنجاح علاج تأثيرات الخطف من قبل».

قالت بريم بإصرار: «حسناً، ستحاولون، أليس كذلك؟ لا أعتقد أنكم ستكتفون بحجزه في غرفة معزولة وستتركونه كي يتعذب هناك».

قال بيتي: «سنحاول بطبيعة الحال يا بريم. لكننا لا نعرف إلى أي درجة سننجح في ذلك، هذا إذا أحرزنا أي نجاحٍ على الإطلاق. أعتقد أن هذه الأحداث رهيبة. إنها الذكريات التي نتذكرها أكثر من غيرها».

قال بلوتارك: «إننا لا نعرف ما الذي تعرّض للتشويش غير ذكرياته مع كاتنيس، ونحن بصدد جمع فريق من المختصين بالصحة العقلية وبالقضايا العسكرية، وذلك من أجل إيجاد طريقة لحلّ هذه المشكلة. إنني متفائل من جهتي بإمكانية إحرازه الشفاء التام».

سألت بريم بلهجةٍ ساخرة: «وأنت يا هايميتش، ما رأيك بهذا الموضوع؟».

أبعدت ذراعيّ قليلاً حيث أتمكّن من رؤية تعابير وجهه من خلال الفتحة التي تشكلت بينهما. لاحظت أنه متعب ومحبط ولكنه قال: «أعتقد أن بيتا سيتحسّن نوعاً ما. لكن... لا أعتقد أبداً أنه سيعود كما كان في السابق». أعدتُ ذراعيّ إلى وضعهما السابق، وقرّبتهما من بعضهما حيث اختفت الفتحة، وهكذا اختفى الجميع عن ناظري.

قال بلوتارك: «إنه على قيد الحياة على الأقل». بدا وكأنه يفقد صبره معنا جميعاً. «أعدم سنو المزيّنة التي تُشرف على أزياء بيتا، وكذلك فريق تحضيره، وذلك في بثٍّ تلفزيوني مباشر هذه الليلة. إننا لا نمتلك أي فكرة عما حدث مع إيفي ترنكيت. تعرّض بيتا لصدمةٍ كبيرة، لكنه هنا: معنا. يُعتبر هذا الوضع أفضل بكثير مما كان عليه قبل اثنتي عشرة ساعة. دعينا لا ننسى ذلك، هل اتفقنا؟».

هل حاول بلوتارك إدخال السرور إلى قلبي عندما نقل إليّ أخبار أربع جرائم، أو خمس. تأثرت كثيراً لدى سماعي هذه الأخبار. بورشيا، وفريق التحضير الخاص ببيتا. إيفي. أدّى المجهود الذي بذلته للسيطرة على دموعي إلى شعوري بالألم في حنجرتي، واستمر ذلك إلى أن بدأت بالنشيج مجدداً. لم يكن أمامهم أي خيار غير تخديري.

تساءلت عند استيقاظي إذا كانت هذه هي الطريقة الوحيدة الآن كي أنام، أي بحقني بمواد مخدّرة في ذراعي. سررت كثيراً لأنني لست

مجبرة على الكلام على مدى الأيام القليلة التالية، وذلك لأنّه ليس لديّ شيء يُقال. لكن لا، إنني مريضة نموذجية في واقع الأمر، كما أن الإجهاد الذي أشعر به جعلني أذعن وأطيع أوامر الأطباء. لم أشعر برغبة في البكاء. وعجزت عن التمسك بغير فكرةٍ واحدة بسيطة: صورة وجه سنو مصحوبة بهمسٍ في رأسي: سأقتلك.

تناوبت والدتي وبريم على العناية بي، كما اتفقتا على إقناعي بابتلاع مضغات من الطعام الليّن. حضر أشخاصٌ كثيرون بين وقتٍ وآخر لإعطائي تفاصيل جديدة عن وضع بيتا. كانت المستويات العالية من سم تراكر جاكر آخذة بالخروج من جسمه. قالوا لي إن أشخاصاً غرباء من المقاطعة 13 يعالجونه، كما أنه لا يُسمح لأحد من سكان مقاطعته أو من الكابيتول برؤيته، وذلك من أجل إبعاد أي ذكرياتٍ خطرة عن ذهنه. قالوا لي كذلك إنّ فريقاً من المختصّين يعمل ساعات طويلة من أجل تصميم استراتيجية لشفائه.

لا يُفترض بغايل أن يزورني، وذلك لأنه يلازم سريره بسبب جرحٍ أصيب به في كتفه. لكنه تسلّل إلى غرفتي بهدوء في الليلة الثالثة، أي بعد إعطائي الدواء وإطفاء الأنوار تمهيداً للنوم. لم يتكلم، لكنه مرّر أصابعه برقةٍ تشبه رفيف أجنحة الفراشات فوق الكدمات الموجودة على رقبتي، ثم طبع قبلةً بين عينيّ، واختفى بعد ذلك.

خرجت من المستشفى في صباح اليوم التالي مع تعليمات توجب عليّ التنقل بهدوء، وعدم التكلم إلا عند الضرورة. لم يعطِني أحد برنامجاً للعمل، وهكذا تمكّنت من التنقّل من دون أن أقصد مكاناً معيناً إلى حين حصول بريم على إذنٍ للخروج من المستشفى الذي تعمل فيه وذلك كي تصطحبني إلى حجرة أسرتي الجديدة التي تحمل الرقم 2212. كانت تلك الحجرة مماثلة للحجرة التي شغلناها سابقاً، لكنها كانت من دون نافذة.

خُصّصت حصة يومية من الطعام للحوذان، وحصل كذلك على وعاء

مليء بالرمال وضعناه تحت مغسلة الحمام. أراد الحوذان إثارة الانتباه فقفز إلى وسادتي بعد أن اصطحبتني بريم إلى سريري. احتضنته بريم لكنها أبقت على اهتمامها بي: «كاتنيس، أعرف أن ما حصل معك أنتِ وبيتا أمرٌ مرعب. لكن، تذكّري أن سنو قد عرّضه لأمورٍ كثيرة طيلة أسابيع عدة، وأنه عاد إلينا منذ أيامٍ قليلة فقط. يوجد احتمال بأن يكون بيتا القديم، أي ذاك الذي يحبك، لا يزال قابعاً في أعماقه، وأن يحاول العودة إليك. لا تفقدي الأمل منه».

نظرت إلى شقيقتي الصغيرة، وفكّرت في كيفية وراثتها أفضل الميزات التي يُمكن لأسرتنا تقديمها. فقد ورثت يدَي والدتي الشافيتين، وعقل والدي المتوازن، وكفاحي أنا. يوجد أمرٌ آخر. أمر آخر يتعلّق بها، ولوحدها. أعني قدرتها على النظر إلى أمور الحياة المربكة ورؤيتها كما هي. أيُعقل أن تكون على صواب؟ أيُعقل أن يعود بيتا إليّ؟

قالت بريم بعد أن وضعت الحوذان على حافة السرير بالقرب مني: «يُفترض بي العودة إلى المستشفى. يمكنكما تسلية بعضكما بعضاً. أتوافقين؟».

قفز الحوذان عن السرير وتبعها حتى الباب، لكنه اشتكى بصوتٍ عالٍ لأن بريم تركته وراءها. أعرف أننا لا نستسيغ صحبة بعضنا. مرّت ثلاثون ثانية أدركت بعدها أنني لا أطيق البقاء في حجرة تقع تحت سطح الأرض وترك الحوذان يتصرف على هواه. تهت مرات عدة، لكنني في آخر الأمر تمكنت من الوصول إلى قسم الدفاع الخاص. حدّق كل شخصٍ مررت به إلى كدماتي فأحسست بالتوتر إلى حدّ أنني رفعت ياقتي حتى مستوى أذنيّ.

يُفترض أن يكون غايل قد خرج من المستشفى هذا الصباح أيضاً، وذلك لأنني وجدته مع بيتي في إحدى الغرف المخصصة للأبحاث. رأيتهما منغمسَين بأخذ قياسات في إحدى الصور. انتشرت نسخ من

الصورة فوق الطاولة وعلى الأرض. رأيت تصاميم أخرى معلقة على الجدران المكسوة بالفلّين، وأخرى ظهرت فوق شاشات الحواسيب. رأيت مسوّدة مصيدة من صنع غايل. سألت بصوتٍ أجش حوّل انتباههما عن الورقة: «ما هذه؟».

قال بيتي بصوتٍ يطفح بالسرور: «آه يا كاتنيس، لقد عثرتِ علينا».

«ماذا؟ هل هذا اجتماع سري؟». كنت أعلم بوجود غايل هنا، وأنه يعمل مع بيتي كثيراً، لكنّني افترضت بأنهما يلهوان بالأقواس والبنادق.

قال بيتي معترفاً: «إنه ليس سراً بالتحديد، لكنّني أشعر بالذنب بهذا الشأن. أعني بسبب إبعاد غايل عنك طويلاً».

لا يمكنني القول إن غياب غايل عني قد أزعجني وذلك بسبب تمضيتي معظم وقتي في المقاطعة 13 وأنا في حالة ارتباك، وقلق، وغضب، وإعادة تأهيل، أو بسبب وجودي في المستشفى. لا يمكنني القول إننا كنا على تناغم. لكنّني تركت بيتي يشعر بالإحراج. «أرجو أن تكون قد تمكّنت من الاستفادة من وجوده معك».

قال لي وهو يدعوني للاقتراب من إحدى شاشات الحاسوب: «تعالي وتأكدي».

عمل الاثنان بجهدٍ كبير على فهم الغاية الأساسية من مصائد غايل، وتطبيقها على الأسلحة التي تُستخدم ضد البشر، والقنابل منها على الأخص. يتعلّق الأمر بالنفسية التي تقف وراء هذه المصائد أكثر مما يتعلق بآليات عملها. شمل ذلك تفخيخ منطقة توفر شيئاً ضرورياً للبقاء، مثل المياه أو الغذاء، وكذلك إحداث الرعب بين الطرائد حيث يهرب عدد كبير منها إلى مناطق تؤدي إلى هلاكها، وكذلك تهديد أنسال هذه الطرائد من أجل إلحاق الأذى بالهدف الحقيقي المقصود، أي أصول هذه الطرائد. يشمل الأمر كذلك إغراء الضحية لدخول منطقة تبدو ملاذاً آمناً حيث

ينتظرها الموت المحتم. أهمل غايل وبيتي البريّة تماماً من أجل التركيز على الدوافع الإنسانية، مثل التعاطف. تنفجر قنبلة، لكنهما يتركان فسحة من الوقت كي يهرع الناس لنجدة الجرحى، فتنفجر عند ذلك القنبلة الثانية الأكثر قوة بطبيعة الحال؛ وهي التي تتكفّل بقتل عدد أكبر من الناس.

قلت: «يبدو أن هذا الأمر يتخطى حدًّا معيّناً. إذاً، هل أنتما على استعداد لاستخدام أي شيء؟». حدّق إليّ الاثنان. فعل بيتي ذلك مع بعض الشك، فيما حدّق إليّ غايل بعدائية. «يبدو أنه لا وجود لقوانين معينة لما يُمكن أن يكون من غير المقبول إنزاله بإنسانٍ آخر».

قال غايل: «هذه القوانين موجودة بكل تأكيد. يتبع بيتي وأنا القوانين ذاتها التي استخدمها الرئيس سنو عندما اختطف بيتا».

كان ذلك تعليقاً قاسياً لكنه أصاب الهدف. غادرت المكان من دون أن أضيف أي شيء آخر. شعرت بأنني إذا لم أخرج من الغرفة على الفور فسأصاب بالجنون. لكنني كنت داخل قسم الدفاع الخاص عندما اعترض هايميتش طريقي قائلاً: «تعالي. إننا بحاجة إليك في المستشفى».

سألته: «ولماذا؟».

أجاب: «إنهم يحاولون تجربة شيء ما على بيتا. يريدون العثور على أكثر الأشخاص براءة من المقاطعة 12 وإدخاله إلى غرفة بيتا. إنهم يريدون العثور على شخصٍ يمكنه تبادل ذكريات الطفولة معه، لكنهم لا يريدون أحداً مقرباً منك كثيراً. إنهم يختبرون الآن العديد من الأشخاص».

أدركت أن ذلك سيكون مهمة صعبة لأنه من المرجح أن يكون الأشخاص الذين تقاسموا ذكريات الطفولة مع بيتا من المدينة، لكنني أعرف أنه لم يتمكن أحد من هؤلاء من النجاة من النيران. لكن، عندما وصلنا إلى غرفة المستشفى الذي تحول إلى مجال عمل الفريق الذي يشرف على شفاء بيتا، وجدتها هناك وهي تتحدث إلى بلوتارك. إنها ديلي

كارترايت التي تبتسم لي وكأنني أعز صديقاتها في هذا العالم. إنها تبتسم هكذا للجميع. نادتني: «كاتنيس!».

قلت: «مرحباً يا ديلي». سمعت أنها تمكنت من النجاة مع شقيقها، لكن والديها اللذين كانا يديران محلاً للأحذية في المدينة لم يكونا محظوظين مثلهما. بدت أكبر سناً بملابسها الباهتة التي لا تلفت أنظار أحد والتي أخذتها من المقاطعة 13، وبشعرها الأصفر الطويل الذي سرّحته على شكل ضفيرة عملية طويلة، وذلك بدلاً من تجعيده. بدت لي ديلي نحيلة أكثر من أي وقتٍ مضى، وهي التي كانت إحدى القلائل في المقاطعة 12 التي تتميّز ببعض الوزن الإضافي. تضافرت عوامل عدة، مثل الوجبات الغذائية التي تتناولها هنا، والإجهاد، والحزن على فقدانها والديها، على جعلها أكثر نحافة. سألتها: «كيف حالك؟».

فاضت عيناها بالدموع وهي تقول: «أوه! جرت تغييرات كثيرة فجأة منذ ذلك الوقت. لكن الجميع لطفاء هنا في المقاطعة 13. ألا تظنين ذلك؟».

أعرف أنها تعني ما تقوله، فهي تحب الناس. أمضت ديلي سنوات طويلة في تقييم رأيها بجميع الناس، وليس بالنسبة إلى قلة منهم فقط.

قلت لها: «بذل الجميع هنا جهداً كي نشعر بأنه مرحب بنا». أعتقد بأن هذه كانت عبارة مناسبة من دون الخروج عن الموضوع. «هل انتقوك أنتِ كي تقابلي بيتا؟».

«أعتقد ذلك. يا لبيتا المسكين! وأنت مسكينة أيضاً. لا يمكنني أن أفهم الكابيتول أبداً».

قلت لها: «أعتقد أنه من الأفضل لكِ ألاّ تفعلي».

قال بلوتارك: «تعرف ديلي بيتا منذ وقتٍ طويل».

أشرق وجه ديلي بابتسامة وقالت: «أوه! أجل، كنا نلعب معاً حين كنا

200

صغيرين. اعتدت القول للناس إنّه أخي».

سألني هايميتش: «ما رأيك؟ أتمتلك ديلي شيئاً يعيد إليه ذكرياته معك؟».

قلت: «كنا في صفٍّ واحد، لكننا لم نختلط كثيراً مع بعضنا».

قالت ديلي: «كانت كاتنيس رائعة على الدوام، ولم أحلم قطّ بأنها ستلاحظ وجودي. كانت رائعة بالطريقة التي تصطاد بها، وبقدرتها على الذهاب إلى السوق، بالإضافة إلى كل الأشياء الأخرى. أعجب بها الجميع من أجل ذلك».

تعيّن عليّ أنا وهايميتش أن ننظر نحوها مليًّا كي نتأكد من أنها لا تمزح. أوحت ديلي أن قلة أصدقائي عائدة إلى كوني استثنائية، لكن ذلك ليس صحيحاً أبداً. يرجع السبب في قلة أصدقائي إلى أنني لم أكن ودية مع غيري من الناس. تركت ديلي تظهرني بصورةٍ رائعة.

قلت مفسرة الأمر: «تفكر ديلي في الجميع بطريقة إيجابية. لا أعتقد أنني أمتلك أنا وبيتا ذكريات سيئة عنها». تذكرت شيئاً بعد ذلك. «انتظر قليلاً. ألا تذكر عندما كنا في الكابيتول وكذبت بشأن التعرف إلى فتاة الآفوكس. دعمني بيتا في ذلك وقال إنها تبدو مثل ديلي».

قال هايميتش: «إنني أذكر ذلك، لكنّني لست متأكداً. لم يكن ذلك صحيحاً لأن ديلي لم تكن هناك بالفعل. لا أظن أنه يمكن لتلك الحادثة أن تنافس ذكريات سنوات من الطفولة».

قال بلوتارك: «وعلى الأخص بوجود رفيق مسلٍّ مثل ديلي. لكن، دعونا نحاول».

توجهت أنا وبلوتارك وهايميتش إلى غرفة المراقبة التي تجاور الغرفة التي يُحتجز فيها بيتا. كانت الغرفة مليئة بعشرة من أفراد الفريق الذي يعمل على شفائه، وكلهم مجهزون بالأقلام ولوحات الكتابة. مكّننا الزجاج

الذي يسمح بالرؤية باتجاهٍ واحد من مراقبة بيتا بسريةٍ تامة. كان مستلقياً على السرير وهو موثق اليدين. لم نلاحظ أنه يحاول التخلص من قيوده، لكننا لاحظنا أن يديه تتحركان باستمرار. بدت ملامحه مشرقة أكثر مما كانت عليه عندما حاول خنقي، لكنها في الوقت نفسه كانت بعيدة جداً عن ملامحه الحقيقية.

اتّسعت عيناه ذعراً عندما فُتح الباب بهدوء، وما لبث أن بدا عليه الارتباك. دخلت ديلي الغرفة بخطواتٍ بطيئة، لكن ما إن اقتربت منه حتى ابتسمت له بطريقةٍ طبيعية تماماً وقالت: «بيتا؟ أنا ديلي. إنني من المقاطعة».

بدا أن بعض الغشاوة قد انزاحت عن عينيه فقال لها: «ديلي؟ ديلي. أهذه أنتِ؟».

قالت بارتياحٍ ظاهر: «أجل! كيف حالك؟».

سأل بيتا: «إنني بحالةٍ مريعة. أين نحن؟ ماذا حدث؟».

قال هايميتش: «ها قد بدأنا».

قال بلوتارك: «قلت لها أن تبتعد عن ذكر أي شيء له علاقة بكاتنيس أو الكابيتول، وأن تكتفي بالذكريات التي تستطيع إثارتها عن المقاطعة».

قالت ديلي: «حسناً... إننا في المقاطعة 13. إننا نعيش هنا الآن».

سأل بيتا: «هذا ما قاله لي أولئك الأشخاص، لكنني لا أفهم. لماذا لسنا في مقاطعتنا؟».

عضّت ديلي شفتها، ثم أجابت: «وقع... حادث. إنني أشتاق إلى مقاطعتنا كثيراً. كنت أفكر في الرسومات التي كنا نرسمها على أحجار الأرصفة بالطباشير. كانت رسوماتك رائعة. أتذكر عندما رسمت على كل واحدة منها حيواناً مختلفاً؟».

قال بيتا: «أجل، رسمت حيوانات مقزّزة وقططة وأشياء أخرى. هل بدأتِ بالتحدث... عن حادث؟».

تمكّنت من رؤية لمعان حبيبات العرق على جبهة ديلي عندما حاولت التهرب من السؤال. قالت بتردد: «كان حادثاً مروعاً. لم يتمكن أحد... من البقاء».

قال هايميتش: «توقفي هنا يا فتاة».

قالت ديلي: «لكنني متأكدة من أن الحياة هنا ستعجبك يا بيتا. أظهر السكان هنا بأنهم ودّيون تجاهنا، والطعام متوافر على الدوام، وكذلك الملابس النظيفة، أما المدارس فهي أفضل بكثير».

سأل بيتا: «لماذا لم تأتِ عائلتي لرؤيتي؟».

عادت ديلي للتدخل مجدداً: «ليس باستطاعتهم المجيء، كما أن عدداً كبيراً من الناس لم يتمكنوا من الخروج من المقاطعة 12. إننا مضطرون إلى بدء حياةٍ جديدة هنا. إنني متأكدة من حاجتهم إلى خبّازٍ ماهر. أتذكرُ عندما كان والدك يسمح لنا بصنع تماثيل لفتيات وفتيان من العجين؟».

قال بيتا فجأة: «هل حدث حريق كبير؟».

ردّت هامسة: «أجل».

قال بيتا غاضباً: «احترقت المقاطعة 12 برمتها، أليس كذلك؟ حدث ذلك بسببها». بدأ بنزع قيوده. «بسبب كاتنيس!».

قالت ديلي: «أوه! كلا يا بيتا. لم تكن المذنبة».

ردّ عليها بصوتٍ أعلى من الهمس: «هل أخبرتكم بهذا؟».

قال بلوتارك: «أخرِجوها من هناك». فُتح الباب على الفور فبدأت ديلي بالتراجع نحوه ببطء.

بدأت ديلي بالقول: «لم تكن مضطرة إلى قول أي شيء لنا. كنت...».

صاح بيتا: «لأنها تكذب! إنها كاذبة! لا يمكنكم تصديق أي شيء تقوله! إنها نوعٌ من المسخ صنعته الكابيتول كي تستخدمه ضدنا جميعاً!».

حاولت ديلي التدخل مجدداً: «كلا يا بيتا. إنها ليست...».

203

قال بيتا بصوتٍ مليء بالرعب: «لا تثقي بها يا ديلي. سبق لي أن وثقت بها، لكنها حاولت قتلي، وقتلت أصدقائي، وأسرتي. إياك حتى أن تقتربي منها! إنها مجرد مسخٍ متحوّل!».

امتدت يد من خلال الباب، وسحبت ديلي إلى الخارج، وما لبث الباب أن أُغلق. تابع بيتا الصراخ: «إنها مسخٌ متحوّل! إنها مسخٌ نتن!».

لم يقتصر الأمر على كراهيته لي ورغبته في قتلي، بل وصل الأمر إلى حدّ اعتقاده أنني لست بشرية. كانت محاولته خنقي أقلّ إيلاماً.

راح أفراد فريق التأهيل من حولي يكتبون بسرعة جنونية، ودوّنوا كل كلمة. أمسك هايميتش وبلوتارك بذراعيّ ودفعاني إلى خارج الغرفة. أسنداني إلى أحد جدران الممر الذي يخيّم عليه الصمت. لكنّني عرفت أن بيتا استمر بالصراخ من وراء الباب والزجاج.

أعتقد أن بريم كانت مخطئة، لأن استعادة بيتا كانت أمراً مستحيلاً. قلت بخدر: «لا يسعني البقاء هنا بعد الآن. إذا أردتم أن أكون الطائر المقلّد، فسيتعيّن عليكم إبعادي».

سألني هايميتش: «إلى أين تريدين الذهاب؟».

«أريد الذهاب إلى الكابيتول». إنه المكان الوحيد الذي أستطيع التفكير في وجود مهمة لي فيه.

قال بلوتارك: «لا يمكننا إرسالك إلى هناك، وعلى الأقل إلى أن تصبح كل المقاطعات آمنة. أما الأخبار الجيدة هنا، فهي أن القتال شارف على الانتهاء في جميع المقاطعات في ما عدا المقاطعة 2. إنها مقاطعة صعبة جداً مثل حبة البندق صعبة الكسر كما تعلمين».

إنه على حق، لأنه يجب الانتهاء من المقاطعات أولاً قبل الانتقال إلى الكابيتول. سأتمكن بعد ذلك من ملاحقة سنو.

قلت: «حسناً. إذاً، أرسِلوني إلى المقاطعة 2».

الفصل الرابع عشر

تُعتبر المقاطعة 2 مقاطعة كبيرة مثلما يُمكن للمرء أن يتوقع، وهي تتألف من سلسلة من القرى التي تتناثر فوق الجبال. في ما مضى، كانت كل قرية ترتبط بمنجم أو بمقلع حجارة. أما الآن، فإن قرى كثيرة مخصصة لإسكان ضباط الأمن وتدريبهم. لا تشكل أيٌّ من هذه القرى تحدياً كبيراً لأن الثوار يمتلكون إلى جانبهم القوى الجوية للمقاطعة 13. لكن تبقى هناك مشكلة واحدة: تشتمل هذه المقاطعة في وسطها على جبلٍ حصين لا يمكن اختراقه، وهو الذي يحتوي على قلب الجيش التابع للكابيتول.

أطلقنا اسم حبة البندق على الجبل منذ أن نقلت تعبير حبة بندق صعبة الكسر الذي أطلقه بلوتارك إلى قادة الثوار المنهكين والمحبطين هناك. أقدمت الكابيتول على تأسيس حبة البندق بعد الأيام الداكنة مباشرة، أي عندما سقطت المقاطعة 13، وكانت يائسة لإقامة معقل قوي مماثل تحت الأرض. وضعت الكابيتول بعض قواها العسكرية في ضواحيها مباشرة، واشتملت هذه على الصواريخ النووية، والطائرات، والجنود، لكن قسماً كبيراً من قواها أصبح الآن في قبضة أعدائها. لم يكن لدى الكابيتول، بطبيعة الحال، أي أملٍ بتقليد المقاطعة 13، فتحقيق ذلك يستغرق قروناً عديدة من العمل. لكن الكابيتول رأت فرصتها في المقاطعة 2 القريبة منها. يبدو موقع حبة البندق من الجو مجرد جبلٍ آخر تحتوي جهاته على مداخل عدة. لكنه يحتوي في داخله على فراغات كبيرة حيث قُطعت كتل كبيرة من الصخور، ونُقلت إلى الخارج ثم نُقلت عبر طرقات ضيقة وزلقة إلى مبانٍ بعيدة. يوجد فيه أيضاً نظام سكك حديدية من أجل تسهيل نقل عمال المناجم من حبة البندق إلى وسط المدينة الرئيسة في المقاطعة 2.

يصل خط القطارات هذا إلى الباحة التي زرتها أنا وبيتا خلال جولة النصر، وهي الباحة التي وقفنا فيها فوق الدرج الرخامي العريض لمبنى قصر العدل. حاولنا حينها عدم التحديق إلى أفراد أُسَر كاتو وكلوف المحزونين والمتجمعين في الأسفل.

لم تكن تلك منطقة مثالية، وذلك لأنها ابتليت بالانهيارات، والفيضانات، والانهيارات الجليدية. لكن إيجابيات هذه المنطقة تفوق سلبياتها. ترك عمال المناجم في أثناء حفرهم الجبل للوصول إلى أعماق أكبر أعمدةً وجدراناً ضخمة من أجل دعم البناء. عمدت الكابيتول إلى تقوية هذه الأعمدة والجدران عندما سعت إلى جعل هذا الجبل قاعدتها العسكرية الجديدة. ملأت الكابيتول هذا الموقع بصفوفٍ من أجهزة الحواسيب وغرف الاجتماعات، وبالثكنات ومستودعات الأسلحة. عمدت الكابيتول كذلك إلى توسيع المداخل كي تسمح بخروج الحوّامات من الحظائر، كما نصبت منصات للصواريخ، لكنها أبقت واجهة الجبل على حالها بشكلٍ عام، أي أن الجبل بقي منطقة صخرية وعرة، فيها أشجار كثيفة. كان الجبل قلعة طبيعية تصلح للحماية من الأعداء.

يُعتبر السكان مدلّلين من الكابيتول بمعايير المقاطعات الأخرى، ويُمكن للمرء الاستنتاج أنهم كانوا يتلقون غذاءً كافياً ورعاية تامة في طفولتهم من مجرد النظر إلى ثوار المقاطعة 2. انتهى بعضهم بالعمل في مقالع الحجارة وفي المناجم، أما بعضهم الآخر فقد تلقوا تعليماً جعلهم مؤهلين للعمل في حبة البندق أو في صفوف ضباط الأمن. تلقى هؤلاء في صغرهم تدريباً قاسياً على الأعمال القتالية. كانت مباريات الجوع فرصة كبيرة لجني الثروة، ونوعاً من أنواع المجد الذي يصعب على المرء إيجاده في أي مكانٍ آخر. تلقى سكان المقاطعة 2 دعاية الكابيتول بسهولة تفوق ما كانت عليه الحال في المقاطعات الأخرى، كما تبنوا طرائق عيشها. بقي

سكان المقاطعة 2 عبيداً في نهاية الأمر. أما إذا كان هذا الواقع غير ملحوظ بالنسبة إلى السكان الذين أصبحوا ضباط أمن، أو الذين عملوا في حبة البندق، فقد كان جليًّا بالنسبة إلى العاملين في مقالع الحجارة الذين شكّلوا الركيزة الأساسية للثوار هنا.

بقيت الأمور على حالها منذ وصولي قبل أسبوعين من الزمن. كانت القرى البعيدة عن المدينة واقعة في أيدي الثوار، أما المدينة ذاتها فكانت مقسمة، في حين بقيت منطقة حبة البندق حصينة كعهدها. كانت مداخلها العديدة محصنة تحصيناً قوياً، أما قلبها فيقبع بأمان في أحضان الجبل. تمكنت كل المقاطعات الأخرى من التخلص من قبضة الكابيتول إلا أن المقاطعة 2 بقيت تحت سيطرتها.

فعلت كل ما في وسعي للمساعدة كل يوم. كنت أزور الجرحى، وأسجّل مقاطع صغيرة مع فريق التصوير. لم يسمحوا لي بالمشاركة في المعارك الحقيقية، لكنهم كانوا يدعونني إلى الاجتماعات التي تُعقد من أجل تقييم وضع الحرب. كان وضعي هنا أفضل بكثير من وضعي في المقاطعة 13، أي أنني تمتعت بحريةٍ أكبر هنا، ولم يكن هناك أيّ برامج عمل، كما أن مهماتي لم تأخذ من وقتي القدر الكبير. إنني أعيش هنا فوق الأرض في القرى التي يسيطر عليها الثوار، أو في الكهوف القريبة منها. سُمح لي بالصيد نهاراً طالما أنني آخذ جانب الحيطة والحذر ولا أبتعد مسافاتٍ كبيرة. شعرت ببعض القوة الجسدية تعود إليّ بفضل هواء الجبال المنعش والبارد، وأحسست أن ذهني قد أبعد عنه ما بقي من ضبابية في التفكير. ترافق هذا الصفاء الذهني الذي أشعر به مع وعيٍ أكبر لما فعلوه مع بيتا.

سرقه سنو مني، وقام بتغييره بشكلٍ لا يمكن تمييزه، وجعلني هدية له. أخبرني بوغز، وهو الذي أتى معي إلى المقاطعة 2، أنه بالرغم من

كل التخطيط فقد كان من السهل نسبياً تنفيذ عملية إنقاذ بيتا. اعتقد بوغز أنه لو لم تُقدم المقاطعة 13 على بذل جهدها لإنقاذ بيتا لكان سيُقدّم إليّ على أيّ حال. كان بيتا سيهبط بالمظلة في مقاطعة حربية نشطة، أو ربما في المقاطعة 13 ذاتها. وكانوا سيغطون وجهه بأربطة تحمل اسمي. كان مبرمجاً كي يقتلني.

عرفت بيتا الحقيقي فقط بعد أن غيّروه. أحسست بأنني عرفته أفضل مما كنت لأفعل لو أنه مات. تذكرت لطفه، وثباته، ودفأه الذي تكمن وراءه حرارة غير متوقعة. كم من الناس يحبونني من دون مقابل في هذا العالم غير بريم، ووالدتي، وغايل. كنت أتناول اللؤلؤة التي تقبع في جيبي في بعض الأحيان في محاولةٍ مني لتذكّر ذلك الصبي الذي حمل إليّ رغيفَي الخبز. تذكرت ذراعيه القويتين اللتين أبعدتا عني الكوابيس الليلية عندما كنا في القطار، وتلك القبلات في الميدان. حاولت أن أضع اسماً للأمور التي افتقدت إليها. لكن، ما فائدة كل ذلك؟ لقد ضاع كل شيء. ضاع هو أيضاً. ضاع كل شيء جرى بيننا. بقي شيء واحد، وهو وعدي بقتل سنو. كنت أقول ذلك في نفسي عشر مرات في اليوم الواحد.

علمت أنهم تابعوا العمل على تأهيل بيتا في المقاطعة 13. دأب بلوتارك، ومن دون أن أطلب منه ذلك، على إبلاغي بآخر التطورات المبهجة عبر الهاتف. كان يقول لي: «إنها أخبار طيبة يا كاتنيس! أعتقد أننا اقتربنا من إقناعه بأنك لستِ مسخاً!» أو «سُمح له اليوم بأن يأكل قطعة حلوى!».

اعترف لي هايميتش في وقتٍ لاحق أن بيتا لم يتحسّن. جاء خيط الأمل الوحيد من شقيقتي. قال لي هايميتش: «اقترحت بريم محاولة إعادة اختطافه. يعني ذلك تذكيره بكل ذكرياته المشوشة عنك، وإعطاءه جرعة كبيرة من المخدر لتهدئته، مثل المورفلنغ. جرّبنا ذلك على ذكرى واحدة.

وذلك من خلال الشريط الذي يُظهركما معاً في الكهف، أي عندما أخبرتهِ عن قصة حصولك على عنزة بريم».

سألته: «هل حدث أي تحسّن؟».

قال هايميتش: «حسناً، إذا كنت تعتبرين أن التشوّش الشديد مقارنة مع الرعب الشديد بمثابة تحسّن، فسيمكنني الرد بالإيجاب. لكنّني لست متأكداً من أن الحال كذلك. فَقَدَ بيتا قدرته على النطق لساعات عدة، كما وقع في نوعٍ من أنواع الذهول. كان أول شيء سأل عنه عندما استفاق هو العنزة».

قلت: «هذا صحيح».

سألني: «كيف الحال عندك؟».

قلت له: «لم يحدث أي تقدم».

قال لي: «سنرسل فريقاً للمساعدة في منطقة الجبل. ذهب بيتي وبعض الآخرين. أتعرفين؟ إنهم أصحاب الأدمغة».

لم أدهش عندما رأيت اسم غايل على رأس لائحة الأدمغة. ظننت أن بيتي سيقترح اسمه وذلك ليس من أجل خبرته التقنية، بل على أمل أنه سيتمكن، بطريقةٍ ما، من التفكير في طريقة لتفخيخ الجبل. عرض غايل في البداية أن يأتي معي إلى المقاطعة 2، لكنني أدركت أنني سأبعده عن عمله مع بيتي، فطلبت منه أن يبقى في مكانه حيث الحاجة ماسة إليه هناك. لم أقل له إن وجوده سيصعّب عليّ التفكير بحزن في شأن بيتا.

عثر عليّ غايل عندما وصلوا في وقتٍ متأخر ذات مساء. كنت جالسة على جذع شجرة في إحدى نواحي ما أصبحت قريتي، ومنشغلة بنتفِ إوزة. كانت دزينة من الطيور مكوّمة أمام قدميّ. سبق لي أن شاهدت أسراباً كبيرة من هذه الطيور تعبر سماء المنطقة منذ وصولي، وهكذا كان صيدها أمراً سهلاً. جلس غايل إلى جانبي وبدأ بنتف ريش أحد الطيور. أوشكنا

على إنهاء نصف عملنا عندما قال لي: «هل سنحظى بفرصة تناول هذه الطيور؟».

قلت: «أجل. سيذهب معظمها إلى مطبخ المعسكر، لكنهم يتوقعون مني إعطاء بعضها إلى أي شخص يمكث معي هذه الليلة، مقابل اعتنائه بي».

قال لي: «ألا يكفي الشرف الذي يحصل عليه المرء من جراء هذا العمل».

أجبت: «هكذا تظن أنت، لكنهم يقولون إن الطيور المقلّدة تشكّل خطراً على صحتك».

تابعنا نتف الطيور بصمت ولفترةٍ أطول. قال لي بعدها: «رأيت بيتا البارحة، من وراء الزجاج».

سألته: «وما رأيك؟».

قال غايل: «عندي رأي خاص».

«أيعني ذلك أنك لست مضطراً إلى أن تشعر بالغيرة منه بعد الآن؟».

سحبت أصابعي بسرعة وما لبثت أن طافت حولنا سحابة من الريش.

«كلا، بل على العكس». تناول غايل ريشة علقت على شعري وتابع: «ظننت... أنني لن أضطر إلى مواجهة ذلك الشعور، مهما كان مقدار الألم الذي أشعر به». أدار الريشة بين إبهامه وسبابته. «إنني لا أتحمّل إمكانية عدم تحسّن حالته. أعتقد أنك لن تتمكني أبداً من نسيانه، بل ستشعرين على الدوام بالذنب لوجودك معي».

قلت: «أي مثل شعوري بالذنب عندما كنت أقبّله، وبسببك».

حدّق إليّ غايل: «لو كنت أعرف أن ذلك صحيح لكنت تحملت ما جرى بعدها».

قلت معترفة: «إنه صحيح، لكن يصدق الأمر ذاته عما قلتَه عن بيتا».

210

أصدر غايل صوتاً ينمّ عن بعض الغضب، لكنّني وجدت نفسي بين ذراعيه بعد أن سلّمنا الطيور كي نجمع حطباً يصلح لإيقاد النيران عند المساء. بدأت شفتاه بملامسة آثار الكدمات في عنقي، وما لبثتا أن تحوّلتا نحو شفتيّ. شعرت في هذه اللحظة بالذات أنه بالرغم مما أشعر به تجاه بيتا، فإنني سأتقبّل في أعماقي أنه لن يعود إليّ أبداً، وأنني لن أعود إليه أبداً. سأبقى في المقاطعة 2 إلى أن تسقط بأكملها بين أيدي الثوار، وحتى أعود إلى الكابيتول كي أقتل سنو وأُقتل بعد ذلك نتيجة عملي ذاك. سيموت وهو مجنون وكاره لي. أغمضت عينيّ وسط هذا الضوء الباهت، وقبّلت غايل كي أعوّض عن كل القبلات التي حُرمت منها في السابق، ولأن ذلك لم يعد أمراً هاماً بعد الآن، ولأنني أصبحت وحيدة ويائسة بشكلٍ لا يمكنني تحمّله.

ذكّرتني لمسة غايل وقبلاته الدافئة بأنني أمتلك جسداً حيًّا. أحسست أن ذلك الشعور مرحّبٌ به. حرّرت ذهني من كل قيوده، وسمحت لذلك الإحساس بالسريان في جسدي، فشعرت بسعادة التحليق في أجواء جديدة. ابتعد غايل عني قليلاً لكنني اقتربت منه كي ألغي المسافة التي تفصلني عنه، لكنني أحسست بيده وهي تتحرك تحت ذقني. بدا لي العالم متفككاً عندما فتحت عينيّ. لم تكن هذه غاباتنا التي اعتدنا عليها، ولم تكن تلك الجبال جبالنا أو تلك الطرقات طرقاتنا. توجهت يدي، عفوياً، إلى تلك الندبة الموجودة فوق صدغي الأيسر، وهو الأمر الذي أرجعته إلى التشوّش الذي أشعر به. وقفت حائرة، ومن دون أن ترمش عيناي قلت له: «الآن، قبّلني». اقترب مني، وضغط بشفتيه على شفتيّ لبرهة قصيرة، ثم تفحّص وجهي عن كثب، وسألني: «ماذا يدور بخلدك؟».

همست له: «لا أعرف».

قال لي بعد أن بذل جهداً كي يضحك قليلاً: «يشبه ذلك تقبيل شخص

ثمل، أي أنّ هذه القبلة لا تحمل أي أهمية». تناول حزمة من الحطب الذي يصلح لإيقاد النيران ثم وضعها فوق ذراعيّ، وهكذا عدت إلى عالم الواقع.

قلت في محاولة مني للتغطية على الإحراج الذي شعرت به: «وكيف عرفت؟ هل سبق لك أن قبّلت شخصاً ثملاً؟». ظننت أن غايل قد اعتاد تقبيل الفتيات يمنة ويسرة في المقاطعة 12. أعتقد أنّ لديه العديد من المعجبات هناك. لكن لم يسبق لي أن فكّرت في هذا الموضوع من قبل.

اكتفى بهزّ رأسه قائلاً: «كلا، لكنّ تصوّر هذا الأمر ليس صعباً».

سألته: «إذاً، لم يسبق لك أن قبّلتَ فتياتٍ أخريات؟».

قال لي بعد أن امتلأت يداه بالحطب: «لم أقل ذلك. أتعرفين؟ كنت في الثانية عشرة من عمري عندما التقينا للمرة الأولى. يؤلمني أن أقول لك إنه كانت لديّ حياتي عدا عن الذهاب معك إلى الصيد».

شعرت بالفضول الفعلي على نحوٍ مفاجئ: «من قبّلتَ؟ ومتى؟».

«قبّلت عدداً لا أذكره من الفتيات. جرى ذلك خلف المدرسة، وفوق كومة بقايا الفحم، وفوق أماكن أخرى».

أغمضت عينيّ وسألته: «إذاً، متى أصبحت مميزةً جداً عندك؟ هل حدث ذلك عندما نقلوني إلى الكابيتول؟».

قال لي: «كلا، حدث ذلك قبل ستة أشهر، أي بعد رأس السنة مباشرة. كنا في السوق، ونتناول بعض ما تبقى من الطعام عند غريسي سي. كان داريوس يضايقك بشأن مبادلة الأرنب بإحدى قبلاته. أدركت عندها... بأن الأمر ضايقني».

إنني أتذكر ذلك اليوم. حدث ذلك عند الساعة الرابعة من عصر يومٍ شديد البرودة والظلمة. أجبرتنا يومها عاصفة ثلجية شديدة على العودة إلى المدينة. كانت السوق تغص بالناس الباحثين عن ملجأ لهم من غضب الطبيعة. كان الحساء الذي قدّمته لنا غريسي سي تحت مستواها المعتاد،

وهو الحساء الذي حضّرته لنا من بقايا عظام كلب بري كنا قد اصطدناه قبل أسبوعٍ من الزمن. كان الحساء حاراً مع ذلك عندما بدأت بتناوله متربعةً فوق إحدى طاولاتها وأنا أشعر بالجوع الشديد. كان داريوس مستنداً إلى عمود الكشك. بدأ بدغدغة خدّي بطرف ضفيرتي، فما كان مني إلا أن دفعت يده بعيداً عني. كان يشرح لي السبب الذي يجعل إحدى قبلاته تستحق الحصول على أرنب واحد، أو ربما اثنين، وذلك لأن الجميع يعرفون أن الرجال ذوي الشعر الأحمر هم الأكثر رجولة. استغرقت أنا وغريسي سي بالضحك لأنه كان سخيفاً ومصراً، كما أنه ظل يشير إلى النساء الموجودات في السوق، وقال إن كل واحدة منهن قد دفعت أكثر من أرنب واحد من أجل الحصول على قبلة منه. «أترين؟ تلك المرأة ذات الخمار الأخضر؟ توجهي إليها واسأليها، هذا إذا كنت تريدين التأكد مما أقوله».

حدث ذلك على بعد مليون ميلٍ من هنا، وقبل مليار يومٍ من الآن.

قلت: «كان داريوس يمزح فقط».

قال لي غايل: «يُحتمل ذلك، بالرغم من كونك آخر شخص يعرف بأنه لم يكن يمزح. يمكنك أن تختاري بيتا، أو أنا، أو حتى فينيك. كنت بدأت أشعر بالقلق لأنه أراد الحصول عليك، لكن يبدو أنه عاد إلى صوابه الآن».

قلت: «إذا ظننتَ أنه يحبني، فإن ذلك يعني أنك لا تعرف فينيك».

هزّ غايل رأسه قائلاً: «أعرف أنه كان يائساً. هذا هو ما يدفع الناس إلى القيام بكل الأشياء التي تتصف بالجنون».

تأكدت من أن كلامه هذا موجهاً إليّ.

تجمّع أصحاب الأدمغة في وقتٍ مبكرٍ وساطع من صباح اليوم التالي للتفكير في وضع حلٍّ لحبة البندق. طلبوا مني حضور الاجتماع بالرغم من أنني لا أمتلك الكثير كي أساهم به. تجنبت الجلوس إلى طاولة

الاجتماع، وجلست على حافة إحدى النوافذ العريضة التي تطل على منظر لجبل حبة البندق. أخذتنا القائدة من المقاطعة 2، وهي امرأة متوسطة العمر تدعى لايم، في جولة افتراضية داخل حبة البندق، فرأينا أقسامه الداخلية وتحصيناته، كما عدّدت لنا المحاولات الفاشلة للاستيلاء عليه. سبق لي أن التقيت هذه المرأة عدة مرات منذ وصولي، لكن كان ذلك لفتراتٍ قصيرة. سيطر عليّ شعور بأنني التقيتها من قبل. أعتقد أنها امرأة لا تُنسى، وهي التي يبلغ طولها ما يزيد على ست أقدام، وذات عضلات كثيرة. شاهدت مقطعاً يُظهرها وهي تقود غارةً على المدخل الرئيس لحبة البندق، وفجأة تذكرت شيئاً، وأدركت بأنني أتواجد إلى جانب منتصرة في إحدى مباريات الجوع. فازت لايم، وهي المجالدة القادمة من المقاطعة 2، في مباريات الجوع قبل عقدين من الزمن. كانت إيفي هي التي أرسلت إلينا شريطها من بين أشياء أخرى، وذلك من أجل تحضيرنا للمباريات الربعية. يُحتمل بأنني لمحت صورتها في المباريات عبر السنين، لكنها بقيت بعيدة عن الأضواء. كان كل ما فكرت فيه بعد معرفتي المستجدة بالعلاج الذي تلقّاه كلٌّ من هايميتش وفينيك هو التالي: ما الذي فعلته الكابيتول معها بعد فوزها؟

بدأ أصحاب الأدمغة بطرح الأسئلة ما إن انتهت لايم من تقديم عرضها. مرّت الساعات، وحلّ موعد تناول الغداء مع محاولة أصحاب الأدمغة التوصّل إلى خطة واقعية تصلح للاستيلاء على حبة البندق. فكّر بيتي في أنّه قد يتمكن من السيطرة على أنظمة حاسوب محددة، كما جرت بعض النقاشات حول إرسال مجموعة من الجواسيس المحليين والاستفادة من خدماتهم، لكن الآخرين لم يقدموا أيّ أفكارٍ جديدة فعلياً. استمرت الأحاديث في ذلك المساء مع العودة إلى رسم استراتيجية سبق أن وُضعت موضع التجربة تكراراً، إذ تقضي هذه الاستراتيجية باقتحام المداخل. لاحظت مدى الإحباط المتزايد الذي أُصيبت به لايم لأن صيَغاً

عديدة من هذه الاستراتيجية قد فشلت سلفاً، كما أنها خسرت عدداً كبيراً من جنودها. صاحت القائدة أخيراً: «أريد من الشخص التالي الذي يقترح البدء باحتلال المداخل أن يأتينا بطريقة لامعة لتنفيذ ذلك، لأنه سيكون هو من سيقود تلك المهمة!».

كان غايل قلقاً جداً حيث عجز عن الجلوس لأكثر من ساعاتٍ قليلة، ولذلك أمضى ذلك الوقت وهو إمّا يمشي أو يشاركني الجلوس على حافة النافذة. بدا في وقتٍ سابق أنه تمّ تقبّل فرضية لايم بأن احتلال المداخل أمرٌ غير ممكن، ولهذا، استُبعد الأمر كلياً من المناقشة. جلس غايل بهدوء منذ نحو ساعةٍ من الزمن وهو عاقد الحاجبين من شدّة التركيز، وراح يحدّق إلى جبل حبة البندق من خلال النافذة الزجاجية. تكلم غايل في فترة الصمت التي تلت العرض النهائي الذي قدّمته لايم وقال: «هل من الضروري بالفعل أن نحتل جبل حبة البندق؟ أم يكفي تعطيله؟».

قال بيتي: «سيكون ذلك بمثابة خطوة في الاتجاه الصحيح. ما الذي تفكّر فيه؟».

تابع غايل حديثه: «أريدكم أن تفكّروا فيه وكأنه وجار للكلاب البرية، وأنكم غير مضطرين إلى العراك من أجل الدخول. في هذه الحالة ستجدون أمامكم خيارين. إما احتجاز الكلاب في الداخل، أو حملها على الخروج».

قالت لايم: «حاولنا سابقاً قصف المداخل. تتواجد المداخل في عمق الصخور حيث يتعذر إلحاق أيّ أضرار حقيقية فيها».

قال غايل: «لم أكن أفكّر في هذا الخيار. كنت أفكّر في استخدام الجبل». نهض بيتي وانضمّ إلى غايل عند حافة النافذة، ونظر إلى الجبل من خلال نظارته غير المناسبة له. «أترى تلك المنحدرات على السفوح هناك؟».

قال بيتي بصوتٍ هامس: «إنها مسارات الانهيارات الجليدية، أي أنها

شديدة الخطورة. سنضطر إلى تصميم متوالية تفجير بكل عناية، لأنه ما إن تبدأ عملية التفجير حتى يصبح من الصعب السيطرة عليها».

قال غايل: «لن نضطر إلى السيطرة عليها إذا تخلينا عن فكرة ضرورة احتلال حبة البندق، بل يكفينا إقفالها».

سألت لايم: «هل تقترح التسبب بالانهيارات من أجل إغلاق المداخل؟».

قال غايل: «أجل، بالضبط. يعني ذلك أننا سنحتجز العدو في الداخل ونمنع عنه المؤن، وهكذا لن يتمكنوا من إرسال حوّاماتهم».

فكّر الجميع في هذه الخطة، وأخذ بوغز يقلّب رزمة من تصاميم حبة البندق. عبس قليلاً ثم قال: «إنك تخاطر في قتل جميع الموجودين في الداخل. أريد منك أن تتفحص نظام التهوئة. إنه نظام بدائي في أفضل حالاته. إنه لا يشبه أيّ نظام تهوئة من تلك الأنظمة التي نمتلكها في المقاطعة 13. يعتمد هذا النظام كلياً على ضخ الهواء إلى الداخل من جوانب الجبل. إذا قمنا بإغلاق هذه الفتحات، فإن جميع المحتجزين في الداخل سيختنقون».

قال بيتي: «يمكنهم الهروب عن طريق نفق سكة الحديد الذي يوصل إلى باحة المدينة».

قال غايل بلهجةٍ عنيفة: «يستحيل عليهم الهروب إذا قمنا بتفجير النفق». توضحت الآن نيته الراسخة. لا يهتم غايل أبداً بالحفاظ على حياة المتواجدين داخل حبة البندق، كما أنه لا يكترث أبداً بفكرة احتجاز الفريسة إلى أوقاتٍ أخرى.

كانت تلك إحدى مصائد الموت التي برع فيها.

الفصل الخامس عشر

خيّمت عواقب اقتراح غايل على أجواء الغرفة. استطعت ملاحظة ردود الفعل على هذا الاقتراح على وجوه الناس. تراوحت ردود الفعل هذه بين السرور والإحباط، وبين الحزن والارتياح.

قال بيتي من دون اكتراث: «إن غالبية العمال من المقاطعة 2».

قال غايل: «وما الفرق في ذلك؟ لن نتمكن من الوثوق بهم مجدداً».

قالت لايم: «علينا إعطاؤهم فرصة للاستسلام».

قال غايل: «حسناً، إننا لم نحصل على هذا الترف عندما قصفوا المقاطعة 12 بالقنابل الحارقة، لكنكم مرتاحون أكثر مع الكابيتول هنا». استنتجت من النظرة التي ارتسمت على وجه لايم أنها قد تطلق النار عليه، أو على الأقل قد تغيّر رأيها. أعتقد أنها ستتمكّن من فرض رأيها بسبب تدريبها. بدا أن غضبها قد زاد من حدّة غضبه فصرخ: «شاهدنا الأطفال وهم يحترقون حتى الموت، لكننا عجزنا عن فعل أي شيء لمساعدتهم!».

تحتّم عليّ إغماض عينيّ لدقيقةٍ من الزمن عندما عادت تلك الصور لتتراقص في ذهني. أعطت تلك الصور نتيجتها المرجوة، فقد أردت أن يموت جميع الموجودين داخل الجبل. اقتربت من قول كلمة لا، لكنّني تذكرت... أنني مجرد فتاة من المقاطعة 12. اضطررت إلى تذكّر الرئيس سنو. لا أريد أن أحكم على أحد بالموت الذي يقترحه. قلت في محاولةٍ مني للتكلّم بنبرة معقولة: «غايل. كان جبل حبة البندق منجماً قديماً. سيبدو الأمر مثل التسبب بحادث كبير في منجم فحم». اعتقدت أن هذه الكلمات كافية لجعل أي شخص من المقاطعة 12 يفكّر مرتين في هذه الخطة.

ردّ بسرعة: «أعتقد أن الحادث لن يكون بسرعة الحادث الذي تسبب

بموت آبائنا. هل تهم هذه المشكلة جميع الموجودين هنا؟ وهل من فرق في أن يمتلك أعداؤنا ساعاتٍ قليلة للتفكير في واقع أنهم يموتون، وذلك بدلاً من تحويلهم إلى شظايا بلمحة بصر؟».

اعتاد غايل في الأيام الماضية، أي عندما لم نكن أكثر من ولدَين يصطادان خارج المقاطعة 12، أن يقول أموراً مثل هذه أو حتى ما هو أسوأ منها. لكنها كانت مجرد كلماتٍ في ذلك الوقت. أما هنا، أي على أرض الواقع، فإنها تتحوّل إلى أفعالٍ لا يمكن أن تلغى.

قلت: «أنتم لا تعلمون كيف وصل مواطنو المقاطعة 2 إلى حبة البندق. يُحتمل أنهم أُجبروا على العمل هناك. ويُحتمل أنهم محتجزون ضد إرادتهم. ويوجد بينهم جواسيس يعملون لصالحنا. أتريدون أن تقتلوهم أيضاً؟».

أجاب: «أريد التضحية بعددٍ قليل منهم وأسر من يبقى منهم. أما لو كنت جاسوساً هناك فسأقول: فلتبدأ الانهيارات!».

أعلم تماماً أنه يقول الحقيقة، وأنه مستعدٌ للتضحية بحياته من أجل القضية. لا يشك أحد في هذا. يُحتمل أننا كنا سنقوم جميعاً بالأمر ذاته لو كنا من الجواسيس وكان لنا الخيار في ذلك. أعتقد أنني كنت سأفعل ذلك. أعرف أن هذا قرار يؤخذ ببرودة أعصاب بالنسبة إلى أشخاص آخرين لديهم من يحبّونهم هناك.

قال له بوغز: «قلتَ لنا إننا نمتلك خيارين: إما احتجازهم أو إجبارهم على الخروج. أقترح أن نجرّب التسبب بانهيارات في الجبل لكن مع ترك نفق سكة الحديد وشأنه. سيتمكن الناس بهذه الطريقة من الهروب إلى الباحة حيث سنكون بانتظارهم».

قال غايل: «آمل أن يكونوا مسلّحين جيداً. تأكد من أنهم سيكونون كذلك».

رد بوغز موافقاً: «سنأخذهم أسرى مع أسلحتهم».

قال بيتي مقترحاً: «دعونا نشرك المقاطعة 13 في هذا. أريد أن تضع الرئيسة كوين ثقلها في هذه العملية».

قال غايل بكل ثقة: «سترغب الرئيسة في سدّ النفق».

قال بيتي: «أجل، هذا محتملٌ جداً. لكن، تعلمون أن بيتا أصاب في أفلامه الدعائية، وعلى الأخص ذلك الذي يتعلق بمخاطر التطرف الشديد. سبق لي أن فكّرت في بعض الأرقام، وصنّفت الضحايا والجرحى و... أعتقد أن عملي هذا يستحق بعض المناقشة».

دُعي عددٌ قليل من الأشخاص للمشاركة في هذه المناقشة. سُمح لي أنا وغايل بالخروج مع الآخرين. اصطحبته معي في جولة صيد كي يتمكّن من التنفيس عن بعض الضغط الذي يشعر به، لكن من دون أن يتحدث عنه. يُحتمل أن يكون غضبه مني قد وصل إلى حد عدم تمكني من مواجهته.

أتت المكالمة في نهاية الأمر، واتُّخذ القرار. ألبسوني زيّ الطائر المقلّد بحلول المساء، كما وضعت قوسي فوق كتفي، ووضعت سماعة أذني التي تؤمّن لي التواصل مع هايميتش في المقاطعة 13؛ وذلك تحسباً لظهور فرصة جيدة تسمح بتحضير مقطعٍ جديد. انتظرنا فوق سطح مبنى قصر العدل وذلك بعد أن تكونت لدينا رؤية واضحة لهدفنا.

تجاهل قادة حبة البندق حوّامتنا في البداية، وذلك لأنها شكّلت قدراً قليلاً من الإزعاج الذي لا يتعدى ذلك الذي تسبّبه ذبابة تحوم حول إناءٍ من العسل. تمكنت طائراتنا من الاستحواذ على انتباههم بعد جولتين من القصف الذي تركّز على الارتفاعات العالية للجبل. كان الوقت قد فات بالنسبة إلى القذائف التي أطلقتها دفاعات الكابيتول الجوية المضادة للطائرات.

فاقت نتائج خطة غايل توقعات الجميع. كان بيتي محقاً في عدم

قدرتنا على السيطرة على الانهيارات بعد البدء فيها. ضعُفت قوة تماسك سفح الجبل أكثر فأكثر بفعل الانفجارات، وهو الذي كان غير مستقرٍّ في الأصل. بدت سفوح الجبل وكأنها مصنوعة من موادّ سائلة، وانهارت أقسام كاملة من حبة البندق أمام أعيننا، وانمحت كل العلامات التي تدل على أن أقدام البشر قد داستها في يومٍ من الأيام. وقفنا من دون أن ننطق بكلمة واحدة، وأحسسنا بضآلتنا وعدم أهميتنا بينما امتلأ الجو بالأصوات الراعدة التي تسببت بها الصخور المنهارة على سفوح الجبل. تراكمت أطنان من الصخور أمام المداخل، وترافقت هذه الموجات كذلك مع تشكّل سحابة من الغبار والشظايا المتطايرة التي جعلت من السماء صفحةً داكنة. تحولت حبة البندق إلى قبرٍ كبير بفعل هذه الصخور.

تخيّلت داخل الجبل الذي تحوّل إلى جحيم. تخيّلت زعيق صفارات الإنذار، والأنوار التي تومض وسط الظلمة، وغبار الصخور الذي يجعل الهواء خانقاً، وصرخات الناس المرتعبين، والأشخاص العالقين في أثناء ترنّحهم بيأس لإيجاد مخرجٍ لهم قبل اكتشافهم أن المداخل، وقاعدة الإطلاق، وأنابيب التهوئة ذاتها قد سُدّت بالتراب والأحجار، والركام الذي جعل من الطرقات المعتادة لغزاً محيّراً. تخيّلت الرجال الذين يصطدمون ببعضهم، ويتدافعون، ويزحفون مثل النمل، بينما تطبق التلال عليهم مهددة بسحق أجسادهم الهشة.

سمعت صوت هايميتش عبر سماعة الأذن: «كاتنيس؟». حاولت الردّ عليه، لكنّني اكتشفت أن يديّ الاثنتين تطبقان على فمي. «كاتنيس!».

كنت في مدرستي في أثناء وقت الغداء عندما انطلقت صفارات الإنذار في اليوم الذي مات فيه والدي. لم ينتظر الطلاب صدور الإذن بالانصراف، ولم يتوقعوا ذلك. كان ردّ الفعل على انفجار المنجم أمراً لا يقع ضمن سيطرة أي جهة، حتى سيطرة الكابيتول ذاتها. ركضت يومها

إلى صفّ بريم، ولا أزال أتذكرها جيداً في ذلك الحين. كانت فتاة نحيلة في السابعة من عمرها، وشديدة الشحوب، لكنها كانت تجلس منتصبة القامة بعد أن كتّفت يديها فوق طاولتها. كانت تنتظرني كي أصطحبها إلى البيت، أي كما وعدتها أن أفعل عند انطلاق الصفارات. قفزت عن مقعدها وأمسكت بكمّ معطفي، ثم بدأنا نشقّ طريقنا بين حشود الناس الذين توافدوا إلى الشوارع كي يتجمعوا عند المدخل الرئيس للمنجم. رأينا والدتي وهي تتشبث بالحبل الذي وُضِع من أجل إبعاد حشود الناس. أظن عند التفكير في الأمر أنه كان يجدر بي أن أعلم بوجود مشكلةٍ حينها. كنا نحن اللتين نبحث عنها في حين كان من المفترض أن يكون العكس صحيحاً.

كانت المصاعد تزعق، في حين كادت أسلاكها تحترق في أثناء نزولها وصعودها محملةً بعمال المناجم الذين اسودت وجوههم بتأثير الدخان، قبل أن تلفظهم في ضوء النهار. وترافق زعيقها مع صرخات الارتياح التي تصاعدت من حناجر الأقارب الذين نزلوا تحت الحبل كي يصطبحوا أزواجهم، وزوجاتهم، ووالديهم، وأقاربهم. وقفنا حينها وسط الهواء المتجمد في ذلك العصر المعتم، وكانت الأرض مغطاة بطبقة رقيقة من الثلج. تحركت المصاعد ببطء أكبر في ذلك الوقت وأفرغت عدداً أقل من العمال. ركعت على الأرض، وضغطت بيدي على الرماد وكلّي رغبة في انتشال والدي من تحت الأرض. لا أعرف إذا كان هناك وجود لشعورٍ أكثر يأساً من محاولة الوصول إلى شخصٍ تحبه عالق تحت الأرض. رأيت الجرحى والجثث في أثناء انتظاري وسط الظلمة. وضع أشخاص غرباء عني بطانيات حول كتفي، وقدّم لي أحدهم شراباً ساخناً رفضت شربه. رأيت في النهاية تعابير اليأس والحزن التي ارتسمت على وجه رئيس المنجم، وهي التعابير التي تعني شيئاً واحداً فقط.

ماذا فعلنا للتو؟

«كاتنيس! ألا تزالين معي؟». أعتقد أن هايميتش ربما كان يخطط لتقييدي في هذه اللحظة بالذات.

أنزلت يديّ قبل أن أجيب: «أجل».

قال بلهجةٍ آمرة: «إذاً، ادخلي. يُحتمل أن تحاول الكابيتول الانتقام بما تبقى لديها من قوتها الجوية».

كرّرت إجابتي: «أجل». بدأ جميع المتواجدين على السطح بالنزول إلى داخل المبنى، عدا الجنود الذين يتولون تشغيل البنادق الرشاشة. بدأت بالنزول على الدرج، ولم أستطع إلا تمرير أصابعي على الجدران الرخامية الصقيلة البيضاء والتي لا تشوبها أيّ شائبة. كانت الجدران باردة وجميلةً جداً. لا يحتوي أي مكان آخر، بما في ذلك الكابيتول، على أي مبنى يضارع هذا المبنى القديم في جماله. لا يستطيع المرء الاستسلام أمام هذه الجدران، لكن جسدي يستسلم وتتلاشى منه الحرارة. يقهر الحجر الناس في كل وقت.

جلست على قاعدة أحد الأعمدة العملاقة في قاعة المدخل الرحبة، وتمكنت من خلال الأبواب من رؤية المساحات الرخامية التي تؤدي إلى الدرج في الباحة. تذكرت ذلك الشعور المقرف الذي أحسست به يوم تقبّلت أنا وبيتا التهاني بمناسبة فوزنا في المباريات. كنا متعبَين بسبب جولة النصر، وأحسست بأنني فاشلة في محاولتي تهدئة المقاطعات. واجهت في ذلك الوقت ذكريات عن كلوف وكاتو، وعلى الأخص نهاية كاتو المرعبة والبطيئة على أيدي المخلوقات المتحولة.

انحنى بوغز إلى جانبي، وبدت بشرته شاحبة في الظلال وقال لي: «لم نعمد إلى تفجير نفق السكة الحديدية كما تعلمين. يُحتمل أن يتمكن بعضهم من الخروج».

سألته: «وهل ستعمدون إلى إطلاق النار عليهم عندما تظهر

وجوههم؟».

أجابني: «سنفعل ذلك في حال اضطررنا إلى القيام بذلك فقط».

قلت: «كنا قادرين على إرسال القطارات بأنفسنا، وعلى المساعدة على إخلاء الجرحى».

قال بوغز: «كلا، قررنا ترك النفق في أيديهم. يستطيعون بهذه الطريقة استخدام كل المسارات لإخراج الناس. يُضاف إلى هذا أن هذه الطريقة تعطينا الوقت اللازم لإيصال جنودنا إلى الباحة».

كانت الباحة منطقةً محايدة قبل ساعاتٍ قليلة، أي أنها كانت خط المواجهة بين المتمردين وضباط الأمن. شنّ المتمردون هجوماً شرساً أرغموا نتيجته قوات الكابيتول على التراجع مسافة كبيرة إلى الوراء. مكّننا هذا الوضع من السيطرة على محطة القطارات في حال سقوط حبة البندق. حسناً، سقطت حبة البندق هذه، وتمكّنا من استيعاب هذه الحقيقة. سيتمكن الناجون من الفرار حتى الباحة، لكنني تمكنت من سماع أصوات الرصاص مجدداً. أعتقد أن ضباط الأمن يحاولون القتال كي يشقوا طريقهم ليتمكنوا من إنقاذ رفاقهم. هذا هو السبب الذي دفعنا إلى استدعاء جنودنا من أجل صدّهم.

قال بوغز: «أنتِ باردة. سأحاول العثور على بطانية لكِ». انطلق قبل أن أتمكن من الاعتراض. لا أريد بطانية، حتى ولو استمرت الجدران الرخامية بامتصاص حرارة جسمي.

قال لي هايميتش في أذني: «كاتنيس».

أجبته: «أنا لا أزال هنا».

قال لي: «حدث تطور مثير للاهتمام مع بيتا عصر هذا اليوم. ظننت أنك تريدين معرفته». لا أعتقد أن عبارة مثير للاهتمام مناسبة هنا. فحالته ليست أفضل، لكنني لا أمتلك أي خيارٍ في واقع الأمر غير الإصغاء.

«عرضنا عليه ذلك الشريط الذي يُظهرك وأنت تغنّين شجرة الشنق. لم يبثّ هذا الشريط قطّ، وهكذا لم تتمكن الكابيتول من استخدامه عندما خطفته. قال لنا إنّه يعرف تلك الأغنية».

أحسست بأن قلبي قد توقف عن الخفقان للحظةٍ وجيزة. أدركت بعدها أن شعوري هذا ربّما كان ناتجاً عن التشوش الناتج عن مصل تراكر جاكر. «لا يمكنه ذلك يا هايميتش. لم يسمعني قطّ وأنا أغني تلك الأغنية».

قال هايميتش: «لم يسمعها منك، بل سمعها من والدك. سمعه وهو يغنيها ذات يوم عندما أتى كي يبادل طرائده في المخبز. كان بيتا صغيراً في ذلك الوقت، وربما كان في السادسة، أو السابعة من عمره، لكنه تذكّرها لأنه أصغى عمداً كي يعرف إذا كانت الطيور قد توقفت عن الغناء. أعتقد أن الطيور قد فعلت ذلك».

كان في السادسة، أو السابعة من عمره. إنني متأكدة من حصول ذلك قبل أن تمنعنا والدتي من تأدية تلك الأغنية. يُحتمل أن كل ذلك قد حصل عندما كنت أتعلمها. «هل كنت هناك أنا أيضاً؟».

قال هايميتش: «لا أعتقد ذلك. لم يأتِ على ذكرك على أي حال. لكن، هذه هي أول حادثة ترتبط بك ولا تجلب معها انهياراً ذهنياً. إنها تقدّم؛ ولو كان قليلاً يا كاتنيس».

والدي. يبدو أنه اليوم في كل مكان. إنه يموت في المنجم، ويغني بصوته في وعي بيتا المشوّش، كما يتراقص في النظرة التي يرمقني بها بوغز في أثناء محاولته حمايتي من البرد بوضع بطانية حول كتفي. إنني أشتاق إليه شوقاً مؤلماً جداً.

ازدادت أصوات إطلاق الرصاص في الخارج. أسرع غايل إلى هناك مع مجموعة من المتمردين الذين توجهوا إلى ميدان المعركة بحماسة كبيرة. لم أطلب الانضمام إلى المقاتلين، لكنّني أعرف أنهم كانوا

سيرفضون طلبي على أي حال. أعرف أنني لا أمتلك هذا الاستعداد، ولا أشعر بأيّ حماسة للمشاركة. لكنّني أتمنى لو كان بيتا إلى جانبي - أعني بيتا القديم - لأنه كان سيتمكن من شرح السبب الذي يجعل إطلاق النار على الناس، وأي مجموعة كانت من الناس الذين يحاولون شق طريقهم إلى خارج الجبل يبدو خطأ. هل ترجع حساسيتي الشديدة إلى ما مرّ بي من أحداثٍ في الماضي؟ ألسنا في حرب؟ أليست هذه طريقة أخرى لقتل أعدائنا؟

حلّ الليل بسرعة، وأُضيئت مصابيح كبيرة وساطعة حيث غمرت الباحة بأنوارها. أعتقد أن كل مصباح داخل محطة القطارات يسطع كذلك بأقصى قدرته الكهربائية. تمكنت، وبوضوح، من خلال موقعي المقابل للباحة من رؤية الواجهة الزجاجية لذلك المبنى الضيّق والطويل. كان من المستحيل ملاحظة عدم وصول أحد القطارات، أو حتى مجرد شخصٍ واحد. مرّت الساعات من دون أن يأتي أحد. صعُب عليّ مع مرور كل دقيقة أن أتخيّل إمكانية نجاة أي شخص من ذلك الهجوم الذي شُنَّ على حبة البندق.

جاءت كريسيدا بعد حلول منتصف الليل كي تثبّت ميكروفوناً خاصاً بثيابي. سألتها: «بمَ سيفيد هذا الميكروفون؟».

تدخل صوت هايميتش مفسّراً: «أعلم أن فكرة هذا الميكروفون لن تعجبك، لكننا نحتاج إليك لتلقي خطاباً».

شعرت بنوعٍ من الاضطراب، وسألته: «ألقي خطاباً؟».

أراد طمأنتي فقال: «سألقّنك إياه سطراً تلو الآخر، وهكذا يكون كل ما عليك فعله هو ترديد ما أقوله لك. اسمعي، لا يبدو أن ذلك الجبل يحتوي على أي علامة من علامات الحياة. ربحنا الحرب، لكن القتال مستمر. فكّرنا في إمكانية وقوفك فوق درج مبنى قصر العدل وإلقائك الخطاب، أي

أن تُبلغي الجميع أن حبة البندق قد تعرضت للهزيمة، وأن تواجد الكابيتول في المقاطعة 2 قد انتهى. يُحتمل عند ذلك أن تكوني قادرة على إقناع من تبقى من قواتهم بالاستسلام».

نظرت إلى العتمة خلف الباحة، وقلت له: «لا يمكنني حتى رؤية قواتهم».

قال لي: «هذا هو عمل الميكروفون. ستقومين بإلقاء الخطاب، وهكذا سينتقل صوتك من خلال نظامهم الصوتي الاحتياطي، كما أن صورتك ستظهر في كل مكان تتواجد فيه الشاشات».

أعرف بوجود عدة شاشاتٍ ضخمة هنا في الباحة، وذلك لأنه سبق لي أن رأيتها في أثناء جولة النصر التي قمت بها. يُحتمل أن تنجح هذه الطريقة إذا أحسنت القيام بهذا النوع من الأعمال. لكنّني أعرف أنني لست ماهرة فيها. حاولوا تلقيني الأسطر في تلك التجارب الأولية، لكن ذلك كان فشلاً ذريعاً.

قال هايميتش أخيراً: «يمكنك إنقاذ حياة الكثيرين».

قلت له: «حسناً، سأحاول».

كان وقوفي في أعلى الدرج وأنا أرتدي الزيّ الرسمي الكامل غريباً وسط الأضواء الساطعة، ولا سيّما من دون أن أتمكن من رؤية جمهور يسمعني في أثناء إلقاء خطابي. بدا الأمر وكأنني أقدم عرضاً أمام القمر.

قال هايميتش: «دعينا نُنهي الأمرَ بسرعة. أنتِ مكشوفة جداً».

أشار إليّ فريق التصوير التلفزيوني الذي يتمركز في الباحة ويرافقني بأنه جاهز. أبلغت هايميتش بأنه يستطيع أن يبدأ، ثم ضغطتُ على زرٍّ في الميكروفون، وأصغيت إليه بعناية وهو يلقنني السطر الأول من الخطاب. أضاءت فور بدئي بإلقاء الخطاب صورة كبيرة لي على إحدى الشاشات الكبيرة المطلة على الساحة. «يا شعب المقاطعة 2، هذه كاتنيس إيفردين

تتحدث إليكم من فوق درج مبنى قصر العدل في مقاطعتكم، وحيث...».

زعقت أصوات قطارين دخلا لتوهما محطة القطارات جنباً إلى جنب. فُتحت الأبواب ليخرج منها ركابها مصحوبين بسحابةٍ من الدخان الذي جلبوه معهم من حبة البندق. أعتقد أنهم حصلوا على تلميحٍ لما يمكن أن يكون في انتظارهم في الباحة، وذلك لأنني رأيتهم وهم يحاولون التصرف بحذرٍ شديد. تمدد معظمهم على الأرض، وما لبثت رشقات الرصاص داخل المحطة أن أوقفت عمل المصابيح. جاءوا مسلّحين كما توقع غايل، لكنهم أتوا وهم جرحى. أمكنني سماع أنينهم وسط هواء الليل الساكن.

عتّم أحدهم الدرج الذي أقف عليه بأن أوقف عمل المصابيح، وهكذا أصبحت تحت حماية الظلال. شبّ حريق داخل المحطة - لا بد من أن الحريق قد شبّ في أحد القطارين - كما تصاعدت سحابة كثيفة من الدخان، ودخلت من خلال النوافذ. لم يبقَ هناك من خيار أمام الركاب غير الخروج إلى الباحة بسبب شعورهم بالاختناق، لكنهم أصروا على التلويح ببنادقهم تحدياً. جالت عيناي على السطوح التي تحيط بالباحة. اشتمل كل سطحٍ من هذه السطوح على مراكز البنادق الرشاشة التي يشغلها المتمردون. لمع ضوء القمر وانعكس على سبطانات البنادق التي جرى تشحيمها حديثاً.

خرج أحد الشبان مترنحاً من المحطة. ضغط بإحدى يديه بقطعة قماشٍ مليئة بالدماء على خدّه، بينما حمل بندقية بيده الأخرى. تعثر الشاب في طريقه فسقط على وجهه، وهكذا تمكنت من رؤية علامات الحرق الظاهرة على القسم الخلفي لقميصه، كما رأيت تحتها لحم جسده الأحمر. تحوّل الشاب فجأة إلى ضحية محروقة أخرى من ضحايا المناجم.

انطلقت قدماي بسرعة البرق نزولاً على الدرج عندما توجّهت نحوه

راكضة. صرخت بالثوار: «توقفوا! أوقفوا نيرانكم!». ترددت الكلمات حول الباحة وخلفها بينما كان الميكروفون يضخّم صوتي. «توقفوا!». اقتربت من ذلك الشاب وانحنيت كي أساعده، لكنه أجبر نفسه على الجثوّ على ركبتيه مصوباً بندقيته نحو رأسي.

تراجعت خطوات عدة إلى الوراء، ورفعت قوسي فوق رأسي كي أُظهر للشاب أن نيّتي تجاهه كانت سليمة. لاحظت بعد إمساكه البندقية بكلتا يديه تلك الفجوة البشعة في خدّه، وهي الفجوة التي يبدو أن شيئاً ما قد أحدثها، وربما كان هذا الشيء حجراً تسبّب في إحداث الثقب في خدّه. فاحت منه رائحة أشياء محترقة، مثل الشعر واللحم والوقود. عكست عيناه نظرة مليئة بالألم والخوف.

همس صوت هايميتش في أذني: «اجمدي». نفذت أمره، وأدركت أن المقاطعة 2 بكاملها - وربما بانيم بكاملها - تشاهد ما يجري في هذه اللحظة. وقع الطائر المقلّد تحت رحمة رجل لا يمتلك شيئاً ليخسره.

لم أتمكن من فهم حديث الشاب المشوّش إلا بصعوبة: «أعطيني سبباً واحداً يمنعني من إطلاق النار عليك».

تلاشى من حولي العالم بأكمله. وبقيت وحدي وأنا أنظر إلى تينك العينين البائستين لرجلٍ قادم من حبة البندق، والذي يطالبني بسبب واحد. يتعيّن عليّ، بالتأكيد، أن أكون قادرةً على الإتيان بألف سببٍ وسبب. لكن الكلمتين الوحيدتين اللتين تمكنتا من الخروج من بين شفتيّ كانتا: «لا أستطيع».

كان الشيء التالي الذي يجب أن يحدث بحسب المنطق هو قيام الشاب بالضغط على الزناد. لكنه وقف حائراً في محاولةٍ منه فهم ما قلته. أحسست بالارتباك عندما أدركت أن ما قلته صحيح تماماً، كما أن الدافع النبيل الذي دفعني إلى عبور الساحة قد اختفى ليحلّ اليأس مكانه. «لا

أستطيع. هذه هي المشكلة، أليس كذلك؟». أخفضت قوسي وتابعت كلامي: «قمنا بتفجير منجمكم، أما أنتم فقد أحرقتم مقاطعتنا حتّى سوّيت أرضاً. إننا نمتلك كل الأسباب التي تدفعنا إلى قتل بعضنا. يمكنك أن تفعل هذا كي تجعل الكابيتول سعيدة. أما أنا، فقد تعبت من قتل عبيدها». رميت قوسي على الأرض ودفعته بحذائي. انزلق القوس فوق الأحجار لينتهي أمام ركبتيه.

تمتم الرجل: «إنني لست عبداً من عبيدها».

قلت له: «إنني كذلك. هذا هو السبب الذي جعلني أقتل كاتو... والذي جعله يقتل ثريش... الذي قتل كلوف بدوره... وهي التي حاولت قتلي. تستمر الحلقة بالدوران هكذا، ومن يربح في النهاية؟ إننا لا نربح، وكذلك المقاطعات لا تربح، بل إن الكابيتول هي التي تربح على الدوام. لكنّني تعبت من كوني حجراً في مبارياتها».

بيتا. تذكرته عندما كنا على السطح في الليلة التي سبقت مباراتنا الأولى. فَهِمَ الأمر كله حتى قبل أن نضع أقدامنا في الميدان. آمل أنه يشاهدني في هذه اللحظة، وأن يتذكر تلك الليلة، فربما يسامحني عندما أموت.

قال لي هايميتش بإصرار: «استمري بالكلام. أخبريهم عن مشاهدتك الجبل عند انهياره».

«عندما شاهدت الجبل وهو ينهار هذه الليلة رحت أفكّر... لقد فعلوها مجدداً. أرادوا أن أقتلكم أنتم سكان المقاطعات. لكن، لماذا أفعل ذلك؟ لا تنشغل المقاطعة 12 والمقاطعة 2 بأي حربٍ غير تلك التي فرضتها الكابيتول علينا». رمقني الشاب بنظرة تدل على عدم فهمه ما يجري. جثوت على ركبتيّ أمامه، وكان صوتي منخفضاً ويائساً وأنا أسأله: «لماذا تحارب الثوار على السطوح؟ أليست لايم هي المنتصرة عن مقاطعتك؟ ولماذا

229

تحارب جيرانك، وحتى أفراد أسرتك ربما؟».

قال الرجل: «لا أعرف». لكنه رفض إزاحة بندقيته التي كانت مصوّبة نحوي.

نهضت واستدرت ببطء وبشكلٍ دائري، ثم رحت أخاطب مراكز البنادق الرشاشة: «أما أنتم الذين تقبعون هناك في الأعالي، فإنني أقول لكم إنني أتيت من مدينة تحتوي على مناجم الفحم. أريد أن أسألكم، منذ متى يحكم عمال المناجم على عمالٍ آخرين بالموت هكذا، ثم يتربصون بهم لقتل أي شخصٍ قد يتمكن من الخروج من وسط الركام؟».

قال هايميتش هامساً: «ومن هو العدو؟».

«هؤلاء الناس...»، أشرت إلى الجثث المنتشرة في الساحة وتابعت: «ليسوا أعداءكم!». استدرت نحو محطة القطارات وقلت: «إن الثوار ليسوا أعداءكم! إنّ عدوّنا جميعاً واحدٌ؛ وهو الكابيتول! إن هذه فرصتنا لإنهاء سلطتها، لكننا نحتاج إلى كل شخصٍ من سكان المقاطعات كي نفعل هذا!».

تركزت الكاميرات عليّ بشدة عندما مددت يديّ نحو الرجل، ونحو الجرحى، ونحو المتمردين في كل أنحاء بانيم. «أرجوكم! انضموا إلينا!».

ترددت أصداء كلماتي هذه في الأجواء. نظرت إلى الشاشة، وتمنيت أن تتولى الكاميرات تسجيل موجة من موجات التصالح التي انطلقت بين الحشود.

لكنني رأيت نفسي، بدلاً من ذلك، أتعرض لإطلاق النار على شاشة التلفزيون.

الفصل السادس عشر

«دائماً».

همس لي بيتا، وسط الحالة الضبابية الناتجة عن المورفلنغ، تلك الكلمة فانطلقتُ باحثةً عنه. كان عالماً ضبابياً مصبوغاً باللون البنفسجي، ويفتقد إلى حواف صلبة، لكن فيه أماكن عديدة يمكن للمرء الاختباء فيها. اندفعت وسط عالمٍ متواصلٍ من الغمام، وتبعت مسارات باهتة، وأنا أشمّ رائحة القرفة ورائحة عطرية أخرى. أحسست مرة واحدة بيده على خدي. حاولت الإمساك بها، لكنها تلاشت وكأنني أحاول أن أمسك قبضة من الضباب بين أصابعي.

تذكرت عندما طفوت أخيراً فوق مستشفى معقّم في المقاطعة 13. كنت تحت تأثير شرابٍ منوّم. جُرح كعب قدمي بعد أن تسلقت فرع شجرة يمتد من فوق السياج المكهرب، لأعود إلى المقاطعة 12. وضعني بيتا يومها على السرير، حيث طلبتُ منه البقاء معي في أثناء فقداني الوعي. همس في أذني شيئاً لم أتمكن من سماعه، لكن جزءاً ما من دماغي تمكّن من التقاط الكلمة التي شكّلت الردّ الوحيد، وسمح لها بمرافقتي في أحلامي كي تعذبني الآن: «دائماً».

يخدّر المورفلنغ كل العواطف. وهكذا، بدلاً من أن أشعر بوخزة من الأسى لم أشعر إلا بالفراغ. شاهدت خواءً حيث كانت الورود تتفتح. شعرت بالأسف لأنه لم يبقَ ما يكفي من المخدّر في شراييني لأتمكن من تجاهل الألم الذي يجتاح الجهة اليسرى من جسمي. كان ذلك المكان هو الذي أصابته الرصاصة. تحسَّسَت يداي الضمادات السميكة التي تغلف أضلعي، ورحت أتساءل عما عساي أفعله في هذا المكان.

لم يكن هو، أي ذلك الرجل الذي جثا أمامي في الباحة، والذي خرج محترقاً من حبة البندق من ضغط على الزناد، بل كان شخصاً يقف خلف حشود الناس. كان شعوري في تلك اللحظة هو أنني تلقيت ضربة بمطرقة ثقيلة أكثر من إحساسي برصاصةٍ مخترقة. كان كل ما جرى بعد تلك اللحظة مشوشاً بالغموض الذي ترافق مع أصوات الرصاص. حاولت أن أجلس، لكن الشيء الوحيد الذي تمكنت من فعله هو الأنين.

انزاحت الستارة البيضاء التي تفصل سريري عن سرير المريض الآخر. رأيت جوانا مايسون وهي تحدّق إليّ، وشعرت في البداية بأنني مهددة لأنها هاجمتني في الميدان. واضطررت إلى تذكير نفسي بأنها فعلت ذلك كي تنقذ حياتي. كانت تلك الخطوة جزءاً من خطة الثوار. لكن ذلك لا يعني أنها لا تحتقرني. أيُحتمل أن معاملتها لي على ذلك الشكل كانت مجرد خداعٍ للكابيتول؟

قلت بصوتٍ ضعيف: «أنا حيّة».

سارت جوانا نحوي وتهالكت على سريري، وهو الأمر الذي تسبب بوخزات من الألم الذي اخترق صدري. قالت لي: «بكل تأكيد أيتها الحمقاء». ضحكت بسبب الانزعاج الذي أشعر به فأدركت على الفور أننا لسنا على وشك الالتقاء في مشهد عاطفي. «ألا تزالين غاضبة؟» انتزعت بيدها الخبيرة حقنة المورفلنغ من ذراعي وأدخلتها في مقبس ملصق في ذراعها وقالت: «بدأوا بتقليص الكمية المخصصة لي منذ أيامٍ قليلة. إنني أخشى التحوّل إلى إحدى مهووسات المقاطعة 6. اضطررت إلى الاستدانة من حصتك أنت عندما سمحت الظروف. لا أعتقد أنك ستمانعين».

أمانع؟ كيف أمانع بعد أن كادت تموت من فرط التعذيب على يد سنو بعد المباريات الربعية؟ لا أمتلك حق الممانعة، وهي تعرف ذلك.

تأوهت جوانا عندما دخل المورفلنغ مجرى دمها.

«يُحتمل أنهم كانوا يحضّرون شيئاً ما في المقاطعة 6. لا أعتقد أن تخديرك، ورسم أزهار على جسدك كانا بمثابة حياة سيئة. بدا الناس هناك أسعد حالاً منا جميعاً».

استعادت جوانا بعض وزنها في الأسابيع التي تلت مغادرتي المقاطعة 13. نمت طبقة من الشعر الجديد في رأسها الحليق، وهو الأمر الذي ساعد على إخفاء بعض الكدمات. لكن، إذا كانت تأخذ بعض المورفلنغ المخصّص لي، فمعنى ذلك أنها لا تزال تناضل.

«إنهم يحضرون هذا الطبيب كل يوم تقريباً. يُفترض به أن يساعدني على الشفاء. يبدو وكأنه رجل أمضى كامل حياته في جحر الأرانب هذا. إنه أحمق بكل معنى الكلمة، وهو يذكرني عشرين مرة على الأقل في كل جلسة علاج بأنني آمنة بالكامل». تمكنت من رسم ابتسامة على شفتيّ. إن قول هذا الشيء أمر يتسم بالغباء، وعلى الأخص أمام منتصر في مباريات الجوع. يبدو الأمر وكأن هذا الوضع كان له وجود في الماضي في أي مكان، وبالنسبة إلى أي شخص. «ماذا بشأنك أنت أيها الطائر المقلّد؟ هل تشعرين بالأمان التام؟».

قلت: «أوه! أجل، كان هذا صحيحاً حتى لحظة إطلاق النار عليّ».

قالت لي: «أرجوكِ. لم تلمسك تلك الرصاصة قطّ. اهتمّ سينّا بهذا الأمر».

فكّرت في طبقات الدرع المخصّصة لي والتي تؤمن الحماية التي يشتمل عليها زيّ الطائر المقلّد الذي أرتديه. لكن الألم الذي أشعر به جاء من مكانٍ آخر. «أتعنين بأنني أعاني كسوراً في أضلاعي؟».

«ولا حتى هذا. أصبتِ بكدماتٍ كثيرة. أدت الصدمة إلى تمزيق طحالك. إنهم عاجزون عن إصلاحه». حرّكت يدها في إشارة تنم عن عدم اكتراث وتابعت: «لا تقلقي، فأنت لا تحتاجين إلى طحال. أما إذا احتجتِ

إلى طحال، فسيجدون لك واحداً، أليس كذلك؟ إن إبقاءك على قيد الحياة مهمة الجميع».

سألتها: «هل تكرهينني لهذا السبب؟».

قالت معترفة: «هذا صحيح جزئياً. يشتمل شعوري تجاهك على الغيرة بالتأكيد. أعتقد كذلك أن التغلب عليكِ أمر صعبٌ بعض الشيء، لا سيّما بعد روايتك الرومانسية الرخيصة، وظهورك بمظهر المدافع عن المستضعفين. لكنّني أعرف أن ذلك ليس تمثيلاً، وهو الأمر الذي يزيد من صعوبة تحمّلك. يمكنك أن تعتبري ذلك موقفاً شخصياً».

قلت لها: «كان يجدر بك أن تكوني الطائر المقلّد لأنك لا تحتاجين إلى أحد ليلقنك ما تقولينه».

قالت لي: «هذا صحيح، لكنّني غير محبوبة من الجميع».

قلت كي أذكّرها: «ومع ذلك وثقوا بك للمشاركة في مهمة إخراجي، كما أنهم يخشونك».

«يُحتمل أن هذا الأمر صحيح هنا، أما في الكابيتول، فأنتِ الآن الشخص الذي يخافون منه». ظهر غايل عند المدخل في هذه اللحظة، وما لبثت جوانا، وبكل تأنٍّ، أن نزعت حقنة المورفلنغ من يدها وأعادت تثبيتها في يدي، وقالت بكل ثقة: «إن قريبك لا يخاف مني». نزلت عن سريري، وسارت نحو الباب وما لبثت أن لامست فخذ غايل بردفها عندما مرّت قربه وسألته: «هل تخاف مني أيها الشاب الرائع؟». أمكننا سماع ضحكتها وهي تختفي مبتعدةً في القاعة.

رفعت حاجبيّ عندما أمسك بيدي فأجابني: «إنني مرتعب منك». ضحكت، لكنّني ما لبثت أن جفلت قليلاً. «اهدئي». مسّد وجهي براحة يده بينما كان الألم يتلاشى. «عليك التوقف عن إقحام نفسك في المتاعب».

أجبت: «أعرف ذلك، لكن شخصاً فجّر جبلاً».

توقعت أن يتراجع قليلاً إلا أنه اقترب مني أكثر، وراح يتفحص وجهي ثم سألني: «أتظنين أن قلبي يخلو من الرحمة؟».

قلت: «أعرف أنك لستَ كذلك، لكنّني لا أريد أن اعترف بذلك».

تراجع بسرعة في هذا الوقت: «ما الفرق يا كاتنيس بين سحق عدونا في منجم، أو رميه من السماء بأحد سهام بيتي؟ تبقى النتيجة هي ذاتها».

قلت: «لا أعرف. تعرضنا لهجومٍ في المقاطعة 8 لسببٍ واحد، وهو تعرّض المستشفى للهجوم».

قال لي: «أجل، كما أن تلك الحوّامات انطلقت من المقاطعة 2. والآن، تمكنا من منع وقوع هجمات أخرى عندما هاجمناها هنا».

قلت: «لكن طريقة التفكير هذه... يُمكن أن تتحوّل إلى حجةٍ تسمح لك بقتل أي شخصٍ، وفي أي وقت. يُمكن لهذا النهج أيضاً تبرير إرسال الأولاد إلى مباريات الجوع من أجل منع المقاطعات الأخرى من تجاوز حدودها».

قال لي: «لم أقتنع بكلامك هذا».

أجبت: «لكنّني مقتنعة به. وأعتقد أن هذا عائد إلى نتيجة تواجدي في الميدان».

قال: «حسناً. تأكدت الآن من أننا نعرف كيف نختلف، وأعتقد أن الحال كانت هكذا على الدوام في ما بيننا. أقول لك، بيني وبينك، إنّنا تمكنا الآن من إخضاع المقاطعة 2».

«حقاً؟». اخترقني للحظة شعور بالانتصار، لكنّني فكّرت بعد ذلك في أولئك الناس في الباحة فسألته: «هل حدث قتال بعد إطلاق النار عليّ؟».

قال لي: «لم يحدث قتال كبير. ثار عمال حبة البندق على جنود الكابيتول. اكتفى الثوار بمراقبة ما يجري. واكتفت البلاد بأكملها بمراقبة ما يجري في واقع الأمر».

قلت له: «حسناً. هذا أفضل ما يمكنهم فعله».

يعتقد المرء أن خسارته عضواً مهمًّا من أعضاء جسمه تؤهله لملازمة فراشه أسابيع عدة، لكن أطبائي أرادوا مني أن أنهض وأتحرك على الفور تقريباً. لازمني الشعور بالألم لأيامٍ قليلة حتى مع وجود المورفلنغ إلا أنه تلاشى تماماً بعد ذلك. لكن الكدمات التي أصابت أضلاعي استمرت لفترة ما. بدأت بالاستياء من مشاركة جوانا لي حصتي من المورفلنغ، لكنّني سمحت لها بأخذ الكمية التي تريدها منه.

سرت شائعة موتي في المقاطعة، ولذلك أرسلوا فريقاً لتصويري وأنا مستلقية على سريري في المستشفى. عرضتُ الدرزات والخدوش الكبيرة أمام الكاميرا، كما هنّأت المقاطعات على معركتها الناجحة من أجل الوحدة، وأصدرتُ بعد ذلك تحذيراً للكابيتول بأن تتوقع وجودنا فيها قريباً.

قمت بجولات قصيرة بشكلٍ يومي كجزءٍ من برنامج شفائي. انضمّ إليّ بلوتارك ذات مساء وزوّدني بآخر التطورات عن أوضاعنا الراهنة. أعطى تحالف المقاطعة 2 معنا متنفساً للثوار من الحرب، وسمح لهم بإعادة التنظيم. استفاد المتمردون من هذه الفرصة من أجل تعزيز خطوط تموينهم، والاهتمام بالجرحى وإعادة تنظيم جنودهم. وجدت الكابيتول نفسها في وضعٍ يماثل وضع المقاطعة 13 في الأيام المظلمة، أي أنها حُرمت من المساعدات الخارجية بينما احتفظت بقدرتها على تهديد أعدائها بهجومٍ نووي. لكن الفرق كان أنه، وبخلاف المقاطعة 13، لم تكن الكابيتول في وضعٍ يمكّنها من إعادة تكوين نفسها حيث تصبح مكتفية ذاتياً.

قال بلوتارك: «أوه! يُمكن للمدينة أن تدبّر أمورها لفترة من الوقت، لأنني متأكد من وجود احتياطات غذائية مخصصة للطوارئ. لكن الفرق المهم بين المقاطعة 13 والكابيتول يكمن في توقعات السكان. تعوّدت المقاطعة 13 على الصعوبات المعيشية، بينما كان كل ما عرفه سكان

الكابيتول هو الخبز والساحات Panem et Circenses».

«وماذا يعني ذلك؟». فهمت كلمة بانيم (الخبز) بطبيعة الحال، لكنّني لم أفهم الكلمة الأخرى.

قال شارحاً: «إنه مثلٌ يعود إلى ألف سنةٍ مضت، وهو مكتوب بلغةٍ تدعى اللاتينية، وتحدث عن مكانٍ يدعى روما. تعني عبارة Panem et Circenses الخبز والساحات. قال صاحب المثل ذلك دلالة على أنه مقابل البطون المليئة ولهو الناس فقد تخلوا عن مسؤولياتهم السياسية، أي أنهم تخلوا عن سلطاتهم».

فكّرت في الكابيتول، وفي فائض الطعام الذي يتمتعون به هناك. فكّرت في مباريات الجوع وقلت: «وما الهدف من وجود المقاطعات غير توفير الخبز واللهو للناس؟».

قال بلوتارك: «أجل. وما دامت الكابيتول قادرة على توفير هذين العنصرين للناس، فإنها ستحتفظ بسيطرتها على مملكتها الصغيرة. أما الآن، فإن الكابيتول تعجز عن توفير أي منهما، وعلى الأقل ليس بالمستوى الذي اعتاد الناس عليه. إننا نمتلك الطعام، كما أنني على وشك تنظيم شريط ترفيهي، وأنا متأكد من أنه سيحظى بشعبية كبيرة. فأنا أعرف أن الناس يحبّون مشاهدة حفلات الأعراس».

جمدت في مكاني وشعرت بالاستياء تجاه ما يوحيه كلامه. أعتقد أنه يقصد إقامة زفافٍ زائفٍ بيني وبين بيتا. لم أفقد منذ عودتي كراهيتي لذلك الزجاج الذي يسمح بالرؤية باتجاهٍ واحد، لكنني طلبت من هايميتش أن يزوّدني من وقتٍ إلى آخر بآخر أخبار وضع بيتا الصحّي. لم يخبرني هايميتش الكثير، لكنني علمت أن تقنيات عدة قد استُخدمت لشفائه، وها هم الآن يريدون أن أتزوج بيتا من أجل شريطٍ ترفيهي.

سارع بلوتارك إلى طمأنتي قائلاً: «أوه! كلا يا كاتنيس. أنا لا أتحدث

237

عن زفافك أنتِ، بل عن زفاف فينيك وآني. إن كل ما عليكِ فعله هو أن تحضري وتتظاهري بأنك سعيدة لأجلهما».

قلت له: «هذا أحد الأمور القليلة التي لا أرى نفسي مضطرة إلى التظاهر فيها يا بلوتارك».

شهدت الأيام القليلة التالية حركة ناشطة بحسب ما تقتضيه الخطة المرسومة. اتضحت أمامي الآن، وبسبب هذه المناسبة، الفوارق الكبيرة بين الكابيتول والمقاطعة 13. يعني ذلك أنه عندما تقول كوين كلمة زفاف فإنها تعني أن يُقدم شخصان على توقيع وثيقة تخوّلهما الحصول على حجرة جديدة. أما بلوتارك فيقصد مئات المدعوين الذين يرتدون ملابس فاخرة في أثناء احتفالات تستمر ثلاثة أيام. استمتعت بمراقبتهما في أثناء مناقشتهما التفاصيل. تحتم على بلوتارك الضغط من أجل كل مدعو، وكل لحنٍ موسيقي. عارضت كوين، وبشكلٍ قاطع إقامة حفل عشاء، والحفل الترفيهي، وتقديم الشراب، فصاح بها بلوتارك: «إذاً، ما هي فائدة شريط لا يُظهر أن أحداً قد استمتع بالمناسبة؟!».

يصعب كثيراً تقييد صانع ألعاب بميزانية محددة. لكن، حتى ذلك الاحتفال الهادئ يمكنه إحداث اضطراب في المقاطعة 13 حيث يبدو أنهم لا يتمتعون بأيّ احتفالات مهما كان نوعها. تقدم كل الأطفال تقريباً عند الإعلان عن الحاجة إلى أطفال لتأدية أغنية الزفاف الشائعة في المقاطعة 4. لم يكن هناك نقص بالمتطوعين اللازمين لتحضير الزينة في هذه المناسبة، كما أن كل الحاضرين في قاعة الطعام تبادلوا الأحاديث عنها بكل حماسة.

يُحتمل أن السبب يعود إلى ما هو أكثر من الرغبة في إقامة الاحتفالات، ويُحتمل أن يكون السبب هو توقنا الشديد إلى حدوث شيء جيدٍ نتمكّن من المشاركة فيه. يفسّر هذا سبب تطوعي لاصطحاب آني إلى منزلي في المقاطعة 12، وذلك بعد أن تحمس بلوتارك كثيراً بشأن الزيّ

الذي سترتديه العروس. ترك لي سينّا في ذلك المنزل مجموعة من ملابس السهرة وضعها في خزانة كبيرة تتواجد في الطابق السفلي. أما فساتين الزفاف التي صمّمها لي، فقد أُعيدت إلى الكابيتول كلها، لكن بقيت بعض الفساتين التي ارتديتها في جولة النصر. شعرت بقدرٍ من الانزعاج من فكرة وجودي مع آني لأن كل ما أعرفه عنها هو أن فينيك يحبها، وأن الجميع يعتقدون أنها مجنونة. استنتجت في أثناء رحلتنا على متن الحوّامة أنها مضطربة أكثر مما هي مجنونة. إنها تضحك خلال أوقات غير مناسبة، أو تشرد في أثناء حديثها، وعندها تتركز تانّك العينان الخضراوان بشدة على نقطة واحدة حيث يضطر المرء إلى محاولة التفكير في الأمور التي تراها في ذلك الفراغ. تعمد آني في بعض الأحيان، ومن دون سبب واضح، إلى الضغط بيديها على أذنيها وكأنها تحاول أن تتجنب سماع صوتٍ مؤلم. حسناً، إنها غريبة بعض الشيء، لكن إذا كان فينيك يحبها، فإن ذلك يكفيني.

حصلت على إذنٍ كي يرافقني الفريق الذي يهتم بزينتي، وهذا ما يريحني من اتخاذ القرارات المتعلقة بالموضة. خيّم علينا جميعاً جوٌّ من الصمت لأن حضور سينّا كان قوياً في صفوف هذه الألبسة. جثت أوكتافيا على ركبتيها بعد ذلك، وأمسكت بطانة إحدى التنانير وفركتها على خدّيها وما لبثت أن استسلمت لدموعها، وقالت وهي تشهق: «مضى عليّ وقت طويل منذ أن رأيت شيئاً جميلاً».

كان الزفاف حدثاً مدوياً بالرغم من التحفظات المفرطة التي أبدتها كوين، أما بلوتارك فقد اعتبره مملاً. أما المدعوون الثلاثمئة المحظوظون، فقد تم انتقاؤهم من المقاطعة 13، كما ارتدى بعض اللاجئين ملابسهم العادية، واختيرت الزينة من غصون الأشجار الخريفية، بينما قدمت جوقة من الأطفال الموسيقى بمرافقة أحد العازفين الذي جلب معه آلته من المقاطعة 12. كان الحفل بسيطاً ومقتضباً بمعايير الكابيتول، لكن الأمر كان

عديم الأهمية لأنه كان من المستحيل مقارنة أي شيء مع جمال العروسين. لا يتعلق الأمر بالزينة المستعارة، فقد ارتدت آني الفستان الحريري الذي ارتديته أنا في المقاطعة 5، أما فينيك فقد ارتدى إحدى بذلات بيتا التي خضعت للتعديل، وهكذا كانت ملابسهما رائعة. كان من الصعب على المرء ألاّ ينظر إلى هذين الوجهين النضرين لشخصين كانا يعتبران هذا اليوم من بين المستحيلات. قام دالتون، وهو صاحب الماشية من المقاطعة 10، بتنظيم هذا الحفل لأنه مماثل لاحتفالات مشابهة في مقاطعته. ساهمت المقاطعة 4 في بعض الأنشطة المميزة، والتي تمثلت بشبكة حيكت من أعشابٍ طويلة حيث تمكنت من تغطية العروسين في أثناء تبادلهما قسم الإخلاص، كما مسح كل واحدٍ منهما شفة الآخر بمياهٍ مالحة. قدمت تلك المقاطعة كذلك أغنية زفافٍ قديمة تشبّه الزواج برحلة بحرية.

لا، لست مضطرة إلى التظاهر بأنني سعيدة لأجلهما.

تبادل العروسان القبلة التي أتمت الاتحاد بينهما وسط الهتافات، وشربا نخب زفافهما المصنوع من التفاح. بدأ العازف بتأدية لحنٍ جعل كل الحاضرين من المقاطعة 12 يديرون رؤوسهم. يُحتمل أن تكون المقاطعة 12 أصغر مقاطعات بانيم وأفقرها، لكننا نعرف كيف نرقص. لم يخطّط لأي شيء بشكلٍ رسمي حتى هذه اللحظة، لكن لا بد من أن بلوتارك الذي يشرف على الشريط في غرفة التحكم قد أشار بأصابعه. تقدمت غريسي سي من غايل وأمسكته بيده ثم قادته إلى وسط ساحة الرقص. توافد الناس للانضمام إليهما فشكلوا صفّين طويلين، وهكذا بدأ الرقص.

وقفت جانباً ورحت أصفّق مع الإيقاع، لكن يداً نحيلة ما لبثت أن قرصتني فوق مرفقي. رأيت جوانا تنظر إليّ عابسة وتقول: «هل ستفوتين عليك فرصة السماح لسنو أن يراك وأنت ترقصين؟». إنها على حق، فما هو الشيء الذي يعبّر عن النصر أكثر من رؤية طائر مقلّدٍ سعيد وهو يدور على

إيقاع الموسيقى؟ عثرت على بريم بين الحشد. أعطتنا أمسيات الشتاء وقتاً كافياً كي نتمرن، وهكذا أصبحنا شريكتين رائعتين. طمأنتها بشأن أضلاعي، وتقدمنا كي نأخذ مكانينا في صف الراقصين. شعرت بألمٍ في صدري، إلا أن تلك الآلام خفّت نتيجة الرضا الذي شعرت به عندما فكرت في أن سنو سيراني وأنا أرقص مع شقيقتي الصغيرة.

تسبّب الرقص بتغييرنا، كما تمكنا من تعليم ضيوف المقاطعة 13 خطوات الرقص التي نتقنها. أصررنا كذلك على سماع أغنية خاصة بالعروس والعريس. أمسك الراقصون بأيدي بعضهم كي يؤلفوا حلقة دائرية عملاقة حيث استعرضوا حركات أقدامهم. مضى زمن طويل قبل أن تشهد المقاطعة حدثاً بسيطاً، وبهيجاً، أو مسلياً كهذا. كان يمكن لهذا الحفل أن يستمر طوال الليل لولا آخر مشهد في الشريط الذي يعده بلوتارك. كان أمراً لم أسمع به من قبل، لكن قُصد به أن يكون مفاجأة.

رأيت أربعة أشخاص في أحد جوانب الغرفة وهم يجرّون عربة وُضع عليها قالب ضخم من الحلوى. تراجع معظم الضيوف كي يفسحوا في المجال لهذا الحدث النادر. اشتمل هذا القالب المذهل المزيّن على أشكال الأسماك والفقمات التي تسبح وسط الأمواج المجمدة مع القوارب بألوانها الخضراء المائلة إلى الزرقة. شققت طريقي من خلال الحشد كي أتأكد مما عرفته من النظرة الأولى. تأكدت أن هذه الأزهار المجمدة التي تعلو قالب الحلوى من صنع بيتا مثلما أنا متأكدة من أن خطوط التطريز التي تزين ثوب آني من صنع سينّا.

يُحتمل أن يبدو ذلك أمراً لا أهمية له، لكنه يحمل أهمية عظيمة بالنسبة إليّ في واقع الأمر. لكن الشاب الذي رأيته آخر مرة، والذي كان يصرخ بشدة محاولاً التفلت من قيوده، لن يتمكن أبداً من صنع كل هذه الأشياء. أعرف أنه يفتقد إلى التركيز وثبات اليدين اللازمين لتصميم شيء

بهذه الدقة من أجل فينيك وآني. لاحظت أن هايميتش يقف إلى جانبي وكأنه كان يتوقع رد فعلي.

قال لي: «أريد أن أتحدث إليك».

سألته بعد أن ابتعدنا عن كاميرات التصوير ووصلنا إلى القاعة: «ماذا يحدث له؟».

هزّ هايميتش رأسه وأجاب: «لا أعرف، ولا أحد منا يعرف ما يحدث له. يبدو عقلانياً تقريباً في بعض الأحيان ثم يتغيّر على حين غرة ومن دون سبب. كان تكليفه بصنع قالب الحلوى جزءاً من علاجه. ولقد عمل على صنعه لمدة أيامٍ عدة. يظن المرء عندما يراقبه... أنه عاد إلى وضعه الطبيعي تقريباً».

سألته: «إذاً، هل تمكّن من التجوّل بحرية؟». جعلتني هذه الفكرة متوترة بشأن خمسة مستويات مختلفة.

قال هايميتش: «أوه! كلا، قام بتجميد كل هذه الأشكال تحت رقابةٍ مشددة. إنه لا يزال قيد الاحتجاز، لكنّني تحدثت إليه».

سألته: «هل تحدثت إليه وجهاً لوجه؟ ألم يجنّ جنونه؟».

«كلا، لكنه كان غاضباً مني جداً لأنني لم أخبره عن خطة المتمردين، وما شابه ذلك من أمور». توقف هايميتش للحظة وكأنه يقرر شيئاً. ثم قال: «قال إنه يود أن يراكِ».

شعرت بأنني على متن قارب متجمد وسط أمواج تتقاذفني بينما يتحرك القارب من تحتي. ضغطت براحتَي يديَّ على الجدار وأنا أحاول تثبيت نفسي. لم يكن هذا جزءاً من الخطة. تمكّنت من شطب بيتا من مخيلتي في المقاطعة 2. ويتعيّن عليّ بعد ذلك الذهاب إلى الكابيتول كي أقتل سنو وأغادر المقاطعة. كانت الطلقة التي تلقيتها بمثابة نكسة مؤقتة. ولم يكن يُفترض بي سماع عبارة إنه يود أن يراكِ.

وقفت في منتصف الليل خارج باب حجرته. اضطررنا إلى انتظار انتهاء بلوتارك من إعداد شريط الزفاف، وهو الشريط الذي سرّ به بالرغم من خلوّه من الإبهار. «إن أفضل ما ترافق مع تجاهل الكابيتول للمقاطعة 12 هو امتلاككم قدراً معيّناً من العفوية. سيحب الجمهور هذا الشريط، أي كما حدث عندما أعلن بيتا أنه واقع في حبك، أو عندما قمتِ بخدعة التوت البري. يصلح هذا الشريط للعرض التلفزيوني».

كنت أتمنى لو أنني ألتقي بيتا بمفردي، لكنّني اكتشفت أن جماعة من الأطباء قد تجمهرت وراء الزجاج الذي يسمح بالرؤية في اتجاهٍ واحد. كانوا يحملون ألواح الكتابة وأقلامهم وهم مستعدون. فتحت الباب ببطء عندما أعطاني هايميتش الإذن بالدخول من خلال سماعة أذني.

تسمرَت تانّك العينان الزرقاوان عليّ على الفور. لاحظت أن كلاًّ من ذراعيه مقيدة بثلاثة قيود، كما رأيت أنبوباً يضخّ دواءً مهدئاً في حال فقدانه السيطرة على نفسه. لم يقاوم من أجل تحرير نفسه، لكنه راقبني بنظرة حذرة تصدر عن شخصٍ لم يستبعد وجود مسخ على بعد ياردة واحدة من سريره. لم أكن بحاجة إلى استخدام يديّ، ولهذا وضعتهما بشكلٍ متقاطع فوق أضلاعي لحمايتها قبل أن أتكلم: «مرحباً».

ردّ عليّ بالقول: «مرحباً». كان صوته هو، أو أقرب ما يكون إلى صوته، فيما عدا وجود شيء غريبٍ فيه. كان ذلك الشيء الغريب مسحةً من الشك والتأنيب.

قلت: «قال لي هايميتش إنك تود التحدث إليّ».

«أردت أن أنظر إليك قبل أي شيء». خيّل إليّ أنه ينتظر أن أتحوّل إلى ذئبٍ هجين يتحدث أمام عينيه. حدّق إليّ طويلاً حيث اضطررت إلى النظر إلى الزجاج الذي يسمح بالرؤية باتجاهٍ واحد خلسة، وتمنيت أن أتلقى توجيهاً ما من هايميتش، لكن سماعة أذني ظلّت صامتة. «لستِ ضخمة

جداً، أليس كذلك؟ أو جميلة بشكلٍ خاص؟».

أعرف أنه تعرّض لضغوطاتٍ كبيرة، أو كأنه دخل الجحيم وعاد منه، لكن ملاحظته هذه أخذتني إلى مكانٍ آخر فقلت له: «حسناً، تبدو بحالٍ أفضل».

تلاشت نصيحة هايميتش لي بالتراجع بسبب ضحكة بيتا الذي قال: «حتى إنك لا تبدين لطيفة أبداً وأنت تقولين لي هذا بعد كل ما مررت به».

«أجل. مررنا بمتاعب كثيرة. أنت الشخص الذي عُرف بلطفه، وليس أنا». إنني أقوم بكل شيء بطريقة غير صحيحة. لا أعرف لماذا أشعر بأنني مضطرة إلى أخذ موقفٍ دفاعي. تعرّض بيتا للتعذيب، وتعرّض للاختطاف أيضاً! ما خطبي؟ فكّرت فجأة في أنني مضطرة إلى الصراخ في وجهه، لكنني لست متأكدة من السبب، ولهذا قررت مغادرة الغرفة. «اسمع، أشعر بأنني متوعكة. يُحتمل أنني سأزورك غداً».

كنت قد وصلت إلى الباب عندما أوقفني صوته: «كاتنيس. أذكر قصة رغيفَي الخبز».

الخبز. كانت تلك لحظة التواصل الحقيقي الوحيد بيننا قبل مباريات الجوع.

قلت: «هل عرضوا عليك الشريط الذي تكلمت فيه عن رغيفَي الخبز؟».

قال لي: «كلا، لكن، هل هناك شريط يُظهركِ وأنت تتكلمين عنهما؟ لماذا لم يستخدمه الكابيتول ضدي؟».

أجبته: «صوّرت الشريط يوم تنفيذ عملية إنقاذك». شعرت بأن الألم في صدري يطبق على أضلاعي مثل ملزمة. كان الرقص أمراً غير صائب. «إذاً، ماذا تتذكر؟».

قال بنعومة: «أتذكرك وأنتِ تحت المطر تفتشين في براميل نفاياتنا.

أتذكّر رغيفَي الخبز المحترقين وصفعات والدتي التي أمرتني بتقديم رغيفَي الخبز المحترقَين للحيوان المقزز، لكنني أعطيتك إيّاهما».

قلت: «حسناً. هذا ما حدث بالضبط. أردت أن أشكرك بعد انصرافنا من المدرسة في اليوم التالي، لكنني لم أعرف كيف».

«كنا خارج المدرسة في نهاية اليوم الدراسي. أردت أن ألفت انتباهك، لكنك أشحتِ بنظرك بعيداً. أعتقد بعد ذلك... ولسببٍ ما أنك تناولت نبتة هندباء». أومأت. إنه يتذكر ذلك بالفعل، مع أنني لم أتحدث في السابق عن تلك اللحظة بصوتٍ عالٍ. «لا بد من أنني أحببتك كثيراً».

شعرت بأن صوتي يكاد يختنق وقلت: «لقد أحببتني فعلاً». تظاهرت بالسعال.

سألني: «وهل أحببتِني أنت أيضاً؟».

أبقيت نظري مركزاً على بلاط الأرض وقلت: «يقول الجميع إنني فعلت ذلك، كما يقولون إنّ ذلك كان السبب الذي جعل سنو يقوم بتعذيبك، فلقد أراد تحطيمي».

قال لي: «إنني لا أعتبر هذا جواباً. حرت بما أفكر فيه عندما عرضوا عليّ بعض تلك الأشرطة. بدا الأمر في الميدان الأول وكأنك تحاولين قتلي بواسطة تلك الزنابير السامّة».

قلت: «كنت أحاول قتل كل ما فيك لأنك وضعتني في موقفٍ صعب».

سألني: «كانت هناك قبلات كثيرة في ما بعد، لكنها لم تبدُ وكأنها قبلات حقيقية من جانبكِ. هل أحببتِ تقبيلي؟».

قلت معترفةً: «في بعض الأحيان. أتعرف أن الناس يشاهدوننا الآن؟».

استأنف حديثه بالقول: «أعرف ذلك. لكن، ماذا بشأن غايل؟».

عاد إليّ الشعور بالغضب. شعرت بأنني لا أكترث بشفائه، لأن هذا الشفاء لا يهم الأشخاص الواقفين وراء الزجاج. قلت باختصار: «إن قبلاته ليست سيئة هو أيضاً».

سألني: «وهل تعتقدين أن كلينا نسمح بذلك؟ أي تقبيل شخصٍ آخر؟».

قلت له: «كلا، لم يوافق أي منكما على هذا، لكنّني لم أطلب الإذن منكما».

ضحك بيتا مجدداً. ضحك ببرودة وبطريقةٍ إنكارية ثم قال: «حسناً، يا لك من فتاة رائعة!».

لم يعترض هايميتش عندما خرجت من الغرفة ومررت به في طريقي إلى القاعة. مررت أمام مجموعةٍ من الحجرات. عثرت على أنبوب ساخن واختبأت وراءه في غرفة الغسيل. استغرقني الأمر وقتاً طويلاً كي أعرف سبب الانزعاج الذي أشعر به. لكنني شعرت بالخجل من إزاء فكرة الاعتراف به. انتهت فترة الأشهر الطويلة التي كنت متأكدةً فيها من أنّ بيتا يعتبرني مدهشة. أخيراً، أصبح قادراً على رؤيتي كما أنا: عنيفة، ولا يُمكن الوثوق بها، ومتلاعبة، ومميتة.

كرهته لأجل ذلك.

الفصل السابع عشر

الجنون. هذا ما شعرت به عندما أخبرني هايميتش بالأمر وأنا في المستشفى. ركضت مسرعة في أثناء نزولي إلى مركز القيادة، وأظنّ أن سرعتي كانت ميلاً واحداً في الدقيقة، وما لبثت أن اقتحمت اجتماعاً حربياً.

قلت للحاضرين: «ماذا تعنون بالقول إنني لست ذاهبةً إلى الكابيتول؟ يتعيّن عليّ الذهاب! أنا الطائر المقلّد!».

لم تُبعِد كوين بصرها عن شاشتها إلا بمقدارٍ ضئيل وقالت: «أنجزتِ مهمتك الأساسية، بصفتك الطائر المقلّد، في توحيد المقاطعات ضد الكابيتول. لا تقلقي لأننا سنأخذك معنا إذا سارت الأمور على ما يرام، عندما نطير إلى هناك بعد الاستسلام».

الاستسلام؟

صحت بها: «سيكون ذلك متأخراً جداً! سيفوتني كل القتال. إنكم بحاجة إليّ. إنني أفضل لقطةٍ يمكنكم الحصول عليها!». لم يكن من عادتي أن أفتخر بهذا الأمر، لكنه أقرب ما يكون إلى الواقع. «وهل سيذهب غايل إلى هناك».

قالت كوين: «اشترك غايل في كل التمارين بشكلٍ يومي إلا إذا كان مشغولاً بمهماتٍ أخرى. إننا واثقون بأنه يستطيع تدبر أمره جيداً في ميادين القتال. كم من دورات التدريب تظنين أنك اشتركتِ فيها؟».

لم أشترك بأي دورة، مطلقاً. «حسناً، كنت أذهب إلى الصيد في بعض الأحيان. تدربت كذلك مع بيتي في قسم الأسلحة الخاصة».

قال بوغز: «لا يمكننا اعتبار ذلك تدريباً يا كاتنيس، وكلنا نعرف أنك ذكية وشجاعة ورامية ماهرة. لكننا نحتاج إلى جنود في ميدان المعركة. إنك

لا تعرفين شيئاً عن تنفيذ الأوامر، كما أنك لم تصلي بعد إلى ذروة قوتك الجسدية».

أجبت: «لكن ذلك لم يكن مهماً عندما كنت في المقاطعة 8، أو حتى في المقاطعة 2».

قال بلوتارك مع نظرة تَشي بأنه على وشك أن يقول المزيد: «لم يكن مسموحاً لك أساساً الاشتراك في القتال في الحالتين».

هذا صحيح، لأن معركة الطائرات المغيرة في المقاطعة 8 وتدخلي في المقاطعة 2 كانا أمرين عفويّين، ومتسرعين، وغير مسموحٍ بهما بكل تأكيد.

قال بوغز ليذكّرني: «تسببت الحادثتان بجرحك». فجأة، رأيت نفسي من خلال عينيه. كنت فتاة في السابعة عشرة من عمرِها، بالكاد تتمكن من التقاط أنفاسها لأن أضلاعها لم تُشفَ بالكامل بعد. افتقدت تلك الفتاة إلى الأناقة، وإلى الانضباط، وإلى الشفاء التام. لم أكن جندية، بل أقرب إلى فتاة تحتاج إلى من يهتم بها.

قلت: «لكن، يتعيّن عليّ الذهاب».

سألتني كوين: «لماذا؟».

عجزت عن القول إن هدفي من الذهاب هو تنفيذ ثأري الشخصي من سنو، أو إنّ البقاء هنا في المقاطعة 13 مع آخر شكلٍ من أشكال بيتا، أي بينما يذهب غايل للقتال أمر لا يُحتمل. امتلكت أسباباً كثيرة تجعلني أرغب في المشاركة في قتال الكابيتول. «أريد الذهاب بسبب المقاطعة 12، ولأنهم دمروا مقاطعتي».

فكّرت الرئيسة في هذا لفترةٍ من الزمن. تأملتني ملياً قبل أن تقول: «حسناً، أمامك ثلاثة أسابيع، لكن يمكنك البدء بالتدريبات. إن هذه ليست بفترة طويلة. أما إذا اعتبر مجلس المهمات أنك قد أصبحت مؤهلة،

فسنستطيع مراجعة قضيتك».

هذا هو ما أريده، وأقصى ما يمكن أن أتمناه في واقع الأمر. أعتقد أنها غلطتي في الأساس. كنت أتجاهل برنامجي كل يوم إلا إذا كان يشتمل على شيء يناسبني. لم أعتبر أن التدريب يشكّل أولوية كبيرة، وكذلك الهرولة حول الميدان وأنا أحمل بندقية، وذلك بالإضافة إلى أمورٍ أخرى. إنني أدفع الآن ثمن إهمالي.

وصلت إلى المستشفى فوجدت جوانا في وضعٍ قلقٍ مشابهٍ لوضعي. أخبرتها عما قالته كوين وأضفت: «يُحتمل أنك تريدين التدرب أيضاً».

قالت جوانا: «حسناً. إذاً، سأتدرب، لكنّني سأذهب إلى الكابيتول الكريهة، حتى لو اضطررت إلى قتل الملاحين والطيران للوصول إلى هناك».

قلت لها: «أعتقد أنه من الأفضل ألاّ تتحدثي عن هذا الموضوع في أثناء التدريب، لكنّني ارتحت كثيراً لدى معرفتي بإمكانية الطيران».

ابتسمت جوانا وشعرت بتغيّرٍ طفيف، وإن كان مهماً في علاقتنا. لم أعرف أننا صديقتان في حقيقة الأمر، لكنّني أعتقد أن كلمة حليفتين هي كلمة أكثر دقّة. يناسبني هذا الوضع كثيراً لأنني سأحتاج إلى صديق.

توجهنا إلى مركز التدريب، ووصلنا عند الساعة 7:30، لكن الواقع صفعني. حُشرنا ضمن صفٍّ من المبتدئين نسبياً الذين تتراوح أعمارهم بين الأربعة عشر عاماً والخمسة عشر عاماً. بدا لي ذلك أمراً مهيناً بعض الشيء إلى أن اتضح لي أنهم في وضعٍ أفضل منا بكثير. أما غايل وبعض الآخرين الذين اختيروا للذهاب إلى الكابيتول فهم في مرحلة مختلفة ومتقدمة من التدريب. طلبوا منا بعد ذلك القيام بتمارين سويدية، وهو أمرٌ آلمني، وأمضينا بعد ذلك عدة ساعاتٍ ونحن نقوم بتمارين التقوية التي آلمتني بدورها، ثم ركضنا لمسافة خمسة أميال وهو الأمر الذي أنهكني

كثيراً. اضطررت إلى الانسحاب بعد أن ركضت مسافة ميلٍ واحد بالرغم من الإهانات التي وجّهتها إليّ جوانا كي تحثّني على الاستمرار.

شرحت الأمر للمدرّبة، وهي امرأة جدية في منتصف العمر والتي يُفترض بنا مناداتها الجندية يورك: «إنها أضلاعي التي لا تزال تؤلمني نتيجة الكدمات».

قالت لي: «حسناً، سأخبرك أيتها الجندية إيفردين أن شفاءها من تلقاء نفسها سيستغرق شهراً آخر».

هززت رأسي: «ليست لديّ مهلة شهر».

تفحصتني ملياً وقالت: «ألم يقدّم لك الأطباء أي علاج؟».

سألتها: «وهل يوجد علاج؟ قالوا لي إنها ستشفى من تلقاء نفسها».

قالت لي: «هذا ما يقولونه، لكنّني أستطيع التوصية بتسريع العلاج. أحذّرك بأن الأمر ليس مريحاً».

قلت: «أرجوك افعلي ذلك. يتعيّن عليّ الذهاب إلى الكابيتول».

لم تناقشني الجندية يورك في هذه النقطة، لكنها كتبت شيئاً على رزمة الأوراق التي تحملها، وأبلغتني بضرورة العودة إلى المستشفى. ترددت قليلاً لأنني لا أريد تفويت المزيد من التدريب. وعدتها بالقول: «سأعود عند فترة المساء». زمّت شفتيها.

تلقى قفصي الصدري بعد ذلك أربعاً وعشرين وخزة بعد أن استلقيت على سريري، وصررت على أسناني كي أمنع نفسي من التوسّل لإرجاع حقنة المورفلنغ. بقيت الحقنة إلى جانب سريري كي أستخدمها عند الحاجة. لم أستخدم هذه الحقنة في الفترة الأخيرة، لكنّني أبقيتها من أجل جوانا. أقدموا على فحص دمي كي يتأكدوا من خلوه من مضادات الألم المؤلفة من مزيج من نوعين من الأدوية: المورفلنغ ومادة أخرى تؤدي إلى شعوري بالحريق في أضلاعي. تترافق مسكنات الألم مع آثارٍ جانبية

خطرة. أوضح لي الأطباء أنني سأمرّ بعدة أيامٍ صعبة، لكنني أبلغت الأطباء أن يمضوا بعلاجهم بالرغم من ذلك.

أمضيت ليلة سيئة في غرفتنا. كان النوم أمراً غير واردٍ أبداً. أعتقد أنني تمكنت من شمّ رائحة حلقة اللحم الحارقة من حول صدري، كما أن جوانا كانت تكافح آثار الإدمان. اعتذرت لها بعد ذلك لأنني قطعت عنها حقنة المورفلنغ، لكنها لم تكترث بالأمر، وقالت لي إنّ ذلك سيحصل على أيّ حال. تعيّن عليّ عند الساعة الثالثة من بعد منتصف الليل أن أكون هدفاً لكل التأنيب الذي تختزنه المقاطعة 7. أجبرتني جوانا عند الفجر على مغادرة سريري من أجل الاشتراك في التدريبات.

قلت معترفة: «لا أعتقد أنني سأتمكن من القيام بذلك».

صاحت بي: «بل ستتمكنين من القيام بذلك، كلتانا يجب أن نفعل ذلك. إننا منتصرتان، أليس كذلك؟ تمكنا من الصمود بوجه كل شيء عرّضونا له». لاحظت أن لون بشرتها يميل إلى الخضرة الباهتة، وأنها ترتجف وكأنها ورقة في مهب الريح، فارتديتُ ثيابي على عجل.

تعيّن علينا أن نكون منتصرتين كي نستطيع الصمود خلال البرنامج الصباحي. ظننت أن جوانا ستنسحب من التدريب لأن المطر كان شديداً في الخارج. فقد صار وجهها شاحب اللون، وبدا لي أنها توقفت عن التنفس.

قلت لها: «إنه مجرد ماء، ولن يقتلنا». أطبقت فكّيها ومشت بتثاقل نحو الأرض الموحلة. بلّلنا المطر عندما بدأنا بتحريك جسدينا وركضنا حول مسار الركض. توقفت ثانية عن الركض بعد أن قطعت أول ميل، وتعيّن عليّ مقاومة الدافع الذي يحثّني على خلع قميصي من أجل إخراج الماء البارد من فوق أضلاعي. أجبرت نفسي على تناول الغداء الميداني المخصص لي والذي يتألف من سمكٍ مطحون وحساء الشمندر، أما جوانا فقد تناولت نصف محتويات طبقها قبل أن تتوقف. تعلمنا في عصر ذلك

اليوم كيفية تجميع بندقيّتينا. تمكنت أنا من تجميع بندقيتي، أما جوانا فلم تتمكن من تثبيت يديها بما يكفي لتجميع قطع بندقيتها. ساعدت جوانا قليلاً بعد أن أدارت يورك ظهرها. شهد العصر بعض التحسّن بالرغم من استمرار سقوط الأمطار لأننا أصبحنا في منطقة الرمي. تمكنت أخيراً من أن أكون ماهرةً في شيء ما. تعيّن عليّ الانتقال من العمل على القوس إلى العمل على البندقية. تمكنت عند انتهاء اليوم من إحراز أعلى علامة في صفي.

أعلنت جوانا فور دخولنا المستشفى: «ينبغي لنا أن نتوقف عن هذا، أي العيش داخل المستشفى، لأن الجميع يعتبرون أننا مريضتان».

لم تكن عندي أي مشكلة في ذلك، إذ سأتمكن من الانتقال إلى حجرة عائلتي، لكن لم تخصص حجرة لجوانا بعد. حاولت جوانا الخروج من المستشفى، لكنهم لم يسمحوا لها بالعيش بمفردها حتى ولو تعهدت بالمجيء من أجل التحدث إلى كبير الأطباء. أعتقد أنهم حسبوا الأمر بالنسبة إلى المورفلنغ فاستنتجوا أنها غير مستقرة. قلت لهم: «لن تكون بمفردها. أريد أن أسكن معها». حصل انقسام في الرأي بين الأطباء، لكن هايميتش وقف إلى جانبنا، وهكذا حصلنا على حجرة لا تبعد كثيراً عن حجرة بريم ووالدتي التي وعدت بمراقبتنا.

استحممت، أما جوانا فقد جفّفت نفسها بقطعة قماشٍ رطبة، ثم قامت بجولةٍ تفتيش سريعة للمكان. فتحَت الدُّرج الذي يحتوي على أغراضي القليلة، لكنها سارعت إلى إغلاقه وقالت: «آسفة».

فكرت في دُرج جوانا الخالي من أي شيء غير الملابس التي أعطتها إياها الحكومة. فكّرت كذلك في أنها لا تمتلك أي شيء في هذا العالم يكون ملكها وحدها فقلت لها: «لا بأس في ذلك. يمكنك أن تبحثي في أغراضي إذا أردتِ».

فتحت جوانا محفظتي الصغيرة وراحت تتفحص صور غايل، وبريم، ووالدتي. فتحت بعد ذلك تلك المظلة الفضية الصغيرة وتناولت منها أنبوب الاستقطار وتأملته بين يديها. «أشعر بالعطش بمجرد النظر إليه». وجدت بعد ذلك اللؤلؤة التي أعطاني إياها بيتا. «هل هذه...؟».

قلت: «أجل. تمكن من الحصول عليها بطريقة ما». لا أريد التحدث عن بيتا. أعرف أن إحدى أفضل حسنات التدريب هي أنه يُبعدني عن التفكير فيه».

قالت لي: «يقول هايميتش إنّه آخذٌ في التحسّن».

قلت: «يُحتمل ذلك، لكنه تغيّر».

قالت لي: «وأنتِ تغيّرتِ، وأنا أيضاً تغيرت، وكذلك فينيك وهايميتش وبيتي. لا أريد التحدث عن آني. تمكّن الميدان من تغييرنا كثيراً، ألا تظنين ذلك؟ أم أن مشاعرك لم تتغيّر عن مشاعر الفتاة التي تطوعت بدلاً عن شقيقتها؟».

أجبتها: «كلا».

«هذا هو الشيء الوحيد الذي أعتقد أن كبير أطبائنا يمتلك رأياً صائباً بشأنه. إن التراجع غير واردٍ أبداً، أي أنه من الأفضل لنا أن نرضى بالأمور كما هي». أعادت مجموعة التذكارات إلى مكانها في الدّرج بترتيب، ثم اعتلَت السرير إلى جانبي بعد أن حلّت العتمة في الغرفة وسألتني: «ألا تخافين من أن أقتلك هذه الليلة؟».

أجبتها: «تتكلمين وكأنني لن أتمكن من التغلب عليك». ضحكنا معاً بعد ذلك ثم استغرقنا في النوم لأننا كنا منهكتين، أي أن نهوضنا في اليوم التالي كان صعباً. لكننا تمكّنا من النهوض، ونهضنا كل صباح بعد ذلك. شعرت بتحسنٍ في أضلاعي بنهاية الأسبوع، إذ أصبحت وكأنها جديدة، كما استطاعت جوانا تجميع قطع بندقيتها من دون مساعدة أحد.

أومأت إلينا الجندية يورك علامة على استحسانها بعد أن أنهينا برنامج اليوم وقالت: «قمتما بعملٍ حسن أيتها الجنديتان».

تمتمت جوانا بعد أن ابتعدنا عن مجال السمع: «أعتقد أن فوزنا في المباريات كان أمراً أسهل». لكن وجهها كان طافحاً بالرضا.

شعرنا بأن معنوياتنا تكون في أعلى درجاتها عندما نتوجه إلى قاعة الطعام حيث يكون غايل في انتظارنا كي يأكل معي، كما أن مزاجي لا يتأثر أبداً عندما أتسلم حصةً كبيرة من حساء لحم البقر.

قالت لي غريسي سي: «وصلت أولى شحنات اللحم هذا الصباح. إنها لحم بقر حقيقي من المقاطعة 10، وليست لحوم كلاب برية مثل تلك التي كنت تأتين بها».

ردّ غايل بالقول: «لا أذكر أنك كنتِ ترفضينها».

انضممنا إلى مجموعة شملت ديلي، وآني، وفينيك. إن رؤية تغيّر فينيك منذ زواجه أمرٌ رائع. أما الأفكار التي كونتها عنه في البداية؛ أي فتى الكابيتول اللاهي الذي التقيته قبل المباريات الربعية، والحليف الغامض في الميدان، والشاب المصاب الذي ساعدني على التماسك، فقد اختفت كلها لتحل مكانها صورة ذلك الشاب الذي يشع بالحياة والحيوية. رأيت للمرة الأولى المزايا الرائعة لفينيك، أي المرح المتواضع والطبيعة البسيطة. لم يترك يد آني قطّ، حتى عندما كان يسيران معاً وعندما يأكلان. أشك في أنه ينوي القيام بذلك. أما آني فبدا أنها تسبح في عالم السعادة. بقيت مع ذلك لحظات تمكنا فيها من ملاحظة أمرٍ ما يومض بسرعة في دماغها، أي حين يحجبها عنا عالمٌ آخر، لكن كلمات قليلة من فينيك كانت كفيلة بإعادتها إلى عالم الواقع.

عرفت ديلي منذ أن كنت فتاة صغيرة، ولم أكن أكترث بها كثيراً، لكن تقديري لها ازداد كثيراً هذه الأيام. علمت ديلي بما قاله لي بيتا في الليلة

التي تلت حفل الزفاف، لكنها لم تكن من النوع الذي يحب الثرثرة. قال لي هايميتش إنها أصبحت أفضل مدافعة عني منذ أن هاجمني بيتا. وقال لي إنها كانت تدافع عني على الدوام، وكانت تحمّل التعذيب الذي ألحقته به الكابيتول المسؤولية عن مفاهيمه السلبية. تمتلك ديلي تأثيراً فيه يفوق تأثير كل الآخرين، وذلك لأنه يعرفها حقيقة. إنني أقدّرها على أي حال، وحتى لو كانت تبالغ في ذكر إيجابياتي، وبصراحة إنني أحتاج قليلاً إلى هذه المبالغة.

أشعر بالجوع، كما أن الحساء شهي، وهو الذي اشتمل على لحم البقر، والبطاطا، واللفت، والبصل، وكل ذلك في مرقٍ مكثّف، وهكذا وجدت صعوبة كبيرة في إبطاء سرعة تناولي للطعام. أمكننا ملاحظة الأجواء المنعشة التي خيّمت على قاعة الطعام، والتي يشعر بها المرء بعد تناوله وجبة شهية. إنها الأجواء التي تجعل الناس أكثر لطفاً، وأكثر مرحاً، وأكثر تفاؤلاً، والتي تذكّرهم بأن الاستمرار بالحياة ليس أمراً مغلوطاً. إن هذه الوجبة أفضل من أيّ دواء. أردت، لهذا السبب، إطالة فترة تناولي للطعام من أجل المشاركة في الحديث. سكبت بعض المرق على قطعة من الخبز، وبدأت بأكلها بينما كنت أستمع إلى فينيك وهو يروي لنا قصة غريبة عن سلحفاة بحرية سبحت مع قبعته. ضحكت كثيراً قبل أن أدرك أنه واقفٌ هناك في الجهة المقابلة من الطاولة. كان وراء الكرسي الخالي الذي يجاور جوانا. كان يراقبني. شعرت بأنني أكاد أختنق للحظةٍ من الزمن بينما علق المرق في بلعومي.

قالت ديلي: «بيتا! حمداً لله لأننا رأيناك خارج الغرفة... متجولاً».

وقف وراءه حارسان من ذوي البنية الضخمة. حمل صينيته بطريقة غريبة ووازنها فوق أطراف أصابعه، وذلك لأن معصميه كانا مقيّدين بسلسلةٍ قصيرة.

255

سألت جوانا: «لِمَ هذه الأساور الفاخرة؟».

قال بيتا: «لم أصبح بعد شخصاً موثوقاً به بشكلٍ تام حتى إنني لا أستطيع الجلوس هنا من دون إذنكم». أشار برأسه إلى الحارسين.

قالت جوانا وهي تربت على الكرسي الموجود بجوارها: «يستطيع بالتأكيد الجلوس هنا. إننا أصدقاء منذ زمن بعيد». أومأ الحارسان وجلس بيتا مكانه. «كنت أنا وبيتا في زنزانتين متجاورتين في الكابيتول، كما اعتدنا على صرخات بعضنا».

أما آني التي كانت جالسة في الجهة المقابلة فقد قامت بحركتها المعتادة حيث غطت أذنيها، وأبعدت نفسها عن الواقع. أحاط فينيك آني بذراعه بعد أن وجّه نظرة غاضبة نحو جوانا.

ردّت جوانا: «ماذا؟ قال لي طبيب الرأس إنه ليس من المفترض بي أن أمارس رقابة على أفكاري، كما أن ذلك جزء من العلاج».

فقدت جلستنا الصغيرة حيويتها فجأة. تمتم فينيك شيئاً في أذن آني إلى أن أزاحت يديها ببطءٍ. سادت فترة صمتٍ طويلة بينما تظاهر الحاضرون بأنهم يأكلون.

قالت ديلي بحبور: «أتعلمين يا آني أن بيتا هو الذي زيّن لك قالب الحلوى في حفل زفافك؟ كانت عائلته تدير مخبزاً في المقاطعة 12 وهو الذي قام بتزيينه بكل الأشكال المجمدة فوقه».

نظرت آني بحذر نحو جوانا: «شكراً لك يا بيتا. كان قالب الحلوى في غاية الروعة».

قال بيتا: «على الرحب والسعة يا آني». سمعت تلك النبرة اللطيفة في صوته التي ظننت أنه فقدها إلى الأبد. لا يعني ذلك أن نبرته تلك كانت موجهة إليّ، لكنها كانت ودّية مع ذلك.

قال لها فينيك: «إذا أردنا الاستمتاع في تلك النزهة، فمن الأفضل لنا

أن ننطلق الآن». وضع صينيتَي الطعام فوق بعضهما، وحملهما بإحدى يديه بينما أمسكت يده الأخرى بها بإحكام. «سررت بلقائك يا بيتا».

«كن لطيفاً معها يا فينيك وإلا فإنني قد أحاول أخذها منك». يُحتمل أن تكون هذه مجرد مزحة لو لم يكن يتحدث بجفاف. كان كل ما توحيه هذه النبرة خطأً: الشك العلني تجاه فينيك، والإيحاء بأن بيتا يهتم بآني، وأنه من المحتمل أن تقوم آني بترك فينيك، وأن تتجاهلني تماماً.

قال فينيك بخفة: «أوه يا بيتا! لا تجعلني أشعر بالأسف لأنني أعدت تشغيل قلبك». صوّب نحوي نظرة قلق قبل أن يصطحب آني بعيداً.

قالت ديلي بعد أن ابتعدا بلهجةٍ فيها شيء من التأنيب: «لقد أنقذ حياتك يا بيتا، وهو فعل ذلك أكثر من مرة».

«فعل ذلك من أجلها هي». أومأ نحوي إيماءة خجولة وتابع: «ومن أجل الثورة، وليس من أجلي أنا. إنني لا أدين له بشيء».

لم يكن من المفترض بي أن أعلق في هذا الفخ لكنني فعلت: «يُحتمل ذلك، لكن ماغز ماتت وأنت لا تزال هنا، وهكذا يجب أن يعني هذا شيئاً ما بالنسبة إليك».

«نعم، إنه يعني أشياء كثيرة، لكنه لا يزال غامضاً يا كاتنيس. إنني أمتلك ذكريات لا أجد لها تفسيراً، ولا أعتقد أن الكابيتول قد تدخلت بها، مثل ليالٍ كثيرة على متن قطار».

عاد بيتا إلى الإيحاء بأن ما حدث على متن القطار يتجاوز ما حدث فعلاً، وأن ما حدث فعلاً - أي الليالي التي احتفظت بها برشدي وفقط لأنه طوقني بذراعيه - لم يعد يهم في شيء. إنه يريد أن يقول إنّ كل شيء كان مجرد كذبة، وإن كل شيء كان طريقة تهدف إلى استغلاله.

أشار بيتا بمعلقته نحوي ونحو غايل وقال: «إذاً، أنتما رفيقان الآن بشكلٍ رسمي. أم أنكما تستمران برسم رواية العاشقَين اللذين ترعاهما

السماء؟».

قالت جوانا: «إنهما يستمران برسمها».

تشنجت يدا بيتا حيث اتخذتا شكل قبضتين. فتحهما بعد ذلك بطريقة غريبة. هل هذا كل ما يستطيع أن يفعله لإبعادهما عن عنقي؟ تمكنت من الشعور بتوتر عضلات غايل الجالس إلى جواري، وخشيت من حدوث شجار بينهما. لكن غايل اكتفى بالقول: «لم أكن لأصدّق لو لم أرَ ذلك بنفسي».

سأل بيتا: «عمَّ تتحدث؟».

أجاب غايل: «أتحدث عنك أنت».

قال بيتا: «إذاً، يتعيّن عليك أن تكون أكثر تحديداً. ما الذي تصدّقه عنّي أنا؟».

قالت جوانا: «يقولون إنهم استبدلوك بنسخةٍ ممسوخة عن نفسك».

أنهى غايل شرب الحليب وسألني: «هل أنهيت؟». نهضت ومشينا كي نسلم صينيّتي طعامنا. أوقفني رجل عجوز عند الباب لأنني كنت لا أزال أمسك بقطعة من الخبز المبتلّ بالمرق. عاملني الرجل بلطف، ولعله فعل ذلك بسبب شيء ما ظهر على ملامح وجهي، أو لأنني لم أبذل جهداً لإخفاء هذه القطعة. سمح لي الرجل بإدخال قطعة الخبز في فمي قبل أن أتابع طريقي. وصلت أنا وغايل إلى حجرتي قبل أن يكلّمني مجدداً: «لم أتوقع ذلك».

قلت: «أخبرتك أنه يكرهني».

قال معترفاً: «إنني أتحدث عن طريقة كرهه لك. إنها... مألوفة جداً. اعتدت أن أشعر هكذا في الماضي. أعني عندما شاهدتك على الشاشة وأنت تقبّلينه. شعرت بأنني لم أكن منصفاً تجاهك. أما هو فلا يشعر بذلك».

وصلنا إلى باب حجرتي: «لعله يراني على حقيقتي. إنني بحاجة إلى

258

أخذ قسطٍ من النوم».

أمسك غايل ذراعي قبل دخولي الحجرة وقال: «إذاً، هل هذا ما تفكرين فيه الآن؟» هززت كتفيّ فتابع: «صدّقيني يا كاتنيس عندما أقول لك، وبوصفي أقدم صديقٍ لديك، إنه لا يراك على حقيقتك». قبّل خدّي ومضى.

جلست على سريري، وحاولت فهم التعليمات التي تختزنها كتب التكتيكات العسكرية، لكن ذكريات الليالي التي أمضيتها مع بيتا في القطار استحوذت على تفكيري. جاءت جوانا بعد مضي نحو عشرين دقيقة وارتمت قرب سريري، وقالت لي: «فاتتك أكثر المشاهد إثارة. فقدت ديلي أعصابها مع بيتا بسبب طريقة معاملته لك، وبدأت تصرخ بحدة. بدا الأمر وكأن شخصاً ما يطعن فأرة بشوكة مراراً. نظر كل الحاضرين في القاعة إلينا لمعرفة ما يجري».

سألتها: «وماذا فعل بيتا؟».

«بدأ بالجدال مع نفسه وكأن الحديث يجري بين شخصين مختلفين، فاضطر الحارسان إلى إخراجه من القاعة. أما الأمر الرائع في الموضوع فهو أن أحداً لم يلاحظ أنني تناولت طبق المرق المخصّص له». مررت جوانا يدها فوق بطنها البارز. نظرت إلى طبقة الأوساخ المتواجدة تحت أظفارها، وتساءلت إذا كان سكان المقاطعة 7 يستحمون في يومٍ من الأيام.

أمضينا ساعات عدة ونحن نمتحن بعضنا في التعابير العسكرية. زرت والدتي وشقيقتي بعد ذلك لفترة قصيرة. واستحممت عندما عدت إلى حجرتي. سألتُ جوانا أخيراً: «هل تمكنت فعلاً من سماعه وهو يصرخ؟».

قالت لي: «كان الصراخ جزءاً من أشياء أخرى، مثل الطيور الثرثارة التي رأيناها في الميدان. لكنها كانت حقيقية، ولم تتوقف حتى بعد ساعة من الزمن. تيك، توك».

همست لها: «تيك، توك».

الـورود، الذئاب الممسوخة، المجالدون، الدلافين المجمدة، الأصدقاء، الطيور المقلّدة، فريق التزيين، أنا؛ صرخت كل هذه المخلوقات في كوابيسي هذه الليلة.

الفصل الثامن عشر

كرست نفسي للتدريب بروحٍ انتقامية. تشربت، وعشت، وتنفست التدريبات القاسية، والتمارين، والتدريبات على الأسلحة، والمحاضرات المتعلقة بالتكتيكات. نُقل عدد قليل منا إلى صفٍّ إضافي، وهو الأمر الذي أعطاني أملاً في احتمال كوني مرشحة للمشاركة في حربٍ حقيقية. أطلق الجنود على هذا الصف اسم البلوك، لكن الوشم المرسوم على ذراعي يُشار إليه بالأحرف S.S.C، أي محاكاة قتال الشوارع. يُضاف إلى ذلك المجمّع الصناعي للكابيتول. قسّمنا المدرّب إلى فرقٍ تضم الواحدة منها ثمانية أشخاص. كنا نحاول تنفيذ مهماتٍ مثل الاستيلاء على موقع، أو تدمير هدفٍ معيّن، أو تفتيش منزل. بدا الأمر وكأننا نقاتل من أجل الاستيلاء على الكابيتول. جُهّز المكان حيث إنه إذا ارتكب المرء أي خطأ فإن المكان ينفجر. كانت أي خطوة غير صحيحة تفجّر لغماً أرضياً، وكان هناك قناص يظهر على السقف، وكانت البندقية تتعطل فجأة، فيما يقودك بكاء طفلٍ إلى الوقوع في الفخ. يحدث أحياناً أن يُصاب قائد سريّتك - الذي هو عبارة عن صوتٍ في البرنامج - بقذيفة هاون، وهكذا يتعيّن عليك أن تتصرّف من دون أوامر. يعرف المتدرِّب أن كل هذه الأمور مزيفة وأنها لن تؤدي إلى قتله. أما إذا تسببتَ بتفجير لغم أرضي، فإنك تسمع صوت الانفجار، ويتعيّن عليك عند ذلك أن تتظاهر بأنك سقطت قتيلاً. لكن الأمر يبدو طبيعياً من جهةٍ أخرى لأن جنود الأعداء يرتدون أزياء ضباط الأمن، كما تظهر معالم الاضطراب الذي تسببه القنابل الدخانية. يصل الأمر إلى حد تسميمنا بالغاز، لكن الشخصين الوحيدين اللذين كانا يحصلان على قناع للغاز هما جوانا وأنا. أما بقية أفراد الفرقة فكانوا يفقدون الوعي لمدة عشر

دقائق، لكن ذلك الغاز الذي يُفترض به أن يكون غير مؤذٍ كان يسبّب لي صداعاً حادًّا لما تبقى من اليوم وذلك بعد أن أتنشّقه مرات قليلة.

سجلت كريسيدا وفريقها شريطاً يُظهرني أنا وجوانا في حقل الرماية. لكنني علمت أنه يتم تصوير غايل وفينيك أيضاً. تأتي هذه الحملة في إطار سلسلة من الأشرطة الدعائية الجديدة التي تهدف إلى إظهار أن المتمردين يتحضرون لغزو الكابيتول. يعني ذلك أن الأمور تسير على ما يرام بالإجمال.

بدأ بيتا بالظهور في تدريباتنا الصباحية، وقد اختفت الأصفاد التي كانت تقيّد يديه، لكنّ الحارسين ظلاّ برفقته على الدوام. رأيته في حقل الرماية بعد موعد تناول الغداء، وكان يتدرب مع مجموعةٍ من المبتدئين. لا أعرف في ما يفكر المسؤولون عن التدريبات، وذلك لأن شجاره مع ديلي أدى به إلى أن يجادل نفسه، أي أنه لن يستفيد شيئاً من تعلمه كيفية تجميع قطع البندقية.

واجهت بلوتارك برأيي هذا، فقال لي إن هذا يجري أمام الكاميرا فقط. أضاف بلوتارك إنهم باتوا يمتلكون الآن مقطعاً عن زفاف آني، ومقطعاً آخر يُظهر جوانا وهي تصيب أهدافها، لكن بانيم بأكملها تتساءل عن مصير بيتا. إنهم بحاجة إلى مشاهدته وهو يقاتل إلى جانب المتمردين، وليس إلى جانب سنو. قال لي كذلك إنّه إذا استطاع الحصول على عدة لقطات تظهرنا معاً، وليس بالضرورة في أثناء تقبيلنا بعضنا، ونحن سعيدان بالعودة إلى العيش معاً...

انسحبت من المناقشة على الفور. فأنا أعرف أن هذا لن يحدث أبداً.

اكتفيت في أوقات فراغي القليلة بمشاهدة التحضيرات للغزو. شاهدت التجهيزات والمؤن في أثناء تجميعها، وتجميع الفِرَق. يُمكن للمرء أن يلاحظ تسلّم شخصٍ ما الأوامر بسبب شعره القصير جداً، وهو

الأمر الذي يعني توجّه ذلك الشخص إلى ميدان المعركة. سرت أحاديث كثيرة في هذا الوقت عن الهجوم الأول، وهو الهجوم الذي يهدف إلى تأمين السيطرة على أنفاق القطارات التي تؤدي إلى الكابيتول.

أبلغتني يورك فجأة، أنا وجوانا، وقبل أيام قليلة من تحرك أول مجموعة من الجنود، أنها اقترحت إخضاعنا للامتحان، وأنه يتعيّن علينا الحضور على الفور. ينقسم الامتحان إلى أربعة أقسام: مسار الحواجز الذي يقيّم الحالة البدنية، وامتحان كتابي عن التكتيكات، وامتحان الكفاءة بالأسلحة، ووضع قتالي تشبيهي في البلوك. لم أجد نفسي مضطرة إلى القلق بشأن الاختبارات الثلاثة الأولى، لكن اختبار البلوك يشتمل على أمورٍ كثيرة. أعرف أن الاختبار يتضمن تجهيزاتٍ تقنية، ويشتمل كذلك على تبادل المعلومات. يبدو ذلك حقيقياً تماماً. يتوجه الشخص وحيداً إلى ذلك الاختبار، وذلك من دون أن يعرف الوضع الذي سيواجهه. قال لي أحد الشبان الصغار بصوت مخنوق إنّه سمع أن هذا الاختبار يستهدف نقاط الضعف عند الشخص.

ما هي نقاط ضعفي؟ لا أريد حتى أن أفتح الباب على هذه التساؤلات. اخترت ركناً هادئاً وحاولت تقييم هذه النقاط. أصابني طول لائحة هذه النقاط بالإحباط. اشتملت اللائحة على ما يلي: فقدان القوة الجسدية، وعلى حدٍّ أدنى من التدريب، ووضعي بصفة الطائر المقلّد الذي لا يبدو وكأنه نقطة لصالحي في وضعٍ يحاولون فيه دفعنا إلى الاختلاط مع مجموعة متنوعة من الأشخاص. أعرف أنه يمكنهم إحراجي بأمور عدة.

سبقتني جوانا بثلاثة أسماء، لكنّني أومأت تشجيعاً لها. كنت أتمنى لو أنني الأولى في اللائحة، وذلك لأنني بدأت بإعادة التفكير في الأمر برمته. لم أكن أعرف الاستراتيجية التي يجب عليّ اتّباعها. لكن، ولحسن حظي، تذكرت أموراً كثيرة من التدريبات عندما دخلت البلوك. وجدت نفسي

واقعةً في كمين. ظهر ضباط الأمن على الفور تقريباً، وتعيّن عليّ الوصول إلى نقطة محددة كي ألتقي فيها باقي أفراد فرقتي الذين كانوا متفرقين. تنقلت ببطء في الشارع، وفي طريقي، رحت أقضي على ضباط الأمن. كان الوضع صعباً، لكنه ليس بالصعوبة التي كنت أتوقعها. سيطر عليّ شعور مزعج بأنني لن أستفيد شيئاً إذا كان الاختبار مفرطاً في السهولة. كنت على بعد عدة مبانٍ من النقطة الهدف عندما بدأت الأمور بالاحتدام. هاجمني ستة من ضباط الأمن في إحدى الزوايا. أعرف أن قوتهم النارية تفوق قوّتي، لكنّني لاحظت أمراً معيناً. رأيت برميلاً من الغازولين (البنزين) مرمياً في أحد مجاري الصرف الصحي. كان ذلك البرميل فرصتي الوحيدة؛ أي أنه كان اختباراً لي. تمثلت هذه الفرصة بإدراكي أن قيامي بتفجير ذلك البرميل هو السبيل الوحيد للنجاح في مهمتي. تحركت كي أنفذ التفجير. أمرني قائد فرقتي، والذي كان عديم النفع حتى هذا الوقت، في هذه اللحظة بالذات، بالتزام الهدوء، والانبطاح على الأرض. دفعني حدسي إلى تجاهل أمره، والضغط على الزناد من أجل تفجير ضباط الأمن ودفع أشلائهم إلى السماء. أدركت فجأة ما سيعتبره العسكريون أكبر نقطة ضعفٍ عندي. بدأ ذلك منذ اللحظة الأولى لي في المباريات، وذلك عندما ركضت كي أصل إلى حقيبة الظهر ذات اللون البرتقالي، وعندما أقحمت نفسي في أتون المعركة التي جرت في المقاطعة 8، وفي اندفاعي في السباق الذي جرى في باحة المقاطعة 2؛ إذ يدل كل ذلك على عجزي عن إطاعة الأوامر.

ارتطمت بالأرض بقوةٍ وسرعة حيث سأضطر إلى نزع الحصى عن ذقني لمدة أسبوع بدءاً من الآن. أقدم شخص آخر على تفجير برميل الغازولين، ومات ضباط الأمن، وهكذا وصلت إلى نقطة الالتقاء المحددة. قام أحد الجنود بتهنئتي عندما خرجت من الجهة الأخرى من البلوك، وختم رقم فرقتي 451 على يدي، ثم أبلغني بضرورة التوجّه إلى مركز

القيادة. أحسست بأنني أكاد أطير من الفرح لنجاحي، واندفعت راكضة عبر القاعات، ثم انزلقت حول الزوايا، واستخدمت الدرج في نزولي لأن المصعد بطيء جداً. اقتحمت الغرفة قبل أن أنتبه إلى غرابة الوضع. لا يجدر بي أن أكون في مركز القيادة بل يتعين علي تسريح شعري. لم ألاحظ أن الأشخاص المتحلقين حول الطاولة هم جنود في أفضل حالاتهم، بل إنهم جنود في حالة تأهب.

ابتسم بوغز وهزّ رأسه عندما رآني وقال لي: «هيا، لنرَها». لم أعد واثقة من شيء في هذه اللحظة، لكنني مددت يدي المختومة فقال لي: «أنتِ معي. إنها وحدةٌ خاصة تتألف من أمهر الرماة. يمكنك الانضمام إلى فرقتك». أومأ نحو مجموعة من الأشخاص الذين كانوا مصطفين إلى جانب الجدار. رأيت غايل، وفينيك، وخمسة آخرين لا أعرفهم. إنها فرقتي الخاصة، كما أن الأمر لا يقتصر على انضمامي إلى هذه الفرقة، بل إنني سأعمل تحت قيادة بوغز. يعني ذلك أنني سأعمل مع أصدقائي. أجبرت نفسي على المحافظة على هدوئي، ومشيت بخطوات عسكرية كي أنضم إليهم، وذلك بدلاً من القفز.

استنتجت أن فرقتنا تحمل أهمية خاصة لأننا متواجدون في مركز القيادة، لكن الأمر لا يتعلق أبداً بطائرٍ مقلّدٍ محدد. وقف بلوتارك على لوح منبسط وسط الطاولة، وبدأ يشرح شيئاً يتعلق بطبيعة ما سنواجهه في الكابيتول. أعتقد أن ما يقوله نوع من العرض المريع، لأنه حتى مع وقوفي على أطراف أصابعي، فقد عجزت عن رؤية ما كان مكتوباً على اللوحة، واستمر ذلك إلى أن ضغط على أحد الأزرار، فظهرت في الهواء صورة ضوئية لمجسمٍ عن الكابيتول.

«هذه هي، على سبيل المثال، المنطقة المحيطة بإحدى ثكنات ضباط الأمن. لا يمكننا القول إنها عديمة الأهمية، لكنها ليست الأهم من بين

الأهداف، ومع ذلك أريدكم أن تنظروا». نقر بلوتارك على نوع من أنواع الرموز السرية في لوحة المفاتيح، وسرعان ما بدأت الأنوار تلمع. كانت هذه الأنوار متعددة الألوان، كما كانت تومض بسرعات متنوعة. «يدعى كل لونٍ منها مصيدة pod. تمثّل هذه المصائد عوائق مختلفة يُمكن أن تكون أي شيء بدءاً من قنبلة، وحتى مجموعة من المتحولين (الممسوخين). لا أريدكم أن تستهينوا بها، لأنها مصممة كي توقع بكم وتقتلكم. تواجدت بعض هذه العوائق منذ الأيام المظلمة، وجرى تطوير بعضها الآخر على مرّ السنين. أريد مصارحتكم بأنني طورت بنفسي عدداً كبيراً منها. يُعتبر هذا البرنامج الذي هرّبه أحد المتعاونين معنا عندما غادرنا الكابيتول أحدث المعلومات التي نمتلكها. إنهم لا يعلمون أننا نمتلكه. أقول بالرغم من كل ذلك إنّه من المحتمل أنه تم تفعيل عددٍ آخر منها خلال الأشهر القليلة الماضية، وهي المصائد التي ستواجهونها».

لم أنتبه إلى أن قدميّ تتحركان نحو الطاولة إلى أن أصبحتا على بعد خطوات قليلة من الصورة الضوئية المجسمة. مددت يدي ولمست ضوءاً لامعاً أخضر اللون.

انضمّ إليّ شخصٌ ما، وكان جسده متوتراً. كان ذلك الشخص هو فينيك بطبيعة الحال. لن يتمكن أحد من رؤية ما شاهدته على الفور غير أحد المنتصرين في المباريات. شاهدت الميدان وقد انتشرت فيه مصائد يتحكم فيها صانعو الألعاب. لمس فينيك بأصابعه وهجاً مستمراً أحمر اللون فوق المدخل وقال: «سيداتي وسادتي...».

كان صوته هادئاً، لكن صوتي تردد في أرجاء الغرفة: «ستبدأ الآن مباريات الجوع السادسة والسبعون!».

استغرقت بالضحك. تحركت بسرعة، وقبل أن يحصل أي شخص على فرصة استيعاب ما تخفيه هذه الكلمات التي تفوهت بها لتوي، وقبل

266

أن يرفع أي شخصٍ حاجبيه، أو يوجّه اعتراضاً، وقبل أن يبدأوا بحساباتهم وبالاستنتاج أن الحل يكمن في إبعادي عن الكابيتول قدر الإمكان. أعتقد أن آخر شخصٍ تود الفرقة ضمّه إليها هو منتصرٌ غاضب، واستقلالي، ويحمل في تفكيره ندبة نفسيّة من النوع الذي يصعب اختراقه.

قلت: «لا أعرف يا بلوتارك السبب الذي جعلك تحرص على إشراكي أنا وفينيك في التدريبات».

أضاف فينيك بشيءٍ من الغرور: «أجل، إننا بالفعل أفضل جنديين تجهيزاً من بين جنودكم».

ردّ بلوتارك بسرعة: «لا تظنا أن هذه الحقيقة قد فاتتني. والآن، عودا إلى الاصطفاف أيها الجنديان أوداير وإيفردين. أريد إنهاء العرض».

تراجعنا إلى مكانينا المحدّدين، وتجاهلنا النظرات المتسائلة التي صوّبها الآخرون نحونا. تابع بلوتارك تقديم عرضه وسط تركيزٍ شديد من ناحيتي، وتابعت الإيماء بين حينٍ وآخر، كما غيّرت وضعية جلوسي كي أحصل على رؤية أفضل. أقنعت نفسي طيلة هذا الوقت بالصبر حتى أصل إلى الغابات حيث أتمكن من الصراخ، أو الشتم، أو البكاء، أو حتى القيام بهذه الأمور الثلاثة معاً في وقتٍ واحد.

تمكنت أنا وفينيك من اجتياز هذه المرحلة التي يُمكن أن تكون اختباراً، لكنني تضايقت عندما علمت بوجود أمرٍ خاصٍّ بي. تمثّل ذلك الأمر الخاص بإلغاء قَصّة الشعر العسكرية لأنهم أرادوا أن يظهر الطائر المقلّد في لحظة الاستسلام المنتظر أقرب ما يكون إلى الفتاة التي ظهرت في الميدان. أرادوا ذلك من أجل كاميرات التصوير كما تعلمون. هززت كتفيّ كي أُظهر أنني لا أكترث بمدى طول شعري، فسمحوا لي بالانصراف من دون أي تعليق آخر.

انجذبت أنا وفينيك إلى بعضنا عندما سرنا في قاعة المدخل. قال

267

بصوتٍ مكتوم: «ماذا سأقول لآني؟».

أجبته: «لا شيء. وهذا ما ستسمعه مني والدتي وشقيقتي. يكفي أننا عائدان إلى ميدانٍ مجهزٍ بالكامل، أي أننا لن نستفيد شيئاً من تحميل أحبائنا هذا الهم».

بدأ بالقول: «لكن، إذا رأت تلك الصورة المجسمة...».

قلت: «إنها معلومات سرية من دون شك، وهذا يعني أنها لن تراها. أعتقد أنها لا تماثل الألعاب الحقيقية، إن الجميع سينجون. إننا نبالغ في رد فعلنا لأننا... حسناً، أنت تعرف السبب. هل لا تزال مصمِّماً على الذهاب؟».

قال لي: «أجل، بطبيعة الحال. أريد تحطيم سنو بقدر ما تريدين أنت ذلك».

قلت بحزم في محاولة مني لإقناع نفسي: «ستكون هذه المرّة مختلفة عن المرات الأخرى». أدركت في هذه اللحظة مدى روعة الوضع. «سيكون سنو متبارياً هذه المرة».

ظهر هايميتش فيما كنّا نتحدّث. لم يحضر الاجتماع، أي أنه لم يكن يفكّر في أيّ شيء يتعلق بالميدان بل في شيء آخر. «عادت جوانا إلى المستشفى».

كنت أفترض أن جوانا بخير بعد أن نجحت في امتحانها مع أنه لم يُطلب منها الالتحاق بوحدة الرماة المهرة. إنها ماهرة جداً في رمي الفأس، لكنها عادية بالنسبة إلى استخدام البندقية. «هل أصيبت بأذى؟ لكن، ماذا حدث؟».

قال هايميتش: «حدث ذلك عندما كانت في البلوك. حاولوا تحديد نقاط الضعف المحتملة عند كل جندي، وما لبثوا أن جعلوا الشارع يفيض بالمياه».

لم يساعد هذا في شيء، لكن جوانا تعرف السباحة. يمكنني، على الأقل، أن أتذكرها وهي تسبح في أثناء المباريات الربعية. إنها لا تجيد السباحة مثل فينيك بطبيعة الحال، لكن أحداً منا لا يضاهي فينيك في السباحة. «وماذا حدث بعد ذلك؟».

قال هايميتش: «هكذا عذّبوها في الكابيتول. أنزلوها في الماء ثم عرّضوها إلى الصدمات الكهربائية. تذكرت شيئاً عندما كانت في البلوك، فارتعبت وعجزت عن معرفة المكان الذي تتواجد فيه، ولهذا قاموا بتخديرها». وقفت أنا وفينيك وكأننا فقدنا القدرة على الاستجابة. فكرت في أن جوانا لا تستحم أبداً، وتذكرت كيفيّة إجبارها نفسها في ذلك اليوم على السير تحت المطر وكأنه مطرٌ حمضي. كما تذكّرتُ أنني أرجعتُ سبب تعاستها إلى حرمانها من المورفلنغ.

قال هايميتش: «يجب عليكما أن تذهبا لرؤيتها لأنكما أقرب صديقين لها».

زاد هذا الأمر من سوء الوضع برمته. إنني لا أعرف بالفعل ما جرى بين جوانا وفينيك، كما أنني بالكاد أعرفها، ولا أعرف أسرتها، وأصدقاءها. لم تحمل معها في دُرجها المجهول أي تذكار من المقاطعة 7 لتضعه إلى جانب ملابسها الرسمية. لم تحمل معها أي شيء.

تابع هايميتش كلامه: «أريد إبلاغ بلوتارك، لكنّني أعرف أنه لن يسرّ بذلك. إنه يريد جمع أكبر عدد ممكن من المنتصرين من أجل عرضهم أمام الكاميرات في الكابيتول. يعتقد أن ذلك سيكون أفضل للعرض التلفزيوني».

سألته: «هل ستذهب أنت وبيتي؟».

حاول هايميتش تصحيح كلامه فقال: «إنه يريد جمع أكبر عددٍ ممكن من المنتصرين الشبان والجذّابين. يعني ذلك أننا لن نذهب، وسنظلّ هنا».

توجه فينيك على الفور لرؤية جوانا، لكنّني بقيت في الخارج لدقائق قليلة منتظرة خروج بوغز. إنه قائدي المباشر الآن، وهكذا، فإنني أعتقد أنه الشخص المناسب لطلب أي خدمةٍ شخصية. أخبرته بما أنوي أن أفعله، فكتب إذناً يسمح لي فيه بالذهاب إلى الغابات في أثناء التأمل، شرط أن أبقى تحت أعين الحراس. هرعت إلى حجرتي وفكّرت في استخدام المظلة، لكنها كانت ممتلئة بالتذكارات البشعة. عبرت القاعة بدلاً من ذلك، وأخذت إحدى الضمادات القطنية البيضاء التي اشتريتها من المقاطعة 12. إنها مربعة الشكل، وقوية، وهي تفي بالغرض.

عثرت على شجرة صنوبر في الغابات، فانتزعت من غصونها حفنات من أوراقها النضرة، ووضعت كومة أنيقة من الأوراق في وسط الضمادة ثم طويتها من جوانبها وربطتها بشدة، وهكذا تشكّلت حزمة بحجم تفاحة.

وقفت عند باب غرفة جوانا في المستشفى وراقبتها قليلاً، فأدركت أن معظم شراستها تكمن في موقفها المتصلب. أما عندما تتخلى عن هذا الموقف المتصلب فلا يبقى إلا هذه الشابة النحيلة بعينيها الواسعتين اللتين تبذلان جهداً من أجل البقاء في حالة اليقظة بالرغم من الأدوية المهدئة، وذلك بسبب هلعها مما قد يحمله لها النوم. سرت نحوها وقدمت لها الحزمة.

قالت بصوتٍ أجش: «ما هذه؟». لاحظت أن أطرافاً مبللة من شعرها شكّلت خصلاً مدببة صغيرة فوق جبهتها.

«صنعت هذه من أجلك. إنها شيء يمكنك وضعه في دُرجك». وضعت الحزمة في يديها وتابعت: «قومي بشمّها».

رفعت الحزمة إلى مستوى أنفها واستنشقتها بقوة، ثم قالت: «تماثل رائحتها رائحة مقاطعتي». وفاضت الدموع من عينيها.

قلت لها: «هذا ما كنت آمله، وعلى الأخص لأنك من المقاطعة 7.

270

أتذكرين عندما التقينا؟ كانت ثيابك عبارة عن شجرة عندها. حسناً، كنتِ شجرة لفترة قصيرة».

أمسكت فجأةً معصمي بقبضةٍ حديدية، وقالت لي: «يجب أن تقتليه يا كاتنيس».

«لا تقلقي». قاومت رغبتي في تحرير يدي من قبضتها.

قالت بصوت يشبه الفحيح: «أريد منك أن تقسمي بشيء يهمّك كثيراً».

«أقسم على ذلك بحياتي». لم تترك ذراعي مع ذلك، وبقيت على إصرارها: «أقسِمي بحياة أسرتك».

قلت مكرّرة: «أقسم بحياة عائلتي». أعتقد أن اهتمامي بحياتي أنا ليس ملزماً بما فيه الكفاية. تركت يدي بينما أخذت بفرك معصمي وسألتها: «وما هو سبب ذهابي برأيك أيتها الحمقاء؟».

جعلها كلامي هذا تبتسم قليلاً وقالت: «كنت بحاجة إلى أن أسمع السبب من فمك». قرّبت حزمة أوراق الصنوبر من أنفها، وأغمضت عينيها.

مضت الأيام الباقية بسرعة. كنا نتدرب قليلاً كل صباح، وكانت فرقتي تتدرب على الدوام في حقل الرماية. كنت أتدرب على استعمال البندقية غالباً، لكنهم خصّصوا ساعةً في اليوم للتدرّب على الأسلحة الخاصة، وهو الأمر الذي يعني استخدام قوس الطائر المقلّد الخاص بي. أما غايل، فكان يتدرب في المنطقة المخصصة للأسلحة الثقيلة. تميز الرمح الثلاثي الذي صنعه بيتي لفينيك بعددٍ من الميزات الخاصة، لكن أهمها كانت قدرته على رميه بالضغط على زرٍّ في الطوق المعدني الذي يحيط بمعصمه، وبقدرته على إعادته إلى يده من دون البحث عنه.

كنا نصوّب أحياناً على دمى تمثّل ضباط الأمن، وذلك كي نعتاد على نقاط الضعف في التجهيزات التي تحميهم، مثل الشقوق التي تتخلل

دروعهم. أما إذا أصبنا اللحم، فإننا نرى سيلاً من الدماء المزيفة. كانت الدمى التي صوّبنا عليها مبللة بالدماء.

سررت كثيراً عندما لاحظت المعدل الإجمالي العالي في دقة التصويب الذي تتمتع به مجموعتنا. ضمت مجموعتنا خمسة جنود من المقاطعة 13 بالإضافة إلى فينيك وغايل. كانت جاكسون، وهي امرأة في منتصف العمر وتحتل المركز الثاني بعد بوغز في القيادة، تبدو بطيئة بعض الشيء لكنها قادرة على إصابة أشياء كانت بقية مجموعتنا عاجزة عن رؤيتها من دون منظار. قالت لنا إنها بعيدة النظر. ضمت فرقتنا كذلك شقيقتين في العقد الثاني من عمرهما وتدعيان ليغ - كنا نطلق على الأولى اسم ليغ 1، وعلى الثانية ليغ 2 - وكانتا ترتديان زيين متماثلين. لم أتمكن من تمييزهما في البداية إلى أن لاحظت أن ليغ 1 تمتلك بقعاً صفراء في عينيها. ضمّت الفرقة كذلك شابين أكبر سناً بقليل، وهما ميتشيل وهومز. كانا لا يتكلمان كثيراً لكنهما قادران على إصابة الغبار في حذائك من على بعد خمسين ياردة. رأيت فرقاً أخرى تتمتع بمهارة مماثلة، لكنّني لم أدرك وضعنا جيداً إلى أن انضم إلينا بلوتارك ذات صباح.

بدأ بلوتارك بالقول: «اختيرت الفرقة 451 لتأدية مهمة خاصة». عضضتُ شفتي من الداخل، وتمنيت أن تكون هذه المهمة الخاصة هي اغتيال سنو. «نمتلك عدداً كبيراً من الرماة المهرة، لكننا نعاني ندرة في فرق التصوير. لهذا السبب عمدنا إلى انتقائكم أنتم الثمانية كي تكونوا ما نطلق عليه اسم فرقة النجوم. ستكونون أنتم الوجوه التي ستظهر على شاشات التلفزيون عند الاجتياح».

سرت مشاعر الإحباط، والصدمة، والغضب بعد ذلك بين أفراد مجموعتنا، وصرخ غايل: «إن ما تقوله هو أننا لن نشارك في القتال الفعلي».

«ستكونون وسط المعركة، لكنكم لن تكونوا في خط المواجهة على

الدوام، هذا إذا تمكّن المرء من تعيين خط المواجهة في هذه الحرب».

«لا يريد أحد منا هذا النوع من القتال». تبعت ملاحظة فينيك هذه موجة عارمة من الموافقة، لكنني بقيت صامتة. «سنقاتل».

قال بلوتارك: «ستقدمون للمجهود الحربي ما يمكنكم تقديمه. قرّرنا أنكم ستكونون أكثر فائدة في العرض التلفزيوني. فكّروا في الأثر الذي تركته كاتنيس عندما ارتدت زيّ الطائر المقلّد. تمكنت كاتنيس من تحويل مسار الثورة. أتلاحظون أنها الوحيدة التي لا تشكو من أي شيء؟ يعود ذلك إلى أنها تدرك قوة التأثير التي تتمتع بها الشاشة».

في واقع الأمر، لم تكن كاتنيس تشكو لأنها لم تمتلك نية البقاء مع فرقة النجوم، ولأنها كانت تدرك ضرورة الوصول إلى الكابيتول قبل تنفيذ أيّ خطة. لكنّ صمتها على هذا الشكل قد يثير الشكوك.

سألته: «لكن ذلك ليس مجرد خدعة، أليس كذلك؟ سيكون ذلك تضييعاً للمواهب».

قال لي بلوتارك: «لا تقلقي لأنه ستكون لديك أهداف حقيقية كثيرة لتسدّدي إليها. لكنّني لا أريدك أن تقعي ضحية انفجار، لأنني أمتلك ما يكفي من العمل غير إيجاد بديل عنك. اذهبي الآن إلى الكابيتول وشاركي في عرضٍ مميز».

ودّعت عائلتي في صباح اليوم الذي غادرنا فيه. لم أقل لهما إن دفاعات الكابيتول تماثل الأسلحة الموجودة في الميدان، لكن ذهابي إلى الحرب كان مريراً في حد ذاته بما فيه الكفاية. عانقتني والدتي بشدة لفترةٍ طويلة. شعرت بدموعها تجري على خدّيها، وهو الأمر الذي تمكنت من التغلب عليه عندما وُضع اسمي على لائحة المرشحين للاشتراك في المباريات. أردت طمأنتها فقلت: «لا تقلقي، لأنني سأكون بأمانٍ تام. أنا لست حتى جندية حقيقية. إنني إحدى دمى بلوتارك التلفزيونية».

سـارت معي بريم حتى مدخل المستشفى، وسألتني: «كيف تشعرين؟».

أجبتها: «إنني في أفضل حال لمعرفتي أنك في مكان يعجز فيه سنو عن الوصول إليك».

قالت بريم بحزم: «عندما نرى بعضنا في المرة التالية سنكون قد تخلصنا منه». طوّقتني بذراعيها بعد ذلك وقالت: «كوني حذرة».

فكرت في وداعٍ أخير لبيتا، لكنني قررت أن الأمر سيكون محبطاً بالنسبة إلينا نحن الاثنين. لكنني دسستُ اللؤلؤة في جيب زيي الرسمي. كانت تلك تذكاراً من الشاب الذي أعطاني رغيفَي الخبز.

نقلتنا إحدى الحوّامات إلى المقاطعة 12 من بين كل الأماكن؛ حيث أقيمت منطقة نقلٍ مؤقتة خارج نطاق منطقة الحرائق. لم تتواجد قطارات فاخرة هذه المرة، بل عربة شحنٍ مليئة إلى حدّها الأقصى بجنودٍ يرتدون أزياءهم الرسمية ذات الألوان الرمادية، وينامون بعد إسناد رؤوسهم إلى حقائبهم. نزلنا بعد مضي يومين من السفر إلى أحد أنفاق الجبال التي تؤدي إلى الكابيتول، وقطعنا مسافة ست ساعات مشياً على الأقدام، وحرصنا على أن ندوس فقط على الخط الأخضر المتوهج وهو الذي يحدد الممر الآمن الذي يؤدي بنا إلى الفضاء من فوقنا.

وصلنا إلى معسكر المتمردين، وهو عبارة عن منطقة مؤلفة من عشرة بلوكات، والتي تمتد خارج محطة القطارات، وهي المحطة التي كنت أصل إليها في السابق مع بيتا. تكتظ المحطة الآن بالجنود. خُصّصت للفرقة 451 بقعة محددة كي تنصب فيها خيَمها. تمكّن الثوار من السيطرة على هذه البقعة منذ ما يزيد على الأسبوع، وذلك بعد أن طردوا منها ضباط الأمن، ولكن بعد أن خسروا المئات في سياق هذه العملية. تراجعت قوات الكابيتول ثم أعادت تجميع نفسها في المدينة، ولكن على مسافة أبعد.

تفصل بيننا وبينهم شوارع خالية ومغرية لكنها مفخخة بالمصائد. تحتّم علينا مسح هذه الشوارع بحثاً عن المصائد قبل أن نتمكن من التقدّم فيها.

سأل ميتشيل عن الحوّامات الهجومية، وذلك بسبب شعورنا بأننا مكشوفون هنا في العراء، لكن بوغز قال إن الأمر ليس هاماً، وذلك لأن معظم أسطول الكابيتول الجوي قد تمّ تدميره في المقاطعة 2 أو خلال الاجتياح. أما إذا امتلكت الكابيتول أي طائرة منها فستحتفظ بها. ويُحتمل أن سنو والمقربين منه يحتفظون بهذه الطائرة تحسباً للهرب في اللحظة الأخيرة إلى ملجأ رئاسي في مكانٍ آخر إذا لزم الأمر. أما حوّاماتنا فقد أوقفت عن الطيران بعد تدمير صواريخ الكابيتول المضادة للطائرات في موجات الهجوم الأولى. تمنيت أن نخوض هذه الحرب في الشوارع من دون إنزال أضرارٍ كبيرة بالبنى التحتية، ومع أقل قدرٍ ممكن من الخسائر البشرية. يريد الثوار الاستيلاء على الكابيتول مثلما تريد الكابيتول الاستيلاء على المقاطعة 13.

غامر معظم أفراد الفرقة 451 بالخروج بعد مرور ثلاثة أيام، وذلك نتيجة السأم. صوّرتنا كريسيدا وفريقها ونحن نستعمل أسلحتنا. قالوا لنا إنّنا جزءٌ من فريق التشويش. أما إذا اكتفى الثوار باستخدام مصائد بلوتارك، فإن الكابيتول ستدرك في غضون دقيقتين أننا نمتلك جهاز الصور المجسمة ثلاثية الأبعاد. أمضينا أوقاتاً كثيرة في التصويب على أهدافٍ متنوعة وتافهة وذلك من أجل تشتيت انتباههم. أدّت أعمالنا هذه إلى زيادة أكوام الزجاج الملوّن الذي تكسّر من واجهات المباني الملونة الخارجية. أعتقد أنهم مزجوا مشاهد أكوام الزجاج هذه مع تدمير الأهداف المهمة في الكابيتول. برزت بين وقتٍ وآخر الحاجة إلى خدمات الرماة المهرة الحقيقيين. كان الاختيار يقع على ثمانية جنود، لكن الاختيار لم يقع قطّ على غايل، وفينيك، وعليّ.

قلت لغايل: «يقع عليك اللوم بكامله لأن وجهك يصلح للتصوير التلفزيوني». آهٍ! لو كانت النظرات تقتل.

لا أعتقد أنهم يعرفون ما يمكنهم فعله مع ثلاثتنا، وعلى الأخص معي أنا. إنني أحتفظ بزيّ الطائر المقلّد، لكنهم عمدوا إلى تصويري وأنا أرتدي الزيّ العسكري الرسمي. كنت أستخدم البندقية في بعض الأحيان، وكانوا يطلبون مني في أحيان أخرى الرماية بقوسي وسهامي. بدا الأمر وكأنهم لا يريدون خسارة الطائر المقلّد كلياً، لكنهم يريدون تخفيض أهمية دوري إلى جندية من المشاة. كان الجدال الدائر في المقاطعة 13 مصدر تسلية أكثر مما هو مصدر إزعاج.

كنت أعبّر عن استيائي ظاهرياً بشأن عدم اشتراكنا قي القتال الفعلي، لكنّني كنت منشغلة ببرنامجي الخاص. كان كل واحدٍ منا يمتلك خريطة ورقية للكابيتول. تشكّل الكابيتول مربعاً تاماً تقريباً، كما أن الخطوط تقطع الخريطة إلى مربعاتٍ أصغر، ويحمل كل مربع منها أحرفاً في أعلى الخريطة وأرقاماً في الجهة السفلى وهو الأمر الذي يجعل من الخريطة شبكة متكاملة. استوعبت هذه الخريطة تماماً، وحفظت كل تقاطع وكل شارعٍ فرعي، لكن كل ذلك لم يكن سوى أمورٍ ثانوية. بدأ القادة هنا باستخدام مجسمات بلوتارك الضوئية، وكان كل واحدٍ منهم يحمل جهازاً محمولاً يدعى هولو، وهو جهاز يكوّن صوراً مثل تلك التي رأيتها في مركز القيادة. تمكّن كل قائد من رؤية أي منطقة من المناطق موجودة في هذه الشبكة، وهكذا كان باستطاعته رؤية المصائد التي تنتظر فريقه. يُعتبر الهولو وحدةً مستقلة، كما أنه خريطة حقيقية في غاية الروعة، وذلك لأنه لا يستطيع إرسال الإشارات أو استلامها، لكن هذا الجهاز متفوقٌ جداً عن النسخة الورقية التي أمتلكها.

يبدأ الهولو بالعمل عندما يعطي قائد محدد اسمه أو تعطي قائدة

محدّدة اسمها. سرعان ما يبدأ الجهاز بالاستجابة إلى أصواتٍ أخرى من أصوات الفرقة ما إن يبدأ بالعمل. يعني ذلك أنه إذا قُتل بوغز، أو أُصيب بإعاقة شديدة، فإن ذلك يعني أن شخصاً آخر سيتمكن من الحلول مكانه. أما إذا كرّر أي شخص في الفرقة كلمة نايت لوك ثلاث مراتٍ على التوالي، فإن ذلك سيؤدي إلى تفجّر الهولو من تلقاء ذاته، وهو الأمر الذي يؤدي إلى تفجير كل شيء يقع ضمن دائرة يبلغ شعاعها ثلاث ياردات. وقفت أسباب أمنية وراء هذا التدبير الذي ينفذ في حالة الاستيلاء على الجهاز. فهم الجميع أنه يُنتظر منهم تنفيذ هذا الإجراء من دون تردد.

يعني ذلك أن كل ما أحتاج إليه هو سرقة جهاز الهولو الذي يحتفظ به بوغز ثم ألوذ بالفرار قبل أن يلاحظ أي شيء. أعتقد أنه من الأسهل لي أن أسرق أسنانه.

اصطدمت الجندية ليغ 2 في صباح اليوم الرابع بإحدى المصائد غير المدرجة في خريطتنا. لم يُسفر الأمر عن إطلاق سربٍ من الذباب الممسوخ، وهو الأمر الذي تحضّر له الثوار جيداً، لكنه أسفر عن انطلاق زخاتٍ من النبلات المعدنية. اخترقت إحدى هذه النبلات رأسها ووصلت إلى دماغها، وهكذا ماتت قبل وصول الإسعافات الطبية إليها. وعد بلوتارك بعد ذلك بتأمين بديل منها على وجه السرعة.

وصل أحدث عضوٍ في الفرقة في مساء اليوم التالي. وصل من دون أصفاد، أو حراس. مشى خارج محطة القطارات وبندقيته تتأرجح من فوق كتفه. شعرنا بنوعٍ من الصدمة، والارتباك، والمقاومة، لكنّ الرقم 451 كان مختوماً على ظاهر يد بيتا بحبرٍ جديد. أخذ بوغز بندقيته عنه، وخرج كي يُجري مكالمةً هاتفية.

قال بيتا أمام جميع أعضاء الفرقة: «لا تهتموا كثيراً بالأمر لأن الرئيسة عيّنتني بنفسها. قررت أن الأشرطة الدعائية تحتاج إلى دمٍ جديد».

يُحتمل أن يكون ذلك صحيحاً. لكن، إذا كانت كوين هي التي أرسلت بيتا إلى هنا، فربما تكون قد اتخذت قراراً آخر. يُحتمل أنها قررت أن موتي سيكون أكثر فائدة للقضية من حياتي.

القسم الثالث

القاتل

الفصل التاسع عشر

لم يسبق لي أن رأيت بوغز في حالة غضبٍ فعلي من قبل، وحتى عندما عصيت أوامره، أو عندما تقيأت عليه، ولا حتى عندما كسر غايل أنفه. لكنّني رأيته في حالة غضبٍ شديد عندما فرغ من مكالمته الهاتفية مع الرئيسة. كان أول شيء فعله هو أنه أمر الجندية جاكسون، وهي نائبه في القيادة، بتطبيق حراسة دائمة على بيتا يقوم بها اثنان من الحراس. اصطحبني بوغز بعد ذلك في جولة بين خيم المعسكر المنتشرة في المكان إلى أن ابتعدنا عن فرقتنا.

قلت له: «سيحاول قتلي على أيّ حال، وعلى الأخص هنا حيث يمتلئ المكان بذكريات مؤلمة كثيرة، وهي كفيلة بإخراجه عن صوابه».

قال بوغز: «سأتمكن من استيعابه يا كاتنيس».

سألته: «لماذا تريدني كوين أن أموت الآن؟».

أجابني: «أنكرت أنها تريد ذلك».

قلت له: «لكننا نعرف أن ذلك صحيح، ولا بد من أن تمتلك أنت تفسيراً ما».

سدّد بوغز نحوي نظرة طويلة وقاسية قبل أن يجيب: «هذا كل ما أعرفه: إن الرئيسة لا تحبّك، وهي لم تحبك في يومٍ من الأيام. أرادت إنقاذ بيتا من الميدان، لكن لم يوافقها أي شخص آخر. أما الأمر الذي زاد الأمور سوءاً، فهو إجبارك إياها على إعطاء حصانة للمنتصرين الآخرين. تتضاءل أهمية كل هذه العوامل بالنظر إلى حسن الأداء الذي أظهرتِه».

قلت بإصرار: «إذاً، ما هو السبب؟».

قال بوغز: «ستنتهي هذه الحرب في المستقبل القريب، وسيتم اختيار قائد جديد».

أغمضت عينيّ: «بوغز، لا أحد يعتقد أنني سأكون القائدة».

قال موافقاً: «لا، لا يعتقدون ذلك، لكنك ستدعمين أحداً ما. هل سيكون ذلك الشخص الرئيسة كوين أم سيكون شخصاً آخر؟».

قلت: «لا أعرف. لم أفكّر في الأمر مطلقاً».

قال بوغز: «إذا لم تدعمي كوين بصورة فورية، فإن معنى ذلك أنك تشكّلين تهديداً لها. أنت واجهة هذه الثورة. وتمتلكين نفوذاً يفوق نفوذ أي شخصٍ آخر. أما تحمّلك إيّاها، فهو أفضل ما قمتِ به».

«إذاً، تعتزم قتلي كي تخرسني». أدركت أن كلماتي هذه صحيحة فور تفوّهي بها.

قال بوغز مذكراً: «إنها لا تحتاج إليك الآن كي تكوني مركز الثقل في حملتها. قالت لي إن الهدف الأساسي من وجودك ألا وهو توحيد المقاطعات قد نجح. يُمكن إنتاج هذه الأشرطة الدعائية الحالية من دونك. يبقى هناك أمرٌ أخير يمكنك عمله من أجل زيادة لهيب الثورة».

قلت بهدوء: «يمكنني أن أموت».

«أجل. عندها، ستعطيننا شهيداً كي نقاتل من أجله. لكن ذلك لن يحدث ما دمت حياً أيّتها الجندية إيفردين. إنني أخطط من أجل أن تعيشي طويلاً».

«لماذا؟». إن هذا التفكير لن يجلب له سوى المتاعب. «أنت لا تدين لي بشيء».

قال لي: «لأنك استحققتِ ذلك. عودي الآن إلى فرقتك».

أعلم أنه يتعيّن عليّ الشعور بالامتنان لأن بوغز يعرّض حياته للخطر من أجلي، لكن الواقع هو أنني أشعر بالإحباط. انشغلت بأشياء أخرى، مثل

282

كيفية تمكّني من سرقة جهاز الهولو الذي بحوزته وفراري من الخدمة على الفور. إن قيامي بخيانته أمرٌ معقد بما فيه الكفاية من دون هذا الحمل الثقيل من الدَّين. إنني أدين له بإنقاذ حياتي.

أدّت رؤيتي الشخص الذي سبّب أزمتي الحالية منشغلاً بنصب خيمته بهدوء في موقعنا إلى شعوري بالغضب الشديد. سألت جاكسون: «متى تحين نوبتي في الحراسة؟».

حدّقت إليّ جاكسون بنظرةٍ تفيض بقدرٍ كبيرٍ من الشك، أو لعلها أرادت التركيز على وجهي وقالت: «لم أضع اسمك في جدول المناوبة».

قلت: «ولِمَ لم تفعلي؟».

أجابت: «لم أكن متأكدة من قدرتك على إطلاق النار على بيتا إذا اضطررت إلى القيام بذلك».

تكلمت بصوتٍ عالٍ حيث يتمكن جميع أفراد فرقتي من سماعي بوضوح: «أنا لا أعتزم إطلاق النار على بيتا، لأنّ أمره قد انتهى. كانت جوانا على حق، لأن الأمر سيبدو وكأننا نطلق النار على مسخٍ آخر من مسوخ الكابيتول». شعرت بالارتياح لأنني تلفظت بشيء مريعٍ عنه، وبصوتٍ عالٍ، وعلناً، وذلك بعد كل الإهانة التي شعرت بها منذ عودته.

قالت جاكسون: «حسناً، لن يفيدك بشيء هذا النوع من التعليقات».

سمعت بوغز يقول من خلفي: «ضعيها على جدول المناوبة».

هزّت جاكسون رأسها، ثم دوّنت شيئاً على دفترها وقالت لي: «من منتصف الليل وحتى الرابعة فجراً. ستكونين معي».

حين دوّى صوت صفارة الدعوة إلى الغداء، سرتُ وغايل نحو المطعم، فسألني بصراحة: «أتريدين مني أن أقتله؟».

قلت: «سيؤدي الأمر إلى إرجاعنا بكل تأكيد». شعرت بالصدمة من وحشية هذا العرض وقلت: «يمكنني مواجهته بمفردي».

«أتعنين مواجهته حتى يحين موعد مغادرتك؟ أتنوين المغادرة مع خريطتك الورقية، وربما مع جهاز هولو كذلك إذا تمكنتِ من الاستيلاء عليه؟». يعني ذلك أن غايل لم يكن غافلاً عن التحضيرات التي أجريها. تمنيت ألاّ يكون الآخرون قد لاحظوها بدورهم. لا يتمكن الآخرون من قراءة أفكاري كما يفعل هو. سألني: «أنتِ لا تخططين لتركي هنا، أليس كذلك؟».

كنت أخطّط لتركه حتى هذه اللحظة، لكن السماح لرفيقي في الصيد بحراستي ليس بالفكرة السيئة. «إنني مضطرة، بصفتي زميلتك في الفرقة، إلى أن أنصحك، وبقوة، بالبقاء مع فرقتك. لكنّني غير قادرة على منعك من المجيء معي، أليس كذلك؟».

ضحك قليلاً وقال: «كلا، هذا إذا أردتِ ألاّ أعلم بقية الجيش بما يجري».

أحضر أفراد الفرقة 451 وفريق التصوير التلفزيوني طعام غدائهم من المطعم وتجمعوا في حلقة ضيقة كي يأكلوا. ظننت في البداية أن بيتا هو سبب التوتر المخيّم، لكنّني أدركت عندما انتهينا من تناول الطعام أنّ هناك نظرات كثيرة غير ودّية مصوبة نحوي. اعتبرت أن هذا تطوّر سريع لأنني كنت متأكدة من أنه عندما ظهر بيتا، فإن الفريق بأكمله شعر بالقلق نتيجة الخطورة التي قد يمثّلها، وعلى الأخص بالنسبة إليّ. لم أفهم السبب الحقيقي للتوتر السائد إلا بعد أن تلقيت اتصالاً هاتفياً من هايميتش.

سألني: «ماذا تحاولين أن تفعلي؟ هل تريدين استفزازه كي يهاجمك؟».

قلت له: «بالطبع لا. أريده أن يتركني وشأني فحسب».

قال هايميتش: «حسناً، لا يستطيع أن يفعل ذلك بعد كل الأمور التي أخضعته لها الكابيتول. اسمعيني جيداً. يُحتمل أن تكون كوين قد أرسلته

على أمل أن يقتلك، لكن بيتا لا يعلم ذلك. إنه لا يدرك ما حدث له، وهكذا لا يمكنك إلقاء اللوم عليه...».

قلت له: «أنا لا أفعل ذلك!».

بقي هايميتش على إصراره: «بل إنّك تفعلين ذلك! إنك تعاقبينه مرة بعد أخرى على أمور تقع خارج نطاق سيطرته. إنني لا أنصحك بألاّ تُبقي سلاحاً محشواً إلى جانبك على الدوام. لكنّني أعتقد أن الوقت قد حان كي تعكسي الأدوار في هذا الوضع. ماذا كان سيحصل لو أخذتك الكابيتول أسيرة، وتعرضتِ للاختطاف، ثم حاولتِ بعد ذلك أن تقتلي بيتا؟ هل كانت هذه هي الطريقة التي سيعاملك بها؟».

التزمت الصمت. أعرف أنه ما كان ليعاملني بهذه الطريقة. لا يتعلق الأمر بطريقة معاملته لي. كان سيحاول استعادتي بأي ثمن بدلاً من استبعادي، وهجري، ومعاملتي بكل قسوة عندما يلتقيني.

قال هايميتش: «أتذكرين أننا بذلنا معاً محاولاتٍ عدّة لإنقاذه؟». أنهى هايميتش المكالمة بعد سكوتي بالقول: «حاولي وتذكّري».

تغيّر جوُّ هذا اليوم الخريفي من منعش إلى بارد. استلقى معظم أفراد الفرقة في أكياس نومهم. نام بعضهم في العراء وبالقرب من وسط معسكرنا بينما انسحب آخرون إلى خيَمهم. انهارت ليغ 1 أخيراً بسبب موت شقيقتها، ووصلتنا أصوات نشيجها المكتومة من خلال قماش الجنفاص. جلست في خيمتي وفكّرت في كلمات هايميتش. أدركت على الفور أن تركيزي على اغتيال سنو جعلني أتجاهل مشكلة أكثر صعوبة؛ تمثلت بمحاولة إنقاذ بيتا من العالم الغامض الذي يحاصره. لا أعلم كيفية العثور عليه، فكيف يمكنني إخراجه من ذلك العالم؟ عجزت حتى عن التفكير في خطة. بدا الأمر وكأن مهمة عبور ميدانٍ مليء بالمخاطر، والعثور على سنو، وإيداع رصاصة في رأسه، ما هي إلا لعبة أطفال.

عند منتصف الليل، زحفت خارج خيمتي، ثم جلست على أحد مقاعد المعسكر قرب الموقد، وذلك كي أبدأ نوبة حراستي مع جاكسون. طلب بوغز من بيتا النوم في مكانٍ ظاهر تماماً حيث نتمكن جميعاً من مراقبته. لم يكن نائماً مع ذلك، بل كان جالساً بعد أن وضع حقيبته فوق صدره وراح يحاول، وبشكلٍ أخرق، ربط عقد بقطعة حبل صغيرة. إنني أعرف هذا الحبل جيداً لأنه الحبل ذاته الذي أعارني إياه فينيك في تلك الليلة التي أمضيتها في الملجأ. بدا المشهد عندما رأيت الحبل بين يديه وكأن فينيك يردّد ما قاله لي هايميتش للتو، أي أنني تخليت عن بيتا. يُحتمل أن يكون هذا هو الوقت المناسب لإصلاح الأمور، هذا إذا ما تمكنت من التفكير في شيء كي أقوله. لم أتمكّن من التفكير في شيء، وهكذا لم أفعل شيئاً. تركت أصوات أنفاس الجنود تملأ سكون الليل.

تكلم بيتا بعد مرور نحو ساعةٍ من الزمن، وقال: «أعتقد أن السنتين الماضيتين كانتا شديدتَي الإنهاك بالنسبة إليك. كنت تحاولين تقرير ما إذا كنتِ تريدين قتلي أم لا، مرة بعد أخرى».

بدا لي الأمر كله بعيداً عن الإنصاف كلياً، ولذلك كان أول شيء فكرت فيه هو قول شيء جارح. حاولت أن أتذكر محادثتي مع هايميتش كي أتمكّن من أخذ أول خطوة تجريبية لي نحو بيتا. «لم أرغب في قتلك قطّ، إلا عندما ظننت أنك تساعد المحترفين على قتلي. دأبت بعد ذلك على التفكير فيك على أنك... حليف». كانت تلك كلمة مناسبة وآمنة لأنها تخلو من أي التزامٍ عاطفي، كما أنها تخلو من التهديد.

«حليفة». تلفظ بيتا بهذه الكلمة ببطء وكأنه يتذوقها. «حبيبة. منتصرة. عدوة. خطيبة. هدف. مسخ. جارة. صائدة. مجالدة. حليفة. سأضيف هذه الكلمة الآن إلى لائحة الكلمات التي أستخدمها عندما أحاول التفكير فيك». بدأ يتلاعب بالحبل بين أصابعه وتابع: «لكن المشكلة هي عدم

تمكني بعد الآن من التمييز بين ما هو حقيقي وما هو مزيّف».

أوحى إليّ انقطاع التنفس الإيقاعي أن الجنود إمّا قد استيقظوا، أو أنهم لم يكونوا نائمين قطّ. ورجّحت الحالة الأخيرة.

ارتفع صوت فينيك من بين الظلال قائلاً: «إذاً، يتعيّن عليك أن تسأل يا بيتا. هذا ما تفعله آني».

سأل بيتا: «أسأل مَن؟ ومَن ذا الذي أستطيع الوثوق به؟».

قالت جاكسون: «حسناً، يمكنك أولاً أن تثق بنا. إننا فرقتك».

قال مصحّحاً: «أنتم حرّاسي».

قالت: «ونحن حراسك أيضاً، لكنك أنقذتَ عدداً كبيراً من الأشخاص في المقاطعة 13. إن ذلك أمرٌ لا يمكننا نسيانه».

حاولت في فترة الصمت التي تلت أن أتخيّل حالة عدم قدرتي على التمييز بين الوهم والواقع. يعني ذلك عدم قدرتي على معرفة ما إذا كانت بريم ووالدتي تحبّانني، أو ما إذا كان سنو عدوي، أو حتى ما إذا كان الشخص الذي يقف قرب الموقد قد أقدم على إنقاذي أو على التضحية بي. تحولت حياتي بسرعة إلى كابوس، وبمجهودٍ قليلٍ جداً. أردت أن أخبر بيتا كل شيء عن حقيقته، وحقيقتي أنا، وعن كيفية وصولنا إلى هذا المكان، لكنّني لم أعرف كيف أبداً. إنني عديمة القيمة... ولا أساوي شيئاً.

التفت بيتا نحوي مجدداً قبل أربع دقائق من الساعة الرابعة وقال لي: «إن لونك المفضّل هو... الأخضر؟».

«هذا صحيح». فكرت بعد ذلك في شيء أضيفه وقلت: «والبرتقالي هو لونك المفضّل».

بدا أنه لم يقتنع كثيراً وسألني: «البرتقالي؟».

قلت له: «لا أعني اللون البرتقالي الساطع، لكنه ذلك البرتقاليّ الشاحب، أي مثل لون السماء عند الغروب. هذا، على الأقل ما أخبرتني

إياه ذات مرة».

«أوه!». أغمض عينيه قليلاً، ولعله حاول أن يتخيّل منظر غروب الشمس، وما لبث أن أومأ برأسه وقال لي: «شكراً لك».

خرجت كلمات أخرى من فمي: «أنت رسّام. أنت خبّاز أيضاً، وتحب أن تنام ونوافذك مفتوحة، كما أنك لا تضع السكر مع الشاي، وتربط شريطَي حذائك مرتين».

دلفت إلى خيمتي قبل أن أقوم بشيء يتسم بالحماقة مثل البكاء.

توجهت في الصباح مع غايل وفينيك كي نصوّب على زجاج بعض المباني أمام فريق التصوير. رأيت بيتا بعد عودتنا مع حلقةٍ من جنود المقاطعة 13. كان الجنود مسلّحين، لكنهم كانوا يتحدثون إليه بصراحة. ابتكرت جاكسون لعبة تدعى حقيقياً أو غير حقيقي، وذلك بهدف مساعدة بيتا. يذكر بيتا شيئاً يعتقد أنه حدث، ثم يقولون له إن كان ذلك الشيء حقيقياً أم متخيّلاً، وكانوا يرفقون ذلك بتفسيرٍ مختصر.

«قُتل معظم سكان المقاطعة 12 نتيجة الحرائق».

«حقيقة. لم يتمكن سوى عدد يقل عن تسعمئة شخصٍ منكم من الوصول أحياء إلى المقاطعة 13».

«كنت أنا المسؤول عن إشعال الحرائق».

«غير صحيح. أقدم الرئيس سنو على تدمير المقاطعة 12 بالطريقة ذاتها التي دمّر بها المقاطعة 13، وذلك كي يُرسل رسالة إلى المتمردين».

بدت لي هذه اللعبة فكرة جيدة إلى أن أدركت أنني الشخص الوحيد الذي يمكنه تأكيد أو نفي معظم الأمور التي تشغل باله. صرفتنا جاكسون بعد أن وزّعتنا إلى فرق للحراسة، كما عيّنت جندياً من المقاطعة 13 لكلٍّ من فينيك، وغايل، وأنا. تمكّن بيتا بهذه الطريقة من الوصول دائماً إلى شخصٍ يعرفه شخصياً، لكنه لم ينشغل قطّ بمحادثة طويلة لأنه أمضى

أوقاتاً طويلة في التفكير حتى في أصغر التفاصيل، مثل المكان الذي كان سكان المقاطعة 12 يشترون منه الصابون. زوّده غايل بمعلوماتٍ كثيرة عن المقاطعة 12، لكن فينيك كان خبيراً بالمباريات التي خاضها بيتا، وذلك لأنه كان مرشداً في المباراة الأولى، ومجالداً في المباراة الثانية. لكن، نظراً إلى أن أشد الارتباك الذي شعر به بيتا كان يتركز حولي، وعلماً أنه كان من غير الممكن إيضاح كل شيء ببساطة، لذلك كانت محادثتنا مؤلمة ومشحونة؛ حتى لو تحدثنا عن أكثر التفاصيل سطحية. تحدثنا عن لون فستاني في المقاطعة 7، وعن تفضيلي الكعك مع الجبن، وعن اسم الأستاذ الذي كان يعلّمنا مادة الرياضيات عندما كنا صغيرين. كان قيامي بتجميع ذاكرته عملاً مؤلماً بالنسبة إليّ. يُحتمل أن هذه المهمة كانت مستحيلة بعد ما فعله معه سنو، لكن، بدا لي أنه من الصواب مساعدته على المحاولة.

قيل لنا في مساء اليوم التالي إنهم يحتاجون إلى الفرقة بأكملها من أجل إنتاج شريط دعائي يترافق مع شيء من التعقيد. كان بيتا محقاً بشأن أمرٍ واحد: لم تكن كوين وبلوتارك راضيين عن نوعية الأشرطة التي يستلمانها من فرقة النجوم. كانت هذه الأشرطة مملة جداً، وخالية من الإيحاء. كان ردهما المنطقي هو عدم السماح لنا بالقيام بأي شيء غير اللهو ببنادقنا. لم يتعلّق الأمر هنا بالدفاع عن أنفسنا، ولكن بإنتاج شيء مفيد. خصصوا لنا منطقة خاصة لهذا الغرض، أي من أجل تصوير الشريط. احتوت هذه المنطقة الخاصة على عدة مصائد. تتمكن إحدى هذه المصائد من إطلاق زخةٍ من الرصاص، وتقوم أخرى برمي شبكة على المهاجمين وتحتجزهم إما للاستجواب أو للإعدام، ويعتمد ذلك على الأمر الذي يفضّله الآسرون. كانت تلك مجرد منطقة سكنية غير هامة ومن دون أهمية استراتيجية.

أراد الفريق التلفزيوني إضفاء جوٍّ يوحي بالخطورة الشديدة فأطلق قنابل دخانية، وأضاف مؤثرات صوتية مثل إطلاق الرصاص. ارتدينا أزياء

واقية، وكذلك فعل فريق التصوير. بدا الأمر وكأننا نتجه نحو قلب المعركة. سُمح للذين يحملون أسلحة خاصة بحملها إلى جانب بنادقهم. أرجع بوغز بندقية بيتا إليه، لكنه تأكد من إبلاغه بصوتٍ عالٍ بأنها محشوة بذخيرة خلّبية.

هزّ بيتا كتفيه قائلاً: «لست رامياً ماهراً بالبندقية على أي حال». بدا أنه منشغل بمراقبة بولوكس إلى حد أن مراقبته أصبحت مزعجة قليلاً إلى أن حاول فهم ما يجري، وتكلّم بشيءٍ من التأثر: «أنت آفوكس، أليس كذلك؟ استنتجت ذلك من طريقة بلعك للطعام، ولأنه كان معي اثنان من الآفوكس في السجن، وهما داريوس ولافينيا، لكن الحراس كانوا يطلقون عليهما اسم الرأسين الأحمرين. كانا يخدماننا في مركز التدريب ولذلك أسروهما معنا. راقبتهما وهما يتعرضان للتعذيب حتى الموت. كانت لافينيا محظوظة لأنهم استخدموا فولطية عالية فتوقف قلبها على الفور. أما داريوس فبقي يتعذب أياماً حتى لقي مصرعه. تعرّض للضرب، وقطعوا له أوصاله. ثابروا على طرح الأسئلة عليه، لكنه كان عاجزاً عن الكلام ولم يتمكن إلا من إصدار أصواتٍ تشبه أصوات الحيوانات. أتعلمون أنهم لم يرغبوا في انتزاع معلومات منه؟ لقد أرادوا أن أرى عذابه».

نظر بيتا حوله، وتفحص وجوهنا المصعوقة. بدا وكأنه ينتظر رداً منا. لم يتكلم أحدٌ منا بشيء فسألنا: «هل كان ذلك حقيقة أم وهماً؟». زاد سكوتنا من إحباطه، فقال ملحاً: «هل كان ذلك حقيقة أم لا؟!».

قال بوغز: «كان ذلك حقيقة. على الأقل، بحسب ما نعلمه... كان حقيقة».

استرخى بيتا في جلسته قائلاً: «ظننت هذا. لم يكن هناك أي شيء... مبهجٍ في كل ما جرى». سار مبتعداً عن مجموعتنا وهو يتمتم بأشياء عن أصابع اليدين والقدمين.

اقتربت من غايل وضغطت بجبهتي على صدره، على درع الجسم، وشعرت بذراعه وهي تحيطني بشدة. عرفنا أخيراً اسم الفتاة التي خطفتها الكابيتول من غابات المقاطعة 12، وعرفنا كذلك مصير ضابط الأمن الذي حاول إبقاء غايل على قيد الحياة. لم يكن الوقت مناسباً لتذكر اللحظات السعيدة. فقد الاثنان حياتيهما بسببي أنا. أضفت هذين الاسمين إلى لائحة الضحايا الذين قضوا نحبهم بسببي، وهي اللائحة التي بدأت تتكون في الميدان وضمّت الآلاف. رأيت غايل ينظر نظرة غير مكترثة عندما رفعت رأسي. أوحت إليّ تعابير وجهه أنه لا يتواجد ما يكفي من الجبال لسحقها، أو ما يكفي من المدن لتدميرها. كانت ملامحه تعدُ بالموت.

تجولنا في الشوارع المليئة بحطام الزجاج المتكسر بينما كانت رواية بيتا المريعة تجول في أذهاننا. وصلنا بعد ذلك إلى هدفنا، أي المجمّع الذي سنحتله. إنه هدف حقيقي وصغير يتعيّن علينا الوصول إليه. تحلقنا حول بوغز كي نتفحص صورة الهولو المجسمة للشارع. تبعد مصيدة طلقات الرصاص نحو ثلث المسافة نزولاً، وتقع فوق مظلة تابعة لإحدى الشقق. يتعيّن علينا تفجيرها بالرصاص. أما مصيدة الشبكة فتتواجد في نهاية المسافة. تتطلب هذه المهمة شخصاً ما لتفجير آلية مجسّات الجسم. تطوّع الجميع عدا بيتا الذي بدا أنه يجهل ما يدور حوله. لم يختاروني، لكنهم أرسلوني إلى ميسالا الذي وضع بعض مساحيقَ التجميل على وجهي، وذلك من أجل اللقطات القريبة المتوقعة.

تمركزت الفرقة بحسب توجيهات بوغز، وتعيّن علينا بعد ذلك انتظار كريسيدا كي تعيّن مركز المصوّر. تواجدت كريسيدا والمصور إلى يسارنا بينما كان كاستور في المقدمة، أما بولوكس، فوقف في النهاية وذلك للتأكد من عدم تصوير أحدهم الآخر. فجّر ميسالا عدة شحناتٍ دخانية في الجو. فكّرت في أن ما نحن بصدده الآن هو مهمة عسكرية ومهمة تصوير كذلك،

لذلك فكرت في أن أسال عن الشخص المسؤول عني، أو قائدي، أو مخرج اللقطات، لكن كريسيدا صرخت في تلك اللحظة بالذات: «انطلقوا!».

تقدمنا ببطء نزولاً نحو الشارع الذي يغطيه الضباب، وكان شارعاً مشابهاً لذلك الموجود في البلوك الذي تدربنا فيه. عُيّن لكل واحدٍ منا قسم واحد على الأقل كي يفجّره، لكن خُصِّص لغايل هدف حقيقي. عمدنا إلى حماية أنفسنا بعد أن أصابتنا المصيدة، وهكذا لجأنا إلى مداخل المباني، أو انبطحنا فوق أحجار الشوارع الجميلة ذات اللونين البرتقالي والزهري الفاتحين. حدث هذا بينما أرغمتنا زخات الرصاص على التراجع والتقدم على أعقابنا. أمرنا بوغز بعد فترة بالتقدم أكثر.

أوقفتنا كريسيدا قبل أن نتمكن من النهوض، وذلك لأنها أرادت التقاط بعض اللقطات القريبة. تبادل أعضاء الفرقة إعادة تمثيل ردود أفعالنا. هبطنا إلى الأرض، وابتسمنا، ولجأنا إلى الفجوات الموجودة في الجدران. أدركنا أنه من المفترض أن يكون الأمر جدياً، لكنّني شعرت بأنه سخيف بعض الشيء. شعرت بذلك على الأخص عندما تبيّن لي أنني لست أسوأ الممثلين في الفرقة على الإطلاق. ضحكنا كثيراً لدى محاولة ميتشيل التظاهر باليأس، وهي المحاولة التي تضمنت صرير الأسنان وتوسيع منخريه. ضحكنا كثيراً إلى درجة أن بوغز اضطر إلى توبيخنا.

قال لنا بلهجة حاسمة: «اهدأوا يا أربعة - خمسة - واحد». أمكننا رؤيته وهو يكبح ابتسامته بينما كان يدقق بالمصيدة التالية. عدّل وضع جهاز الهولو كي يحصل على أشد الأنوار سطوعاً في هذا الجو المليء بالدخان، وبقي مواجهاً لنا، بينما أرجع قدمه اليسرى إلى الشارع المرصوف بالحجارة برتقالية اللون. ومن دون أن ينتبه داس على القنبلة التي انفجرت وفجرت معها ساقيه.

الفصل العشرون

بدا الأمر وكأن نافذة ملونة قد انكسرت في لحظة واحدة فكشفت عن عالم قبيح وراءها. تحول الضحك إلى صرخات، وتلونت الأحجار ببقع الدماء، وحلّ الدخان الحقيقي مكان الدخان الصناعي المخصص للمؤثرات الخاصة التي صُنعت لجعل الدخان داكن اللون ومناسباً للتصوير التلفزيوني.

بدا أن انفجاراً ثانياً قد دوّى في الجو وهذا ما سبب طنيناً شديداً في أذنيّ. عجزت عن تمييز الاتجاه الذي صدر منه.

كنت أول من وصل إلى بوغز، وحاولت أن أستوعب رؤية أشلاء لحمه الممزقة وأطرافه المفقودة، وأن أجد شيئاً من أجل إيقاف هذا السيل الأحمر الذي يتدفّق من جسمه. دفعني هومز جانباً ثم فتح حقيبة للإسعافات الأولية. تمسّك بوغز بمعصمي؛ كان وجهه الشاحب والمحتضر يوحي بالكثير، لكن كلماته التالية كانت بمثابة أمر: «الهولو».

الهولو. وثبت في المكان، وبحثت من خلال ركام الأحجار التي ضرّجتها الدماء، وأحسست بالقشعريرة عندما اصطدمت يداي باللحم الساخن. وجدته مقذوفاً في بئر السلم مع حذاء بوغز. تناولت جهاز الهولو، ونظّفته بيديّ العاريتين في طريق عودتي إلى قائدي.

لفّ هومز قاعدة فخذ بوغز بضمادة لاصقة، لكنها ابتلّت بالدماء بالكامل. حاول إيقاف النزيف في الرجل الأخرى من فوق الركبة الباقية. تحلّق مَن بقي من أفراد الفرقة بتشكيلة واقية حول فريق التصوير وحولنا. انشغل فينيك في إنعاش ميسالا الذي دفعه الانفجار نحو أحد الجدران. صرخ جاكسون من خلال جهاز اتصالٍ ميداني، وحاول تنبيه المعسكر

293

لإرسال الإسعافات الطبية، لكن من غير طائل. تعلمت في صغري عندما كنت أراقب عمل والدتي أنّه ما إن تصل بركة الدماء إلى حجمٍ معيّن حتى ينتهي الأمر.

ركعت إلى جانب بوغز، وحضّرت نفسي لإعادة الدور الذي لعبته سابقاً مع رو، ومع المورفلنغ من المقاطعة 6، وهكذا وفرت له شخصاً كي يتمسك به بينما يلفظ أنفاسه الأخيرة. لكن بوغز كان يعمل بيديه الاثنتين على جهاز الهولو. كان يطبع أحد الأوامر، ويضغط بإبهامه على الشاشة من أجل تمييز البصمة، كما تلفّظ بسلسلة من الأحرف والأرقام استجابةً لعلامةٍ ظهرت على الشاشة. انطلق عمود من النور الأخضر خارج جهاز الهولو فأضاء وجهه. قال: «لم أعد مؤهلاً للقيادة. أريد نقل التفويض الأمني الأساسي إلى الجندية كاتنيس إيفردين من الفرقة أربعة - خمسة - واحد». كان كل ما تمكّن من فعله هو تحويل اتجاه جهاز الهولو نحو وجهي قائلاً: «قولي اسمك».

«كاتنيس إيفردين». هذا ما قلته لذلك العمود الأخضر. غمرني الضوء بالكامل، ولم أتمكن من التحرك أو حتى من تحريك جفنيّ بينما كانت الصور تومض أمامي بسرعة. هل يجري الجهاز مسحاً لي؟ هل يسجّل صورتي؟ هل يُعميني؟ اختفى عمود النور، فهززت رأسي كي أرتاح قليلاً وسألته: «ماذا فعلت؟».

صرخت جاكسون: «تجهزوا للانسحاب!».

صرخ فينيك شيئاً في المقابل، ثم أومأ نحو نهاية الشارع حيث دخلنا. شاهدنا في الشارع مادة زيتية سوداء وهي تتدفق مثلما تتدفق مياه نبعٍ من المياه الساخنة، وكانت تسيل من بين المباني فشكلت جداراً من الظلمة لا يمكن اختراقه. بدا لي أن تلك المادة ليست سائلاً أو غازاً، وليست ميكانيكية أو طبيعية. كنت متأكدة من أنها قاتلة. كان من المستحيل علينا

العودة من حيث أتينا.

دوّت في الأجواء أصوات الرصاص التي تصمّ الآذان والتي أطلقها غايل وليغ 1. فعلا ذلك كي يشقا مساراً بين الأحجار نحو نهاية الشارع. لم أفهم قصدهما من ذلك حتى انفجرت قنبلة أخرى على بعد عشر ياردات مني. أدى انفجار القنبلة إلى فتح ثغرة في الشارع. أدركت بعد ذلك أن هذه كانت محاولة أولية من أجل إزالة المصائد. أمسكت بوغز بمساعدة هومز وبدأنا بجرّه وراء غايل. سيطرت المعاناة على بوغز، وراح يصرخ من شدّة الألم إلى درجة أنني أردت التوقف من أجل العثور على طريقة أفضل، لكن الظلمة لم تكفَّ عن التصاعد فوق المباني وأخذت بالتمدد وغمرتنا مثل موجة.

شعرت بأن شيئاً ما يسحبني إلى الخلف، وهكذا أفلتّ قبضتي عن بوغز ثم اندفعت نحو الأحجار. نظر إليّ بيتا وقد سيطرت عليه حالة من الذهول، أو حتى من الجنون. بدا أنه عاد إلى عالم الاختطاف. رفع بندقيته نحوي وهوى بها فوق رأسي كي يسحق جمجمتي، غير أنني تدحرجت على الفور، وسمعت عقب البندقية وهو يرتطم بالأرض. لمحت كومة الجثث بطرف عيني بينما تولى ميتشيل مواجهة بيتا وثبّته بالأرض. لكن بيتا، وهو الذي كان قوياً على الدوام، والذي أصبح أكثر قوة بسبب الجنون الذي سبّبه له التراكر جاكر، تمكّن من دفع قدميه نحو بطن ميتشيل، فدفعه نحو الشارع إلى مسافةٍ أبعد.

دوّى صوت قرقعة عالية عندما انفجرت إحدى المصائد. ظهرت من خلال الأحجار أربعة أسلاك معلقة بسكك تمر من فوق المباني، وأحاطت شبكة الأسلاك بميتشيل. لم أفهم ما جرى، ولم أفهم كيف تلطخ بالدماء إلى أن رأيت الأشواك البارزة من الأسلاك التي تغلّفه من كل جانب. عرفته على الفور. كانت هذه هي الأسلاك التي تتوج السياج الذي يحيط بالمقاطعة

12. ناديته طالبة منه عدم التحرك، لكنّني شعرت بأنني سأختنق من رائحة تلك المادة الداكنة التي تشبه القطران. وصلت الموجة إلى ذروتها وبدأت بالانحسار.

انطلق غايل وليغ 1 عبر الباب الأمامي للمبنى الذي يقع في زاوية المجمع، وبدآ بعد ذلك بإطلاق النار على الأسلاك التي تحمل الشبكة التي تحيط بميتشيل. اندفعت متراجعة نحو بوغز، ثم جررته بعد ذلك أنا وهومز إلى داخل شقة. دفعناه بعد ذلك إلى غرفة معيشة أحد الأشخاص التي يغلب عليها المخمل باللونين الزهري والأبيض، ونقلناه بعد ذلك إلى ممرٍّ مليء بصورٍ عائلية، ووصلنا به إلى أرضية مطبخٍ رخامية، وهناك سقطنا على الأرض. رأينا بعد ذلك كاستور وبولوكس وهما يحملان بيتا الذي كان يتقلب ألماً. تمكنت جاكسون بعد ذلك من تقييده، لكن هذا جعله أكثر شراسة وهكذا اضطروا إلى احتجازه داخل خزانة.

سمعنا صراخ بعض الأشخاص في غرفة المعيشة بعد أن انغلق الباب الأمامي بقوة. سمعنا وقع أقدام تتزايد بينما كانت الموجة السوداء تتنقل راعدة بين المباني، كما تمكنا من سماع أصوات النوافذ وهي تئن في أثناء تحطّمها. ملأت الأجواء رائحة القطران. رأيت فينيك حاملاً ميسالا إلى داخل الغرفة، بينما اندفعت ليغ 1 وكريسيدا بعدهما إلى الغرفة، وكان الجميع يسعلون.

صرخت: «غايل!».

كان هناك، ورأيته يصفق باب المطبخ وراءه، ثم تلفظ بكلمةٍ واحدة بصوتٍ مختنق: «أدخنة!». أمسك كاستور وبولوكس بمناشف ومآزر كي يسدوا الشقوق، بينما كان غايل يتقيأ في مغسلة صفراء لامعة.

سأل هومز: «أين ميتشيل؟». فاكتفت ليغ 1 بهزّ رأسها.

دفع بوغز جهاز الهولو بين يدَي. تحركت شفتاه لكنّني لم أتمكن من

فهم ما يقوله. قرّبت أذني من فمه كي أفهم ما يقوله بصوت هامسٍ ومؤثر: «لا تثقي بهم. لا تعودي. اقتلي بيتا. افعلي ما أتيتِ من أجله».

تراجعت كي أتمكن من رؤية وجهه وسألته: «ماذا؟ بوغز؟ بوغز؟». بقيت عيناه مفتوحتين، لكنه كان ميتاً. كان جهاز الهولو ملتصقاً بيدي بفعل دمائه.

طغت طَرقات قدمَي بيتا على باب الخزانة على أصوات تنفس الآخرين المتقطعة. أرهفنا السمع جيداً ولاحظنا أن قوته قد بدأت تتلاشى. فقد تناقصت الركلات حتى أصبحت نقراتٍ غير منتظمة. لم نسمع شيئاً بعد ذلك. تساءلت إذا كان قد مات هو أيضاً.

سألني فينيك وهو ينظر إلى بوغز: «هل مات؟». أومأت ثم قلت: «يجب أن نخرج من هنا. الآن. انتهينا الآن من تفجير مصائد تكفي لتفجير شارع بأكمله. أراهنك بأنهم سجّلوا تحركاتنا على أشرطة المراقبة».

قال كاستور: «إنه أمرٌ مؤكد. تغطي كاميرات المراقبة كل الشوارع. أراهن بأنهم أطلقوا الموجة السوداء يدوياً عندما شاهدونا في أثناء تسجيلنا الشريط».

«تعطلت أجهزة تواصلنا الراديوية على الفور تقريباً. يُحتمل أن ذلك قد حدث عن طريق جهاز ذبذبات كهرومغناطيسية. لكنّني سأعود بكم إلى المعسكر. أعطيني جهاز الهولو». تقدمت جاكسون كي تأخذ الجهاز مني، لكنّني شددته إلى صدري.

قلت: «لا، لأن بوغز أعطاني إياه».

ردّت بحدة: «لا تكوني سخيفة». تعتقد جاكسون أن الجهاز يجب أن يكون معها لأنّ ترتيبها هو الثاني بين القادة.

قال هومز: «هذا صحيح، كما أنه نقل التفويض الأمني الأساسي إليها بينما كان يحتضر. رأيت ذلك بنفسي».

297

قالت جاكسون بإصرار: «ولماذا فعل ذلك؟».

لماذا؟ حقاً، لماذا فعل ذلك؟ شعرت بالدوار نتيجة الأحداث المريعة التي حصلت في الدقائق الخمس الأخيرة: التشويه الذي تعرّض له بوغز، واحتضاره، وموته، وهيجان بيتا المميت، وميتشيل المغطى بالدماء داخل الشبكة قبل أن تبتلعه الموجة السوداء الكريهة. التفتّ إلى بوغز، وهو الذي أحتاج إليه حياً. تأكدت فجأةً، أنّه هو، وربما هو وحده، من كان إلى جانبي كلياً. فكّرت في أوامره الأخيرة...

لا تثقي بهم. لا تعودي. اقتلي بيتا. افعلي ما جئتِ من أجله.

ماذا كان يعني بقوله هـذا؟ وبمن يجب عليّ ألاّ أثـق؟ أيقصد المتمردين؟ أم كوين؟ أم الأشخاص الذين ينظرون إليّ الآن؟ لا أنوي العودة أبداً، لكن يجب عليه أن يعرف أنني عاجزة عن إطلاق رصاصة على رأس بيتا. أيمكنني ذلك؟ أيتعيّن عليّ أن أفعل ذلك؟ هل تمكّن بوغز من تخمين السبب الفعلي الذي دفعني إلى المجيء؛ ألا وهو الفرار وقتل سنو بنفسي؟

لا أستطيع حسم كل هذه الأمور الآن، ولذلك قررت تنفيذ أول أمرين: عدم الثقة بأحد، وأن أقترب أكثر من الكابيتول. لكن، كيف سأتمكن من تبرير ذلك؟ وكيف سأتمكن من حملهم على السماح لي بالاحتفاظ بجهاز الهولو؟

«لأنني في مهمة خاصة من قِبَل الرئيسة كوين. أعتقد أن بوغز هو الشخص الوحيد الذي يعلم بها».

لم تقتنع جاكسون بهذا الكلام أبداً وسألتني: «وماذا تريدين أن تفعلي؟».

لماذا لا أقول لهم الحقيقة؟ إنها تمثّل سبباً معقولاً مثل كل الأشياء التي أفكر فيها. لكن يتعيّن عليّ أن أجعلها تبدو مثل مهمة حقيقية، وليست

ثأراً، فقلت: «أريد اغتيال الرئيس سنو قبل أن يتخطى عدد الذين يخسرون حياتهم من جرّاء الحرب قدرة شعبنا على الاستمرار».

قالت جاكسون: «لا أصدّقك. آمرك بوصفي قائدتك الحالية أن تنقلي التفويض الأمني الأساسي إليّ».

قلت: «لا، سيكون ذلك خرقاً مباشراً لأوامر الرئيسة كوين».

صُوّبت كل البنادق نحونا: نصف بنادق الفرقة صُوِّبت نحو جاكسون، ونصفها الآخر نحوي. ستموت إحدانا، لكن كريسيدا تكلمت في هذه اللحظة: «هذا صحيح، وهذا هو سبب تواجدنا هنا. يريد بلوتارك أن يكون الحدث منقولاً على الشاشة. فهو يعتقد أننا إذا استطعنا تصوير الطائر المقلّد في أثناء اغتيال سنو، فإن ذلك سيُنهي الحرب».

أعطى هذا الكلام جاكسون سبباً للتردد للحظة، وأشارت ببندقيتها نحو الخزانة قائلة: «ولماذا يتواجد هنا؟».

أحرجتني جاكسون في هذه النقطة، وعجزت عن التفكير في سبب معقول يدفع كوين إلى إرسال شاب مضطرب ومبرمج لقتلي في هذه المهمة الحاسمة. أضعفت هذه النقطة موقفي، لكنّ كريسيدا هبّت لنجدتي مجدداً: «يعتقد بلوتارك أن بيتا قد يكون مفيداً لنا بصفته مرشداً في مكانٍ لا نعرفه جيداً، وذلك لأن المقابلتين اللتين أجريتا بعد المباراة مع سيزار فليكرمان كانتا في جناح الرئيس سنو الشخصي».

أردت أن أسأل كريسيدا لماذا تكذب من أجلي، ولماذا تجهد نفسها كي نمضي في مهمتي التي عيّنتها لنفسي، لكن الوقت لم يكن مناسباً.

قال غايل: «علينا أن نخرج من هنا! سأتبع كاتنيس. إذا لم ترغبوا في فعل ذلك، يمكنكم العودة إلى المعسكر. لكن، دعونا نبدأ بالتحرك!».

فتح هومز الخزانة، وأمسك بيتا فاقد الوعي من كتفيه وقال: «هل أنتم جاهزون؟».

قالت ليغ 1: «وماذا بشأن بوغز؟».

قال فينيك: «لا يمكننا أخذه معنا. سيعذرنا على ذلك». تناول بندقية بوغز التي كانت معلقة على كتفه وما لبث أن علقها على كتفه هو وقال: «كوني في المقدمة أيتها الجندية إيفردين».

لا أعرف كيفية القيادة. نظرت إلى جهاز الهولو علّني أجد شيئاً، فلاحظت أن الجهاز لا يزال يعمل، لكنّه بدا عديم الفائدة بالنسبة إليّ. لا أمتلك متسعاً من الوقت للعبث بـالأزرار كي أعرف كيفية تشغيله. قلت لجاكسون: «لا أعرف كيفية استخدام هذا الجهاز. قال بوغز إنك ستساعدينني، وإنه يمكنني أن أعتمد عليك».

عبست جاكسون في وجهي، وما لبثت أن خطفت الهولو من يدي، وبدأت بالضغط على شيء ما. ظهرت خطوط متقاطعة على الفور. «إذا خرجنا من باب المطبخ فسنجد باحة صغيرة، ثم سيظهر الجانب الخلفي لشقة تقع في زاوية المبنى. إننا ننظر إلى مشهد لأربعة شوارع تلتقي عند التقاطع».

حاولت معرفة مكان وجودي بالضبط بينما كنت أحدّق إلى مسطح الخريطة التي كانت تومض بالمصائد في كل الاتجاهات. لكن، هذه هي المصائد التي يعلم بلوتارك بوجودها فقط. لم يشِر جهاز الهولو إلى أن المنطقة التي تركناها لتونا كانت ملغومة، وأنها تحتوي على الموجة السوداء، أو أن الشبكة كانت مصنوعةً من الأسلاك الشائكة. يُضاف إلى ذلك إمكانية تواجد ضباط الأمن الذين قد نضطر إلى مواجهتهم، وذلك بعد أن عرفوا مكاننا. عضضت القسم الداخلي من شفتي، وشعرت أن الأعين كلها تنظر إليّ فقلت: «ضعوا أقنعتكم الواقية، لأننا سنعود من الطريق التي دخلنا منها».

تصاعدت الاحتجاجات على الفور، لكنّني رفعت صوتي فوق

300

أصواتهم: «إذا كانت الموجة تمتلك كل تلك القوة، فلا بد من أنها قد غطّت كل المصائد الأخرى الموجودة في طريقنا».

توقف الحاضرون للتفكير في الوضع، كما أن بولوكس أشار إلى شقيقه بإشارات قليلة وسريعة. تكفل كاستور بترجمة هذه الإشارات: «يُحتمل أن الموجة قد عطّلت الكاميرات كذلك، أو أنها غطت عدساتها».

أسند غايل فردة حذائه إلى الطاولة، ثم تفحص المادة السوداء التي علقت في مقدمة حذائه، وبدأ بكشطها بسكين المطبخ التي تناولها من بين مجموعة أخرى من الأدوات الموجودة على الطاولة. «إنها ليست مادة مميتة. أعتقد أن القصد منها هو إما أن نشعر بالاختناق، أو أن نتسمّم».

قالت ليغ 1: «يُحتمل أنها أفضل خياراتنا».

وضعنا الأقنعة، لكن فينيك قام بتثبيت قناع بيتا فوق وجهه الذي يخلو من الحياة، ورفعت كريسيدا وليغ 1 ميسالا بينهما لأنه كاد أن يفقد الوعي.

كنت أنتظر أن يأخذ شخص ما مهمة القيادة إلى أن تذكرت أن القيادة أصبحت من مهماتي أنا. دفعت باب المطبخ من دون أن ألقى أي مقاومة. امتدت طبقة من تلك المادة اللزجة وبسماكة نصف بوصة من غرفة المعيشة حتى ثلاثة أرباع المسافة إلى القاعة. اختبرت هذه المادة بمقدمة حذائي ولكن بشيءٍ من الحذر، واكتشفت أنها تمتلك ثبات مادة الهلام. رفعت قدمي ومددتها قليلاً، لكنها عادت إلى مكانها. تقدمت ثلاث خطوات فوق طبقة الهلام ثم نظرت ورائي. لم أشاهد أي آثارٍ لقدميّ. كانت هذه أول إشارة حسنة حدثت هذا اليوم. لاحظت أن الهلام كان أكثر كثافة عندما عبرت غرفة المعيشة. فتحت الباب الأمامي متوقعة أن تنسكب غالونات عدة من هذه المادة، لكنها حافظت على شكلها.

بدا أن الأحجار الزهرية والبرتقالية قد غُمست في طلاء أسود لماع وتُركت كي تجف. رأيت أحجار الشوارع، والأبنية، وحتى سقوف المنازل

مغطاة كلها بالهلام. رأيت كذلك جسماً كبيراً على هيئة دمعة معلقاً في الشارع. برز شكلان من هذا الجسم: سبطانة بندقية، ويدٌ بشرية. ميتشيل. انتظرت فوق الرصيف وحدقت إليه إلى أن انضمت إليّ الفرقة بأكملها.

قلت: «إذا أراد أحدكم العودة لأي سببٍ من الأسباب، فإن هذا هو الوقت المناسب. لا أعتزم طرح أسئلة، ولن أشعر بالاستياء». لم يُعلن أحد عن رغبته في العودة. بدأت بالتحرك نحو الكابيتول لأنني أعرف أننا لا نمتلك وقتاً كبيراً. ازدادت سماكة الهلام هناك، حتى وصلت إلى أربع أو ست بوصات، كما أصدرت أحذيتنا أصواتاً في كل مرة كنا نسحبها فيها من الهلام، لكن تلك المادة بقيت تغطي آثارنا.

كانت الموجة ضخمة من دون شك وامتلكت قوة هائلة وراءها، وذلك لأنها أثّرت في مبانٍ كثيرة من تلك التي لاحت أمامنا. حرصت على الدوس على الأرض بحذر، لكنّني أظن أن حدسي كان صائباً بشأن تفجير كل المصائد الأخرى. رأينا مجمعاً سكنياً وقد تناثرت على مبانيه الأجسام ذهبية الألوان للزنابير السامّة (تراكر جاكر). أعتقد أن هذه الزنابير قد أطلقت لكنها ماتت بسبب الأدخنة المنتشرة في الجو. رأينا على مسافةٍ أبعد مبنى للشقق السكنية وقد انهار بأكمله واختفى مشكّلاً كومة تحت الهلام. ركضت بأقصى سرعتي فوق التقاطعات، ورفعت يدي لأنني أردت من الآخرين الانتظار بينما كنت أبحث عن مكامن الخطر، لكن يبدو أن الموجة قد فجرت المصائد أفضل ممّا كانت أي فرقةٍ من الثوار تستطيع فعله.

وصلنا إلى المجمّع السكني الخامس، وهناك أدركت أننا وصلنا إلى النقطة التي بدأت الموجة فيها بالتلاشي. تقلصت سماكة الهلام هناك حتى بلغت بوصة واحدة، وتمكنت من رؤية سقوف شقق بلونها الأزرق الشاحب بارزةً في التقاطع التالي. بدأت أنوار العصر بالزوال، فأصبحنا بحاجة ماسة إلى غطاء ما كي نضع خطة لتحركنا. اخترت شقة على بعدِ

ثلثي المسافة من المكان الذي نتواجد فيه. فتح هومز القفل عنوة ثم أمرت الجميع بالدخول. بقيت في الشارع لفترة دقيقة واحدة وراقبت آخر آثار خطواتنا وهي تختفي، ثم أغلقت الباب خلفي.

أضاءت المصابيح المثبتة ببنادقنا غرفة معيشة كبيرة، وظهرت جدران تغلّفها المرايا التي عكست وجوهنا عند كل زاوية. تفحّص غايل النوافذ التي خلت من أي أضرار وما لبث أن نزع قناعه قائلاً: «لا بأس. يمكنكم أن تشمّوها، لكنها قوية جداً».

بدت الشقة مماثلةً تماماً للشقة الأولى التي لجأنا إليها. أخفى الهلام أي ضوء طبيعي للنهار في واجهة الشقة، لكن بعض الضوء تسلّل من خلال ستائر المطبخ. تواجدت على جانبَي الممر الداخلي غرفتا نوم مع حمّاميهما. ظهر درج حلزوني الشكل في غرفة المعيشة، يؤدي إلى مساحةٍ مفتوحة تشكل معظم الطابق العلوي. لم نشاهد نوافذ في ذلك الطابق، لكن المصابيح تُركت مضاءة، وربما تركها شخص أخلى المكان على عجل. رأيت شاشة تلفزيون كبيرة. لم تُظهر الشاشة التي غطت جداراً بأكمله أي شيء، لكنها كانت تتوهج بضوءٍ خافت. شاهدت مقاعد وأرائك فاخرة منتشرة في إحدى الغرف. اجتمعنا في تلك الغرفة واسترخينا على ذلك الأثاث الفاخر في محاولة منا لالتقاط أنفاسنا.

في هذه الفترة، بقيت جاكسون مصوبة بندقيتها نحو بيتا بالرغم من أنه لا يزال مقيّداً بالأصفاد وفاقداً الوعي، وهو مستلقٍ على أريكة ذات لون أزرق داكن حيث وضعه هومز. ماذا سأفعل به بحق الله؟ وماذا أفعل بالفريق؟ وماذا أفعل بالجميع، في الواقع، عدا غايل وفينيك؟ إنني أفضّل البحث عن سنو بمرافقتهما بدلاً من البحث عنه بمعزلٍ عنهما. لكنّني لا أستطيع أن أقود عشرة أشخاص عبر الكابيتول في مهمة مزعومة، وحتى إن تمكنت من قراءة الهولو. هل يجب عليّ - إن استطعت - إعادة الفريق

عندما يتسنى لي ذلك؟ أم أن ذلك أمر في غاية الخطورة؟ أيشكّل ذلك خطراً شخصياً عليهم وعلى مهمتي؟ يُحتمل أنه ما كان يجدر بي الإصغاء إلى بوغز، وذلك لأنه يُحتمل أنه كان في حالة الاحتضار وأنّه خيّلت إليه أوهام. يُحتمل أنه كان من الأفضل لو اعترفت بالحقيقة، وهكذا كانت جاكسون ستتولى القيادة، ولكنا انتهينا في المعسكر مجدداً. كنت سأواجه كوين هناك.

أثقلت كاهلي الورطة التي أقحمت الجميع فيها، وفي هذه اللحظة دوت سلسلة من الانفجارات البعيدة التي تسببت باهتزاز الغرفة.

قالت جاكسون مطمئنة: «لم تكن قريبة. أعتقد أنها كانت على بعد أربعة أو خمسة بلوكات منا».

قالت ليغ 1: «أي حيث تركنا بوغز».

لم يتقدم أحد منا من الشاشة الضخمة، لكنها أضاءت فجأة، وأرسلت صوتاً متقطعاً وعالياً، فهبّ كل الحاضرين واقفين.

قالت كريسيدا: «لا بأس! إنّه بثّ للطوارئ. يعمل كل جهاز تلفزيون في الكابيتول من تلقاء نفسه في هذه الحال».

رأينا أنفسنا على الشاشة بعد أن أصابت القنبلة بوغز. أبلغ صوت ما المشاهدين عن طبيعة ما يشاهدونه بينما كنا نحاول إعادة تجميع أنفسنا، وعندما واجهنا ذلك الهلام الأسود الذي انطلق من الشارع، وكذلك عندما فقدنا السيطرة على الموقف. شاهدنا الفوضى التي تبعت هذا الحادث إلى أن حجبت الموجة ما يجري عن الكاميرات. كان آخر ما رأيناه هو غايل وهو يسير وحده في الشارع محاولاً إطلاق الرصاص على الأسلاك التي تمسك ميتشيل عالياً.

عرّف المراسل عنّا، وذكر اسم غايل، وفينيك، وبوغز، وبيتا، وكريسيدا، وأنا.

قال كاستور: «لا وجود لفيلمٍ جوي، أي أن بوغز محقّ بشأن حوّاماتهم». لم ألاحظ هذا بنفسي، لكنّني أظن أنه يسهل على المصور ملاحظة أمورٍ كهذه.

استمرت التغطية من الباحة التي تقع خلف الشقة التي اتخذناها ملجأً لنا. اصطفّ ضباط الأمن على السطح الذي يقابل مخبأنا السابق. أُطلقت القذائف على صفّ الشقق، وهو الأمر الذي أطلق سلسلة من الانفجارات التي سمعناها وما لبث المبنى أن انهار ليتحول إلى كومة من الركام والغبار.

انتقلنا الآن إلى البثّ المباشر. وقفت إحدى المراسلات على السطح مع ضباط الأمن. رأينا مجمّع الشقق خلفها وهو يحترق. حاول رجال الإطفاء السيطرة على النيران بواسطة خراطيم المياه؛ يعني ذلك أنه حُكم علينا بالموت.

قال هومز: «أخيراً، سنحتاج إلى شيء من الحظ».

أعتقد أنه محقّ، وأعتقد كذلك أن هذا أفضل من أن تلاحقنا الكابيتول. لم أستطع إلا أن أتخيّل كيف أن هذا الشريط سيُعاد عرضه في المقاطعة 13، هناك حيث ستجلس والدتي وبريم، وهازيل مع أولادها، وآني، وهايميتش، وجميع سكان المقاطعة 13، كي يشاهدونا ونحن نموت.

قالت ليغ 1: «والدي. فَقَدَ شقيقتي لتوه، والآن...».

شاهدنا الفيلم وهو يُعرض مرة بعد أخرى. كانوا مبتهجين بنصرهم، وعلى الأخص ذلك الذي حقّقوه معي. انتقل العرض الآن ليُظهر الطائر المقلّد وهو يبلي بلاءً حسناً وسط سلطة المتمردين، لكنّني أعتقد أنهم حضّروا هذا القسم منذ مدة، وذلك لأنه يبدو في غاية الإتقان. انتقلوا بعد ذلك إلى بثٍّ حي حيث يتمكّن عدة مراسلين من مناقشة نهايتي العنيفة التي أستحقها عن جدارة. وعد المذيع بأن سنو سيدلي ببيانٍ رسمي في وقت لاحقٍ، وعادت الشاشة بعد ذلك إلى التوهج الخافت.

لم يبذل الثوار أي محاولة لاختراق البثّ، وهو الأمر الذي جعلني أعتقد أنهم ظنوا أن البثّ ينقل الحقيقة. أما إذا كان ذلك صحيحاً، فمعنى ذلك أننا معزولون بمفردنا هنا.

سأل غايل: «إذاً، ما هي خطوتنا التالية بما أننا أموات؟».

«أليست هذه هي الخطوة واضحة؟». لم يعرف أحد أن بيتا قد استعاد وعيه. لا أعلم حتى كم مضى عليه من الوقت وهو يراقبنا، لكن نظرة البؤس على وجهه أكدت لي أنه راقبنا وقتاً كافياً كي يرى ما حدث في الشارع. رأى كيف أنه تحوّل إلى رجلٍ مجنون، وكيف حاول أن يسحق رأسي، وكيف دفع ميتشيل إلى تلك المصيدة. غيّر وضعيته إلى الجلوس، ولكن بجهدٍ شديد، ثم وجّه كلماته إلى غايل.

«إن خطوتنا التالية... هي أن تقتلوني».

الفصل الحادي والعشرون

زادت هذه الجملة عدد الأصوات المطالبة بموت بيتا إلى اثنين في غضون فترة تقل عن الساعة.

قالت جاكسون: «لا تكن سخيفاً».

صاح بيتا: «قتلت لتوي أحد أعضاء فرقتنا!».

قال فينيك محاولاً تهدئته: «لقد دفعتَه بعيداً عنك. لم تعرف أنه سيُطلق الشبكة في تلك البقعة بالذات».

فاضت الدموع من عينَي بيتا وقال: «ومن يكترث؟ إنه ميتٌ، أليس كذلك؟ لم أعرف، ولم يسبق لي أن رأيت نفسي هكذا من قبل. كانت كاتنيس على حق عندما قالت إنني وحش. إنني مسخ. أنا الشخص الذي حوّله سنو إلى سلاح!».

قال فينيك: «لم يكن ذلك ذنبك يا بيتا».

«لا يمكنكم أن تأخذوني معكم، لأنه لن يمر وقت طويل قبل أن أقتل شخصاً آخر». نظر بيتا حوله وتفحّص وجوهنا المضطربة وتابع: «ألا تظنّون أن تخلصكم مني في مكانٍ ما هو أكثر رأفة؟ دعوني أواجه حظوظي، لكن هذا يماثل تسليمي إلى الكابيتول. أتظنون أنكم تقدمون لي خدمة عندما تعيدونني إلى سنو؟».

بيتا. سيقع مجدّداً بين يدي سنو. سيتعذب ويتعذّب إلى أن تختفي كل شذرة من شذرات ذاته القديمة ولا تعود للظهور ثانية.

بدأ آخر مقطعٍ من مقاطع شجرة الشنق يجول في ذهني. أعني ذلك المقطع الذي يتمنى فيه الرجل لحبيبته أن تكون ميتة بدلاً من أن تواجه الشر الذي ينتظرها في هذا العالم.

هل ستأتين، هل ستأتين
إلى هذه الشجرة
معلّقة عقداً من الحبال، أنا وأنت
جنباً إلى جنب
لكن أموراً غريبة تحدث هنا
لن نحسّ بالغربة إذا التقينا هنا
في منتصف الليل عند شجرة الشنق

قال غايل: «سأقتلك قبل حدوث ذلك. أعدك».

تردد بيتا قليلاً وكأنه يفكّر في إمكانية وثوقه بذلك العرض. هزّ رأسه بعد ذلك وقال: «لا، إن ذلك ليس بكافٍ. ماذا لو لم تكن موجوداً كي تقوم بهذا العمل؟ أريد الحصول على إحدى الحبوب السامة التي تمتلكونها جميعاً».

نايت لوك Nightlock؛ توجد إحدى هذه الحبوب في المعسكر، في مكان خاص في كمّ زيّ الطائر المقلّد. كما توجد حبة أخرى معي في الجيب العلوي للزي الرسمي الذي أرتديه. استغربت كيف أنهم لم يزودوا بيتا بحبةٍ منها. يُحتمل أن كوين قد ظنّت أنه ربما يأخذها قبل حصوله على الفرصة لقتلي. لم يكن من الواضح بالنسبة إليّ ما إذا كان بيتا يعني أن يقتل نفسه الآن من أجل تجنيبنا الاضطرار إلى قتله، أو أنه سيفعل ذلك إذا تمكنت الكابيتول من أسره مجدداً. أتوقع، وبحسب ما يشير إليه وضعه أن ذلك سيحدث في القريب العاجل، وليس الآجل. إنني متأكدة من أن ذلك سيسهّل الأمور علينا، أي أننا لن نضطر إلى إطلاق الرصاص عليه، كما أنه سيبسّط مشكلة التعامل مع أفعاله القاتلة.

شعرت أن الميدان يحيط بي من كل جانب، لكنّني لا أعرف إن

كان ذلك نتيجة تأثير المصائد، أو الخوف، أو مشاهدة بوغز وهو يموت. أحسست بالفعل وكأنني لم أغادر المكان قطّ. عاودت الكفاح، ليس فقط من أجل بقائي أنا، لكن من أجل بقاء بيتا كذلك. أعرف أن سنو سيشعر برضا كبير، وسيحصل على تسليةٍ كبيرة إذا شاهدني وأنا أقتل بيتا، وعندما أشعر بتأنيب الضمير في ما تبقى لي من أيام على هذه الأرض نتيجة قتلي بيتا.

قلت: «لا يتعلق الأمر بك. إننا ننفذ مهمة، وأنت ضروري فيها». نظرت إلى وجوه بقية الجماعة وسألتهم: «أتعتقدون أننا سنجد بعض الطعام هنا؟».

لم نحمل معنا أي شيء غير عدة الإسعافات الأولية، وآلات التصوير، وأزيائنا الرسمية وأسلحتنا.

بقيت نصف المجموعة في المنزل من أجل حراسة بيتا وكذلك لمراقبة ما يبثه سنو على التلفزيون، بينما انطلق الآخرون بحثاً عن شيءٍ نأكله. قدّم لنا ميسالا مساعدةً كبيرة لأنه كان يسكن في شقة مماثلة لهذه الشقة، أي أنه يعرف المكان الذي يخزن فيه الناس طعامهم. عرف بوجود مساحة للتخزين مخبأة بلوحة مكسوّة بالمرايا في غرفة النوم، كما عرف سهولة إظهار فتحة تهوئة في الممشى الداخلي. كانت خزائن المطبخ فارغة، لكننا عثرنا على ما يزيد على ثلاثين علبة من المواد المعلبة وبضع علبٍ أخرى من الكعك.

شعر الجنود القادمون من المقاطعة 13 بالاستياء من هذا التخزين. سألت ليغ 1: «أليس هذا عملاً غير شرعي؟».

قال ميسالا: «بل على العكس من ذلك. يعتبرونك غبية في الكابيتول إذا لم تفعلي ذلك. بدأ السكان بتخزين المواد النادرة حتى قبل المباريات الربعية».

قالت ليغ 1: «لكن الباقين حُرموا من هذه المؤن».

قال ميسالا: «هذا صحيح. لكن، هكذا تسير الأمور هنا».

قال غايل: «من حسن حظنا أن السكان قد خزنوا الطعام، وإلا ما كان بإمكاننا تناول طعام الغداء. ليأخذ كل واحد منكم علبة».

أظهر بعض أفراد الجماعة تردداً إزاء تنفيذ هذا الطلب، لكنني اعتبرتها طريقة مقبولة مثل غيرها. لم أكن في مزاج يسمح بتقسيم كل ما نعثر عليه إلى أحد عشر جزءاً متساوياً، أو التوزيع بحسب العمر، ووزن الجسم، والقوة الجسدية. بحثت في الكومة، وكنت على وشك أخذ علبة من شوربة القد عندما أعطاني بيتا علبة وهو يقول: «خذي هذه».

أخذتها من دون معرفة ما أتوقعه. قرأت على العلبة عبارة حساء لحم الحَمَل.

ضممت شفتيّ بشدة عندما تذكرت المطر المتقاطر من خلال الأحجار، ومحاولاتي الفاشلة في الغزل، ورائحة طبقي المفضل في الكابيتول وسط الهواء البارد. تأكدت الآن من أن بعض هذه الذكريات لا يزال عالقاً في ذهنه. آه! كم كنا سعيدَين، وجائعَين، وقريبَين، عندما وصلتنا تلك السلّة المخصصة للنزهات خارج كهفنا! «شكراً لك». فتحت غطاء العلبة وقلت: «حتى إنها تحتوي على إجاصٍ مجفف». لويت العلبة واستخدمت الغطاء كملعقة، ثم غرفت بعضاً من محتوياتها وأفرغتها في فمي. بدا جوّ هذا المكان مشابهاً للميدان تماماً.

كنا نوزع محتويات علبة من قطع الكعك المحشوة بالقشدة بيننا عندما سمعنا الأصوات المتقطعة مجدداً. ظهر شعار بانيم على الشاشة، وبقي ظاهراً عليها في أثناء عزف النشيد الوطني. بدأوا بعد ذلك بعرض صور القتلى، أي مثلما فعلوا مع المجالدين في الميدان. بدأوا أولاً بعرض وجوه أعضاء فريقنا التلفزيوني، ثم ظهرت صورة بوغز، وغايل، وفينيك،

وبيتا، ثم صورتي أنا. لم يهتموا بعرض صور الجنود من المقاطعة 13 عدا صورة بوغز، وذلك إما لأنهم يجهلون هوياتهم أو لأنهم يعرفون أنها لن تعني أي شيء للمشاهدين. ظهر الرجل بنفسه بعد ذلك جالساً إلى طاولته بينما ظهر علمٌ وراءه، وكانت وردة بيضاء جديدة تلمع على ياقة سترته. أعتقد أنه قد عمل على شفتيه في الفترة الأخيرة، وذلك لأنهما كانتا أكثر انتفاخاً من المعتاد. لاحظت كذلك أن فريق التزيين الذي يهتم به لم يعد مضطراً إلى استخدام كمية كبيرة من المساحيق لتغطية تورد خدّيه.

هنّأ سنو ضباط الأمن على المهمة الرائعة التي قاموا بها، وأغدق عليهم كل عبارات الثناء والتكريم لأنهم خلصوا البلاد من ذلك التهديد الذي يدعى الطائر المقلّد. توقع سنو أن موتي يشكّل نقطة تغيّر في مسار الحرب، وذلك لأنه لم يعد لدى الثوار المحبطين أي شخص كي يسيروا وراءه. ماذا كنت أنا في حقيقة الأمر غير فتاة فقيرة ومضطربة، لكنها تمتلك قدراً صغيراً من المهارة في استخدام القوس والسهام؟ أعرف أنني لست مفكرةً عظيمة، وأنني لست العقل المفكر للثورة، بل مجرد وجهٍ من وجوه السكان العاديين، والذي تمكّن من جذب انتباه الأمة عن طريق المشاركة في ألاعيبه في المباريات. لكنني وجهٌ ضروري، وضروري جداً، لأن الثوار لا يمتلكون من بينهم قائداً حقيقياً.

ضغط بيتي في مكانٍ ما من المقاطعة 13 على مفتاح، وهكذا اختفى الرئيس سنو وظهرت مكانه الرئيسة كوين وهي تنظر إلينا. قدّمت نفسها لمشاهدي بانيم، وعرّفت عن نفسها بصفتها قائدة الثورة. قدمت بعد ذلك ما بدا وكأنه رثاء لي. أشادت بالفتاة التي نجت بنفسها في السيم وفي مباريات الجوع، والتي ما لبثت بعد ذلك أن حوّلت أمةً من العبيد إلى جيش يقاتل من أجل الحرية. «ستظل كاتنيس إيفردين، سواء أكانت ميتة أم حيّة، وجه هذه الثورة. يمكنكم التفكير في الطائر المقلّد إذا شعرتم يوماً بوهنٍ

311

في عزيمتكم، وعندها، ستجدون القوة التي تحتاجون إليها لتخليص بانيم من ظالميها».

قلت: «لا أدري ماذا أعني بالنسبة إليها». ضحك غايل على قولي هذا، أما الآخرون فوجّهوا نحوي نظرات متسائلة.

ظهرت بعد ذلك صورة لي بعد إجراء بعض التعديلات عليها. أظهرتني الصورة جميلة وشرسة بينما استعرت ألسنة لهبٍ ورائي. لم تُسمع كلمات، أو شعارات. كان وجهي هو كل ما يحتاجون إليه الآن.

أعاد بيتي البث إلى سنو الذي بدا رصيناً جداً. أحسست أن الرئيس ظن أن قناة الطوارئ تلك غير قابلة للاختراق، وأن شخصاً ما سيلقى مصرعه لأنها تعرضت للاختراق. «غداً صباحاً، أي عندما نسحب جثة كاتنيس إيفردين من بين الرماد، سنرى من هو الطائر المقلّد تحديداً. سيكون فتاة ميتة تعجز عن إنقاذ أي شخص، وكذلك تعجز عن إنقاذ نفسها». عاد شعار الكابيتول للظهور من جديد، وعزف النشيد الوطني، ثم انقطع البث بعد ذلك».

وجّه فينيك كلامه نحو الشاشة الفارغة وكأنه يتكلم بما نفكّر فيه جميعاً: «إلا أنكم لن تجدوها». أعلم أن المهلة ستكون قصيرة، لأنهم ما إن يبحثون بين الركام ويلاحظون اختفاء إحدى عشرة جثة حتى يعلموا أننا تمكّنا من الفرار.

قلت: «يمكننا على الأقل أن نسبقهم بمسافة». شعرت بالتعب الشديد على نحوٍ مفاجئ. كان كل ما أريده هو الاستلقاء على أريكة قريبة خضراء ووثيرة، وأن أستغرق في النوم عليها. أردت كذلك أن أغطي نفسي بلحافٍ مصنوعٍ من فراء الأرانب وريش الإوز. تناولت بدلاً من ذلك جهاز الهولو، وأصررت على أن تعلّمني جاكسون أهم الأوامر الأساسية، وهي التي تتعلق بإدخال إحداثيات أقرب نقطة تقاطع على شبكة الخريطة، وذلك كي أتمكن

من تشغيل الجهاز بنفسي. عرض جهاز الهولو محيط المكان الذي نتواجد فيه، وما لبثت أن أحسست بفراغٍ شديد في صدري. لاحظت أننا أصبحنا أقرب إلى أهدافٍ هامة، وذلك لأن عدد المصائد قد ازداد بصورةٍ ملحوظة. كيف يمكن لنا أن نتحرك نحو هذه الباقة من الأنوار التي تومض من دون أن يُكشف أمرنا؟ إننا عاجزون عن ذلك، وإذا كنا عاجزين، فإن ذلك يعني أننا محتجزون هنا مثل طيور عالقة داخل شبكة. قررت أنه من الأفضل لي عدم تبني موقفٍ متعالٍ عندما أكون مع هؤلاء الأشخاص، وعلى الأخص عندما تصرّ عيناي على النظر إلى تلك الأريكة الخضراء. قلت: «هل من أفكار؟».

قال فينيك: «لماذا لا نبدأ باستبعاد الاحتمالات غير الممكنة. لا يُعتبر الشارع خياراً ممكناً».

قالت ليغ 1: «إن السطوح بمثل خطورة الشارع».

قال هومز: «لا تزال أمامنا فرصة للانسحاب والعودة من حيث أتينا، لكن ذلك يعني فشل مهمتنا».

شعرت بوخزة من الذنب لأنني اخترعت تلك المهمة المزعومة فقلت: «لم يكن من المقرر أن نتقدم جميعاً. لكن، شاء سوء حظكم أن تكونوا معي».

قالت جاكسون: «حسناً. إنها نقطة قابلة للنقاش. إننا معك الآن، ولا نستطيع البقاء هنا، كما أننا لا نستطيع التحرك. إننا لا نستطيع التحرك فعلياً. أعتقد أن هذا يُبقي لنا خياراً واحداً».

قال غايل: «تحت الأرض».

تحت الأرض. إنه ما أكرهه، مثل المناجم والأنفاق والمقاطعة 13. إنني أخشى الموت في مكانٍ تحت الأرض، وهو أمر سخيف لأنني حتى وإن متّ فوق الأرض، فإن الأمر التالي الذي سيقومون به على أي حال هو دفني تحت الأرض.

يمكن لجهاز الهولو إظهار أمكنة تحت الأرض، مثل المصائد التي تكون على مستوى الشارع. لاحظت أننا عندما نشاهد المناطق الموجودة تحت الأرض، فإن الخطوط الواضحة والراسخة لخريطة الشارع تتمازج مع مجموعة من الأنفاق المتشابكة. بدت المصائد أقل عدداً مع ذلك.

انفتح بابان، ورأينا نفقاً عموديًّا يقوم بربط صفّ الشقق الذي نتواجد فيه مع الأنفاق. أما إذا أردنا الوصول إلى شقة داخل الأنفاق، فإننا بحاجة إلى المرور من خلال فتحة الصيانة التي تمتد على طول المبنى. يمكننا دخول الفتحة من خلال الجدار الخلفي لخزانة تتواجد في الطابق العلوي.

قلت: «حسناً. دعونا نتظاهر أننا لم نكن هنا قطّ». محونا كل الإشارات التي تدل على تواجدنا في ذلك المكان، كما وضعنا كل العلب الفارغة في الفتحة المخصصة للنفايات، ثم وضعنا كل العلب المليئة في جيوبنا كي نستخدمها في وقتٍ لاحق. قلّبنا كذلك كل وسادات الأريكة الملوثة ببقع الدماء، ومسحنا كل آثار الهلام عن البلاطات. لم نُصلح قفل الباب الأمامي، لكننا أقفلنا مزلاجاً آخر ليتكفل على الأقل بمنع الباب من الانفتاح عند أقلّ حركة.

بقي علينا في النهاية معالجة أمر بيتا. فقد استلقى فوق الأريكة الزرقاء، ورفض أن يتزحزح وقال: «لن أبرح هذا المكان. سأقوم بالكشف عن مكانكم أو سأقوم بإيذاء شخص آخر».

قال فينيك: «سيجدك أتباع سنو».

قال بيتا: «إذاً اتركوا معي حبة. سأستخدمها إذا اضطررت إلى القيام بذلك فقط».

قالت جاكسون: «ليس هناك خيار. تعالَ معنا».

سأل بيتا: «وماذا ستفعلون إذا رفضت؟ هل ستطلقون عليّ النار؟».

قال هومز: «سنفقدك وعيك ونسحبك معنا، وهو الأمر الذي سيؤخرنا ويعرضنا للخطر في الوقت ذاته».

التفت بيتا إليّ وقال متوسلاً: «توقفوا عن التظاهر بالنبل! لا أكترث إذا مت! كاتنيس، أرجوك. ألا تفهمين أنني أريد الخلاص من هذا الوضع؟».

كانت المشكلة هي أنني أفهم. لماذا لا أتركه وشأنه؟ لماذا لا أعطيه تلك الحبة وأضغط على الزناد؟ هل السبب هو أنني أهتم كثيراً بأمر بيتا، أو لأنني أقلق من إمكانية السماح بأن ينتصر سنو؟ هل حوّلته إلى حجر شطرنج في مبارياتي الخاصة؟ يا للحقارة! لكنني غير متأكدة من أي شيء. أما إذا كان ذلك صحيحاً، فإن قتل بيتا الآن وهنا في هذا المكان سيكون عملاً يحمل الرأفة. لكنني لا أشعر بأنني مدفوعة بالرأفة، سواء أكان ذلك سمةً سلبية أم إيجابية عندي، فقلت: «إننا نضيع وقتاً كثيراً. هل ستأتي من تلقاء نفسك أم أنك تفضل أن نفقدك وعيك؟».

أخفى بيتا وجهه بيديه للحظات قليلة ثم نهض كي ينضمّ إلينا.

سألت ليغ 1: «أنستطيع تحرير يديه؟».

زمجر بيتا وقرّب قيوده من جسمه قائلاً: «كلا!».

قلت مرددة بعده: «كلا، لكنّني أريد المفتاح». أعطتني جاكسون المفتاح من دون أن تقول كلمة واحدة. دسست المفتاح في جيب سروالي فأصدر صوتاً بعد أن اصطدم باللؤلؤة.

فتح هومز ذلك الباب المعدني الصغير الذي يؤدي إلى فتحة الصيانة، وقد انتظرتنا هناك مشكلة أخرى، حيث لم نتمكن من دخول ذلك الممر الضيق بسبب ملابسنا الواقية، فخلع كاستور وبولوكس قناعيهما مع الكاميرات الاحتياطية. كانت كل واحدة من هذه الكاميرات بحجم علبة حذاء ولعلها تعمل جيداً هي الأخرى. لم يتمكن ميسالا من التفكير في مخبأ لهذه الهياكل كبيرة الحجم، وهكذا وضعناها داخل خزانة. شعرت

بالاستياء لأننا تركنا هذا الأثر الذي تسهل ملاحظته، لكن هل كنا نملك خياراً آخر؟

مشينا في صفٍّ واحد بعد أن حملنا حقائبنا وأغراضنا إلى جانبنا. بقي المكان ضيقاً جداً مع ذلك. مشينا في طريقنا بمحاذاة الشقة الأولى ودخلنا الشقة الثانية حيث عثرنا على غرفة نوم كُتبت على بابها كلمة مرفق بدلاً من حمّام. تواجدت خلف ذلك الباب الغرفة التي تضم مدخل النفق.

عبس ميسالا وهو ينظر إلى الغطاء الدائري الواسع، وعاد للحظةٍ وجيزة إلى عالمه المضطرب. «هذا هو السبب الذي يمنع الجميع من الرغبة في الحصول على حجرة متوسطة. يأتي العمال ويذهبون ساعة يشاءون كما أنه لا وجود لحمامٍ ثانٍ، لكن قيمة الإيجار أقل بكثير». لاحظ بعد ذلك ملامح فينيك التي تشع بالسرور فأضاف: «لا تهتموا».

كان غطاء النفق سهل الفتح. رأينا فوق الدرجات سلماً عريضاً مع قطعٍ مطاطية، الأمر الذي يسمح بهبوط سريع وسهل نحو وسط المدينة. تجمعنا عند أسفل السلم، وانتظرنا أن تعتاد أعيننا على حزم النور الداكنة. تنفسنا مزيجاً من الروائح الكيميائية، والعفونة، وروائح مياه المجاري.

تقدّم بولوكس الذي شحُب لونه، وتصبب عرقاً، وأمسك بمعصم كاستور. بدا وكأنه على وشك السقوط لولا تواجد أحدهم للإمساك به.

قال كاستور: «عمل شقيقي هنا بعد أن أصبح من الآفوكس». بدا لي أن هذا أمرٌ طبيعي تماماً، فمن غيره سيطلبون منه صيانة هذه الممرات الرطبة ذات الروائح الكريهة والمليئة بالمصائد. «استغرقنا الأمر خمس سنين كي نشتري ترخيصاً له كي يعمل في الطوابق الأرضية؛ إنه لم يرَ الشمس حتى مرةً واحدة طيلة تلك الفترة».

كان من السهل على المرء أن يعرف ما يقوله في ظروف أفضل، أي في يوم مليء بقدرٍ أقل من الرعب، ويحفل براحة أكبر. وقفنا جميعاً، بدلاً

من ذلك، لفترة طويلة في محاولة منا لصياغة ردٍّ مناسب.

التفت بيتا أخيراً إلى بولوكس قائلاً: «حسناً، لقد أصبحت الآن أكبر عونٍ لنا». ضحك كاستور بينما تمكن بولوكس من إظهار ابتسامة.

نزلنا حتى وصلنا إلى منتصف النفق الأول قبل أن أدرك أهمية ذلك الحديث. بدا بيتا وكأنه عاد إلى طبيعته الأولى، أي ذلك الشخص الذي يستطيع التفكير في الردود المناسبة في حين يعجز الآخرون عن ذلك. كان الأمر محيراً، ومشجعاً، ومضحكاً بعض الشيء، لكن ليس على حساب أحد. نظرت إلى بيتا وهو يمشي متثاقلاً بين حارسيه غايل وجاكسون. رأيته مركّزاً على الأرض بينما أحنى كتفيه إلى الأمام قليلاً. كان محبطاً جداً، لكنه كان معنا حقاً، ولو للحظة.

أصاب بيتا في ما قاله. تبيّن أن بولوكس يساوي عشرة من أجهزة الهولو. تواجدت شبكة بسيطة من الأنفاق الواسعة التي تتطابق مع تصاميم الشوارع في الأعلى، وهي التي تقع تحت كل الطرقات والتقاطعات الرئيسة. يُطلق على هذه الأنفاق اسم الترانسفر، وذلك لأن الشاحنات الصغيرة تستخدمها من أجل تسليم البضائع في مختلف أنحاء المدينة. يعمد المسؤولون في النهار إلى تعطيل المصائد، لكنها تعمل مجدّداً في الليل. تبقى مع ذلك مئات الممرات الإضافية، وممرات الصيانة العموديّة، وسكك الحديد، وأنابيب الصرف الصحي، وهي كلها تشكّل أحجية متعددة المستويات. يعرف بولوكس كل التفاصيل التي تشكّل كارثة بالنسبة إلى من لا يعرفها. فهو يعرف الممرات التي قد تتطلب أقنعة واقية من الغاز، أو تلك المزودة بأسلاك يمر فيها التيار الكهربائي، أو تلك التي تعيش فيها جرذان بحجم القندس. نبّهنا بولوكس كذلك إلى مجرى المياه الذي يتدفق دورياً عبر أنابيب الصرف الصحي، كما توقع الوقت الذي يتبادل فيه الآفوكس نوبات العمل، كما قادنا إلى الأنابيب الغامضة والرطبة وذلك من

أجل تجنّب مرور قطارات الشحن التي تكاد تكون صامتة. أما الأهم من ذلك كله، فهو معرفته بأماكن وجود الكاميرات. لا توجد كاميرات كثيرة هنا في هذه الأمكنة المعتمة والضبابية، في ما عدا الترانسفر. لكننا بقينا بعيدين جداً عنها.

تمكنا من توفير وقت كبير بفضل التوجيه الذي قدّمه لنا بولوكس، وذلك قياساً إلى تنقلاتنا فوق سطح الأرض. نال منا التعب بعد مرور نحو ست ساعات. أشارت عقارب الساعة إلى الثالثة من بعد منتصف الليل، وهكذا حسبت أنه لا تزال أمامنا ساعات قليلة قبل اكتشافهم أن جثثنا غير موجودة. سيبحثون في ركام مجمع كاملٍ من الشقق السكنية وذلك تحسباً لمحاولة هروبنا من خلال ممرات الصيانة العمودية، وهكذا تبدأ المطاردة.

لم يعترض أحد عندما اقترحت أخذ قسطٍ من الراحة. عثر بولوكس على غرفة صغيرة ودافئة، والتي تهدر فيها الآلات المثقلة بالعتلات ولوحات المؤشرات. رفع أصابعه كي يشير إلى أننا أمضينا أربع ساعات تحت الأرض. حضّرت جاكسون برنامج حراسة. لم أكن ضمن نوبة الحراسة الأولى لذلك حشرت نفسي بين غايل وليغ 1 وما لبثت أن استسلمت للنوم.

أيقظتني جاكسون بعد فترة حسبتها دقائق عدة، وقالت لي إن نوبة حراستي قد حانت. تشير عقارب الساعة الآن إلى السادسة، وهذا يعني أننا يجب أن نمضي في طريقنا في غضون ساعة من الزمن. طلبت مني جاكسون تناول محتويات علبة طعام، وأن أراقب بولوكس الذي أصرّ على أن يحرس الليل بكامله وقالت: «لا يمكنه أن ينام هنا». أجبرت نفسي على الوصول إلى حالةٍ من الصحو النسبي. تناولت محتويات علبة من حساء البطاطا والفاصولياء، واستندت إلى الجدار المقابل للباب. بدا بولوكس في حالة من اليقظة التامة، كما يُحتمل أنّه استرجع طيلة الليل فترة السنوات

318

الخمس من السجن في هذا المكان. أخرجت جهاز الهولو، وتمكنت من إدخال المعطيات المتعلقة بإحداثياتنا، فأجرى الجهاز مسحاً للأنفاق. كانت مصائد أكثر تظهر على الجهاز كلما اقتربنا من وسط الكابيتول. تابعت النقر مع بولوكس لفترة على جهاز الهولو، ورأينا أماكن تواجد المصائد المتنوعة. أعطيت بولوكس الجهاز عندما شعرت بالدوار، ثم استندت إلى الجدار. نظرت إلى الجنود، وأفراد الفريق، والأصدقاء النائمين، وتساءلت إذا كنا سنرى الشمس مجدداً.

وقعت عيناي على بيتا الذي أسند رأسه قرب قدميّ. لاحظت أنه مستيقظ. تمنيت لو أتمكّن من قراءة ما يجول في فكره، ولو أنني أستطيع محو كل الأكاذيب التي تتداخل في ذاكرته. استقررت بعدها على شيء يمكنني إنجازه.

سألته: «هل أكلتَ شيئاً؟». هزّ رأسه قليلاً دلالة على النفي. فتحتُ علبة تحتوي على حساء الدجاج والأرز وناولته إياها، لكنني أبقيت الغطاء عليها تحسباً من إمكانية قيامه بجرح معصميه، أو أي شيء من هذا القبيل. نهض وأمال العلبة، ثم أفرغ محتوياتها في فمه من دون أن يعبأ بمضغها، وقد عكست قاعدة العلبة الأنوار المنبعثة من الآلات. تذكرت شيئاً كان يجول في ذهني منذ البارحة وقلت: «عندما سألتَ يا بيتا عما حدث مع داريوس ولافينيا وأخبرك بوغز أن ذلك حقيقة، قلت له إنّك تظن ذلك، لأنه ما من شيء مبهج في ذلك. ماذا كنت تعني؟».

قال لي: «أوه! لا أعرف بالضبط كيفية تفسير الأمر. كان كل شيء مشوشاً في البداية. لكنّني أستطيع الآن تمييز الأشياء. أعتقد أن نمطاً ما بدأ يظهر. تمتلك الذكريات التي غيّروها بواسطة سم التراكر جاكر سمة غريبة. فهي إما حادة جداً، أو أن الصور ليست مستقرة. أتذكرين كيف كانت الأمور تبدو عندما حُقنّا بالسم؟».

319

«كانت الأشجار متكسرة، وكانت هناك فراشات كبيرة وملوّنة. وقعت في حفرة من الفقاعات برتقالية اللون». فكرت في الأمر جيداً ثم قلت: «كانت الفقاعات برتقالية اللون ولامعة».

قال لي: «صحيح. لكن الأمر كان مختلفاً جداً مع داريوس ولافينيا. لا أعتقد أنهم أعطوني أي سم حتى الآن».

سألته: «حسناً، هذا جيد، أليس كذلك؟ إذا كنتَ تستطيع التمييز بين الأمرين، فإن ذلك يعني أنك تستطيع تمييز ما هو حقيقي».

قال لي: «أجل، سأتمكن من الطيران إذا نبت لي جناحان. لكن من غير الممكن أن تنبت أجنحة للناس. هل هذه حقيقة أم لا؟».

قلت: «هذه حقيقة، لكن الناس لا تحتاج إلى أجنحة كي تعيش».

«أما الطيور المقلّدة، فتحتاج إليها». أنهى تناول الحساء ثم أعاد العلبة إليّ.

بدت الدائرتان حول عينيه وكأنهما كدمتان في ضوء الفلوريسنت. «لا نزال نمتلك الوقت. يتعيّن عليك أن تنام». استلقى على الأرض من دون معارضة، لكنه ظلّ يحدق إلى إبرة أحد المؤشرات بينما كانت تتراقص من جهة إلى جهة. مددت يدي ببطء، كما كنت سأفعل مع حيوانٍ جريح، كي أرفع عن جبهته خصلات الشعر. أحسست بأنه جمُد عندما لمسته، لكنه لم يجفل، وهكذا تابعت تمسيد شعره. كانت هذه هي المرة الأولى التي ألمسه فيها طوعاً منذ آخر لقاء لنا في الميدان.

همس لي: «لا تزالين تحاولين حمايتي. هل هذه حقيقة أم لا؟».

أجبته: «حقيقة». بدا لي أن الأمر يحتاج إلى المزيد من التفسير فأضفت: «لأن هذا ما نقوم به أنا وأنت. إننا نحمي بعضنا». استسلم للنوم بعد نحو دقيقة من الزمن.

تحركت مع بولوكس بين الآخرين كي نوقظهم، وذلك قبل الساعة

السابعة بقليل. ترددت في المكان أصوات التثاؤب والتأوهات التي تصاحب عادةً عملية الاستيقاظ. التقطت أذناي أصواتاً أخرى كذلك. بدت هذه الأصوات وكأنها هسهسة. يُحتمل أن تكون هذه الأصوات صادرة عن تسرّب غاز ما من أحد الأنابيب، أو ربما كان ذلك الأزيز الخافت صادراً عن قطار آتٍ من بعيد...

أمرتُ المجموعة بالصمت كي أفهم طبيعة الصوت. سمعت أصوات الهسهسة. أجل، لكنها ليست ذلك الصوت الممتد. كانت الأصوات أشبه بأصوات أنفاسٍ متعددة تجتمع لتشكّل كلمة، لكنها كانت كلمة واحدة ترددت في أنحاء الأنفاق؛ كلمة واحدة؛ اسماً واحداً تردد مرة بعد مرة.

«كاتنيس».

الفصل الثاني والعشرون

انتهت فترة الاستراحة. يُحتمل أن سنو قد أمرهم بالبحث طيلة الليل، وعلى أي حال بعد انطفاء النيران. وجدوا بقايا بوغز، وهكذا شعروا بالارتياح لفترة قصيرة. مرّت الساعات من دون أن يعثروا على جثث جديدة فبدأ الشّك يساورهم. أدركوا في لحظة ما أنهم خُدعوا. أعرف أن الرئيس سنو لا يحتمل الظهور وكأنه خُدع. أعتقد أن ملاحقتهم إيانا حتى الشقة الثانية أمر له أهمية، وحتى لو افترضوا أننا توجهنا مباشرة إلى الأنفاق. إنهم يعرفون أننا هنا؛ أي تحت الأرض، لذلك لا بد من أنهم قد أطلقوا شيئاً ما، وربما جماعة من المتحولين الذين يريدون إيجادي.

«كاتنيس». قفزت بسبب قرب الصوت مني. بحثت بهلع عن مصدره، وجهزت قوسي. بحثت عن هدفٍ أصيبه. «كاتنيس». لاحظت أن شفتَي بيتا بالكاد تتحركان، لكنّني تأكدت من أن اسمي قد خرج من بين شفتيه. حصلت على دليلٍ عن مدى تغلغل السم في أعماق بيتا في اللحظة التي ظننت فيها بأنه تحسّن قليلاً، وعندما ظننت أنه بدأ يقترب مني. «كاتنيس». إنّ بيتا مبرمج للاستجابة إلى جوقة تصدر هسهسة من أجل الانضمام إليهم في المطاردة. بدأ يرتعش. صوّبت سهمي نحوه حيث يخترق دماغه، وبالكاد سيشعر بأي شيء. جلس فجأة واتسعت عيناه من القلق وتقطعت أنفاسه. «كاتنيس!». أمال رأسه نحوي لكن لعله لم يلاحظ قوسي، ولا سهمي الذي ينتظر الإطلاق. «كاتنيس! اخرجي من هنا!».

ترددت قليلاً. بدا القلق في نبرة صوته، لكنه لم يكن صوت رجلٍ مصابٍ بالجنون. سألته: «لماذا؟ من أين يأتي ذلك الصوت؟».

قال بيتا: «لا أدري. لا أعرف إلا أنه يتعلق بقتلك. اركضي! اخرجي

322

من هنا! اذهبي!».

استنتجت بعد أن مرّت عليّ فترة من الارتباك بأنني لست مضطرة إلى قتله. أرخيت قوسي المشدود، وتأملت الوجوه القلقة المتحلقة حولي وقلت: «مهما يكن الأمر، فإنهم يبحثون عني. يُحتمل أن يكون الوقت مناسباً كي ننفصل عن بعضنا».

قالت جاكسون: «لكننا حراسك».

أضافت كريسيدا: «وفريقك كذلك».

قال غايل: «أنا لن أتركك».

نظرت إلى الفريق الذي لم يكن مسلحاً بغير الكاميرات ولوحات الكتابة. رأيت فينيك الذي يحمل بندقيتين ورمحاً ثلاثياً. اقترحت عليه إعطاء إحدى بندقيتيه إلى كاستور، وأخرجت الخرطوشة الفارغة من بندقية بيتا واستبدلتها بأخرى محشوّة، وسلّحت بولوكس. تسلحت أنا وغايل بالأقواس ولهذا سلّمنا بندقيتينا إلى ميسالا وكريسيدا. لم نمتلك الوقت لتعليمهم أي شيء غير التصويب والضغط على الزناد. أعرف أن هذا يكفي في المسافات القريبة، وهذا أفضل من أن يكونوا من دون حماية. وقف بيتا الآن وحده أعزل من السلاح، لكن أي شخص يهمس باسمي مع مجموعة من المتحولين لا يحتاج إلى أي حماية.

غادرنا الغرفة بعد أن نظفناها من كل شيء يتعلق بنا عدا رائحتنا. لم نمتلك أي وسيلة لإزالة هذه الرائحة الآن. أعتقد أن هذه هي طريقة المتحولين لملاحقتنا، وذلك لأننا لم نترك أثراً مادياً واضحاً. أعرف أن أنوف المتحولين حادة جداً بطريقة غير طبيعية، لكنّني أعتقد أن سيرنا في المياه سيساعدنا على تضييع المتحولين.

ازدادت أصوات الهسهسة وضوحاً خارج الغرفة. تمكّنا الآن من معرفة مكان تواجد المتحولين. أعرف أنهم وراءنا، لكن على مسافة بعيدة

منا. يُحتمل أن سنو قد أطلقهم تحت الأرض بالقرب من المكان الذي وجدوا فيه جثة بوغز. إننا، نظرياً على الأقل، بعيدون عنهم، بالرغم من أنهم أسرع منا بكثير. عادت بي ذاكرتي إلى تلك المخلوقات التي تشبه الذئاب، والتي التقيتها في الميدان للمرة الأولى، وإلى القردة التي شاهدتها في المباريات الربعية، والمسوخ التي شاهدتها على شاشة التلفزيون على مرّ السنين. فكّرت في الشكل الذي تأخذه هذه المخلوقات المتحولة. إن أي شيء يفكر فيه سنو يخيفني إلى أقصى درجة.

سبق لي أن وضعت مع بولوكس خطة لما تبقى من رحلتنا، وبما أن هذه الخطة تأخذنا بعيداً عن أصوات الهسهسة، لذلك لم أجد سبباً يدفعني إلى تغييرها. أما إذا تمكنا من التحرك بسرعة فمن المحتمل أن نتمكن من الوصول إلى قصر سنو قبل أن يدركنا المتحولون. تترافق السرعة مع الإهمال في بعض الأحيان: كأن يطأ الحذاء مكاناً ما فيتسبب بتطاير قطرات المياه، والاصطدام غير المقصود لبندقية مع أنبوب، وحتى أوامري أنا التي أصدرها بصوتٍ مرتفعٍ جداً لا تسمح بالخصوصية.

اجتزنا نحو ثلاثة مربعات سكنية (بلوكات) عن طريق أنبوبٍ يُستخدم لتصريف المياه الفائضة، وقسمٍ من سكة حديد مهملة. تردد صوت عميق وأجش بين جدران النفق.

قال بيتا على الفور: «إنهم الآفوكس. كانت هذه هي الأصوات التي أصدرها داريوس عندما عذبوه».

قالت كريسيدا: «لا بد من أن المتحولين قد عثروا عليهم».

قالت ليغ 1: «إذاً، إنهم لا يلاحقون كاتنيس فقط».

قال غايل: «يُحتمل أنهم سيقتلون كل من يصادفونه في طريقهم. إنهم لن يتوقفوا حتى يصلوا إليها». أعتقد أنه على صواب بعد كل هذه الساعات التي أمضاها في الدراسة مع بيتي.

ها أنا مجدداً في هذا الموقف. إنني أتواجد مع أشخاصٍ يموتون بسببي أنا: الأصدقاء، والحلفاء، وأشخاص غرباء عني تماماً. إنهم يخسرون حياتهم بسبب الطائر المقلّد. «دعوني أتابع وحدي. أريد تسليم جهاز الهولو إلى جاكسون، وبإمكانكم أن تتابعوا المهمة بمفردكم».

قالت جاكسون بلهجةٍ غاضبة: «لن يوافق أحد منا على هذا».

قال فينيك: «إننا نضيّع وقتاً كثيراً!».

قال بيتا هامساً: «اسمعوا».

توقفت الصرخات، وهكذا تردد اسمي نتيجة غيابها، وكانت مخيفة نظراً إلى قربها. تبيّن لي أن هذه الأصوات أصبحت الآن تحتنا مثلما هي خلفنا. «كاتنيس».

وكزت بولوكس من كتفه وبدأنا بالركض. كانت المشكلة هي أننا خططنا للنزول إلى مستوى أدنى، لكن لم يعد في وسعنا أن نفعل ذلك الآن. وصلنا إلى الدرج الذي يؤدي إلى المستوى الأدنى ورحت أتفحص بمساعدة بولوكس البدائل المحتملة على جهاز الهولو. بدأت بوضع قناعي على الفور.

أصدرت جاكسون أوامرها: «ضعوا الأقنعة على وجوهكم!».

لم تكن هناك حاجة إلى أقنعة لأن الجميع يتنفسون الهواء ذاته. كنت الوحيدة بينهم التي خسرت حساءها لأنني الوحيدة التي تأثرت بالرائحة. صعدت الدرج إلى المستوى الأعلى، وعبرت أنبوب تصريف المياه. الورود. بدأت بالارتجاف.

انحرفت بعيداً عن الرائحة واندفعت إلى الترانسفر مباشرة. رأيت شوارع ممهدة ذات بلاطات بألوان الباستيل، أي مثل تلك التي تتواجد في الأعلى، لكنها محددة بجدران مشيدة بأحجار الطابوق البيضاء بدلاً من المنازل. رأيت طريقاً تمكّن عربات تسليم البضائع من السير بسهولة

بعيداً عن الزحام الذي تشهده الكابيتول. كانت الطريق فارغة من كل شيء في هذا الوقت باستثنائنا نحن. رفعت قوسي وفجرت أول مصيدة مستخدمة سهماً متفجراً، وهو الأمر الذي أدى إلى قتل الجرذان الآكلة للحوم التي تعيش داخل جحر هناك. انطلقت بأقصى سرعتي نحو التقاطع التالي، لكنّني أدركت تماماً أن أي خطوة غير صحيحة مني ستتسبّب بانهيار الأرض تحت أقدامنا، وهو الأمر الذي يضعنا تحت رحمة شيء يسمى طاحونة اللحم. صرخت محذّرة الآخرين كي يبقوا معي. خططت كي نسير بمحاذاة الزاوية، وبعد ذلك سأقوم بتفجير طاحونة اللحم، لكن مصيدة أخرى غير ملحوظة كانت تقبع بانتظارنا.

حدث ذلك بصمت. كنت سأتجاهل هذه المصيدة كلياً لو لم يجبرني على التوقف. «كاتنيس!».

استدرت عائدة وكان سهمي جاهزاً للانطلاق. لكن، ماذا يمكنني أن أفعل؟ قبع اثنان من سهام غايل من دون فائدة قرب العمود الواسع للضوء الذهبي الذي يشع من السقف وحتى الأرض. وفي الداخل، رأيت رجلاً جامداً مثل تمثال وواقفاً على رجلٍ واحدة على كرة بينما كان رأسه مائلاً إلى الخلف. وقع ميسالا أسير مصيدة الضوء. لا أستطيع الجزم ما إذا كان يصرخ، وذلك بالرغم من أن فمه كان مفتوحاً تماماً. شاهدنا ما يجري من دون أن نستطيع القيام بأي شيء بينما كان لحمه يذوب من جسمه مثلما تذوب الشموع.

«لا يمكننا مساعدته على أيّ شيء!». بدأ بيتا بدفع الحاضرين إلى الأمام.«لا أستطيع!». كان الوحيد، وبشكلٍ مدهش، الذي لا يزال قادراً على دفعنا للتحرك. لا أدري ما السبب الذي جعله قادراً على السيطرة في الوقت الذي كان يُفترض به فيه أن يتمرد ويحطم دماغي، لكن ذلك قد يحدث في أي لحظة. استدرت نتيجة ضغط يده على كتفي، وابتعدت عن

منظر ميسالا المريع. تمكنت من دفع قدميّ إلى الأمام وبسرعة كبيرة، حيث كدت أن أعجز عن التوقف منزلقة قبل التقاطع التالي.

تطايرت قطع الطين نتيجة زخّات الرصاص. أبعدت رأسي من جهة إلى جهة ورحت أبحث عن مصيدة أخرى. كان ذلك قبل أن أستدير وأرى فرقة من ضباط الأمن وهي تندفع نحونا عبر الترانسفر. كانت مصيدة طاحونة اللحم تسدّ علينا طريقنا، وهكذا لم يكن أمامنا سوى الرد بإطلاق الرصاص. كان ضباط الأمن يفوقوننا عدداً بنسبة اثنين إلى واحد، لكننا لا نزال نمتلك ستة أفراد أصيلين من فرقة النجوم، والذين لا يحاولون الركض وإطلاق النار في الوقت ذاته.

فكرت بيني وبين نفسي: أسماك داخل برميل؛ فكّرت في هذا بينما كانت بقع حمراء تلوث بزاتهم الرسمية بيضاء اللون. سقط ثلاثة أرباعهم على الأرض ميتين، هذا في حين بدأ المزيد منهم بالتوافد من جانب النفق، وهو النفق ذاته الذي اندفعت منه كي أبتعد عن الرائحة، ومن...

أولئك ليسوا من ضباط الأمن.

إنهم مخلوقات بيضاء تسير على أربع قوائم، ويبلغ حجم الواحد منها حجم إنسانٍ بالغ، لكن المقارنات تنتهي عند هذا الحد. كانوا عراة وذوي أذيال طويلة خاصّة بالزواحف، وكانت ظهورهم مقوّسة ورؤوسهم بارزة إلى الأمام. اندفعت هذه المخلوقات نحو ضباط الأمن الأموات منهم والأحياء، وتمسكت برقابهم بأفواهها، ثم مزقت رؤوسهم المغطاة بالخوذ. يبدو أن الانتساب إلى الكابيتول أمر لا يفيد هنا مثلما كان الأمر عليه في المقاطعة 13. يبدو أن قطع رؤوس ضباط الأمن لم يستغرق سوى لحظات قليلة. وقعت هذه المخلوقات المتحولة والممسوخة على بطونها، وانزلقت نحونا على قوائمها الأربع.

صرخت: «من هنا!». التصقت بالجدار وانعطفت إلى اليمين بحدة

كي أتجنب المصيدة. أطلقت سهي على التقاطع عندما انضم الجميع إليّ، وما لبثت طاحونة اللحم أن بدأت بالعمل. انقضّت أسنان آلية ضخمة على الشارع، ومضغت بلاطه حتى استحال غباراً. أدى هذا الأمر إلى تصعيب أمر ملاحقتنا على المتحولين إلى حد الاستحالة، لكنّني غير متأكدة. يُمكن للحيوانات الممسوخة من الذئاب والقردة التي عرفتها أن تقفز لمسافةٍ بعيدة بصورة لا تصدّق.

ملأت أصوات الهسهسة أذني، وما لبثت الرائحة القوية للورود أن جعلت الجدران تدور بي.

أمسكت بذراع بولوكس وقلت له: «انسَ أمر المهمة. ما هي أسرع طريق تقودنا إلى فوق سطح الأرض؟».

لم يتبقَ عندي ما يكفي من الوقت كي أتفحص جهاز الهولو. تبعنا بولوكس مسافة عشر ياردات عبر الترانسفر وعبرنا أحد المداخل. لاحظت أن البلاط قد انتهى ليحل الإسمنت مكانه. بدأنا بالزحف في أنبوب ضيّق تفوح فيه الروائح النتنة حتى وصلنا إلى حافة يبلغ عرضها نحو قدمٍ واحدة. يعني ذلك أننا وصلنا إلى منطقة الصرف الصحي الرئيسة. ظهرت فقاعات على عمق ياردة واحدة من مكاننا، وظهر مزيج سام من الفضلات البشرية، والنفايات، والسوائل الكيميائية. كانت أجزاء من سطح ذلك المجرى تحترق، بينما بعثت أجزاء أخرى سحابات من الأبخرة ذات مظهر مخيف. تحركنا بالسرعة التي تجرأنا عليها على تلك الحافة الزلقة. خرجنا بعد قليل إلى جسرٍ ضيقٍ وعبرناه. أشار بولوكس بعد أن وصل إلى تجويف كبير إلى سلّمٍ بيده، ودلّنا إلى فتحة كبيرة. وصلنا إلى مخرج يؤدي إلى سطح الأرض.

ألقيت نظرة سريعة على مجموعتنا، فاستنتجت غياب بعض أفرادها فقلت: «انتظروا! أين جاكسون وليغ 1؟».

قال هومز: «بقيتا عند الطاحونة من أجل منع المتحولين من التقدم».

«ماذا؟». اندفعت عائدةً نحو الجسر، وصممت على عدم تقديم أي فردٍ منا لقمة سائغة لتلك الوحوش، لكنه ما لبث أن أوقفني.

«لا تضيّعي وقتك يا كاتنيس. لقد تأخر الوقت. انظري!». أومأ هومز إلى الأنبوب حيث كان المتحولون ينزلقون على الحافة.

صرخ غايل: «تراجعي!». أطلق غايل سهماً متفجّراً على أساسات الجهة البعيدة من الجسر، أما ما تبقى منه، فقد غرق في الفقاعات. حدث ذلك عند وصول المتحولين.

نظرت إليهم للمرة الأولـى. كانوا خليطاً من البشر والسحالي ومخلوقات أخرى لا يعلمها إلا الله. كانت جلود هذه المخلوقات تشبه جلود الزواحف بيضاء اللون، وكتيمة وملوثة بالدماء، كما ظهرت المخالب في قوائمها الأربـع، وأظهرت وجوهها ملامح متناقضة. كانت هذه المخلوقات تصفر وتزعق باسمي بينما كانت أجسامها تتلوى، وتضرب بذيولها ومخالبها، كما بدأت تنهش قطعاً من أجسامها أو أجسام بعضها بعضاً بأفواهها التي ترغي وتزبد نتيجة شعورها بالحاجة إلى تدميري. أعتقد أن رائحتي أثارت هذه المخلوقات مثلما أثارتني رائحتها. زادت الروائح حدة سمّيتها، وخاصة بعد أن بدأت هذه المسوخ بإلقاء نفسها في مياه المجاري الكريهة.

فتح المتواجدون في جهتنا النار. اخترت سهامي عشوائياً، وانطلقت هذه السهام العادية، والنارية، والمتفجرة، لتستقر في أجساد تلك المخلوقات الممسوخة. كانت هذه المخلوقات معرضة للهلاك، لكن ذلك أمر صعب المنال. لا أعتقد أن أي مخلوقٍ طبيعي يستطيع الاستمرار بالحركة بعد أن تستقر في جسده دزينتان من السهام. أعرف أننا سنتمكن من قتلها في النهاية، إلا أن أعدادها كثيرة جداً حيث إنها لا تكف عن

الظهور من الأنبوب، كما أنها لا تتردد في رمي نفسها في المياه المبتذلة.

لكن أعدادها الهائلة لم تكن سبب ارتجاف يديّ.

لا أعتقد أن أي مسخٍ يمكن أن يكون طيباً، لأنها كلها تريد إيذاءنا. فبعضها يسلبنا حياتنا مثل القردة، وبعضها الآخر يسلبنا صوابنا مثل التراكر جاكر. لكن أكثر الأعمال وحشية، بالرغم من كل ذلك، والأكثر إثارة للهلع بينها، هي تلك التي تتضمن الإيذاء النفسي الشديد الذي صمّم لترهيب الضحية. يتضمن ذلك منظر الذئاب الممسوخة التي تكون عيونها كعيون المجالدين، وكذلك أصوات الطيور الثرثارة jabberjays التي تقلّد صرخات بريم المعذَّبة. يُضاف إلى ذلك رائحة ورود سنو الممتزجة مع دماء الضحية، والتي ينقلها مجرى المياه المبتذلة. شقّت تلك الرائحة طريقها حتى بالرغم من رائحة المياه الكريهة. شعرت أن قلبي يقفز بجنون داخل صدري، وأن جلدي قد تحوّل إلى جليد. أما رئتاي فعجزتا عن امتصاص الهواء. بدا الأمر وكأن أنفاس سنو تضرب وجهي وتبلّغني أنني سأموت.

أحسست أن الآخرين يصرخون في وجهي، لكنني عجزت عن الاستجابة. رفعتني ذراعان قويتان عن الأرض عندما فجّرت رأس مخلوقٍ ممسوخ لامست مخالبه كاحلي. اصطدمت بالسلّم، وأحسست بأيدٍ تندفع نحو درجاته. أُمرت بأن أتسلّق السلّم فأطاعت أطرافي المتخشبة كأطراف الدمى. أعادت إليّ الحركة ببطء حواسي، فاكتشفت أن شخصاً ما يتواجد فوقي: بولوكس. أما بيتا وكريسيدا فكانا في الأسفل. وصلنا إلى فسحة، وانتقلنا إلى سلّمٍ ثانٍ. كانت درجات ذلك السلّم زلقة نتيجة العرَق والعفونة. شعرت بأنني صحوت عندما وصلنا إلى الفسحة التالية، وهكذا تمكنت من استيعاب طبيعة ما حدث لي. بدأت، بهلع، بدفع الآخرين عن السلم؛ بيتا، وكريسيدا؛ لم أشاهد غيرهما.

ماذا فعلت؟ تخليتُ عن الآخرين! لكن، من أجل ماذا؟ بدأت بنزول السلّم، وسرعان ما اصطدم حذائي بأحدهم.

صرخ بي غايل: «اصعدي!». وقفت في أعلى السلّم، وسحبته حتى أصبح قربي ثم نظرت في الظلمة باحثةً عن الآخرين. «لا». أدار غايل وجهي نحوه، وهزّ رأسه. رأيت زيّه ممزقاً بينما انفتح جرح واسع في جانب رقبته.

سمعت صرخةً بشرية في الأسفل فقلت متوسلة: «لا يزال أحدهم حياً».

قال غايل: «لا يا كاتنيس. لن يأتي أحد غير المخلوقات الممسوخة».

عجزت عن تقبّل الأمر فصوّبت ضوء بندقية كريسيدا نحو مصدر الصوت. تمكنت من تمييز فينيك في الأسفل وهو يحاول الإفلات من قبضة ثلاثة مخلوقات ممسوخة أطبقت عليه. أطبق أحدها على رأسه، وأماله إلى الخلف كي يقضي عليه، فأحسست بشيء غريب. بدا الأمر وكأنني فينيك، وبدأت أشاهد صوراً من حياته تمر متسارعة أمامي. رأيت سارية قارب، ومظلة فضية، وماغز ضاحكة، وسماءً زهرية اللون، ورمح بيتي الثلاثي، وآني في ثوب زفافها، وأمواجاً تتكسر فوق صخور، ثم انتهى كل شيء.

انتزعت جهاز الهولو من حزامي وصرخت بصوتٍ مخنوق: «نايت لوك، نايت لوك، نايت لوك». تركت الجهاز، ثم استندت إلى الجدار مع الآخرين، بينما هزّ الانفجار المنصة، وما لبثت أجزاء من أجساد المخلوقات المتحولة وأجساد بشرية أن اندفعت خارجة من الأنبوب قبل أن تنهمر علينا.

سمعت قرقعة عندما قام بولوكس بتغطية فوهة الأنبوب وتثبيتها في مكانها. لم يتبقَ من مجموعتنا سوى بولوكس، وغايل، وكريسيدا، وبيتا

وأنا. كان على المشاعر الإنسانية أن تنتظر حتى وقتٍ آخر. لم أهتم في تلك اللحظة بأي شيء عدا تلك الفطرة الطبيعية التي تدفعني إلى الحفاظ على ما تبقى من مجموعتنا على قيد الحياة فقلت: «لا يمكننا أن نتوقف هنا».

جاءني أحدهم بضمادة ربطناها حول رقبة غايل وساعدناه على النهوض. بقي شخص واحد مستنداً إلى الجدار. قلت: «بيتا». لم أسمع أي رد. هل فقد وعيه؟ انحنيت أمامه ثم أبعدت يديه المقيّدتين عن وجهه. «بيتا؟». بدت عيناه مثل بركتين سوداوين، واتسعت حدقتاه حيث كادت زرقة عينيه تختفي. كانت عضلات معصميه صلبة مثل المعدن.

همس لي: «اتركيني. لا يمكنني الصمود».

قلت له: «بل تستطيع!».

هزّ بيتا رأسه قائلاً: «إنني أفقد السيطرة. سأجن مثلهم تماماً».

بدا مثل المخلوقات المتحولة، ومثل تلك الوحوش الشرسة التي تسعى إلى تمزيق عنقي. هل سأضطر هنا حقاً، وفي هذا المكان، وتحت هذه الظروف إلى قتله. سيعني ذلك أن سنو هو الذي فاز. اخترقني شعور حارق ومرير من الكراهية. أعرف أن سنو قد ربح الكثير هذا اليوم. أقدمت على مغامرة يائسة، وربما انتحارية، لكنّني فعلت الشيء الوحيد الذي أمكنني التفكير فيه. انحنيت وقبّلت بيتا قبلة طويلة. بدأ جسده بالارتعاش بالكامل، لكنّني أبقيت شفتيّ منطبقتين على شفتيه إلى أن اضطررت إلى رفع رأسي طلباً للهواء. انزلقت يداي صعوداً حتى رسغيه وقلت له: «لا تدعه يأخذك مني».

بدأ بيتا باللهاث بصعوبة في أثناء مكافحته الكوابيس التي تضج في رأسه وقال: «لا. لا أريد أن...».

أطبقت يداه على نقطة الألم فقلت له: «ابقَ معي».

ضاقت حدقتاه إلى أقصى حدّ ثم اتسعتا مجدداً وبسرعة لتعودا إلى ما

332

يشبه وضعهما الطبيعي، وتمتم بصوتٍ منخفض: «دائماً».

ساعدت بيتا على النهوض، ثم وجّهت كلامي إلى بولوكس: «كم نبعد عن الشارع؟». أشار إلى أن الشارع يقع فوقنا مباشرة. صعدت على السلم الأخير، ثم فتحت الغطاء الذي يؤدي إلى غرفة شخصٍ ما. كنت أقف على قدميّ عندما فتحت امرأةٌ ما الباب. كانت المرأة مرتدية عباءةً من الحرير مطرزة برسومات طيور غريبة باللون الفيروزي الساطع. كان شعرها القرمزي مرفوعاً مثل سحابة ومزيناً بالفراشات المذهبة. وكانت حمرة شفتيها ملوثة بدهن قطعة النقانق التي أكلت نصفها، والتي لا تزال تمسك بنصفها الآخر. دلّت ملامح وجهها على أنها تعرّفت إليّ. فتحت فمها كي تصرخ طالبة المساعدة.

فلم أتردد قطّ عندما أطلقت سهماً اخترق قلبها.

333

الفصل الثالث والعشرون

بقيت هوية الشخص الذي كانت المرأة تناديه لغزاً بالنسبة إليّ، لأننا اكتشفنا بعد انتهائنا من تفتيش الشقة أنها وحيدة. يُحتمل أن صرختها تلك كانت موجهةً إلى أحد جيرانها القريبين منا، أو أن تلك الصرخة كانت مجرد تعبيرٍ عن الخوف. لم يتواجد أحد يُمكنه سماعها على أي حال.

كانت الشقة مكاناً فخماً يُمكن للمرء الاختباء فيه لفترة من الزمن، لكننا كنا عاجزين عن التمتع بتلك الرفاهية. سألت: «كم تعتقدون أنه سيمضي من الوقت قبل أن يكتشفوا أن بعضنا قد تمكّن من النجاة؟».

أجابني غايل: «أعتقد أنهم سيكونون هنا في أي وقت. كانوا يعرفون أننا نتوجه نحو الشوارع. يُحتمل أن الانفجار سيؤخرهم لدقائق قليلة، لكنهم سيبدأون بعد ذلك في البحث عن المكان الذي خرجنا منه».

توجهت إلى نافذة تطل على الشارع، لكنّني عندما حدّقت من خلال الستائر لم أشاهد ضباط الأمن، بل شاهدت حشداً من الناس الذين يقصدون أعمالهم. اكتشفت أننا عندما كنا نسير تحت سطح الأرض غادرنا المناطق المهجورة وصعدنا إلى منطقة مكتظة من الكابيتول. يوفر لنا هذا الحشد من الناس فرصتنا الوحيدة للفرار. لا أمتلك الآن جهاز الهولو، لكنني أمتلك كريسيدا. انضمت إليّ عند النافذة، وأكدت لي أنها تعرف الموقع الذي نتواجد فيه، ثم أسمعتني الخبر الذي أفرحني كثيراً وهو أننا لا نبعد كثيراً عن قصر الرئيس.

أقنعتني نظرة واحدة ألقيتها على رفاقي أن الوقت غير مناسب لشن هجومٍ سري على سنو. كانت الدماء لا تزال تنزف من جرح غايل، وهو الجرح الذي لم ننظفه بعد. وكان بيتا جالساً على أريكة مخملية وقد أطبق

334

أسنانه على وسادة، وهو يحاول إمّا التغلب على الجنون الذي يشعر به، أو يحاول كبت صرخةٍ ما. أما بولوكس فقد استغرق في البكاء قرب رف مدفأة مزخرفة، فيما وقفت كريسيدا بحزمٍ إلى جانبي، لكنها بدت شاحبةً إلى حد أن شفتيها بدتا خاليتين من الدماء. أعرف أن الكراهية تسيّرني، وهكذا أفقد قيمتي عندما تنضب طاقة هذه الكراهية.

قلت: «دعينا نفتّش خزائنها».

وجدنا في إحدى غرف النوم مئات الثياب النسائية، والمعاطف، والأحذية، ومجموعة واسعة من الشعر المستعار، وما يكفي من مواد الزينة لطلاء منزلٍ بأكمله. عثرنا في غرفة نومٍ أخرى على مجموعة مماثلة من الملابس الرجالية. يُحتمل أن تكون هذه المجموعة عائدة لزوجها، أو ربما لحبيبها الذي كان من حسن حظه أنه كان خارج المكان هذا الصباح.

ناديت الآخرين كي يرتدوا ثيابهم. نظرت إلى معصمَي بيتا الداميين، ثم بحثت في جيبي عن مفتاح الأصفاد التي تقيّد يدَي بيتا، لكنه ابتعد عني.

قال لي: «لا، لا تفعلي ذلك. تساعدني هذه الأصفاد على البقاء متماسكاً».

قال غايل: «يُحتمل أن تحتاج إلى يديك».

قال بيتا: «عندما أشعر بأن روحي تكاد تُزهق مني أضغط بقيودي هذه على يديّ فيساعدني الألم على التركيز»، لذا، تركته وشأنه.

لحسن حظنا، كان الجو بارداً في الخارج، وهكذا تمكّنا من إخفاء معظم أسلحتنا تحت معاطف وعباءاتٍ فضفاضة. عمدنا كذلك إلى إخفاء أحذيتنا بتعليقها حول رقابنا مستعينين بأربطتها، وانتعلنا أحذية خفيفة بدلاً منها. كان التحدي الحقيقي يتمثّل في وجوهنا بطبيعة الحال. فقد خشيت كريسيدا وبولوكس من تعرّف معارفهما عليهما، أما غايل فقد يكون وجهه مألوفاً بسبب الأفلام الدعائية ونشرات الأخبار. أما أنا وبيتا، فإن كل مواطن

في بانيم يعرفنا. تبادلنا وضع طبقاتٍ سميكة من مساحيق التجميل على وجوهنا، كما وضعنا شعراً مستعاراً ونظارات. وأحاطت كريسيدا وجه بيتا ووجهي بوشاحين.

شعرت بأن الوقت ينفد منا، لكنّني توقفت للحظاتٍ قليلة كي أملأ جيوبي بالطعام وبمواد للإسعافات الأولية. قلت عندما وقفنا عند الباب الأمامي: «ابقوا معاً». أسرعنا إلى الشارع على الفور. وبدأ الثلج بالتساقط. سمعنا أشخاصاً غاضبين وهم يتحدثون من حولنا بلهجة الكابيتول المميزة عن المتمردين والجوع وعني. عبرنا الشارع ومررنا أمام بعض الشقق. مرّ أمامنا ستة وثلاثون جندياً من ضباط الأمن ما إن وصلنا إلى زاوية الشارع. أسرعنا مبتعدين عن طريقهم، وانتظرنا حتى عاد حشد الناس إلى طبيعته، ثم تابعنا المسير. قلت هامسة: «كريسيدا. هل تفكرين في إمكانية ذهابنا إلى مكانٍ ما؟».

قالت لي: «إنني أحاول».

اجتزنا مسافةً أخرى، وما لبثت صفارات الإنذار أن بدأت بالزعيق. تمكّنت من خلال إحدى نوافذ الشقق من رؤية تقريرٍ طارئ، كما لمعت صور لوجوهنا. لاحظت أنهم لم يكتشفوا بعد هوية الذين ماتوا منا، وذلك لأنني شاهدت صورتي كاستور وفينيك بين الصور المعروضة. سيصبح كل شخصٍ من المارة عما قريب بمثل خطورة ضباط الأمن. «كريسيدا؟».

قالت لي: «يوجد مكان واحد، قد لا يكون مكاناً نموذجياً. لكن يمكننا المحاولة». تبعناها إلى مسافةٍ أبعد قليلاً، ثم دخلنا من خلال بوابة إلى ما بدا وكأنه منزل خاص. بدا هذا المنزل وكأنه طريق مختصرة لنا لأننا بعد أن سرنا في حديقة مرتبة، خرجنا من بوابة أخرى إلى شارع فرعي آخر يصل بين الجادتين الواسعتين. رأينا عدة متاجر صغيرة. كان أحدها مخصصاً لشراء السلع المستعملة، بينما كان متجرٌ آخر يبيع المجوهرات

المزيفة. رأينا عدداً قليلاً من الأشخاص في هذا المكان، لكنهم لم يكترثوا بنا. بدأت كريسيدا بالتحدث بصوتٍ عالٍ عن ملابس الفراء الداخلية، وعن مدى فائدتها في الأشهر الباردة: «انتظروا حتى تروا الأسعار! صدّقوني. إنّ ثمنها يبلغ نصف ما تدفعونه في المتاجر الموجودة في الشوارع العريضة!».

توقفنا أمام واجهة متسخةٍ لأحد المتاجر المليئةِ بدمى العرض التي ترتدي ثياباً داخلية من الفراء. لا يبدو المتجر مفتوحاً، لكن كريسيدا دخلت عبر الباب الذي أصدر أصوات رنين متعددة. رأينا داخل هذا المتجر المعتم والضيّق رفوفاً مليئة بسلعٍ كثيرة، كما غزت رائحة الفرو أنوفنا. أعتقد أن الحركة التجارية بطيئة في هذه المنطقة لأننا كنا الزبائن الوحيدين في هذا المتجر. توجهت كريسيدا نحو شخص يجلس في نهاية المتجر، فتبعتها وأنا أمرّر أصابعي في أثناء سيرنا على الثياب الناعمة.

جلست خلف تلك الطاولة أغرب إنسانة رأيتها في حياتي على الإطلاق. كانت المثال الحي عن أفظع الأخطاء التي يمكن أن ترتكبها الجراحة التجميلية، وكان من المؤكد أن الناس جميعاً، حتى أولئك في الكابيتول يعجزون عن اعتبار هذا الوجه جذاباً. تعرض الجلد للشدّ كثيراً، كما وُشم بخطوط سوداء ومذهبة. أما الأنف، فقد تعرض للتصغير (التسطيح) حيث لم يعد له وجود تقريباً. سبق لي أن رأيت الشعر على وجوه بعض الأشخاص في الكابيتول، لكن ليس بهذا الطول. أتت نتيجة هذا العمل قناعاً قبيحاً أشبه بوجوه القططة. حدّق إلينا ذلك الوجه بشيءٍ من الريبة.

نزعت كريسيدا شعرها المستعار وكشفت عن وجهها، وقالت: «إننا بحاجة إلى المساعدة يا تجريس».

تجريس. يذكرني هذا الاسم بشيء ما في أعماق ذاكرتي. كانت من الثوابت في أولى مباريات الجوع التي أتذكرها، لكنها كانت شابةً، ونسخةً

أقل بشاعة عمّا هي عليه الآن. كانت مزينة شعرٍ حسبما أعتقد. لا أذكر من أي مقاطعة كانت، لكنها ليست من المقاطعة 12 بكل تأكيد. أعتقد أنها أجرت بعد ذلك عمليات تجميل كثيرة إلى أن تخطت الحد وصار شكلها منفراً.

إذاً، هذا هو مصير المزيّنين عندما يتخطون سن تقاعدهم. إنهم يقبعون هنا في متاجر الألبسة الداخلية حيث ينتظرون موتهم بعيداً عن أعين الناس.

حدّقت إلى وجهها، وتساءلت إذا كان والداها قد سمياها تجريس حقاً متوقعَين التشويه الذي سيصيبها، أو إذا كانت هي التي اختارت مهنتها وغيرت اسمها كي يتماشى مع مخطّطاتها.

أردفت كريسيدا: «قال بلوتارك إننا نستطيع الوثوق بك».

عظيم، إنها من أتباع بلوتارك. يعني ذلك أنه إذا لم تكن خطوتها الأولى هي تسليمنا إلى الكابيتول، فإنها ستُبلغ بلوتارك وكوين بمكان وجودنا. أعرف أن متجر تجريس ليس نموذجياً، لكنه كل ما لدينا في هذا الوقت، هذا إذا كانت ستقدم لنا أي مساعدة. كانت تحدق إلى مكان ما بين جهاز تلفزيونٍ قديم على طاولتها وبيننا وكأنها تحاول أن تتذكرنا. أردت مساعدتها فأخفضت وشاحي ونزعت شعري المستعار، ثم تقدمت منها حتى غمرت أنوار شاشة التلفزيون وجهي.

زمجرت تجريس بصوتٍ خافت يماثل الصوت الذي يصدره الحوذان عندما يراني، ثم نزلت عن مقعدها واختفت وراء رفٍّ مليء بالألبسة الداخلية المبطنة بالفراء. سمعنا صوت انزلاق، وما لبثت يدها أن ظهرت، وأشارت إلينا بالتقدم إلى الأمام. نظرت كريسيدا إليّ، وكأنها تريد أن تعرف ما إذا كنت متأكدة من ذلك. لكن، أي خيارٍ بقي لنا؟ إن العودة إلى الشوارع تحت هذه الظروف تعني إما احتجازنا أو موتنا المؤكد. أزحت

الفراء قليلاً فاكتشفت أن تجريس قد أزاحت لوحة في أسفل الجدار. ظهر وراء هذه اللوحة أعلى درج حجري شديد الانحدار. أشارت إليّ تجريس بالدخول. أوحى إليّ كل شيء حولي بأنها مصيدة. مررت بلحظة رعب، لكنّني ما لبثت أن استدرت نحو تجريس متفحصة تينك العينين المتلوّنتين. لماذا تفعل ذلك؟ إنها ليست سينّا، ذلك الشخص الذي يمتلك الاستعداد للتضحية بنفسه من أجل الآخرين. تُعتبر هذه المرأة تجسيداً لسطحية الكابيتول. كانت إحدى نجمات مباريات الجوع إلى أن... إلى أن حلّ وقت لم تعد فيه كذلك. إذاً، هكذا تسير الأمور؟ هل هي المرارة؟ هل هي الكراهية؟ هل هو الانتقام؟ أما أنا، فقد ارتحت لهذه الفكرة في واقع الأمر. يُمكن للحاجة إلى الانتقام أن تستعر طويلاً وبشكلٍ حارق، وعلى الأخص إذا كانت كل نظرة إلى المرآة تعزّز ذلك الشعور.

سألتها: «هل أبعدك سنو عن المباريات؟»، اكتفت بالتحديق إليّ. ظننت أن ذيل النمر الذي يزين شعرها قد تحرّك نتيجة الاستياء، ثم تابعت: «لأنني أعتزم قتله كما تعلمين». اتسع فمها في ما اعتبرته ابتسامة. اعتبرت أن كل هذا لا يمثّل جنوناً تاماً، لذلك تابعت التحرك بحذرٍ في المكان.

اصطدم وجهي بعد أن نزلت نصف مسافة الدرج بسلسلةٍ معلقة. جذبت هذه السلسلة فانتشر ضوء مصباح الفلوريسنت وأنار المخبأ. كان قبواً صغيراً من دون أبوابٍ أو نوافذ. كان مكاناً واسعاً لكنه قليل الارتفاع. يُحتمل أنّه مجرد مسافة تصل بين سردابين حقيقيين. كان من السهل عدم ملاحظة المكان إذا لم يكن لدى المرء إحساس بالأبعاد. كان المكان بارداً ورطباً لكنه اشتمل على أكوامٍ من الفراء التي أعتقد أنها لم ترَ نور النهار منذ سنوات. لا أعتقد أن أحداً سيعثر علينا هنا إذا لم تعمد تجريس إلى الوشاية بنا. وصلت إلى الأرضية الإسمنتية فيما كان رفاقي لا يزالون على الدرج. عادت اللوحة الخشبية للانزلاق في مكانها، وسمعت ذلك الصوت

المعدني للعجلات، والذي يدل على إعادة ترتيب رفّ الملابس الداخلية. عادت تجريس إلى مقعدها بعد أن ابتلعنا متجرها.

دخلنا المتجر في الوقت المناسب لأن غايل بدا على وشك الانهيار. رتّبنا الفراء على شكل سرير، وجرّدناه من أسلحته الكثيرة، ثم ساعدناه كي ينام على ظهره. رأينا صنبوراً في آخر المتجر، وكان يعلو نحو قدمٍ عن الأرض التي تحتوي على مجرى لتصريف المياه. فتحت الصنبور، فبدأت المياه النظيفة بالظهور بعد أن تساقطت كمية كبيرة من الصدأ أوّلاً. بدأنا بتنظيف الجرح في رقبة غايل، لكنّني أدركت أن الضمّادات لن تكون كافية وحدها، لأن الجرح يستلزم بعض القطب. عثرت في صندوق الإسعافات الأولية على إبرة وخيطٍ معقّمين، لكننا افتقدنا إلى أحد المعالجين. خطر لي أن نطلب المساعدة من تجريس، وذلك لأن عملها في الخياطة يجعلها ماهرة في استخدام الإبرة، لكنها إذا عملت هنا، فلن يتواجد أحد في المتجر، وذلك من دون أن ننسى أنها قدّمت لنا مساعدةً كبيرة. تقبلت فكرة أنني مؤهلة أكثر من غيري للقيام بهذه المهمة، فصررت على أسناني، ثم بدأت بتقطيب الجرح بشكل متعرّج. لا يمكنني القول إن القطب تجميليّة، لكنها تفي بالغرض. وضعتُ بعض الدواء فوقها ولففتها. أعطيته دواءً مزيلاً للألم، وقلت له: «يمكنك أن ترتاح الآن، فالمكان آمنٌ هنا». فاستسلم للنوم بسرعة.

أسرعت كريسيدا وبولوكس بتحضير مفرشٍ من الفراء لكلٍّ منا، بينما انشغلت أنا بالعناية بمعصمَي بيتا. غسلت الدماء عن يديه بلطفٍ، ووضعت عليهما كمية من المطهرات، ثم لففتهما بضمادات تحت الأصفاد وقلت له: «يجب أن تبقيها نظيفة، وإلا ستمتد الالتهابات و...».

فقال بيتا: «أعلم ما معنى تسمم الدم يا كاتنيس. حتى ولو لم تكن أمي من بين المعالجين».

عادت بي ذاكرتي إلى زمنٍ مضى، وإلى جرحٍ آخر، وإلى مجموعةٍ أخرى من الضمادات. «قلتَ لي هذه الكلمات ذاتها في أول مباراة جوعٍ خضناها معاً. هل هذه حقيقة أم لا؟».

قال لي: «هذه حقيقة. ألم تخاطري بحياتك كي تحصلي على الدواء الذي أنقذ حياتي؟».

هززت كتفي وأجبت: «إنها حقيقة. أنت من جعلني أعيش كي أفعل ذلك».

«أحقاً كنت كذلك؟». يبدو أن جوابي أربكه. أعتقد أن ذكرًى مشرقةً ما تكافح كي تستحوذ على انتباهه، وذلك لأن جسمه توتّر قليلاً، كما بدا التوتر على معصميه المضمدّين حديثاً تحت الأصفاد المعدنية. تلاشت بعد ذلك كل الطاقة من جسمه المتعب وقال: «إنني متعب جداً يا كاتنيس».

قلت له: «اخلد إلى النوم». لم يفعل ذلك حتى أعدت ترتيب الأصفاد وثبّتها إلى إحدى دعائم الدرج. لا يمكن أن يكون وضعه مريحاً لأنه ألقى ذراعيه فوق رأسه. لم تمرّ دقائق قليلة حتى استسلم للنوم هو أيضاً.

رتّبت كريسيدا وبولوكس المفارش لنا، وكذلك الطعام والمواد الطبية. وسألاني عمّا أعتزم القيام به بالنسبة إلى الحراسة. نظرت إلى الشحوب الذي يظهر على وجه غايل، وإلى قيود بيتا. لم ينم بولوكس منذ أيامٍ عدة، أما أنا وكريسيدا فلم نذق طعم النوم إلا لساعاتٍ قليلة. أعرف أنه إذا حضرت فرقة من ضباط الأمن فسنُحتجز هنا مثل الفئران. إننا نعيش الآن تحت رحمة امرأة مسنّة تشبه النمر، كما تسيطر عليّ الآمال وذلك الشغف الذي يدعوني إلى قتل سنو.

قلت: «أعتقد بصدق أنّه ما من داعٍ أبداً للحراسة. دعونا الآن ننال قسطاً من النوم». أومأوا ببطء موافقين، وسرعان ما لجأنا إلى مفارش الفراء التي تنتظرنا. خبت قليلاً ألسنة النيران التي تستعر في داخلي، وخبت معها

قوتي. استسلمت لذلك الفراء الناعم، والذي تفوح منه رائحة العفونة والإهمال.

بقي عندي حلم واحد كي أتذكره. إنه أمرٌ متعب كنت أحاول الحصول عليه في المقاطعة 12. ظلّ الوطن الذي أحبه سليماً، والناس لا يزالون على قيد الحياة. تسافر معي إيفي ترينكيت، المتألقة بشعرها المستعار زهري اللون، وزيّها المفصّل بإحكام. أحاول على الدوام أن أرميها في شتى الأماكن، لكنها كانت تعاود الظهور بكل وضوح إلى جانبي. كانت تصرّ على أنها مسؤولة عن وصولي في المواعيد المحدّدة بصفتها مرافقتي. لكن البرنامج كان يتغيّر باستمرار، ويتأثر بسبب فقدان ختم الموافقة من أحد الرسميين، أو كنا نتأخر لأن إيفي أعطبت أحد كعبَي حذائها. كنا نجلس طيلة أيام على أريكة في محطة رمادية في المقاطعة 7، ونحن ننتظر قطاراً لن يأتي أبداً. وعندما استيقظت شعرت بأنني أشد ضعفاً ممّا كنت عليه عندما كانت الكوابيس الليلية تراودني وتأخذني إلى عالم الدم والرعب.

كانت كريسيدا هي الشخص الوحيد المستيقظ بيننا. أبلغتني أننا في وقتٍ متأخرٍ من المساء. أكلتُ علبة من حساء اللحم، وأتبعت ذلك بشرب كمية كبيرة من الماء، ثم استندت بعد ذلك إلى جدار القبو، وانغمست بالتفكير في أحداث اليوم الذي مضى. رافقني الموت في كل خطواتي. عددتهم على أصابعي. واحد، اثنان: فَقَدَ ميتشيل وبوغز حياتيهما في تلك المنطقة السكنية. ثلاثة: ذاب ميسالا في تلك المصيدة. أربعة، خمسة: ليغ 1 وجاكسون ضحّتا بنفسيهما في طاحونة اللحم. ستة، سبعة، ثمانية: كاستور، وهومز، وفينيك، قطع المتحولون الممسوخون كالسحالي رؤوسهم. مات ثمانية أشخاص في غضون أربعٍ وعشرين ساعة. أعلم أن هذا ما حدث، ومع ذلك لا يبدو لي حقيقياً. إنني متأكدة من أن كاستور يغفو تحت كومةٍ من الفراء، وأن فينيك سيأتي نازلاً على الدرج في غضون دقيقة، وأن بوغز

342

سيبلغني بخطته للهرب.

إذا صدّقت أنهم ماتوا، فإن ذلك يعني أنني قتلتهم. حسناً، يُحتمل أنني لم أقتل ميتشيل وبوغز وأنهما قُتلا في أثناء تأديتهما مهمة حقيقية. لكن الآخرين فقدوا حياتهم في أثناء حمايتي في مهمةٍ من اختراعي. بدت الخطة التي وضعتها لقتل سنو غبيةً الآن. كانت غبيةً جداً إلى حدّ أنني جلست مرتجفة هنا في هذا القبو وأنا أستعرض خسائرنا، وتلاعبت بالخيوط التي تزيّن الحذاء الفضي الذي سرقته من منزل تلك المرأة. آه!... أجل... نسيت. قتلت تلك المرأة كذلك. يبدو أنني بدأت الآن بقتل مواطنين مدنيين.

أعتقد أنّ الوقت قد حان لأعترف بكل شيء.

اعترفت عندما استفاق الجميع أخيراً. قلت لهم إنني كذبت بشأن تلك المهمة، وإنني عرّضت الجميع للخطر في أثناء سعيي إلى الانتقام. مرّت فترة صمت طويلة بعد أن أنهيت كلامي. قال غايل بعد ذلك: «كاتنيس، كلنا نعرف أنك كنتِ تكذبين عندما قلتِ إنّ كوين أرسلتك من أجل اغتيال سنو».

أجبت: «يُحتمل أنكم كنتم تعرفون. لكن جنود المقاطعة 13 لم يكونوا يعرفون».

سألت كريسيدا: «أتعتقدين حقاً أن جاكسون صدّقتك عندما قلتِ إنك تحملين أوامر من كوين؟ بالطبع لم تصدقك، لكنها كانت تثق ببوغز، وهو الذي أرادك أن تمضي بما عزمتِ عليه».

قلت: «لم أخبِر بوغز قطّ بما عزمت على القيام به».

قال غايل: «أخبرتِ الجميع بذلك في مركز القيادة. كان ذلك أحد شروطك كي تصبحي الطائر المقلّد. سأقتل سنو.

بدا لي الأمران منفصلين ومختلفين، أي مفاوضة كوين لنيل شرف قتل سنو بعد الحرب، وهذه الرحلة غير المرخص لها داخل الكابيتول.

343

قلت: «لكن، ليس بهذه الطريقة. كانت كارثةً تامة».

قال غايل: «أعتقد أنها ستُعتبر مهمة ناجحةً جداً. تمكنا من اختراق معسكر العدو، وهكذا نجحنا في البرهنة عن إمكانية اختراق دفاعات الكابيتول. تمكّنا كذلك من تصوير أشرطة وبثِّها في أثناء نشرات أخبار الكابيتول. كما نشرنا الفوضى في كامل أنحاء المدينة في محاولة العثور علينا».

قالت كريسيدا: «ثقي بي عندما أقول إن بلوتارك يشعر ببهجة كبيرة».

قلت: «يعود سبب هذا إلى أن بلوتارك لا يكترث أبداً بموت أي شخص، طالما أن مبارياته تحرز النجاح الذي يريده».

حاولت كريسيدا وغايل إقناعي بشتى الوسائل، بينما اكتفى بولوكس بالإيماء كي يساندهما بين وقتٍ وآخر، لكن بيتا لم يقدم أي رأي.

سألته أخيراً: «ما رأيك يا بيتا؟».

«أعتقد... أنك لا تعرفين... مدى التأثير الذي تتمتعين به». دفع بأصفاده نحو الأعلى ودفع نفسه إلى وضعية الجلوس وتابع: «لم يكن أي شخصٍ فقدناه غبياً. كانوا يعلمون ما يفعلونه. تبعك هؤلاء لأنهم كانوا يثقون بقدرتك على قتل سنو بالفعل».

لا أعرف لماذا أقنعني كلامه في حين عجز كلام الآخرين عن ذلك. لكنه إذا كان على صواب، وأنا أعتقد أنه كذلك، فإنني أدين للآخرين بدينٍ كبير لا يمكنني إيفاؤه إلا بطريقة واحدة. تناولت خريطتي الورقية من أحد جيوب الزي الرسمي الذي أرتديه، ونشرتها على الأرض بعزمٍ وقلت: «أين نحن يا كريسيدا؟».

كان متجر تجريس يبعد نحو خمسة بلوكات عن مستديرة المدينة وقصر سنو. يعني ذلك أننا نستطيع اجتياز المسافة مشياً وبسهولة في منطقة معطلة المصائد من أجل حماية السكان. يُضاف إلى ذلك أننا نمتلك ألبسة

تنكرية يمكنها أن توصلنا إلى هناك بأمان، هذا إذا أضفنا إليها بعض زينة الفراء من متجر تجريس. لكن، ماذا سيحدث بعد ذلك؟ إنني متأكدة من أن القصر يخضع لحراسة مشددة، كما أنّ كاميرات المراقبة تعمل على مدار الساعة، هذا بالإضافة إلى المصائد التي يمكن تشغيلها بمجرد الضغط على زرٍّ صغير.

قال لي غايل: «إن ما نحتاج إليه هو دفعه للخروج إلى العلن، وهكذا، سيتمكن أحدنا من اصطياده».

سأل بيتا: «وهل يظهر إلى العلن في هذه الفترة؟».

قالت كريسيدا: «لا أعتقد ذلك. كان في القصر عندما ألقى كل تلك الخطابات في الفترة الأخيرة. فعل ذلك حتى قبل وصول الثوار. أعتقد أنه أصبح أكثر تيقظاً بعد أن أعلن فينيك جرائمه».

هذا صحيح. لم تعد كراهية سنو مقتصرة على أمثال تجريس، لكنها تعدّتها إلى شبكة من الناس الذين باتوا يعرفون الآن ما فعله بأصدقائهم وعائلاتهم. إن دفعه إلى الظهور إلى العلن أمرٌ مستحيل. إنه أمرٌ يشبه...

قلت له: «أراهن بأنه سيخرج كي يمسِك بي. أعني إذا أمسكوا بي، فسيرغب في أن يكون ذلك علنياً قدر الإمكان. وأعرف أنه سيأمر عندها بإعدامي فوق درجات مدخل قصره الأمامي». توقفت قليلاً كي يستوعب الحاضرون كلماتي ثم تابعت: «سيتمكن غايل بعد ذلك من اصطياده من بين الحشود».

هزّ بيتا رأسه وقال: «لا، توجد نهايات كثيرة محتملة لتلك الخطة. يُحتمل أن يقرر سنو إبقاءك حية كي ينتزع منك ما أمكن من المعلومات عن طريق التعذيب. يُحتمل كذلك أن يأمر بقتلك من دون حضوره، أو حتى قد يلجأ إلى قتلك داخل قصره، ويعرض جثتك في الخارج».

قلت: «ما هو رأيك يا غايل؟».

345

قال لي: «تبدو هذه الاحتمالات متطرفة ومتسرعة. لكنه أمرٌ محتمل إذا فشلت الحلول الأخرى. دعينا نتابع التفكير».

مرّت فترة من السكون بعد ذلك، وسمعنا وقع قدمي تجريس فوقنا. أعتقد أننا وصلنا إلى وقت إقفال المتاجر، أي يُحتمل أنها تُقفل أبواب المتجر.

وبعد قليل، أُبعدت تلك اللوحة التي تعلو الدرج جانباً.

سمعنا صوتاً رزيناً يقول لنا: «اصعدوا. جلبت لكم بعض الطعام». إنها المرة الأولى التي تتكلم فيها معنا منذ وصولنا. لا أعرف ما إذا كانت تلك القرقرة في صوتها طبيعية، أم أنها نتيجة سنواتٍ من التمرين والممارسة.

سألت كريسيدا في أثناء صعودنا الدرج: «هل اتصلت ببلوتارك يا تجريس؟».

هزّت تجريس كتفيها وأجابت: «ما من سبيلٍ إلى ذلك. سيعرف أنكم في بيتٍ آمن. لا تقلقوا».

هل قالت لا تقلقوا؟ شعرت بارتياحٍ كبير بعد تأكدي من أنني لن أتلقى أوامر مباشرة من المقاطعة 13، وبالتالي لن أضطر إلى تجاهلها. يعني ذلك أيضاً أنني لن أضطر إلى تقديم تبريرات مقنعة للقرارات التي اتخذتها على مدى الأيام القليلة الماضية.

رأيت على طاولة المتجر قطعاً من الخبز المتعفّن، وقطعة من الجبن الذي تعلوه طبقة من العفن، ونصف زجاجة من الخردل. ذكّرني هذا المنظر بأن الشبع لا يطال جميع الناس في الكابيتول هذه الأيام. شعرت بأنني مضطرة إلى إخبار تجريس عن ما تبقى معنا من أطعمة، لكنها رفضت سماعي، وقالت لي: «أكاد لا آكل شيئاً غير قدرٍ قليلٍ من اللحم النيء». بدا لي أن ذلك ينعكس على شخصيتها، لكنني لم أقل شيئاً. اكتفيت بإزالة العفن عن الجبن، ثم قسّمت القطعة لنتشاركها جميعاً.

شاهدنا في أثناء تناولنا الطعام آخر أخبار الكابيتول. ورد في الأخبار أن الحكومة قد تمكنت من القضاء على من تبقى من المتمردين باستثنائنا نحن الخمسة. علمنا كذلك أن الحكومة قدّمت مبالغ وفيرة من المال لقاء أي معلومات تؤدي إلى القبض علينا، كما ركّزت الأخبار على مدى الخطورة التي نمثّلها. عرضت نشرة الأخبار مشاهد أظهرتنا ونحن نتبادل إطلاق النار مع ضباط الأمن، لكن من دون عرض مشاهد المخلوقات المتحولة وهي تنهش رؤوسهم. أشارت النشرة كذلك إلى المرأة التي تركناها في منزلها، حيث لا يزال سهمي مغروزاً في قلبها. لاحظت أن أحدهم قد أعاد ترتيب زينتها من أجل كاميرات التصوير.

سمح الثوار ببث شريط الكابيتول من دون مقاطعة، فسألت تجريس: «هل بثّ الثوار اليوم أي بيان؟». هزّت رأسها نافية فقلت: «أشك في أن كوين ستعرف ما تفعله بي بعد معرفتها بأنني لا أزال على قيد الحياة».

غمغمت تجريس بصوتٍ أجش: «لا أحد يعرف ما يجب أن يفعله بك يا فتاتي». دفعتني تجريس إلى أخذ زوجٍ من الثياب الداخلية بالرغم من أنني لا أستطيع دفع الثمن. كانت هديتها من تلك الهدايا التي لا يستطيع المرء رفضها، وعلى أي حال، إنّ البرد شديد في ذلك القبو.

تابعنا بعد عودتنا إلى ذلك القبو التفكير في خطة ما بعد إنهائنا طعام العشاء. لم نتمكن من وضع خطة مناسبة، لكننا اتفقنا على ألاّ نخرج بعد الآن كمجموعة من خمسة أشخاص، وأن نحاول اختراق قصر الرئيس قبل أن نلجأ إلى الخطة الثانية وهي أن أحوّل نفسي إلى طعم. وافقت على ذلك كي أتجنب مناقشة إضافية. فإذا قررت تسليم نفسي، فإنني لن أكون بحاجة إلى موافقة أي شخصٍ آخر أو مشاركته.

غيّرت ضمادات بيتا وأعدت تقييده بدعامة الدرج، ثم استلقيت كي أنام. صحوت بعد ساعاتٍ قليلة، فانتبهت إلى محادثةٍ هادئة تجري بالقرب

مني. كان بيتا وغايل يتحدثان، ولم أتمكن من منع نفسي عن التنصت.

قال بيتا: «شكراً لك على الماء».

أجاب غايل: «لا مشكلة في ذلك. إنني أستيقظ عشر مرات في الليلة الواحدة على أيّ حال».

سأل بيتا: «هل تفعل ذلك كي تتأكد من أن كاتنيس لا تزال هنا؟».

أجاب غايل معترفاً: «من أجل شيء من هذا القبيل».

مرّت فترة صمتٍ طويلة قبل أن يتكلم بيتا مجدداً: «إن ما قالته تجريس أمر يثير الضحك، أي عندما قالت إن أحداً لا يعلم ما يفعله معها».

قال غايل: «حسناً، لم نعرف ذلك قطّ».

ضحك الاثنان. استغربت كثيراً لأنني سمعتهما يتحدثان بهذه الطريقة. كانا أشبه بصديقَين، لكنني أعلم أنهما ليسا كذلك، وهما لم يكونا كذلك في يومٍ من الأيام، لكنني أعرف أنهما ليسا عدوّين أيضاً.

قال بيتا: «إنها تحبك، وأنت تعرف ذلك. فهمت ذلك منها بعد أن جلدوك».

أجاب غايل: «إياك أن تصدّق ذلك. ألم تلاحظ كيف قبّلتك في المباريات الربعية... حسناً، لم يسبق لها أن قبّلتني بهذه الطريقة».

قال له بيتا وإن كان ذلك بنبرة فيها شيء من الشك: «كان ذلك جزءاً من العرض».

«كلا، لقد فزتَ بها، وأنت تخليت عن كل شيء من أجلها. يُحتمل أن تكون تلك هي الطريقة الوحيدة لإقناعها بأنك تحبها»، مرّت فترة صمتٍ طويلة ثم تابع: «كان يجب أن أتطوع كي آخذ مكانك في المباراة الأولى، وهكذا كنت سأحميها».

قال بيتا: «ما كنت لتستطيع ذلك لأنها ما كانت لتسامحك مطلقاً. كان عليك أن تعتني بأسرتها التي تهمها أكثر مما تهمها حياتها».

«حسناً، لم تعد هذه قضية مطروحة الآن. أعتقد أنه من غير المحتمل أن نبقى أحياء نحن الثلاثة بعد الحرب. لكن، إذا بقينا أحياء، فإن كاتنيس ستواجه مشكلة. سيتعيّن عليها أن تختار»، تثاءب غايل قبل أن يضيف: «يتعيّن علينا أن نأخذ قسطاً من النوم».

«أجل». سمعت صوت قيود بيتا وهي تنزلق نزولاً فوق الدعامة بينما كان يحاول الاستلقاء. «إنني أتساءل: كيف ستتمكن من الاختيار بيننا؟».

«آه! إنني أعرف كيف». تمكنت من سماع كلمات غايل الأخيرة بصعوبة من خلال طبقة الفراء السميكة: «ستنتقي كاتنيس الشخص الذي تعتقد أنها لا تستطيع العيش من دونه».

الفصل الرابع والعشرون

اخترقتني قشعريرة. هل أشعر بالبرد وأفكر في خطوتي التالية حقاً؟ لم يقل غايل ستنتقي كاتنيس الشخص الذي سيحطّم قلبها إذا تخلّى عنها، أو حتى أي شخص لا تستطيع العيش من دونه. كانت هاتان العبارتان ستوحيان بأنني أتصرف بدافع العاطفة. لكن أعزّ أصدقائي توقع أنني سأختار الشخص الذي أعتقد أنّه لا يمكنني العيش من دونه. لم تكن هناك أدنى إشارة إلى أنني سأختار بناءً على الحب، أو الرغبة، أو حتى التوافق. أعتقد أنني سأجري تقييماً محايداً لما يمكن لشريكي المحتمل أن يقدّمه لي. بدا الأمر في النهاية وكأنه مسألة ما إذا كان خبّاز ما، أو صيادٌ ما، سيتمكن من إطالة عمري أكثر من الآخر. كان ما قاله غايل أمراً فظيعاً، وخاصة لأن بيتا لم يدحضه في وقت تستغل فيه الكابيتول، وكذلك الثوار، كل عاطفة أشعر بها. أعرف أن الخيار سهل في هذا الوقت؛ إذ يمكنني الاستمرار في العيش من دونهما.

لم أمتلك في الصباح الوقت أو الطاقة لمداواة المشاعر الجريحة. تناولنا فطوراً مبكراً تألف من كبد وحلوى التين. تحلقنا في ذلك الوقت حول جهاز تلفزيون تجريس كي نشاهد أحد اختراقات البث التلفزيوني التي يقوم بها بيتي. شاهدنا تطوراً جديداً في مسار الحرب. فقد خطرت لأحد قادة الثوار فكرة مصادرة السيارات التي تركها الناس وإرسالها إلى الشوارع من دون أن يتواجد فيها أحدٌ، ويبدو أنه استلهم هذه الفكرة من الموجة السوداء. أعرف أنه لا يمكن للسيارات تفجير كل المصائد، لكنها ستتمكن من تفجير معظمها. بدأ الثوار عند قرابة الساعة الرابعة من بعد منتصف الليل بشقّ ثلاثة مسارات مختلفة تؤدي كلها إلى قلب الكابيتول.

اكتفى الثوار بالإشارة إليها على أنها الخطوط A، وB، وC. كانت النتيجة أن الثوار تمكنوا من احتلال مجموعة سكنية إثر أخرى من دون أن يتكبدوا سوى خسائر طفيفة.

قال غايل: «لا يمكن لهذا الوضع أن يستمر. إنني مندهش في الواقع لأن الأمر طال كثيراً. يُمكن للكابيتول أن تتكيف مع الوضع بأن تعطل مصائد محددة وتقوم بعد ذلك بتشغيلها يدوياً عندما تقترب الأهداف منها». لم تمضِ سوى دقائق قليلة على توقعاته هذه حتى رأيناها على الشاشة وهي تحدث فعلاً وتصبح حقيقيّة. أرسلت إحدى الفرق سيارة إلى داخل حيٍّ سكني، وهو الأمر الذي فجّر أربع مصائد. بدا أن كل شيء يسير على ما يرام. شاهدنا بعد ذلك ثلاثة من الكشافة يهرعون حتى وصلوا بأمان إلى نهاية الشارع. لكن، ما إن تبعتهم مجموعة من الثوار تتألف من عشرين جندياً حتى تفجروا وتحوّلوا إلى أشلاء عندما فُجِّر صف من الورود المزروعة في أصصٍ أمام أحد متاجر الأزهار.

قال بيتا: «أعتقد أن بلوتارك يتفجر غيظاً الآن لأنه ليس في غرفة التحكم كي يتمكن من فعل شيء ما بهذا المشهد».

أعاد بيتي البث إلى الكابيتول حيث ظهرت إحدى المراسلات بوجهٍ متجهم، وأعلنت عن المجمّعات السكنية التي يتعيّن على سكانها مغادرتها. تمكنت في الفترة الممتدة بين إذاعة هذه المعلومة الأخيرة والخبر الذي أذاعته قبلاً من وضع إشارات على خريطة ورقية من أجل إظهار المواقع التقريبية للجيشين المتقابلين.

سمعت أصوات شجارٍ في الشارع فاقتربت من النوافذ، ونظرت من خلال فتحةٍ في الستائر. رأيت في ضوء هذا الصباح الباكر منظراً غريباً. شاهدت صفوفاً من اللاجئين الذين تركوا المجمعات السكنية المحتلة وهم في طريقهم إلى وسط الكابيتول. لم يلبس الأكثر ارتعاباً بينهم سوى

ثياب النوم، ولم ينتعلوا سوى أحذية خفيفة، لكن الذين كانوا أكثر جهوزية بينهم ارتدوا ملابس ثقيلة. اصطحب هؤلاء معهم كلابهم الصغيرة أو علب مجوهراتهم، وحتى نباتاتهم المزروعة في أصص. شاهدت رجلاً يرتدي عباءة فضفاضة من دون أن يحمل معه شيئاً غير ثمرة موزٍ ناضجة. رأيت كذلك أطفالاً مرتبكين وقد غلبهم النوم وهم يترنحون في أثناء سيرهم، وكانوا خائفين حتى من الاسترسال في البكاء. مرّت أمام ناظريّ أجزاء من وجوههم. رأيت عينين بنيّتين واسعتين، وذراعاً تتمسك باللعبة المفضلة لدى صاحبتها. رأيت قدمين حافيتين وقد تحوّل لونهما إلى الأزرق نتيجة البرد في أثناء دوسهما على أحجار الرصيف غير المنتظمة. تذكرت عند رؤيتي هذا المشهد أطفال المقاطعة 12 الذين ماتوا في أثناء فرارهم من القنابل الحارقة، فابتعدت عن النافذة على الفور.

تبرعت تجريس كي تكون جاسوستنا لهذا اليوم لأنها الوحيدة بيننا التي لم تُرصد جائزة للحصول على رأسها. خرجت إلى شوارع الكابيتول كي تلتقط أيّ معلوماتٍ مفيدة، وذلك بعد أن اطمأنت إلى نزولنا إلى القبو.

ذرعت القبو ذهاباً وإياباً، وهو الأمر الذي أثار جنون الآخرين. أنبأني حدسي بأن عدم الاستفادة من سيل اللاجئين بمثابة غلطة كبيرة. هل نأمل أن تتوفر لنا تغطية أفضل من هذه؟ ومن جهة أخرى، فإن كل شخصٍ هاربٍ من منزله يعني وجود زوج آخر من العيون الباحثة عن خمسة من الثوار الذين يسرحون أحراراً في المنطقة. تساءلت مجدداً عن الفائدة التي نجنيها من البقاء هنا. إن كل ما نفعله هو استهلاك مخزوننا من الأطعمة وانتظار... ماذا؟ أننتظر أن يستولي الثوار على الكابيتول؟ يُحتمل أن تمضي أسابيع عدة قبل أن يحدث ذلك، كما أنني لست متأكدة من الأمور التي يمكنني أن أفعلها إذا تحقّق ذلك. أعتقد أنني لن أهرع للترحيب بهم. إنني متأكدة

من أن كوين ستأمر بإرجاعي إلى المقاطعة 13 قبل أن أتمكن من التلفظ بكلمة «نايت لوك، نايت لوك، نايت لوك». أعتقد أنني لم أقطع كل هذه المسافات، ولم أفقد كل أولئك الناس، كي أسلّم نفسي إلى تلك المرأة. أريد أن أقتل سنو. يُضاف إلى ذلك وجود عدد كبير من الأمور التي لم أستطع تفسيرها بسهولة في الأيام القليلة الماضية. أما إذا ظهر عدد من هذه الأمور إلى العلن، فإنها قد تطيح بحق إعطاء المنتصرين الحصانة. تملّكني شعور – بغض النظر عني – بأن الآخرين سيحتاجون إلى هذا الحق، مثل بيتا، وهو الذي لا يستطيع المرء كيفما قلّب الأمور، إلا أن يراه في الشريط وهو يدفع ميتشيل نحو مصيدة الشبكة. استطعت أن أتخيّل ما ستفعله محكمة الحرب التي ستشكّلها كوين.

بدأنا في وقتٍ متأخرٍ من المساء بالشعور بالقلق نتيجة غياب تجريس الطويل. وبدأت الأحاديث بالتطرق إلى احتمالات توقيفها وإلقاء القبض عليها، أو أن تشي بنا طوعاً، أو أن تكون قد أصيبت بسبب طوفان اللاجئين. سمعنا عند الساعة السادسة تقريباً الأصوات التي تدل على عودتها. سمعنا وقع قدميها في الأعلى، وما لبثت بعد ذلك أن أبعدت اللوحة، فملأت رائحة اللحم المشوي الشهيّ الأجواء. حضّرت لنا تجريس لحماً مهروساً مع البطاطا. كانت هذه أول وجبة ساخنة نتناولها منذ أيام. انتظرت وهي تملأ طبقي لكنّني كدت أهذي في هذا الوقت.

وفيما كنت أمضغ طعامي، حاولت الإصغاء إلى تجريس وهي تخبرنا عن كيفية الاستحواذ على قطعة اللحم هذه، لكن أهم ما استنتجته هو أن الملابس الداخلية المصنوعة من الفراء سلعة قيّمة ليتم تبادلها في هذا الوقت. يصدق هذا على الأخص بالنسبة إلى الذين تركوا منازلهم من دون ارتداء ثيابهم كلها. فهمت أن عدداً كبيراً من الناس لا يزالون في الشوارع وهم يحاولون إيجاد ملجأ لهم ليمضوا فيه ليلتهم. وعلمت

353

كذلك أن أولئك الذين يعيشون في شقق فخمة داخل المدينة قد أحجموا عن فتح أبوابهم أمام الذين تركوا منازلهم، بل على العكس من ذلك، لقد عمد معظمهم إلى إحكام إغلاق أبوابهم، وإسدال ستائرهم متظاهرين بأنهم خارج منازلهم. اكتظت مستديرة المدينة باللاجئين في هذا الوقت، كما عمد ضباط الأمن إلى التنقل من بابٍ إلى آخر مقتحمين بعض الأمكنة إذا اضطروا إلى ذلك، وذلك كي يجدوا مكاناً يبيت فيه بعض اللاجئين.

شاهدنا على شاشة التلفزيون أحد المسؤولين الجدّيين وهو يقدّم قواعد محددة تتعلق بعدد الأشخاص في كل قدمٍ مربعة الذين يُنتظر من كل مواطن استقبالهم. ذكّر هذا المسؤول مواطني الكابيتول بأن درجات الحرارة هذه الليلة ستنخفض كثيراً إلى ما دون درجة التجمد، وحذّرهم بأن رئيسهم يتوقع منهم ألاّ يكتفوا بالترحيب فقط، بل أن يكونوا مضيفين متحمسين في وقت الأزمة هذه. عُرِضت على شاشة التلفزيون بعد ذلك لقطات مدروسة لمواطنين قلقين وهم يرحبون باللاجئين الممتنين في منازلهم. قال كبير ضباط الأمن إن الرئيس نفسه أمر بتجهيز قسم في قصره من أجل استقبال المواطنين في اليوم التالي، وأضاف المسؤول أن أصحاب المتاجر يجب أن يكونوا جاهزين بدورهم لتقديم متاجرهم إذا طُلب منهم ذلك.

قال بيتا: «تجريس، يُمكن أن يعنيك هذا الكلام». أدركت أنه قد يكون على حق، وأن هذا الحيّز الضيق للمتجر يُمكن أن يخصص لبعض اللاجئين إذا ازدادت أعدادهم. في هذه الحال، سنُحتجز في هذا القبو، وسنكون في خطر دائم نتيجة احتمال اكتشاف أمرنا. كم يوماً لدينا؟ أهو يوم واحد؟ أو يومان؟

عاد كبير ضباط الأمن حاملاً معه تعليماتٍ إضافية للسكان. بدا أن

حادثاً مؤسفاً قد وقع عندما أقدمت الحشود على ضرب شابٍّ يشبه بيتا حتى الموت. وقال كبير الضباط إنه يتعيّن عليهم من الآن فصاعداً إبلاغ السلطات عن ظهور المتمردين وهي ستهتمّ بكشف هوية المشتبه فيهم وإلقاء القبض عليهم. كما ظهرت على شاشة التلفزيون صورة الضحية. بدا مختلفاً جداً عن بيتا، عدا بعض خصلات الشعر المصبوغة.

تمتمت كريسيدا: «لا بد من أن الناس قد جنّ جنونهم».

شاهدنا موجزاً لآخر الأخبار الذي عرضه الثوار. عرفنا من خلال هذا الموجز أن الثوار قد استولوا اليوم على مجمعاتٍ سكنية إضافية. أشرت إلى بعض التقاطعات على خريطتي وتفحصتها جيداً، ثم قلت معلنةً: «لا يبعد الخط C أكثر من أربعة بلوكات عن هنا». أقلقتني هذه الملاحظة، بطريقة ما، أكثر من فكرة بحث ضباط الأمن عن أماكن السكن. شعرت بأنني أكثر ميلاً إلى المساعدة فقلت: «دعوني أقوم بغسل الأطباق».

قام غايل بجمع الأطباق قائلاً: «سأساعدك».

شعرت بأن عينَي بيتا تتبعانني إلى خارج الغرفة. دخلت مطبخ تجريس المكتظ بأغراض مختلفة والموجود خلف متجرها، وملأت حوض غسل الأطباق بالمياه الساخنة والصابون. سألت: «أتعتقد أن هذا صحيح؟ أعني أن سنو سيسمح للاجئين بدخول قصره؟».

قال غايل: «أعتقد أنه مضطر إلى القيام بذلك الآن، وعلى الأقل أمام الكاميرات».

قلت له: «سأغادر عند الصباح».

قال غايل: «سأذهب معك. لكن، ماذا بشأن الآخرين؟».

قلت له: «يمكننا أن نستفيد من بولوكس وكريسيدا. إنهما مرشدان مناسبان». أعرف أن بولوكس وكريسيدا لا يشكلان مشكلة في واقع الأمر. «لكن بيتا...».

355

أنهى غايل الجملة عني: «لا يمكننا توقع ما قد يُقدم عليه. أتعتقدين أنه سيسمح لنا بتركه؟».

قلت: «يمكننا أن نقول له إنّه سيشكّل خطراً علينا. يمكنه أن يبقى هنا، هذا إذا كنا مقنعين بما فيه الكفاية».

كان بيتا عقلانياً عندما عرضنا عليه اقتراحنا. وافق معنا على الفور بأن رفقته يُمكن أن تعرضنا نحن الأربعة للخطر. اعتقدت أن مسعانا هذا سينجح، وأنه سيتمكن من انتظار انتهاء الحرب في قبو تجريس، لكنه أعلن على الفور بأنه سيخرج بمفرده.

سألت كريسيدا: «وماذا تريد أن تفعل؟».

قال لي: «لست متأكداً بالضبط. إن الأمر الوحيد الذي يُمكن أن أكون نافعاً فيه هو التسبب بتحويل الانتباه. رأيتما ما حدث لذلك الرجل الذي يشبهني».

قلت: «ماذا لو... فقدت السيطرة على أعصابك؟».

قال لي مطمئناً: «أتعنين... بأن أكون مثل المخلوقات المتحولة؟ حسناً، عندما أشعر بأن هذا على وشك الحدوث فسأحاول العودة إلى هنا».

قال غايل: «وماذا لو أمسك بك سنو مجدداً؟ أنت لا تملك بندقية حتى».

قال بيتا: «سأخاطر، مثلكم جميعاً». تبادل الاثنان نظرةً مطولة، وما لبث غايل أن مدّ يده إلى جيبه العلوي، ووضع حبة النايت لوك في يد بيتا. ترك بيتا حبة النايت لوك في راحته المفتوحة، أي أنه لم يرفضها أو يقبلها وسأله: «وماذا بشأنك أنت؟».

قال غايل مع ابتسامة علت شفتيه: «لا تقلق. علّمني بيتي كيفية تفجير أسهمي المتفجرة يدوياً. أما إذا لم ينجح ذلك، فإنني أملك سكّيني، وكذلك

كاتنيس. إنها لن تعطيه فرصة الإمساك بي على قيد الحياة».

عادت فكرة ضباط الأمن وهم يجرون غايل للسيطرة على ذهني مجدداً...

هل ستأتين، هل ستأتين
إلى الشجرة.

قلت بصوتٍ متوتر: «خذها يا بيتا». تقدمت قليلاً وأطبقتُ أصابعه على الحبة وتابعت: «لن يتواجد أحد كي يساعدك».

أمضينا ليلة قلقة، وأيقظتنا تلك الكوابيس الليلية التي سيطرت علينا جميعاً. انشغلت أذهاننا بخططنا لليوم التالي. شعرت بالارتياح عندما أشارت عقارب الساعة إلى الخامسة صباحاً، لأننا سنتمكّن من البدء بأيّ شيء يخبئه لنا اليوم. أكلنا خليطاً مما تبقى من طعام – دراقاً معلباً، وبسكويتاً، وحلزونات – لكننا تركنا علبة من سمك السلمون لتجريس كي تكون عربون شكر متواضع على كل ما قدّمته لنا. بدا أن هذه البادرة قد أثّرت فيها بطريقة ما. فقد تغيّرت ملامح وجهها، وظهرت عليه تعابير غريبة عندما انطلقت إلى العمل. أمضت الساعة التالية في تغيير ملامحنا نحن الخمسة. ألبستنا ملابس عادية فوق أزيائنا الرسمية فأخفتها بالكامل، وذلك قبل أن نرتدي معاطفنا وعباءاتنا. انتعلنا أحذية خفيفة دخلت في صنعها بعض الفراء، فأخفت بذلك أحذيتنا العسكرية. ثبّتت لنا شعرنا المستعار بدبابيس كثيرة، كما نظّفت الطلاء المبهرج القديم الذي وضعناه بسرعة قبل أن تضع مكانه طلاءً جديداً. عمدت تجريس كذلك إلى تغطية ملابسنا كي تخفي أسلحتنا، ثم أعطتنا حقائب ورزماً تحوي أغراضاً صغيرة متنوعة كي نحملها معنا. ظهرنا في النهاية مثل اللاجئين الفارين من أمام المتمردين.

قال بيتا: «لا تقلّلوا أبداً من شأن مزينةٍ لامعة». أعتقد أن وجنتي تجريس قد تورّدتا بالفعل من تحت التخطيطات الظاهرة على وجهها، وإن كان يصعب عليّ تأكيد ذلك.

لم نشاهد أي ملحق إخباري مفيد على شاشة التلفزيون، لكن الطريق بدت مكتظة باللاجئين مثلما كانت عليه الحال في الصباح السابق. كانت خطتنا تقضي بالتسلل داخل الحشد في ثلاث مجموعات. ضمّت المجموعة الأولى كريسيدا وبولوكس، وهما سيعملان كمرشدين وسيسيران أمامنا على بعد مسافة معقولة. أما المجموعة الثانية فضمّتني وغايل، وذلك بعد أن صمّمنا على الدخول بين اللاجئين المتوجهين إلى القصر هذا اليوم. أما بيتا فسيسير وراءنا. وكان مستعداً لإثارة مشكلة إذا لزم الأمر.

انتظرت تجريس حتى حلول اللحظة المناسبة، ثم فتحت مزاليج الباب، وأومأت نحو كريسيدا وبولوكس. قالت كريسيدا قبل الانطلاق: «انتبهوا إلى أنفسكم».

كان من المقرر أن نلحق بهما في غضون دقيقة. تناولت المفتاح من جيبي، وفتحت قفل قيود بيتا ثم وضعتها في جيبي. فرك معصميه وحرّكهما قليلاً. شعرت بنوعٍ من اليأس يتسلّل إلى مختلف أنحاء جسمي. بدا الأمر وكأنني عدت إلى المباريات الربعية عندما أعطانا بيتي أنا وجوانا لفة الأسلاك المعدنية.

قلت: «اسمعني. لا أريد أن تُقدم على شيء يتصف بالحمق».

قال لي: «لا، لن أفعل ذلك إلا إذا اضطررت ولم تكن هناك أي طريقة أخرى».

طوّقته بذراعي، وأحسست أن ذراعيه قد ترددتا قليلاً قبل معانقتي. لم تكونا ثابتتين كما كانتا ذات مرة، لكنهما كانتا دافئتين وقويتين. اندفعت

في ذاكرتي آلاف اللحظات، وتذكرت كل الأوقات التي كانتا فيه ملاذي الوحيد في هذا العالم. يُحتمل أنني لم أقدّر ذلك تماماً في ذلك الوقت. كانت الذكرى حلوة في ذاكرتي، لكنها ذهبت الآن إلى الأبد. تركته وقلت: «إذاً، حسناً».

قالت تجريس: «حان الوقت». قبّلتُ خدّها، وثبّتُّ عباءتي الحمراء التي يعلوها غطاء الرأس، كما جذبت وشاحي فوق أنفي، ثم تبعت غايل إلى الخارج حيث استقبلني هواء يكاد يتجمد من شدّة برودته.

اصطدمت رقاقات ثلج حادة ومتجمدة بالمناطق المكشوفة من جلدي. حاولت أشعة الشمس الظهور من خلال الظلمة لكن من دون تحقيق أيّ نجاحٍ يُذكر، لكن برز ما يكفي من هذه الأشعة حتى نرى تلك الأجسام المتلفعة الأقرب إلينا وما بعدها بقليل. كان الوضع مثالياً جداً بالنسبة إلينا، عدا عجزي عن تحديد موقع كريسيدا وبولوكس. أخفضتُ وغايل رأسينا ثم اختلطنا مع حشد اللاجئين. تمكنت الآن من سماع ما فاتني سماعه البارحة من خلال الستائر. سمعت البكاء، والأنين، والأنفاس التي تؤخذ بمشقة. يُضاف إلى ذلك أصوات الرصاص التي انطلقت من مكانٍ ليس ببعيد.

سأل ولد صغير أحد الرجال الذي أثقله وزن خزنة صغيرة: «إلى أين سنذهب يا عم؟».

قال الرجل لاهثاً: «إلى قصر الرئيس. سيعيّنون لنا مكاناً جديداً نعيش فيه».

تركنا الطريق التي كنا نسير فيها ودخلنا أحد الشوارع العريضة. قال أحد الأصوات آمراً: «ابقوا إلى جهة اليمين!». لاحظت أن ضباط الأمن بدأوا بالاختلاط مع الحشود، وبدأوا بتوجيه هذا الطوفان من البشر. رأيت وجوهاً خائفة تنظر من خلال النوافذ الزجاجية للمتاجر التي بدأت تكتظ

باللاجئين. أعتقد في هذه الحال أن تجريس ستستضيف بعض الضيوف على الغداء، وهكذا أيقنت أن توقيت خروجنا من متجرها كان أمراً مفيداً للجميع.

ازدادت الأنوار سطوعاً، حتى مع استمرار هطول الثلج. لمحت كريسيدا وبولوكس على بعد نحو ثلاثين ياردة مني، وكانا يشقّان طريقهما مع الحشد بجهدٍ. رفعت رأسي ونظرت حولي في محاولة مني لتحديد موقع بيتا. لم أتمكن من ذلك لكنّني رأيت فتاة صغيرة ترتدي معطفاً أصفر اللون وهي تنظر من حولها بفضول. وكزتُ غايل وتباطأت قليلاً في مشيتي، وذلك كي يتشكل فاصل من البشر بيننا.

قلت بصوتٍ هامس: «يُحتمل أنه من الأفضل لنا أن ننفصل عن بعضنا. توجد فتاة...».

انهمرت طلقات الرصاص على الحشد فسقط عدة أشخاص كانوا إلى جانبي أرضاً. اخترقت الهواء صرخات عدة مع انطلاق جولة أخرى من الطلقات التي حصدت مجموعة أخرى خلفنا. انبطحت أنا وغايل على أرض الشارع، واندفعنا إلى المتاجر التي كانت تبعد عنا عشر ياردات. اختبأنا خلف كومة من الأحذية ذات الكعوب المستدقة والمعروضة خارج متجر أحذية.

حجب صف من الأحذية ذات الأرياش غايل عني. سألني: «من هي؟ أيمكنك أن تري؟». لكن الذي تمكنت من رؤيته من خلال صفوف الأحذية الجلدية الخضراء والأرجوانية الموجودة أمامي كان شارعاً مليئاً بالجثث. كانت الفتاة الصغيرة تراقبني وهي راكعة إلى جانب امرأة هامدة، ثم صرخت في محاولة منها لإيقاظها. انطلقت موجة أخرى من الرصاصات التي اخترقت معطفها الأصفر فتلوّث بالدماء، وسقطت الفتاة على ظهرها. نظرت إلى جسدها الصغير المنهار قليلاً، وشعرت على الفور

بأنني فقدت قدرتي على الكلام. وكزني غايل بمرفقه قائلاً: «كاتنيس؟».

أبلغت غايل: «إنهم يطلقون النار من ذلك السطح فوقنا». بقيت أراقب زخات رصاصٍ أخرى، ورأيت البزات الرسمية البيضاء وهي تتهاوى في الشوارع المغطاة بالثلوج. «إنهم يحاولون القضاء على ضباط الأمن لكنهم ليسوا بتلك الأهداف السهلة. أعتقد أن الثوار هم الذين يفعلون ذلك». لم أشعر بفرحة عارمة، وذلك بالرغم من أن حلفائي - نظرياً - هم الذين يحققون هذا الاختراق. سمّرني منظر ذلك المعطف الأصفر في مكاني.

قال غايل: «إذا بدأنا بالتصويب فسينتهي الأمر. سيعلم العالم بأجمعه أننا نحن الذين نطلق النار».

هذا صحيح. إننا لا نمتلك أسلحة غير أقواسنا الرائعة. إن إطلاق سهم واحد يعني أننا نعلن للطرفين أننا هنا.

قلت باندفاع: «لا، يتعيّن علينا القضاء على سنو».

قال غايل: «إذاً، يجب علينا أن نبدأ بالتحرك قبل أن ينتبه إلينا المجمع السكني بأكمله». استندنا إلى الجدار وتابعنا طريقنا. شكّلت واجهات المتاجر معظم مساحة الجدار. رأينا صفوفاً منتظمة من راحات الأيدي المتعرقة والوجوه فاغرة الأفواه التي تلتصق بالواجهات الزجاجية. رفعت وشاحي إلى الأعلى فغطى وجنتيّ بينما كنا نندفع بين المعروضات الخارجية للمتاجر. رأينا خلف رفٍّ صفّت عليه صور مؤطرة لسنو أحد ضباط الأمن وهو ملقى قرب جدارٍ إسمنتي. صاح الرجل طالباً المساعدة، فركله غايل على رأسه وأخذ منه بندقيته. أطلق غايل النار على ضابط أمنٍ آخر، وهكذا امتلك كلّ منّا سلاحاً ناريًا.

سألته: «إذاً، من يُفترض بنا أن نكون الآن؟».

قال غايل: «إننا مواطنون يائسون من الكابيتول. سيعتقد ضباط الأمن أننا نقاتل إلى جانبهم. آمل أن يهتم الثوار بأهدافٍ أكثر أهمية».

فكّرت في الحكمة من وراء دورنا هذا بينما كنا نركض بأقصى سرعتنا عبر المنعطف. لكن، في الوقت الذي وصلنا فيه إلى المجمع السكني التالي لم تعد هويتنا ذات أهمية تُذكر. لم تعد هناك أهمية لهوية أي شخص، وذلك لأن أحداً لم ينظر إلى الوجوه. أعرف أن الثوار هنا، وأنهم يتدافعون إلى هذا الشارع ويحتمون في مداخل المتاجر، ووراء العربات. دوّت في الأجواء أصوات البنادق وترددت الأصوات الخشنة وهي تصيح بالأوامر تمهيداً لمواجهة جيشٍ من ضباط الأمن الذي كان يزحف نحونا. جُرح عدد كبير من اللاجئين العزّل والمرتبكين عندما علقوا بين نيران الفريقين.

انطلقت إحدى المصائد أمامنا مطلقةً دفقاً من البخار الذي أحرق كل من صادفه في طريقه وحوّل ضحاياه إلى أجسادٍ زهرية اللون ومن دون أي حياة. ما أهمية أيّ نظام بعد كل هذا؟ تداخلت الأشكال اللولبية للبخار مع الثلج، وهكذا تقلّص مجال الرؤية أمامي حيث لم أستطع أن أرى أبعد من طرف سبطانة بندقيتي. ما الفرق بين أن يكون الشخص ضابط أمن، أو من المتمردين؟ ومن يعرف؟ كان كل شيء متحركٍ هدفاً بحد ذاته. أخذ الناس يطلقون النار بصورة عفوية؛ من دون أن أستثني نفسي. ازدادت ضربات قلبي، واندفع الأدرينالين في شراييني بصورة جنونية، وأصبح كل شخصٍ عدوي؛ عدا غايل الذي كان شريكي في الصيد، والشخص الوحيد الذي أستطيع الوثوق به. لم يعد أمامي أي خيار سوى التقدم إلى الأمام وقتل أي شخصٍ نصادفه في طريقنا. كان الناس يصرخون، وينزفون. وكانت جثث الموتى منتشرة في كل مكان. كان المجمع السكني أمامنا يتوهج بكامله باللون الأرجواني الساطع عندما وصلنا إلى المنعطف التالي. تراجعنا إلى الخلف، ولجأنا إلى أحد المداخل ثم أغمضنا أعيننا من شدة الوهج. أعتقد أن شيئاً ما أصاب الذين تعرضوا لذلك الضوء. فقد هوجموا بشيء ما... ما هو؟ أهو صوت؟ أم موجة؟ هل هو ليزر؟ سقطت الأسلحة من أيديهم،

وألصقوا أصابعهم بوجوههم بينما كانت الدماء تتدفق من كل أعضائهم المكشوفة: أعينهم، أنوفهم، أفواههم، وآذانهم. سقط الجميع صرعى على الأرض في غضون أقل من دقيقة، وما لبث الوهج أن اختفى. صررت على أسناني وركضنا فوق الجثث وانزلقت أقدامنا. كانت الرياح تذرو رقاقات الثلج بدواماتٍ تعمي الأبصار، لكنها عجزت عن حجب أصوات موجة أخرى من موجات الأحذية الثقيلة التي تتجه نحونا.

قلت لغايل بصوتٍ هامس: «انبطح على الأرض!». انبطحنا في مكانينا. وقع وجهي على بركة دماء راكدة نزفت من شخص ما، لكنني تظاهرت بأنني ميتة وبقيت ساكنة بينما كانت نعال الأحذية تتنقل فوقنا. حاول بعضهم تجنّب الجثث، بينما داست أقدام آخرين على يدي، وظهري، وركلوا رأسي في أثناء مرورهم. فتحت عينيّ عندما انحسرت موجة الأحذية وأومأت نحو غايل.

واجهنا في المربع السكني التالي لاجئين أكثر ارتعاباً، وعدداً قليلاً من الجنود. دوى صوت فرقعة شديدة، وكأن بيضةً قد أصابت جانباً من إناء، لكن مع مضاعفة شدة الصوت ألف مرة، وذلك بعد أن خلنا أننا سنستريح قليلاً. توقفنا، ثم بحثنا عن مصائد أخرى. لم نجد شيئاً. شعرت أن مقدمة حذائي بدأت بالميلان قليلاً، فصحت بغايل: «اركض!». لم يكن هناك أي وقت لشرح أي شيء، لكن الجميع أدركوا طبيعة المصيدة وبوضوح. فقد انفتحت ثغرة في وسط المربع السكني، وهكذا انطوى جانبا الشارع مثل انطواء غطاء، وسقط كل من كان في الشارع من البشر إلى الأسفل حيث لا يعلم أحد ما ينتظرهم هناك.

حرت كثيراً في ما إذا كان يتوجب عليّ اتباع خطٍّ مستقيم نحو التقاطع التالي، ومحاولة الوصول إلى صف المداخل التي تحاذي الشارع كي أدخل مبنى ما. وانتهى بي الأمر باتباع خطّ قطري. شعرت أن قدميّ

تتحركان بصعوبة أكثر فأكثر كي أجد موطئ قدمٍ ثابتاً في البلاطات الزلقة، بينما استمر جانبا الشارع بالتحرك نحو الأسفل. بدا الأمر أشبه بالركض فوق حافة تلة متجمدة يزداد انحدارها مع كل خطوة. كان كلا الهدفين اللذين أقصدهما، أي التقاطع والمباني، يقعان على بعد أقدامٍ قليلةٍ مني عندما شعرت أن جانب الشارع ينهار تحت قدميّ. لم يكن أمامي أي خيار غير استغلال لحظاتي الأخيرة من التلاحم مع البلاطات كي أندفع نحو التقاطع. تمسكت يداي بحافة الشارع، لكنّني أدركت عندها أنّ جانبي الشارع يتأرجحان نزولاً. تعلقت قدماي في الهواء، ولم أعثر على مكان أضعهما فيه. تصاعدت رائحة كريهة ومقززة من مسافة خمسين قدماً في الأسفل. وفاحت رائحة تشبه رائحة الجثث المتعفنة وسط حرارة شمس الصيف. كانت مخلوقات سوداء تزحف في الظلال وتقوم بإسكات كل من سلم من أثر الوقعة.

خرجت صرخة مخنوقة من حنجرتي. لم يأتِ أحد لنجدتي. بدأت يداي المتمسكتان بالحافة المتجمدة ترتخيان، لكنّني أدركت في هذه اللحظة بالذات أنني أبعد مسافة ست أقدامٍ فقط عن زاوية المصيدة. حرّكت يدي ببطء بمحاذاة الحافة، وحاولت تجنب الأصوات المرعبة المتصاعدة من الأسفل. رفعت رجلي اليمنى إلى ما فوق الحافة عندما وصلت يداي إلى الزاوية. اصطدمت قدمي بشيء ما وهكذا جررت جسمي بكل جهد نحو مستوى الشارع. زحفت لاهثة ومرتجفة، وطوقت عمود مصباحٍ بذراعي كي أضمن ثباتي، وذلك بالرغم من أن الأرض مسطحة بالكامل.

«غايل؟». صرخت في الهاوية من دون أن أكترث إذا كان أحد ما قد سمعني. «غايل».

«أنا هنا!». نظرت إلى يساري حائرة. ابتلعت حافة الشارع كل شيء، لكنها توقفت عند الطوابق السفلى للمباني. تمكنت نحو دزينة من الناس

من الوصول إلى هناك وتعلقوا بأي شيء يمكنهم الإمساك به: مقابض الأبواب ومقارعها، وصناديق البريد. رأيت غايل على بعد ثلاثة أبواب مني متعلقاً بشبكة حديدية للزينة أمام باب إحدى الشقق. كان بإمكانه الدخول بسهولة لو كان الباب مفتوحاً. لكن، لم يأتِ أحد لنجدته بعد عدة طرقات.

رفعت بندقيتي وقلت له: «احمِ نفسك!». التفتَ إلى الجهة الأخرى، وما لبثت أن أطلقت رشقة من طلقات البندقية نحو القفل فاندفع الباب إلى الداخل. تأرجح غايل نحو المدخل ثم أسقط نفسه على كومة على الأرض. سمحت لنفسي في هذا الوقت بالشعور بالبهجة لأنني أنقذته. أطبقت عليه بعد ذلك أيدٍ مغطاة بقفازات بيضاء.

حدّق غايل إلى عينيّ وتفوّه بشيء يريد قوله لي. لم أعرف ما أفعله. لا يمكنني أن أتركه، كما أنني عاجزة عن الوصول إليه. تحركت شفتاه مجدداً. هززت رأسي كي أُفهمه أنني لم أفهم شيئاً. سيدركون في أي وقت هوية الشخص الذي أمسكوا به. أدخله ضباط الأمن في هذا الوقت إلى الداخل. وسمعته يصرخ بي: «اركضي!».

التفت وركضت مبتعدة عن المصائد. صرت وحيدة الآن بعد أن أصبح غايل سجيناً، كما يُحتمل أن تكون كريسيدا وبولوكس ميتين عشر مرات. ماذا بشأن بيتا؟ لم أره قطّ منذ أن تركنا متجر تجريس. تمسكت بفكرة إمكانية عودته. يُحتمل أنه شعر بقرب الهجوم فتراجع إلى القبو بينما كان لا يزال محتفظاً بسيطرته. أدركت أنه ما من حاجة إلى تغييره مع استخدام الكابيتول كل هذه القوى. لم تعد هناك حاجة إلى أن أكون طعماً ولن أضطر إلى استخدام حبة النايت لوك. نايت لوك! لا يمتلك غايل تلك الحبة. أعرف أنه لن تسنح له فرصة تفجير أحد سهامه يدوياً، لأن أوّل شيء سيقوم به ضباط الأمن هو تجريده من أسلحته.

سقطت في أحد المداخل وامتلأت عيناي بالدموع. اقتليني. هذا ما

365

كان يقوله. كان من المفترض أن أطلق عليه سهماً! كانت هذه مهمتي. كان هذا هو الوعد غير المنطوق الذي قطعناه جميعاً. لم أفِ بوعدي، والآن ستعمد الكابيتول إلى قتله أو تعذيبه أو خطفه. بدأت الجروح تنهش أعماقي. بقي عندي الآن أمل واحد. أن تسقط الكابيتول، وأن تلقي أسلحتها، وأن تفرج عن كل الأسرى قبل أن يصاب غايل بأذى. لكن، لم يكن كل ذلك ممكناً ما دام سنو حياً.

رأيت اثنين من ضباط الأمن وهما يركضان، لكنهما بالكاد نظرا إلى فتاة من الكابيتول تلتجئ إلى مدخل أحد المباني. كدت أختنق بدموعي، ومسحت تلك التي سبق أن نزلت قبل أن تتجمد، ثم استجمعت نفسي. حسناً، لا أزال مجرد لاجئة غير معروفة. هل لمحني ضباط الأمن الذين أمسكوا بغايل في أثناء هروبي؟ خلعت عباءتي وقلبتها، وهكذا برزت البطانة السوداء بدلاً من لونها الخارجي الأحمر. رتّبت غطاء الرأس حيث خبّأ وجهي. أمسكت ببندقيتي قريبة من صدري، وتفحصت ذلك المربع السكني. رأيت زمرةً من المتطرفين وقد بدت عليهم الحيرة. مشيت وراء اثنين من المسنّين اللذين لم يلاحظاني. لا يتوقع أحد بعد الآن أن أتواجد مع رجالٍ مسنين. وعندما وصلنا إلى نهاية التقاطع التالي توقفا، وكدت أدوس عليهما. وصلنا إلى مستديرة المدينة. رأيت بعيداً قصر الرئيس محاطاً بمبانٍ فخمة.

كانت المستديرة مليئة بالناس الذين يتجوّلون في المكان وهم ينوحون، أو يكتفون بالجلوس، بينما كان الثلج يتراكم حولهم. جلست قربهم على الفور. بدأت أشقّ طريقي نحو القصر، ودستُ فوق نفائس متروكة وأطرافٍ متجمدة. أدركت عندما وصلت إلى منتصف المسافة وجود حاجزٍ إسمنتي. بلغ ارتفاع الحاجز نحو أربع أقدام، وامتدّ على شكل مستطيل كبير أمام القصر. يُحتمل أن يظن المرء أنه فارغ، لكنه مليء

باللاجئين. أيُحتمل أن تكون هذه هي المجموعة التي وقع الاختيار عليها للجوء إلى القصر؟ اقتربت أكثر ولاحظت أمراً آخر. كان جميع المتواجدين داخل هذا الحاجز من الأولاد. تواجد الأولاد هناك؛ بدءاً من الأطفال الرضع وحتى المراهقين. كانوا خائفين بعد أن قرصتهم درجة الحرارة المنخفضة. وقف هؤلاء في مجموعات، أو كانوا يهتزّون بخدرٍ على الأرض. لم يوجّههم أحد للدخول إلى القصر. كانوا ساكنين في أماكنهم تحت حراسة ضباط الأمن. أدركت على الفور أنهم ليسوا موجودين هناك لتحميهم الكابيتول. فلو أرادت الكابيتول حمايتهم لكانت قادتهم إلى ملجأ في مكانٍ ما. تواجد الأولاد هناك من أجل حماية سنو، وهكذا شكّل الأولاد والأطفال درعاً بشرياً.

حدث اضطراب كبير بين الحشد الذي ما لبث أن اندفع نحو اليسار. علقت بين أجسادٍ أكبر، ودُفعت جانباً، ثم أُبعدت عن الطريق. سمعت صرخات مثل «الثوار! الثوار!»، فأدركت أنه لا بد من أنهم قد حققوا اختراقاً كبيراً. دفعني زخم الحشد نحو سارية علم فتمسكت بها. استخدمت الحبل الذي يتدلى من أعلى السارية ورفعت نفسي إلى ما فوق جموع الأجساد. أجل، تمكّنت من رؤية جيش المتمردين وهو يتدفق نحو المستديرة ثم بدأ بدفع اللاجئين إلى الشوارع مجدداً. تفحصت المنطقة بحثاً عن المصائدِ التي ستنفجر بكل تأكيد. لم يحدث ذلك، لكن إليكم ما حدث:

ظهرت حوّامة تحمل شعار الكابيتول فوق الأطفال المحتجزين، ثم انهمرت عليهم عشرات المظلات الفضية. عرف الأطفال حتى في ظل هذه الفوضى ما تحتويه هذه المظلات: الطعام، والأدوية، والهدايا. بدأ الأطفال بجمع هذه المظلات، وبدأت الأصابع المتجمدة بالصراع مع الخيوط. اختفت الحوّامة. مرّت لحظات، ثم انفجرت نحو عشرين من هذه المظلات بالتتابع.

ارتفعت الصرخات والعويل من بين الحشد، وتحوّل لون الثلج الأبيض إلى اللون الأحمر، كما تناثرت فوقه الأشلاء البشرية الصغيرة. مات عدد كبير من الأطفال على الفور، واستلقى آخرون على الأرض وهم يعانون. تجوّل بعض الأطفال مترنحين بصمت، واكتفوا بالتحديق إلى المظلات الفضية الباقية في أيديهم وكأنها تحتوي على شيء ثمينٍ في داخلها. أدركت أن ضباط الأمن لم يعرفوا أن هذا سيحصل، وذلك لأنهم بدأوا بإبعاد الحواجز كي يفتحوا طريقاً للأولاد. اندفعت مجموعة أخرى من أصحاب البزّات البيضاء نحو المكان. لم يكن هؤلاء من ضباط الأمن بل كانوا من المساعدين الطبيين. كانوا مساعدين طبيين تابعين للثوار. إنني أعرف أصحاب هذه البزات في كل مكان. اندفع هؤلاء بين الأطفال، وبدأوا على الفور باستخدام المواد الطبية.

لمحت في البداية ضفيرة الشعر الشقراء المنسدلة على ظهرها، وما لبثت بعد ذلك أن خلعت معطفها كي تغطي طفلاً منتحباً. لاحظت ذيل البطة الذي شكّلته تنورتها العالقة. تملّكني الشعور ذاته الذي أحسست به عندما نادت إيفي ترنكيت اسمها في يوم الحصاد. استعدت وعيي عندما أصبحت عند قاعدة السارية، لكنّني عجزت عن تذكّر اللحظات القليلة الماضية. اندفعت بين الحشد كما فعلت من قبل، وحاولت أن أصرخ باسمها فوق الضجيج، وكدت أن أصل إليها، وحتى إلى الحاجز. خلت في هذه اللحظة أنها قد سمعتني، وذلك لأنها لمحتني للحظة واحدة، ورأيت شفتيها وهما تنطقان باسمي.

كانت هذه هي اللحظة التي انفجرت فيها بقية المظلات.

الفصل الخامس والعشرون

حقيقة أم ليست حقيقة؟ أحسست بأنني أحترق. تدافعت كرات النار من المظلات من فوق الحواجز، في الهواء المثلج، وما لبثت أن استقرت بين الحشد. كنت على وشك الابتعاد عندما أصابتني واحدة منها، وما لبثت أن لسعت القسم الخلفي من جسمي، وحوّلتني إلى شيء جديد: أصبحت مخلوقة لا يُمكن إطفاؤها؛ كالشمس تماماً.

يعرف الإنسان المتحوّل بفعل النيران إحساساً واحداً: الألم المصحوب بالمعاناة. إذ تتلاشى كل المناظر، وكل الأصوات، وكل المشاعر باستثناء احتراق اللحم الذي لا يتوقف. يُحتمل أن تمر فترات من فقدان الوعي. لكن ما العمل إن لم أتمكن من الوصول إلى تلك الحالة التي تحميني من العذاب؟ إنني طائر سينّا الذي اشتعل، والذي يطير يائساً ومحاولاً الفرار من شيء لا يمكن الفرار منه. نبتت من جسمي أرياش من اللهب. أما خفق جناحيّ فلم يزيدا النيران إلا استعاراً. استهلكت نفسي لكنّني لم أصل إلى النهاية.

بدأ جناحاي بالترنح في نهاية الأمر، وما لبثت أن بدأت بالسقوط، ودفعتني الجاذبية نحو بحرٍ مزبدٍ بمثل لون عينَي فينيك. بدأت بالعوم على ظهري الذي استمر بالاحتراق تحت الماء، لكن المعاناة تحولت إلى ألم. بدأت بالعوم لكنني عجزت عن تغيير اتجاهي، وعندها أتوا. الموتى.

طار أولئك الذين أحبهم مثل الطيور في السماء مترامية الأطراف فوقي. حلّقت الطيور، وتمايلت، ثم نادتني كي أنضمّ إليها. أردت، متلهفةً، أن أتبعها لكن مياه البحر بلّلت جناحيّ حيث استحال عليّ رفعهما. لجأ أولئك الذين كرهتهم إلى الماء. كانوا مخلوقات مريعة ذات جلود متقشرة.

أطبقت هذه المخلوقات على لحمي المالح بأسنانها المدببة، وعضّتني مرة بعد أخرى، وسحبتني إلى أسفل المياه.

غطس ذلك الطائر الأبيض المتلوّن باللون الزهري، وأنشب مخالبه في صدري محاولاً إبقائي عائمة: «لا، كاتنيس! لا! لا يمكنك أن تذهبي هكذا!».

لكن، غلبت كفة أولئك الذين كرهتهم. أدركت أنها إذا تمسكت بي، فإنها ستهلك هي الأخرى. «بريم، اتركيني!» تركتني في آخر الأمر.

هجرني الجميع هنا، تحت سطح المياه العميقة. لم تبقَ سوى أصوات أنفاسي. بذلت جهداً كبيراً في إدخال المياه إلى رئتيّ وإخراجها. أردت أن أتوقف وأن أُمسك أنفاسي، لكن مياه البحر شقّت طريقها رغماً عني إلى داخل رئتيّ وخارجهما. توسلت أيّ قوة تبقيني في هذا المكان: «دعيني أموت. دعيني ألحق بالآخرين». لم يحدث شيء.

بقيت محتجزةً لأيام، وسنين، وقرونٍ ربما. كنت بحكم الميتة من دون أن يُسمح لي بالموت. كنت حيّة، لكنني كالميتة. كنت وحيدة حيث تمنيت رؤية أي شخص، أو أي شيء، مهما كرهته. شعرت بالاطمئنان عندما جاءني زائر في آخر الأمر. مورفلنغ. كان يتجول في شراييني مخففاً آلامي، وجعل جسمي أخفّ وزناً حيث عاد وارتفع في الهواء، ثم ارتاح مجدداً فوق رغوة المياه.

الرغوة. كنت أطوف فعلاً فوق رغوة. تمكنت من الشعور بها تحت أطراف أصابعي بعد أن احتضنت أجزاء من جسمي العاري. شعرت بألمٍ كبير، لكنّني أحسست بشيء يشبه الواقع. أحسست بحنجرتي المتخشنة مثل ورق الصقل. شممت رائحة الدواء الذي استعملته في أول ميدان دخلته. سمعت صوت والدتي. أرعبني هذان الأمران فحاولت العودة إلى الأعماق كي أفهمهما. كانت العودة مستحيلة، وهكذا أُجبرت على تقبّل ما

أنا عليه. كنت فتاة محترقة من دون جناحين، ومن دون نيران، ومن دون شقيقة.

بذل الأطباء في ذلك المستشفى الأبيض التابع للكابيتول جهوداً جبارة، وهم الذين قاموا بتغطية لحمي العاري بطبقاتٍ جديدة من الجلد، كما حفّزوا خلايا هذه الطبقات لتبدو وكأنها خلايا تخصّني أنا. عالج الأطباء كذلك أعضائي، وراحوا يلوون أطرافي ويبسطونها كي تأخذ مكانها الصحيح. سمعت مرة بعد أخرى كم كنت محظوظة لأن عينيّ بقيتا سليمتين، كما نجت معظم أجزاء وجهي. تجاوبت رئتاي مع العلاج، وهكذا سأتمكن من العودة كما كنت.

تمكّن جلدي من تحمل ضغط الأغطية بعد أن قسا قليلاً، وهكذا تمكنت من استقبال زوار أكثر. رأيت هايميتش بوجهه الشاحب الذي يخلو من أي ابتسامة، وسينّا المنهمك في خياطة فستان زفافٍ جديد، وديلي التي تثرثر عن أناقة الآخرين. شاهدت والدي الذي غنّى مقاطع شجرة الشنق الأربعة بأكملها، والذي ذكّرني بأن والدتي - التي اعتادت النوم على كرسي بين نوبات عمله - يجب ألاّ تعلم شيئاً عن هذه الأغنية.

استيقظت ذات يوم على الواقع، وعلمت أنه لن يُسمح لي بالعيش في أرض أحلامي. تعيّن عليّ أن أتناول الطعام، وأن أحرّك عضلاتي، وأن أشق طريقي نحو المرحاض. ظهرت الرئيسة كوين لفترة قصيرة وثبّتت واقعي الجديد.

قالت لي: «لا تقلقي، لقد أنقذته من أجلك».

ازدادت حيرة الأطباء بسبب عدم قدرتي على الكلام. أجروا اختبارات كثيرة، لكنهم لم يعرفوا السبب. فبالرغم من تضرّر وتريَّ الصوتيّين، إلاّ أنّ هذه الأضرار لا تبرّر عجزي عن الكلام. وتوصل الطبيب أورليوس، وهو كبير الأطباء، في النهاية إلى نظرية مفادها أنني أصبحت من

الآفوكس عقليًّا وليس جسديًّا. قال الطبيب أورليوس كذلك إنّ صمتي ناتج عن صدمةٍ عاطفية. اقترحوا عليه مئة طريقة علاج محتملة، لكنه أبلغهم أن يتركوني وشأني. توقفت لهذا السبب عن السؤال عن أي شخص أو أي شيء، لكن الآخرين استمروا بتزويدي بسيلٍ مستمرٍ من المعلومات. كانت معلومات الحرب على الشكل التالي: سقطت الكابيتول يوم انفجار المظلات، والرئيسة كوين هي التي تحكم بانيم الآن، كما أُرسل الجنود من أجل إخماد جيوب المقاومة الصغيرة الباقية في الكابيتول. أما المعلومات المتعلقة بالرئيس سنو فكانت هكذا: إنه رهن الاعتقال، وينتظر المحاكمة التي ستُسفر عن الحكم عليه بالإعدام بشكلٍ مؤكد. جاءت المعلومات المتعلقة بفريق الاغتيال الذي أقوده على الشكل التالي: أرسلت كريسيدا وبولوكس إلى المقاطعات لتغطية الآثار التي خلّفتها الحرب. أما غايل الذي أُصيب برصاصتين في محاولة الهرب التي قام بها فمنهمك في تنظيف المقاطعة 2 من ضباط الأمن، في حين يبقى بيتا في وحدة الحريق. تمكّن بيتا من الوصول إلى مستديرة المدينة في النهاية. أما المعلومات المتعلقة بعائلتي فكانت هكذا: تدفن والدتي حزنها في عملها.

غرقت في لجة الأحزان لأنني لا أقوم بأي عمل. كان كل ما يبقيني على قيد الحياة هو الوعد الذي قطعته لي كوين. سأتمكّن من قتل سنو، وهكذا لن يبقى أمامي أي شيء إذا أنجزت هذا العمل.

خرجت من المستشفى في نهاية الأمر، وخصصوا لي غرفة في قصر الرئاسة شاركت والدتي إيّاها. لكنها كانت غائبة عني طيلة الوقت تقريباً، وكانت تأخذ معها وجباتها إلى مكان عملها حيث كانت تنام في بعض الأحيان. تعيّن على هايميتش أن يزورني بين وقتٍ وآخر كي يتأكد من تناولي وجباتي وأدويتي. لم تكن تلك بالمهمة السهلة. عدت في هذه الفترة إلى عاداتي القديمة في المقاطعة 13. تجولت، من دون أن يسمح

لي أحدٌ بذلك، في أنحاء القصر. دخلت غرف النوم والمكاتب، والصالات والحمّامات. بحثت عن أماكن اختباء صغيرة وغريبة، مثل خزانة مليئة بالفراء، أو إحدى الخزائن في غرفة المكتبة، أو حتى حوض استحمام مهجور في غرفةٍ تضم أثاثاً قديماً. كانت أمكنتي هذه مظلمة وهادئة ويستحيل إيجادها. تكورت على نفسي فأصبحت أصغر حجماً، حتى إنني حاولت الاختفاء كلياً. أدرت، وسط الصمت الذي يلفني السوار الذي يحيط بمعصمي مرة بعد أخرى.

اسمي كاتنيس إيفردين. أبلغ السابعة عشرة من عمري. أنا من المقاطعة 12. لكن لا وجود للمقاطعة 12. أنا الطائر المقلّد. أسقطت الكابيتول. يكرهني الرئيس سنو. قتلَ شقيقتي. لكنّني سأقتله الآن. ستنتهي مباريات الجوع إلى الأبد...

كنت أعود إلى غرفتي بين فترةٍ وأخرى، لكنّني لم أكن متأكدة قطّ ما إذا كنت أتحرك مدفوعةً بالحاجة إلى المورفلنغ، أو إذا كان هايميتش هو الذي يدفعني إلى الخارج. تناولت طعامي، وأخذت أدويتي، كما طُلب مني الاستحمام. لم أقلق من المياه، لكنّني كنت أخشى المرآة التي تعكس جسدي العاري المتحوّل بسبب النيران. كان جلدي المزروع حديثاً لا يزال محتفظاً بلونه الزهري الذي يشبه لون بشرة الطفل المولود حديثاً. أما الأجزاء التي اعتُبرت متضررة، لكنها قابلة للشفاء، فقد بدت حمراء وساخنة وحتى ذائبة في بعض الأماكن. لكن بقيت بعض المواضع في جسدي القديم تُشرق باللون الأبيض الشاحب. ظهرت وكأنني قطعة غريبة من لحافٍ جلديّ. اختفت أجزاء من شعري تماماً، أما ما تبقى منه فقد نبت بأطوالٍ متفاوتة. كاتنيس إيفردين، فتاة النيران. إنني لا أكترث كثيراً، لكن منظر جسمي يعيد إليّ ذكرى الألم. تذكّرت سبب معاناتي وألمي، كما تذكرت ما حدث قبل بداية ذلك الألم. تذكرت كذلك أنني شاهدت

شقيقتي الصغيرة حيث أصبحت هذه الذكرى وكأنها مشعل إنسانيّ.

أغمضت عينيّ، لكن ذلك لم يفدني كثيراً، فقد استعرت النيران أكثر وسط الظلمة.

كان الطبيب أورليوس يظهر بين وقتٍ وآخر. أُعجبت به كثيراً لأنه لا يقول أموراً غبية مثل كوني في أمانٍ تام، أو أنه يعرف أنني سأكون سعيدة في يومٍ من الأيام بالرغم من أنني لا أدرك ذلك الآن، أو أن الأمور ستكون أفضل في بانيم هذه الأيام. كان يسألني إذا كنت أرغب في الكلام، ويستغرق بالنوم على مقعده عندما لا أجيب. أعتقد، في واقع الأمر، أن دافعه لزيارتي كان حاجته إلى النوم، وهكذا استفاد كلانا من هذا الترتيب.

بدأ الوقت المناسب يقترب، وذلك بالرغم من عجزي عن تحديد هذا الوقت بالساعات والدقائق. خضع الرئيس سنو للمحاكمة، كما أصدرت هيئة المحلفين حكمها عليه بأنه مذنب، وحُكم عليه بالإعدام. أخبرني هايميتش بهذا، وكذلك سمعت حديثاً عن الأمر عندما مررت أمام الحراس في الممرات. وصل زيّ الطائر المقلّد إلى غرفتي، وكذلك قوسي الذي كان بأسوأ حالة نتيجة الاستخدام، لكن لم أعثر على حاملة سهامي، إما بسبب تلفها، أو نتيجة السبب الأكثر احتمالاً وهو عدم السماح لي بحمل الأسلحة. رحت أتساءل بغموض ما إذا كان يجب عليّ أن أستعد لهذه المناسبة بطريقةٍ ما، لكن لم يخطر أي شيء في ذهني.

ذات مساء، أمضيت فترة طويلة وأنا جالسة على مقعد وثير إلى جانب النافذة ووراء ستارة. انتبهت إلى أنني موجودة في قسمٍ غريب من القصر. وشعرت على الفور بأنني لا أعرف المكان الذي أتواجد فيه. كان المكان مختلفاً عن المنطقة التي أسكن فيها، ولاحظت أن أحداً لا يتواجد حولي. أحببتُ هذا الوضع بالرغم من ذلك. كان المكان هادئاً جداً لأن السجادات السميكة وأقمشة الأثاث تمتص الأصوات، أما الأضواء فكانت خافتة

حيث إنّ الألوان بالكاد ظهرت. شممتُ رائحة الورود. اختبأتُ وراء بعض الستائر وكنت مرتجفة بشدة حيث عجزت عن الفرار في أثناء انتظاري ظهور المخلوقات المتحولة. أدركت أخيراً أن تلك المخلوقات لن تأتي. إذاً، أي روائح هي تلك التي شممتها؟ هل كانت وروداً حقيقية؟ أيعقل أن أكون قرب الحديقة المزروعة بالأشياء الشريرة؟

كانت الرائحة تزداد حدة كلما تقدمت في القاعة. يُحتمل أن هذه الرائحة لم تكن قوية مثل رائحة المخلوقات المتحولة الحقيقية، لكنها أشد نقاءً، وذلك لأنها لا تنافس رائحة مياه الصرف الصحي أو المتفجرات. وصلت إلى إحدى الزوايا لأحدّق إلى اثنين من الحراس المندهشين. لا ينتمي الحارسان إلى ضباط الأمن بطبيعة الحال، لأنه لم يعد هناك وجود لضباط الأمن. كما أنهما لم يكونا من جنود المقاطعة 13 الذين يرتدون بزّات رمادية. كانا رجلاً وامرأة، ويرتديان ثياباً مرقطة من تلك التي يرتديها الثوار الحقيقيون. كانا نحيفين بالرغم من ضماداتهما، وكانا يحرسان مدخل حديقة الورود. تحركت كي أدخل المكان لكن بندقيتيهما شكلتا أمامي الحرف X.

قال الرجل: «لا يمكنك الدخول يا آنسة».

قالت المرأة مصححةً كلامه: «أيتها الجندية، لا يمكنك الدخول. إنها أوامر الرئيسة أيتها الجندية إيفردين».

وقفت هناك بصبرٍ، وانتظرت منهما أن يخفضا بندقيتيهما، وأن يتفهما وضعي من دون أن أخبرهما. أردت أن أقول لهما إنّه وراء تلك الأبواب يقبع الشيء الذي أحتاج إليه. أريد وردة، وردة واحدة فقط. أريد أن أضع هذه الوردة في ياقة سنو قبل أن أطلق عليه النار. بدا أن وجودي قد أقلق الحارسين، فتشاوروا في ما بينهما عن إمكانية استدعاء هايميتش، لكنّني سمعت في هذه اللحظة صوت امرأة تتكلم من خلفي وتقول: «دعاها

تدخل».

لم يكن الصوت غريباً عني، لكنني لم أتمكن من تحديد صاحبته على الفور. لم يكن الصوت آتياً من شخصٍ من السيم، أو من المقاطعة 13، وبالتأكيد ليس من الكابيتول. استدرت لأكتشف أنني أنظر إلى بايلور وجهاً لوجه، وهي القائدة من المقاطعة 8. بدت جريحة أكثر مما كانت عليه في المستشفى. لكن، من منا لا يحسّ بذلك؟!

قالت بايلور: «بناءً على صلاحيتي أقول لكما إنه يحق لها أن تفعل أي شيء وراء ذلك الباب». كان الحارسان من رجالها وليسا من رجال كوين. أخفضا سلاحيهما من دون اعتراض وسمحا لي بالمرور.

فتحت الأبواب الزجاجية عندما وصلت إلى نهاية الممر، ثم دخلت. ازدادت حدة الرائحة في بداية الامر، لكنها ما لبثت أن بدأت بالانتشار وأخذت تخف، وكأن أنفي لم يعد قادراً على استيعاب المزيد منها. شعرت بالهواء الرطب والمعتدل الذي هبّ على جلدي الدافئ. كانت الورود المدهشة والرائعة مزهرة صفاً تلو الآخر، بلونها الزهري المثير، والبرتقالي الذي يشبه غروب الشمس، وحتى الأزرق الفاتح. تجولت بين الممرات التي تحتشد بالورود المشذبة بعناية. نظرت لكن من دون أن ألمس شيئاً، وذلك لأنني دفعت ثمناً باهظاً قبل أن أتعلّم مدى خطورة ذلك الجمال. كنت أعرف أين أجدها فوق شجيرة صغيرة. كان برعماً رائعاً أبيض اللون على وشك التفتح. سحبت كمّ قميصي الأيسر فوق يدي حيث لا أضطر فعلياً إلى لمسها بجلد يدي، وتناولت مقصاً للتشذيب. لكن ما إن وضعته على ساق الوردة حتى سمعته يتكلم.

«إنها وردة رائعة».

ارتعشت يدي فانغلق المقص قاطعاً ساق الوردة.

«الألوان في غاية الجمال بطبيعة الحال. لكن، لا لون يضارع اللون

الأبيض في الجمال».

لم أتمكن من رؤيته بعد، لكن بدا لي أن صوته يرتفع من أجمة مجاورة لورود حمراء اللون. أمسكت بعناية ساق الوردة المتبرعمة بكمي، وتحركت ببطء نحو الزاوية، وعثرت عليه جالساً على مقعد، ومستنداً إلى جدار. كان متأنقاً وحسن المظهر كعادته، لكنه كان مثقلاً بالأغلال، والقيود وأجهزة التتبع. بدا جلده شاحباً وأخضر اللون. أمسك منديلاً أبيض اللون لكنه كان ملوثاً ببقع دماء سالت حديثاً. كانت عيناه الباردتان، اللتان تشبهان عيني الأفعى، تلمعان. «كنت آمل أن تجدي طريقك إلى مقرّي».

هل قال مقرّه. هل اقتحمت منزله بالطريقة ذاتها التي اقتحم فيها منزلي في السنة الماضية، أي عندما راح يتفوّه بتهديداته بأنفاسه الملوثة بالدماء وروائح الورود. كان هذا البيت الزجاجي إحدى غرفه، ولعلها المفضلة عنده. أعتقد أنه في الأوقات العادية كان يحرص على الاعتناء بهذه النباتات بنفسه، لكنّ هذا البيت تحوّل إلى جزءٍ من سجنه. هذا هو السبب الذي دفع بالحارسين إلى إيقافي، وهو السبب عينه الذي دفع بايلور إلى السماح لي بالدخول.

سبق لي أن افترضت أنّه وُضع بأمان في قبوٍ سحيق، ولم أتوقع أن أجده جالساً في مكان مترف. تركته كوين هنا. أعتقد أنها أرادت أن تقوم بسابقة، أي أنها إذا فقدت مركزها في المستقبل فسيكون من المفهوم أن الرؤساء، وحتى أكثرهم مقتاً، يحصلون على معاملةٍ خاصة. أيعلم أحد متى تتلاشى سلطتها؟

«توجد أمور كثيرة يجب علينا مناقشتها، لكن حدسي يقول لي إنّ زيارتك ستكون قصيرة. لذا، دعينا نبدأ بالأشياء المهمة أولاً»، وبدأ بالسعال. كان منديله أكثر حمرة عندما أزاحه عن فمه، «أردت أن أقول لك إنني آسف بشأن شقيقتك».

377

شعرت بوخزة من الألم تخترقني حتى وأنا في حالتي المخدرة. ذكّرني ذلك بأن قسوته لا تعرف حداً، وأنه سيمضي إلى قبره وهو يحاول تحطيمي.

«لم تكن هناك ضرورة لكل هذا. أدرك الجميع أن اللعبة قد انتهت عند ذلك الحد. كنت، في واقع الأمر، على وشك إصدار بيان رسمي بالاستسلام عندما أطلقوا تلك المظلات». تسمرت عيناه وهما تنظران إليّ من دون أن ترمشا، وذلك كي لا تخفى عليهما ثانيةً واحدة من رد فعلي. لم يكن هناك معنى لما قاله. متى أطلقوا المظلات؟ «حسناً، أعتقد أنك لم تفترضي أنني أنا من أعطى الأمر، أليس كذلك؟ انسَي الحقيقة الواضحة بأنني لو امتلكت حوّامة صالحة وتحت تصرفي لكنت استخدمتها للفرار. لكن، ماذا كنت سأستفيد منها، وبغضّ النظر عن هذا الواقع؟ كلانا نعرف أنني لست وراء قتل الأطفال، لكنني لست من النوع الذي يحب الهدر. إنني أسلب حياة الآخرين لأسباب محددة. لم أمتلك أي سبب يدفعني إلى تدمير منطقة مليئة بأطفال الكابيتول. لم يكن عندي أي سبب على الإطلاق».

تساءلت إذا كانت نوبة سعاله التالية مصطنعة كي يعطيني الوقت كي أستوعب كلماته. إنه يكذب. يكذب بالطبع. أحسست بوجود شيء يجهد لتحرير ذاته من الكذبة.

«أعترف بالرغم من كل ذلك بأنها كانت حركة بارعة من جهة كوين. كانت فكرة قيامي أنا بقصف أطفالنا البائسين هي التي سحبت مني كل ولاء مهما كان ضئيلاً أحس به شعبي تجاهي. لم تكن هناك مقاومة حقيقية بعد ذلك. أتعلمين بأن الحادثة قد بُثّت مباشرة؟ يمكنك أن تري يد بلوتارك في هذه الحادثة، وكذلك في حادثة المظلات. حسناً، إنه نوع التفكير ذاته الذي يجول في ذهن صانع ألعاب، أليس كذلك؟». لمس زاويتي فمه.

«إنني متأكد من أنّه لم يستهدف شقيقتك بالقصف، لكن هذه الأمور تحدث أحياناً».

لم أعد مع سنو الآن، إذ عدت بالزمن إلى الوراء، وصرت في قسم الأسلحة الخاصة في المقاطعة 13 برفقة غايل وبيتي. كنا ننظر إلى الخرائط التي تستند إلى مصائد غايل، وهي التي تستند إلى العواطف الإنسانية. تقتل القنبلة الأولى بعض الضحايا. أما القنبلة الثانية فتقتل المنقذين. تذكرت كلمات غايل.

«بيتي وأنا كنا نتبع كتاب القواعد ذاته الذي اتّبعه الرئيس سنو عندما خطف بيتا».

قال سنو: «إنها غلطتي أنا لأنني كنت بطيئاً جداً في استيعاب خطة كوين. سمحت للكابيتول والمقاطعات بأن تدمّر الواحدة تلو الأخرى، ثم تسلمت السلطة من دون أن تتأذى المقاطعة 13 بشيء تقريباً. لا أريدك أن تخطئي في شيء لأنها كانت تخطط كي تحل مكاني منذ البداية. لكن ذلك لم يفاجئني قطّ. كانت المقاطعة 13، بعد كل شيء، هي التي بدأت بالتمرد الذي أدى إلى الأيام المظلمة، ثم تخلّت بعد ذلك عن بقية المقاطعات عندما انقلبت الأمور ضدّها. لكنّني لم أراقب كوين، بل كنت أراقبك أنت، الطائر المقلّد. وكنتِ تراقبينني بدورك. أخشى أننا كلينا كنا نتصرّف بحمق».

رفضت أن أعتبر كلامه صادقاً. توجد بعض الأشياء التي أعجز عن تحملها. تلفظت بأولى كلماتي منذ مقتل شقيقتي: «لا أصدّقك».

هزّ سنو رأسه بخيبة أمل ساخرة وقال: «أوه! يا عزيزتي الآنسة إيفردين! أعتقد أننا اتفقنا على ألاّ يكذب أحدنا على الآخر».

الفصل السادس والعشرون

وجدت بايلور واقفة في القاعة حيث تركتها بالضبط. سألتني: «هل وجدتِ ما تبحثين عنه؟».

رفعت ذلك البرعم الأبيض رداً عليها، ثم مررت مسرعةً من أمامها. يُحتمل بأنني عدت إلى غرفتي لأن الأمر التالي الذي انتبهت إليه هو أنني كنت أملأ كوباً زجاجياً بالماء من صنبور الحمام قبل أن أضع فيه الوردة. ركعت على ركبتيّ فوق البلاط البارد وحدّقت إلى تلك الوردة، وذلك لأنه يصعب التركيز على اللون الأبيض في ضوء الفلوريسنت الباهر. دسستُ إحدى أصابعي تحت سواري، ورحت أضغط بها وكأنها ضمادة لاصقة، وهو الأمر الذي آلم معصمي. آمل أن يساعدني الألم على التمسّك بالواقع، بالطريقة ذاتها التي ساعد فيها بيتا. يتعيّن عليّ التمسك بالحياة، كما يجب عليّ أن أعلم حقيقة ما جرى.

هناك احتمالان، وذلك بالرغم من أن التفاصيل المتعلقة بهما قد تختلف. أولاً، أعتقد أن الكابيتول هي التي أرسلت تلك الحوّامة التي أسقطت المظلات؛ مضحّيةً بذلك بحياة الأطفال، وذلك لمعرفتها أن الثوار الذين وصلوا لتوهم سيهبّون لنجدتهم. أعتقد أنه يوجد دليل يدعم هذه الفرضية. فقد حملت تلك الحوّامة شعار الكابيتول، كما أنّ الكابيتول امتنعت عن محاولة إسقاط تلك الحوّامة، بالإضافة إلى سجلّ الكابيتول الطويل في استخدام الأطفال كبيادق في معركتها ضد المقاطعات. توجد كذلك رواية سنو التي دارت حول حوّامة تابعة للكابيتول، لكنها كانت بقيادة الثوار، وهي التي قامت بقصف الأطفال من أجل وضع نهاية سريعة للحرب. لكن، إذا كانت الحال كذلك، فلماذا لم تطلق الكابيتول النار

380

على الحوّامة العدوة؟ هل عطّل عامل المفاجأة قدرتها على المبادرة؟ ألم يبقَ لديهم أي دفاعات؟ كان للأطفال والأولاد قيمة في المقاطعة 13، أو هكذا بدا الأمر. حسناً، عداي أنا ربما. فما إن تخطيت قدرتي على إفادة الآخرين حتى أصبحت من دون قيمة، هذا بالرغم من مرور وقتٍ طويل على اعتباري فتاة مراهقة في هذه الحرب. لماذا يفعلون ذلك وهم يعرفون أن أطباءهم سيهرعون على الفور إلى الجرحى لإنقاذهم وهكذا سيُقتلون في الانفجار الثاني؟ أعرف أنهم لا يفعلون ذلك، ولا يستطيعون أن يفعلوا ذلك. أعرف أن سنو يكذب، وهو يتلاعب بي كعادته. إنه يأمل أن أقف ضد الثوار على أمل أن أقوم بالقضاء عليهم. أجل، إنه يفعل ذلك بطبيعة الحال.

إذاً، ما الذي يقلقني؟ أحد الأسباب هو القنابل مزدوجة الانفجار. لا يقلقني ألاّ تتمكن الكابيتول من حيازة السلاح ذاته، بل أن يكون الثوار هم الذين يمتلكونه. كانت هذه القنابل من بنات أفكار غايل وبيتي. لا أنسى كذلك حقيقة أن سنو لم يقدم على أي محاولة للفرار، هذا في وقتٍ أعرف فيه أنه يخاف كثيراً على حياته. يبدو أنه من الصعب جداً تصديق أنه لا يمتلك ملاذاً يلجأ إليه في مكانٍ ما، أو مستودعاً مليئاً بالمواد الغذائية حيث يستطيع عيش ما تبقى من حياته البائسة. لا أنسى أخيراً تقييمه لكوين. إنني متأكدة من أنها فعلت ما قاله بالضبط. فلقد تركت الكابيتول والمقاطعات تهاجم بعضها بعضاً مع كل ما نجم عن ذلك من دمار، وما لبثت أن وثبت إلى السلطة. لكن ذلك لا يعني أنها هي التي أسقطت المظلات حتى ولو خططت لذلك. كان النصر في متناول يدها. كان كل شيء في متناول يدها.

لكن، عداي أنا.

أتذكر ردّ بوغز عندما اعترفت أمامه بأنني لم أفكّر كثيراً في من سيحلّ محلّ سنو. «إذا لم تدعي كوين بصورة فوريّة، فإن معنى ذلك أنك تشكّلين تهديداً لها. أنت واجهة هذه الثورة. وتمتلكين نفوذاً يفوق نفوذ أي شخصٍ

آخر. أمّا تحمّلك إيّاها فهو أفضل ما قمت به».

بدأت فجأة بالتفكير في بريم وهي التي لم تبلغ بعد الرابعة عشرة من عمرها، ولم تبلغ بعد السن التي تؤهلها للحصول على رتبة جندية، لكنها عملت، لسببٍ ما، في الصفوف الأمامية. كيف حدث هذا الشيء؟ أعرف على وجه التأكيد أن شقيقتي هي التي طلبت ذلك. وأعرف كذلك بأنها أكثر اقتداراً من أي شخص أكبر منها سناً. أعرف أن الأمر يتطلب موافقة شخص ذي منصبٍ أعلى منها بكثير للمصادقة على دفع فتاة في الثالثة عشرة من عمرها إلى أتون المعركة. هل كوين هي التي فعلت ذلك على أمل أن تخرجني خسارة بريم عن أطواري؟ أو على الأقل لتدفعني إلى أن أكون إلى جانبها؟ لم يكن من الضروري أن أشاهد هذا الحدث شخصياً، إذ كانت أعداد كبيرة من كاميرات التصوير تغطي منطقة مستديرة المدينة. ولقد التقطت هذه الكاميرات الحدث إلى الأبد.

كلا. أشعر بأنني أقف على حافة الجنون، وأنني اندفعت إلى حالة من حالات الذعر. سيعرف أشخاص كثيرون بالمهمة، وسينتشر الخبر. هل سينتشر حقاً؟ من سيعرف ذلك بالإضافة إلى كوين، وبلوتارك، وفريقٍ صغيرٍ مخلص، أو ذلك الذي يسهل التخلص منه؟

إنني بحاجة ماسة إلى فهم ما يجري، لكن المشكلة هي أن كل الذين أثق بهم قد ماتوا: سينّا، وبوغز، وفينيك، وبريم. أعرف أن بيتا لا يزال موجوداً، لكنه لا يستطيع أن يفعل أي شيء يتعدى التخمين، لكن، من يدري ما يدور في خلده على أي حال؟ لم يبقَ سوى غايل، لكنه بعيد جداً عني. لكن، أيمكنني الوثوق به حتى لو تواجد بالقرب مني؟ ماذا يمكنني أن أقول؟ وكيف يمكنني التعبير عما أفكر فيه بالكلمات، ومن دون الإيحاء بأن قنبلته هي التي قتلت بريم؟ إن استحالة تلك الفكرة هي التي تدل، وأكثر من أي شيء آخر، على أن سنو يكذب لا محالة.

أخيراً، أعرف أن هناك شخصاً واحداً يمكن أن يكون إلى جانبي، ويُحتمل أن يكون عالماً بما حدث. إن فتح هذا الموضوع مخاطرة بحد ذاته. لكن بينما أعتقد أن هايميتش قد يغامر بحياتي في الميدان إلا أنني لم أفكّر قطّ في أنّه قد يتعاون مع كوين. إننا نفضل تسوية ما بيننا من اختلافات كلاًّ على حدة مهما كان بيننا من مشاكل.

أسرعت من فوق بلاطات الأرضية، وخرجت من الباب، ثم عبرت القاعة إلى غرفته. لم يجب أحد عندما طرقت الباب، فما كان مني إلاّ أن دفعته ودخلت. أدهشتني سرعة إفساده جو الغرفة. كانت أطباق الطعام نصف ممتلئة، وزجاجات الشراب المتكسرة مبعثرة على الأرض، وقطع الأثاث متكسّرة ومتناثرة نتيجة الهياج الذي سبّبه الشراب. جثم هناك فاقداً الوعي بين أغطية السرير وفي حالةٍ يُرثى لها، ومن دون نظافة.

قلت وأنا أهزّ ساقه: «هايميتش». لم يكن ذلك كافياً بطبيعة الحال. حاولت إيقاظه عدة مرات قبل أن أسكب محتويات إناء من الماء على وجهه. صحا متثائباً، ولوّح بسكّينه عشوائياً في الهواء. اتضح لي أن نهاية حكم سنو لا تعني نهاية الرعب الذي ترافق معه.

قال لي: «أوه! أهذه أنتِ؟». استنتجت من صوته أنه لا يزال ثملاً.

بدأت بالقول: «هايميتش».

«اسمعوا. استعاد الطائر المقلّد صوته». انفجر بالضحك وتابع: «حسناً، سيسعد بلوتارك لدى سماعه هذا الخبر». أخذ جرعة من زجاجة شرابه. «لماذا أنا مبلّل هكذا؟». وضعت إناء الماء خلفي فوق كومة من الملابس المتسخة.

قلت: «إنني بحاجة إلى مساعدتك».

تجشأ هايميتش فامتلأ المكان بأبخرة الشراب الأبيض. «ما الأمر يا حلوتي؟ هل هناك مشاكل جديدة تتعلق بالشباب؟». شعرت بالإهانة من

دون معرفة السبب، وهو أمر نادراً ما يحدث بيني وبين هايميتش. أعتقد أن الأمر قد انعكس على ملامح وجهي، وذلك لأنه حاول إصلاح الأمر بالرغم من حالته. «حسناً، الأمر ليس مضحكاً». وصلت إلى الباب، لكنه ناداني: «الأمر ليس مضحكاً! عودي!». استنتجت من قوة اصطدام جسمه بالأرض أنه حاول اللحاق بي، لكنه لم يُفلح في ذلك.

عبرت القصر بطريقة متعرجة، واختفيت في خزانة مليئة بثيابٍ حريرية. انتزعتها من معلقاتِها إلى أن تجمعت كومة منها فاختبأت بينها. وجدت داخل جيبي حبة مورفلنغ منسية فابتلعتها من دون جرعة ماء. تخلصت من حالة الهستيريا المتزايدة التي سيطرت عليّ. أحسست مع ذلك بأن إصلاح الأمور لا يكفي. سمعت هايميتش وهو يناديني من بعيد، لكنّني أيقنت بأنه لن يعثر عليّ وهو في حالته هذه، وعلى الأخص في مكاني الجديد هذا. أحسست وكأنني يرقة مسجونة داخل شرنقتها منتظرةً تحوّلها. كنت دائماً أعتبر وضعي هذا وضعاً يوحي بالطمأنينة. كان الوضع هكذا في البداية، لكن ما إن تقدّم الليل حتى بدأت أحس بأنني محتجزة وأكاد أختنق نتيجة هذه الأقمشة الناعمة التي تقيّدني، وأنني غير قادرة على الخروج إلا بعد أن أتحوّل إلى قطعة جمالية. تململت في مكاني في محاولة مني للتخلص من جسدي المحطّم كي أكتشف سر إنبات جناحين لا عيب فيهما. بقيت مخلوقة قبيحة بالرغم من جهودي الكثيرة، وهكذا بقيت في حالتي الراهنة التي كوّنتها انفجارات القنابل ونيرانها.

أعادتني المواجهة مع سنو إلى عالم كوابيسي. بدا الأمر وكأنني لُسعت بسم التراكر جاكر مجدداً. اجتاحتني موجة من الصور المرعبة، وتخلّلتها مهلة قصيرة ظننتها حالة صحو، لكنّني اكتشفت أن موجة أخرى من هذه الصور قد أعادتني إلى ذلك العالم المرعب. عثر عليّ الحرّاس أخيراً. كنت أصرخ وأنا جالسة على أرضية الخزانة وملفوفة بالحرير. قاومتهم في البداية

إلى أن أقنعوني بأنهم يحاولون مساعدتي. بدأوا بنزع كل تلك الثياب الخانقة عني، ثم رافقوني عائدين بي إلى غرفتي. مررنا في طريقنا أمام نافذة، فرأيت أجنحة ذلك الفجر المثلج والرمادي منبسطةً فوق الكابيتول.

شاهدت هايميتش بعد أن صحا من حالة الثمول. كان ينتظرني حاملاً معه بضع حبّات وصينية تحتوي على أطباق طعام لم تكن لدى أيّ منا الشهية لتناولها. بذل محاولة متواضعة كي يحملني على الكلام مجدداً، لكنه اكتشف أنه لن ينجح في ذلك أبداً، وعندها أرسلني إلى أحد الحمّامات التي جهزها شخصٌ ما. كان حوض الاستحمام عميقاً، وفيه ثلاث درجات تسمح بالوصول إلى القعر. نزلت ببطء إلى المياه الدافئة وجلست مغمورة بالرغوة حتى عنقي، وتمنيت أن تفعل حبوب الأدوية فعلها في وقتٍ سريع. تركزت عيناي على الوردة التي تفتّحت تويجاتها خلال الليل، وملأت الهواء المليء بالبخار برائحتها القوية. نهضت وتناولت منشفة ووضعتها فوق أنفي كي أخفّف من الرائحة، فسمعت في تلك اللحظة طرقةً مترددة على باب الحمام الذي ما لبث أن انفتح كاشفاً عن ثلاثة وجوهٍ مألوفةٍ لدي. حاول أصحاب الوجوه الابتسام، لكن حتى فينيا لم تتمكن من إخفاء صدمتها عندما رأت جسمي المتحوّل والذي أصابته أضرار كبيرة. «مفاجأة!». صاحت أوكتافيا بصوتٍ مكبوت وما لبثت أن فاضت عيناها بالدموع. ذُهلت لدى رؤيتي إيّاهم بعد هذه المدة، لكنّني أدركت أن هذا اليوم يصادف اليوم المخصّص للإعدام. أتى هذا الفريق من أجل تحضيري للظهور أمام كاميرات التصوير. أراد الفريق إعادتي إلى الحالة الجمالية رقم صفر. لم يعد بكاء أوكتافيا أمراً يثير العجب، وذلك لأن مهمتها بدت مستحيلة.

كان لمسهم تلك القطع المركبة من جلدي أمراً صعباً نظراً إلى خوفهم من إيذائي، وهكذا اغتسلت، ثم جففت بشرتي. قلت لهم إنني أكاد

لا أشعر بالألم، لكن فلافيوس جفل عندما وضع ثوب الاستحمام حولي. انتظرتني مفاجأة أخرى عند دخولي غرفة النوم. كانت جالسة على الكرسي وقامتها منتصبة. وكانت تلمع كلّها؛ بدءاً من شعرها الذهبي المستعار وحتى حذائها الجلدي ذي الكعب العالي. أمسكت لوح كتابة بيديها. أدهشني أنها لم تتغير قطّ، عدا تلك النظرة في عينيها.

قلت: «إيفي».

قالت بعد أن وقفت وقبّلتني على خدي: «مرحباً يا كاتنيس». بدا الأمر وكأن شيئاً لم يحدث بيننا منذ لقائنا الأخير، أي في الليلة التي سبقت المباريات الربعية. «حسناً، يبدو وكأن يوماً طويلاً، وطويلاً جداً، ينتظرنا. لِمَ لا تبدئين بالاستعداد الآن، وسأمرّ عليك لاحقاً كي أعلمك بالترتيبات».

أجبتها من دون أن أنظر إليها مباشرة: «حسناً».

علّقت فينيا بصوت مخنوق: «يقولون إن بلوتارك وهايميتش جهدا كثيراً لإبقائها حية. بقيت سجينة بعد هروبك. أعتقد أن ذلك أمر مساعد جداً».

أعتقد أن الأمر يتضمن بعض المبالغة. أيعقل أن تكون إيفي ترنكيت من المتمردين؟ لكنّني لا أريد أن تقوم كوين بقتلها، لذا، نويت تقديمها بهذه الطريقة إذا طُلب مني ذلك: «أعتقد أنه من حسن حظّكم أن بلوتارك قد خطفكم أنتم الثلاثة».

قالت فينيا: «إننا فريق التحضير الوحيد الذي بقي حياً، أي أن كل المزيّنين الذي عملوا في المباريات الربعية قد ماتوا». لم تحدّد لي من قتلهم بالضبط. بدأت بالتساؤل إذا كان الأمر مهماً. أمسكت بحذر إحدى يديّ التي انتشرت فيها الندوب وتفحّصتها جيداً ثم قالت: «والآن، ما عسانا نفعل بأظفارك بحسب رأيك؟ هل نضع عليها الطلاء الأحمر، أو الأسود الفاحم؟».

اجترح فلافيوس أعجوبة جمالية في شعري، فتمكّن من تسوية مقدمة شعري، بينما استخدم الخصلات الأكثر طولاً من أجل إخفاء البقع الصلعاء المتواجدة خلف رأسي. أما وجهي، فلم يمثّل أي مشكلة غير عادية، وذلك لأنه نجا من ألسنة اللهب. وعندما ارتديت زيّ الطائر المقلّد الذي صمّمه لي سينّا لم يتبقَ من الندوب الظاهرة غير تلك الموجودة في عنقي، وساعديّ، ويديّ. ثبتت أوكتافيا دبوس الطائر المقلّد فوق منطقة قلبي، ثم تراجعنا كي ننظر إلى المرآة. صعُب عليّ تصديق كم بدوت بمظهري الطبيعي من الخارج بينما بقيت محطمةً في أعماقي.

سمعت نقرةً خفيفة على الباب، وما لبث غايل أن أصبح داخل الغرفة وقال لي: «أريد دقيقة من وقتك». شاهدت فريق التحضير عبر المرآة. احتار أفراد الفريق، ولم يعرفوا المكان الذي يستطيعون أن يتوجهوا إليه، لذلك كادوا يصطدمون ببعضهم عدة مرات قبل لجوئهم إلى الحمام. ظهر غايل من ورائي وأخذنا نتفحّص صورتينا المنعكستين على المرآة. بحثت في تلك اللحظة عن شيء أتمسك به، وعن شيء يدل على فتاة وصبي التقيا في الغابات صدفة منذ خمس سنوات، وأصبح من الصعب عليهما الافتراق. تساءلت عما كان يُمكن أن يحدث لهما لو لم تخطف مباريات الجوع تلك الفتاة، وعمّا كان يمكن أن يحدث لو أن تلك الفتاة وقعت في غرام ذلك الصبي، وحتى لو تزوجته. تساءلت عما كان يمكن أن يحدث لو أنهما في وقتٍ ما في المستقبل - أي عندما تكبر الشقيقات والأشقاء - هربا إلى الغابات وتركا وراءهما المقاطعة 12 برمتها إلى الأبد. هل كانا سيشعران بالسعادة هناك في البرية؟ أم كأن الحزن المظلم والغامض سيخيّم عليهما ويكبر حتى من دون تدخل الكابيتول؟

أمسك غايل حاملة سهامٍ وقال: «أحضرتُ لك هذه». لاحظت عندما أخذتها أنها تضم سهماً عادياً واحداً. «يُفترض أن يكون هذا رمزياً، أي أن

تطلقي أنتِ آخر رميةٍ في هذه الحرب».

قلت: «ماذا لو أخطأت الهدف؟ هل ستعيده كوين إليّ؟ أم أنها ستكتفي بإطلاقه على رأسه بنفسها؟».

«لن تخطئي هدفك». عدّل غايل وضع حاملة السهام على كتفي.

وقفنا هناك، وجهاً لوجه، من دون أن يحدّق أحدنا إلى عيني الآخر، ثم قلت له: «لم تأتِ لرؤيتي في المستشفى». لم يجبني، لذلك قلت أخيراً: «هل كانت تلك قنبلتك؟».

قال لي: «لا أعرف. وكذلك بيتي لا يعرف. هل هذا يهم؟ ستفكرين في الأمر على الدوام».

انتظر سماع إنكاري. أردت الإنكار، لكنّ ما قاله صحيح. عاودني الشعور ذاته وأحسست بحرارته، لكنّني أعتقد بأنني لا أستطيع فصل هذه اللحظة عن غايل. كان صمتي هو الرد.

قال لي: «كان ذلك شيئاً مستمراً بالنسبة إليّ. أعني الاعتناء بأسرتك. صوّبي جيداً، اتفقنا؟». لمس خدّي ثم غادر المكان. أردت مناداته كي أقول له إنني كنت مخطئة، وإنني سأفكر في طريقة لإصلاح الأمر. أردت أن أتذكّر الظروف التي صنع القنبلة في ظلها، وأن آخذ في الحسبان جرائمي التي ارتكبتها، وهي التي لا تغتفر بدورها. أردت أن أكشف الحقيقة عن هوية الجهة التي أسقطت المظلات. أردت إثبات أن الثوار لم يفعلوا ذلك. أردت أن أسامحه. يتعيّن عليّ تحمّل الألم لأنني عاجزة عن ذلك.

جاءت إيفي كي تخبرني عن اجتماعٍ ما. تناولت قوسي، وتذكرت الوردة التي تلمع في كوبها في اللحظة الأخيرة. فتحت باب الحمام فوجدت فريق التحضير جالساً صفاً واحداً على حافة حوض الاستحمام وقد انحنوا إلى الأمام وهم يشعرون بالخيبة. تذكرت أنني لست الوحيدة التي سُلخت عن عالمها. قلت لهم: «تعالوا، هناك جمهور ينتظرنا».

توقعت أن يكون هدف الاجتماع المنتظر إنتاج شريط، حيث سيتم توجيهي إلى مكان وقوفي للرماية على سنو. وجدت نفسي، بدلاً من ذلك، في غرفةٍ يتحلّق فيها ستة أشخاص حول طاولة. رأيت بيتا، وجوانا، وبيتي، وهايميتش، وآني، وإينوباريا. كانوا يرتدون الأزياء الرسمية للمتمردين بألوانها الرمادية؛ تلك التي جاءوا بها من المقاطعة 13. لم يبدُ أن أيًّا منهم بحالة جيدة. قلت: «ما هذا؟».

أجاب هايميتش: «لسنا متأكدين. يبدو أنه اجتماع للمنتصرين الباقين على قيد الحياة».

سألت: «هل نحن كل من بقي منا؟».

قال بيتي: «إنه ثمن الشهرة. كنا مستهدفين من الطرفين. قتلت الكابيتول أولئك الذين افترضت أنهم من الثوار. أما الثوار فقد قتلوا أولئك الذين اعتبروا أنهم متحالفون مع الكابيتول».

عبست جوانا في وجه إينوباريا وقالت: «إذاً، ما الذي تفعله هذه هنا؟».

قالت كوين وهي تدخل الغرفة خلفي: «إنها محمية بموجب ما أسميناه اتفاق الطائر المقلّد، وهو الاتفاق الذي وافقت بموجبه كاتنيس إيفردين على دعم الثوار مقابل تقديم الحصانة للأسرى من المنتصرين. نفذت كاتنيس جانبها من الاتفاق، وهذا ما ننوي فعله بدورنا».

ابتسمت إينوباريا في وجه جوانا التي قالت: «لا تكوني متعجرفة هكذا. سنقتلك على أيّ حال».

قالت كوين وهي تُغلق الباب: «اجلسي يا كاتنيس من فضلك»، فجلستُ على مقعد بين آني وبيتي، ووضعت وردة سنو على الطاولة بعناية فائقة. دخلت كوين في صلب الموضوع مباشرة كعادتها: «طلبت منكم الحضور إلى هنا من أجل تسوية دَين. سنقوم اليوم بإعدام سنو، إلا أن

389

مئات المتواطئين معه خضعوا للمحاكمة خلال الأسابيع الماضية، وهم الآن ينتظرون إعدامهم. كانت معاناة المقاطعات شديدة جداً حيث إن هذه الإجراءات تبدو غير كافية بالنسبة إلى الضحايا. يدعو هؤلاء، في واقع الأمر، إلى إبادة أولئك الذين يحملون جنسية الكابيتول. غير أننا لا نستطيع الإقدام على هذه الخطوة إذا أردنا الحفاظ على تعداد سكان قابلٍ للاستمرار».

رأيت عبر مياه الكوب صورةً مشوشة لإحدى يدَي بيتا. رأيت علامات تشير إلى تعرّضه للحريق؛ وهذا يعني أننا كلينا أصبحنا من المتحولين بفعل النيران. ارتحلت عيناي إلى حيث مسّت ألسنة اللهب جبهته، وحيث أحرقت حاجبيه وبالكاد أخطأت عينيه. كانتا تينك العينين الزرقاوين اللتين اعتادتا في المدرسة لقاء عينيّ قبل أن تفرا منهما، أي كما فعلتا الآن.

قالت كوين: «وهكذا طرحنا حلاً بديلاً. فلأنني وزملائي لم نصل إلى إجماع، فقد اتفقنا على أن ندع المنتصرين يقررون. يكفي أن يوافق أربعة منكم على ذلك للتصديق على الخطة. لا يُسمح لأحد بالامتناع عن التصويت. اقترحنا إقامة مباراة جوعٍ رمزية أخيرة بدلاً من القضاء على جميع سكان الكابيتول، وسنستخدم فيها أولاد الذين كانوا يُمسكون بأرفع المناصب».

التفتنا نحن السبعة نحوها، وقالت جوانا: «ماذا؟».

قالت كوين: «سنقيم مباراة جوعٍ أخرى مستخدمين أولاد الكابيتول».

سأل بيتا: «أتمزحين؟».

ردّت كوين: «كلا، سأقول لك أيضاً إننا إذا أقمنا المباراة، فسيُعلن أنها أُقيمت بموافقتكم، وذلك بالرغم من أن التفاصيل حول نتيجة تصويتكم ستبقى سرية من أجل ضمان سلامتكم».

سأل هايميتش: «هل كانت هذه الفكرة من بنات أفكار بلوتارك؟».

قالت كوين: «بل كانت فكرتي أنا. بدا لي أنها أفضل طريقة لموازنة الحاجة إلى الانتقام مع التسبب بأقل قدر ممكن من الخسائر في الأرواح. يمكنكم الآن البدء بالإدلاء بأصواتكم».

صاح بيتا: «لا! إنني أصوّت بلا بالطبع! لا يمكننا إجراء مباراة جوعٍ أخرى!».

ردّت جوانا بسرعة: «ولِمَ لا؟ تبدو لي هذه المباراة عادلة بما يكفي. يمتلك سنو حفيدة. إنني أصوّت بنعم».

قالت إينوباريا من دون اكتراث تقريباً: «وأنا كذلك. دعوهم يتجرعون العلقم الذي أذاقونا إياه».

وزّع بيتا نظراته علينا وقال: «كانت المباريات هي سبب ثورتنا! أتذكرون؟ وأنتِ يا آني؟».

قالت: «إنني أصوت بلا مع بيتا، فهذا ما كان فينيك سيفعله لو كان هنا».

قالت جوانا لتذكيرها: «لكنه ليس هنا لأن مخلوقات سنو المتحولة قتلته».

قال بيتي: «كلا، ستشكّل هذه المباراة سابقة سيئة. يتعيّن علينا التوقف عن اعتبار بعضنا أعداء. أعتقد أن وحدتنا مهمة جداً لاستمراريتنا. أليس كذلك؟».

قالت كوين: «بقي عندنا كاتنيس وهايميتش».

هل كان الوضع هكذا في ذلك الزمن، أي قبل خمسة وسبعين عاماً مضت؟ هل جلست مجموعة من الناس حول طاولة كهذه من أجل التصويت على إطلاق مباريات الجوع؟ هل كان هناك تمردٌ ما؟ هل قدّم أحدهم طلب استرحام ورُفض طلبه نتيجة المطالبة بموت أولاد

المقاطعات. تصاعدت رائحة وردة سنو إلى أنفي وتسلّلت نزولاً في حنجرتي فشعرت باليأس. مات كل الأشخاص الذين أحببتهم، وها نحن نناقش الآن إقامة الدورة التالية من مباريات الجوع في محاولة منا لتجنب إزهاق الأرواح. لم يتغيّر شيء. أعرف أن شيئاً لن يتغيّر الآن.

فكّرت ملياً في خياراتي، وقلّبت كل الأمور في ذهني. أبقيت نظري على الوردة وقلت: «إني أصوّت **بنعم**... من أجل بريم».

قالت كوين: «هايميتش، الكلمة لك الآن».

ذكّر بيتا، الذي بدا هائجاً، هايميتش بالمجزرة التي قد يُصبح طرفاً فيها، لكنّني أحسست بأن هايميتش يراقبني. إذاً، حانت اللحظة المناسبة التي نكتشف فيها نقاط التشابه بيننا، وكم يفهمني في حقيقة الأمر.

قال: «إنني مع الطائر المقلّد».

قالت كوين: «ممتاز، إذاً، لقد حُسم التصويت. يتعيّن علينا الآن فعلاً أن نحتل أماكننا لمشاهدة تنفيذ عملية الإعدام».

رفعت الكوب الذي يحتوي على الوردة عندما مرّت أمامي، وقلت لها: «هلاّ تاكّدت من أن يضع سنو هذه الوردة فوق منطقة قلبه مباشرة».

ابتسمت كوين: «بالطبع، وسأتأكد من معرفته بما قررناه بشأن المباراة».

قلت: «شكراً لك».

توافد عدة أشخاص إلى الغرفة وأحاطوا بي. وضعوا على وجهي آخر لمسةٍ من مساحيق التجميل، وتلقيت تعليمات من بلوتارك عندما تقدموني إلى الأبواب الأمامية للقصر. اكتظت مستديرة المدينة بالناس الذين توافدوا من كل الشوارع الجانبية، بينما أخذ آخرون أماكنهم خارجها. رأيت الحراس، والرسميين، وقادة الثوار، والمنتصرين. سمعت الهتافات التي تدل على ظهور كوين على الشرفة. ربتت إيفي على كتفي، وما لبثت

أن وقفت وسط أنوار شمس الشتاء. سرت نحو المكان المخصّص لي ورافقني التهليل المدوي للحشود. استدرت نحوهم كي يروني، وذلك بحسب التعليمات التي تلقيتها، ووقفت وِقفة جانبية، ثم انتظرت.

جنّ جنون الجمهور عندما أخرجوا سنو من الباب. أوثقوا يديه بعمود، وهو الأمر الذي لم يكن ضرورياً. أعرف أنه لن يذهب إلى أي مكان، ولم يبقَ لديه أي مكانٍ يلجأ إليه. لم نكن واقفين على مسرحٍ واسع أمام مركز التدريب، لكننا نقف على شرفة ضيقة أمام قصر الرئيس. لم يعد من المستغرب في هذه الحالة أن أحداً لم يزعج نفسه بنصحي بأن أتمرّن. لا يبعد هدفي عني سوى عشر ياردات.

أحسست بخرخرة القوس في يدي. تراجعت قليلاً وتناولت سهماً. وضعته في مكانه وصوّبت على الوردة، لكنّني راقبت وجهه. سعل، وما لبثت قطرات من لعابه الملوّث بالدماء أن سالت نزولاً فوق ذقنه. تحرّك لسانه فوق شفتيه المنتفختين. أخذت أبحث في عينيه عن أدنى إشارة تدل على أي مشاعر؛ مثل الخوف، أو الندم، أو الغضب، لكنّني لم أشاهد سوى نظرة المتعة التي أنهت محادثتنا الأخيرة. بدا الأمر وكأنه يتلفظ بكلماته ثانية. «أوه! يا عزيزتي الآنسة إيفردين! أعتقد أننا اتفقنا على ألاّ يكذب أحدنا على الآخر».

إنه محقّ. لقد فعلنا ذلك.

تحرّك رأس سهمي إلى الأعلى، وأفلتّ الوتر. انهارت الرئيسة كوين من فوق الشرفة وهبطت على الأرض. ميتة.

الفصل السابع والعشرون

تمكنت من تمييز صوتٍ واحد من بين الأصوات المصعوقة التي صدرت عن الجمهور. كان ذلك صوت ضحكة سنو. كانت أشبه ما تكون بضحكة مرعبة ترافقت مع دماء مزبدة عندما بدأ بالسعال. رأيته ينحني إلى الأمام وهو يتقيأ حتى لفظ أنفاسه الأخيرة إلى أن حجب الحراس منظره عني.

بدأ أصحاب البزات الرمادية بالتقدّم نحوي، وفكرت في هذا الوقت في المستقبل القصير الذي يمتلكه شخص اغتال رئيسة بانيم الجديدة. فكّرت في التحقيق الذي سيجرونه معي، وبالتعذيب المحتمل، وبالإعدام العلني المؤكد. شعرت مجدداً بأنه من واجبي توديع زمرة من الناس الذين لا يزالون يحتلون مكاناً في قلبي. أما إمكانية مواجهة والدتي التي ستبقى وحيدة في هذا العالم فقد حسمت الأمر عندي.

«ليلة سعيدة». هذا ما همست به لقوسي فشعرت على الفور بأنه همد في يدي. رفعت ذراعي اليسرى، وأحنيت عنقي كي أمزّق كمّي وأتناول الحبة. غير أنّ أسناني أطبقت على اللحم بدلاً من إطباقها على الكُم. رفعت رأسي إلى الخلف نتيجة ارتباكي، فتسمّرت عيناي وأنا أنظر إلى عينَي بيتا اللتين حدقتا إليّ. رأيت الدماء وهي تسيل من الجروح التي خلّفتها أسناني على يده التي وضعها فوق حبّة النايت لوك التي كانت ملاذي الأخير. حاولت تحرير ذراعي من قبضته، وصرخت به: «اتركني!».

قال: «لا أستطيع». بدأ الحراس بإبعادي عنه وشعرت بأن جيبي يتمزق عن كمّي، ورأيت تلك الحبة ذات اللون البنفسجي الداكن وهي تسقط على الأرض، ثم شاهدت هدية سينّا الأخيرة لي وهي تنسحق تحت

حذاء أحد الحراس. تحولّت إلى ما يشبه حيواناً برياً. رفستُ، وخدشتُ المحيطين بي، وعضضتُ، وفعلت كل ما في وسعي لتحرير نفسي من شبكة أيدي الحشد الذي كان يدفعني دفعاً. رفعني الحراس من فوق هذه المعمعة بينما استمررت في هياجي من فوق حشود الناس. صرخت من أجل إثارة انتباه غايل. لم أتمكن من العثور عليه بين الجموع، لكنّني تأكدت من أنه سيعرف ما أريده. أريد تلقي رمية ماهرة منه تنهي كل شيء. لكن المشكلة كانت في عدم وجود سهم، أو رصاصة. أيعقل أنه لا يراني؟ لا، لأن الشاشات العملاقة فوقنا والتي نُصبت حول مستديرة المدينة تمكّن الجميع من مشاهدة الحدث برمته. إنه يرى، وهو يعرف، لكنه لا يفعل شيئاً، أي كما فعلت أنا عندما أمسكوا به. إنها أعذار سيئة بالنسبة إلى الصيادين والأصدقاء على حدٍّ سواء، ولكل واحدٍ منا.

ها أنا بمفردي الآن.

قيّدوني بالأصفاد عندما وصلنا إلى داخل القصر، وعصبوا عينيّ. جرّوني حيناً، وحملوني حيناً آخر عبر الممرات الطويلة، ونزولاً في المصاعد إلى أن وضعوني أخيراً على أرضية مفروشة بالسجاد. أزالوا الأصفاد عن يديّ وأقفلوا عليّ الباب. اكتشفت عندما رفعت العصابة عن عينيّ أنني موجودة في إحدى غرف مركز التدريب القديمة. إنها الغرفة ذاتها التي عشت فيها خلال تلك الأيام الأخير الثمينة قبل أولى مباريات الجوع التي خضتها، وكذلك قبل المباريات الربعية. لم يبقَ من السرير غير فراشه، كما كانت الخزانة مفتوحة على مصراعيها فكشفت عن الفراغ داخلها، لكنّني سأميّز هذه الغرفة على أيّ حال.

جهدت كثيراً كي أقف على قدميّ وأنزع عني زيّ الطائر المقلّد الذي أرتديه. لاحظت تلك الخدوش الكثيرة التي أصبت بها، وشعرت باحتمال أن تكون إصبعٌ أو اثنتان من أصابعي مكسورتين، لكن جلدي هو الذي

عانى من أكبر قدرٍ من الأذى نتيجة عراكي مع الحراس. فقد تمزّق الجلد الجديد ذو اللون الزهري مثلما يتمزق الورق، وتسربت الدماء من الخلايا المنبتة في المختبرات. لم يأتِ أي مسعفٍ طبي، لكنّني أعتقد أنه لم تعد تنفع معي أيّ علاجاتٍ طبية. زحفت زحفاً إلى الفراش وتوقعت أن أستمر بالنزيف حتى الموت.

لم يحالفني الحظ. فقد تجمّد الدم النازف عند المساء. وهكذا تصلّب جسمي، وتألمت، وتعرقت، لكنّني كنت حيّة. سرت متعثرة نحو الدُش، ثم عدّلت المياه حيث تكون في أخف دورة لها يمكن لي تذكرها. ومن دون أن أستخدم أي صابون أو أيًا من مستحضرات الشعر استحممت، ثم ربضت تحت الرذاذ الدافئ، ووضعت مرفقيّ على ركبتيّ وأسندت رأسي بين راحتَي يديّ.

اسمي كاتنيس إيفردين. لماذا لم أمت بعد؟ كان يجب أن أكون ميتة في هذا الوقت. أعتقد أن الأمر سيكون أفضل بالنسبة إلى الجميع لو أنني ميتة...

جفّف الهواء الساخن جلدي المتضرر عندما خطوت فوق الحصيرة. لم أجد أي شيء نظيف يمكنني ارتداؤه، ولا حتى منشفة ألفّها على جسدي. اكتشفت عندما عدت إلى الغرفة أن زيّ الطائر المقلّد قد اختفى. ووجدت مكانه رداءً ورقياً. أرسل إليّ ذلك المطبخ الغامض وجبة طعام مع علبة تحتوي على بعض الأدوية. مضيت في أكل وجبتي، وتناولت الحبوب، ثم دهنت المرهم على جلدي. يتعيّن عليّ الآن التركيز على انتحاري.

عدت للتكوّر فوق الفراش الملوّث بالدماء. لم أشعر بالبرد، لكنّني شعرت بأنني عارية جداً بالرغم من الورق الذي كان يغطي جلدي الحساس. لم يكن الانتحار قفزاً من النافذة خياراً مطروحاً، لأنه لا بد من أن تبلغ سماكة زجاجها نحو قدم. يمكنني مع ذلك صنع أنشوطة ممتازة،

لكن لا يوجد عندي أي شيء كي أعلّق به جسدي. يمكنني كذلك أن أدّخر حبوبي، ثم أبتلع كمية مميتة منها، لكنّني متأكدة من خضوعي للمراقبة على مدار الساعة. إنني متأكدة كذلك من ظهوري مباشرة على شاشة التلفزيون في هذه اللحظة بالذات بينما يحاول المعلقون تحليل الأسباب التي دفعتني إلى قتل كوين. أعرف أن المراقبة تكاد تجعل من أي محاولة انتحار أمراً مستحيلاً. إن إنهاء حياتي امتياز يخص الكابيتول وحدها. يحدث هذا للمرة الثانية.

يمكنني أن أقوم بشيء واحد، وهو الاستسلام. قررت أن أستلقي على السرير من دون تناول طعام أو شراب، أو أخذ أدويتي. يمكنني أن أفعل ذلك، أي أن أموت بكل بساطة، لكنني حُرمت من المورفلنغ. لم يحرموني منه شيئاً فشيئاً كما كان الأطباء يفعلون في المستشفى في المقاطعة 13، بل فعلوا ذلك دفعة واحدة. أعتقد أنني كنت أتناول جرعة كبيرة من المورفلنغ لأن حاجتي إليه آلمتني، وترافق ذلك مع ارتعاشات وآلامٍ حادة، وذلك بالإضافة إلى الشعور ببردٍ لا يُحتمل، وهكذا أحسست أن قراري قد تحطم مثلما تتحطم قشرة بيضة. ركعت على ركبتيّ، وفتشت عن تلك الحبوب الثمينة التي رميتها في وقتٍ سابق. راجعت خطة انتحاري وعدّلتها إلى الموت البطيء بواسطة المورفلنغ. تحولت إلى كيس عظامٍ أصفر اللون ذي عينين بارزتين. بقيت أمامي أيامٌ عدة قبل أن تتنفّذ خطتي. فقد وصلت إلى مرحلة أحرزت فيها تقدماً كبيراً. لكن، حدث في هذا الوقت شيء غير متوقع مطلقاً.

بدأت بالغناء. فعلت ذلك أمام النافذة، وتحت رذاذ مياه الاستحمام، وفي أوقات نومي. غنيّت الأغاني الشعبيّة، وأغاني الحبّ، وتلك الجبليّة، وذلك لساعاتٍ وساعات. كانت كلها أغاني تعلمتها من والدي قبل موته، لكنّني لم أكترث بالموسيقى كثيراً بعد رحيله. أدهشتني كثيراً قدرتي على

تذكر تلك الأغاني بوضوح. تذكرت كل الألحان وكل كلمات الأغاني. كان صوتي خشناً في بداية الأمر، وكثيراً ما كان يتحول إلى نغمات عالية؛ كانت تخرج من بين شفتيّ ساحرةً حينها. كانت تلك الأصوات هي التي تجعل الطيور المقلّدة تلتزم الصمت ثم تسارع إلى المشاركة. مرّت أيام وأسابيع شاهدت خلالها الثلوج وهي تتساقط على الحافة الخارجية لنافذتي. كان صوتي هو الوحيد الذي يُسمع في ذلك الوقت.

ماذا يفعلون على أيّ حال؟ ما هو الأمر الذي يعيقهم عن التحرك؟ هل ترتيب أمر إعدام فتاة قاتلة بهذه الصعوبة؟ استمررت في عملية قتل نفسي. ازداد جسدي نحولاً عما كان عليه في أي وقتٍ من الأوقات، كما كانت معركتي مع الجوع شرسة جداً، حيث كان الجزء الحيواني مني يرغب في الاستسلام لتلقي قطعة خبز صغيرة مع الزبدة، أو حتى قطعة لحم مشوية صغيرة. تابعت الفوز مع ذلك. وصلت إلى حالة ضعف شديدة لبضعة أيام إلى درجة أنني ظننت أنني في النهاية سأفارق هذه الحياة. لاحظت عندها أن حبوب المورفلنغ آخذة بالتناقص. أعرف أنهم يحاولون تخليصي من هذه الحبوب. لكن، لماذا؟ أعرف أنه من الأسهل بالنسبة إليهم التخلص من الطائر المقلّد المخدّر أمام حشدٍ من الجمهور. خطرت فكرة فظيعة في ذهني: ماذا لو لم يرغبوا في قتلي؟ أيُعقل أنهم يعدّون لي خططاً جديدة؟ هل يفكرون في طريقة جديدة لإعادة تأهيلي، وتدريبي، وربما استخدامي في أمرٍ ما؟

لا أعتزم فعل ذلك. أما إذا عجزت عن قتل نفسي في هذه الغرفة، فسأستغلّ أول فرصة تسنح لي في الخارج من أجل إنهاء هذه المهمة. يمكنهم جعلي أكثر سمنة، كما يُمكنهم صقل جسمي بالكامل، وإلباسي، وجعلي جميلة مجدداً. يمكنهم تصميم أسلحة خيالية ليضعوها بين يدي، لكنهم لن يتمكنوا من غسل دماغي مرة أخرى، وإقناعي بالحاجة إلى

استخدامي. توقفت عن الشعور بالانتماء إلى تلك الوحوش التي تدعى البشر، وكرهت جداً واقع أنني واحدةً منهم. أعتقد أن بيتا كان يعتزم القيام بشيء ما إزاء تدميرنا بعضنا، وذلك من أجل السماح لجنسٍ آخر أكثر احتراماً وأفضل خلقاً بالحلول مكاننا. أعتقد أن هناك خللاً ما في مخلوق يضحي بحياة أولاده من أجل تسوية خلافاته مع الآخرين. يمكنك تقليب الأمر من جميع الأوجه التي تريدها. اعتبر سنو مباريات الجوع وسائل فعالة من وسائل السيطرة. أما كوين فقد اعتبرت أن المظلات ستعجّل في إنهاء الحرب. لكن، من الذي يستفيد في نهاية الأمر؟ لا يستفيد أحد من هذه الحرب. أما الحقيقة، فهي أن أحداً لا يستفيد من العيش في عالمٍ تحدث فيه هذه الأمور.

فُتح باب غرفتي بعد يومين من استلقائي فوق فراشي من دون أن أتناول الطعام، أو الشراب، أو حتى حبة المورفلنغ. جال أحدهم حول سريري. إنّه هايميتش. قال لي: «انتهت محاكمتك. هيا بنا. سنعود إلى ديارنا».

ديارنا؟ عمَّ يتحدث هذا الرجل؟ لم يعد عندي موطن، وحتى لو كان بإمكاني العودة إلى ذلك المكان الخيالي، فإنني أضعف من أن أتحرك. ظهر أمامي أشخاص غرباء. أرادوا إعادة السوائل إلى جسمي، وإعادة تغذيتي. أمرني هؤلاء بالاستحمام، وألبسوني ثيابي. رفعني أحدهم مثلما يرفع لعبة مصنوعة من القماش، وحملني إلى سطح المبنى، ثم أدخلني حوّامة، وثبّتني إلى المقعد. جلس هايميتش وبلوتارك قبالتي. طارت بنا الحوّامة في غضون لحظات قليلة.

لم يسبق لي أن رأيت بلوتارك في مزاج جيد كهذا. كان يتوقد حماسة: «إنني متأكد من أنك تودين طرح مليون سؤال!». لم أجبه، لذلك تكفّل بالإجابة عن سؤاله. حدثت جلبة كبيرة بعد أن قتلت كوين. فقد اكتشفوا

جثة سنو بعد هدوء الضوضاء، وكان لا يزال مقيداً بالعمود. اختلفت الآراء بشأن ما إذا كان قد اختنق حتى الموت في أثناء استغراقه بالضحك، أم أن الحشود هي التي سحقته. قال لي إن أحداً لم يكترث بذلك في واقع الأمر. أجريَت انتخابات طارئة فازت فيها بايلور بمنصب الرئاسة، كما عُيّن بلوتارك وزيراً للاتصالات، وهو الأمر الذي يعني أنه يتولى مسؤولية تحديد برامج محطات البث. كانت محاكمتي هي أول حدثٍ كبير بثّته المحطات، وهي المحاكمة التي كان فيها الشاهد الرئيس. كان شاهداً لمصلحتي بطبيعة الحال. لكنّني أعتقد أن الفضل الأكبر في تبرئتي يعود إلى الدكتور أورليوس، والذي أبرزني بوصفي مجنونة يائسة ومصدومة. كان الشرط الوحيد الذي وُضع لإطلاق سراحي هو أن أظل تحت رعايته، وذلك بالرغم من أن هذه العناية ستكون عبر الهاتف، لأنه لن يتمكن من العيش في مكان مهجور مثل المقاطعة 12 حيث سأبقى محتجزة هناك حتى إشعارٍ آخر. أما الحقيقة، فهي أن لا أحد يعرف ماذا يجب أن يفعل بشأني بعد انتهاء الحرب، وذلك بالرغم من أن بلوتارك واثق من إيجاد دورٍ لي في حال نشوب الحرب مجدداً. ضحك بلوتارك كثيراً هنا. لا أعتقد أنه يكترث إذا لم يتجاوب أحد مع نكاته.

سألته: «هل تحضّر لحربٍ أخرى يا بلوتارك؟».

قال لي: «أوه! ليس الآن. إننا نمرّ الآن بفترة جميلة حيث إن الجميع مُتفقون على أن الأهوال التي شهدناها مؤخراً يجب ألاّ تتكرر. لكن الذاكرة الجماعية لا تستمر طويلاً في العادة. إننا مخلوقات متقلبة وغبية ولا نمتلك سوى ذاكرات ضعيفة، لكننا نمتلك موهبة كبيرة في التدمير الذاتي. لكن، من يعلم؟ يُحتمل أننا وصلنا إليه يا كاتنيس».

سألته: «وصلنا إلى ماذا؟».

«وصلنا إلى الزمن الذي لا تنسى فيه ذاكراتنا. يُحتمل أننا نشهد تطور

الجنس البشري. فكّري في هذا». سألني بعد ذلك إذا كنت أرغب في الظهور في برنامجٍ غنائي جديد كان من المقرّر إطلاقه في غضون أسابيع قليلة. وقال إن برنامجاً كهذا مليئاً بالتفاؤل سيكون جيداً، وأضاف أنه سيرسل فريق التصوير إلى منزلي.

هبطت حوّامتنا في المقاطعة 3 لفترة قصيرة كي نُنزل بلوتارك. إذ كان من المقرر أن يلتقي بلوتارك بيتي من أجل تحديث تقنية نظام البث. قال لي مودّعاً: «لا تكوني غريبة».

عدنا إلى طيّات الغيوم. نظرت إلى هايميتش وسألته: «إذاً، لماذا نحن عائدان إلى المقاطعة 12؟».

قال لي: «يبدو أنهم عجزوا عن إيجاد مكان لي في الكابيتول أيضاً».

لم أشكّك في كلامه في البداية. لكن الشكوك بدأت تزحف إلى ذهني بعد ذلك. لم يقتل هايميتش أحداً، لذلك يمكنه التوجّه إلى أي مكانٍ يريده، لكن عودته إلى المقاطعة 12 تعني أنهم أمروه بذلك. «أمروك أن تعتني بي، أليس كذلك؟ بصفتك مرشدي؟». هزّ كتفيه. أدركت ما يعنيه هذا الأمر بعد ذلك فتابعت قائلة: «كما أن والدتي لن تعود».

قال لي: «لا، لن تعود». تناول مغلّفاً من جيب سترته وناولني إياه. تفحصت الكتابة الدقيقة والجميلة. «إنها تساعد على إنشاء مستشفى جديد في المقاطعة 4. تريدك أن تتصلي بها ما إن نصل». تتبعت أصابعي المنحنيات الرشيقة للحروف. «أنت تعرفين السبب الذي يمنعها من العودة». أجل، إنني أعرف السبب. أعرف أنه من المؤلم جداً احتمال العيش في المكان الذي يذكّرها بوالدي وببريم، والذي يحفل بكل هذا الرماد. لكن يبدو أن الأمر مختلف بالنسبة إليّ. «أتعلمين من هو الشخص الآخر الذي لن يعود؟».

قلت: «كلا، أريد أن أُفاجأ بذلك».

جعلني هايميتش أتناول شطيرةً بصفته مرشدي المخلص، ثم تظاهر بأنه صدّق أنني نائمة في ما تبقى من الرحلة. شغل هايميتش وقته بالتجوّل في كل قسمٍ من أقسام الحوّامة، وعثر لنفسه على زجاجات الشراب ووضعها في حقيبته. كان الظلام قد حلّ عندما هبطنا في الميدان الأخضر لقرية المنتصرين. رأينا الأضواء التي تنير نصف نوافذ المنازل، بما فيها منزلي ومنزل هايميتش، أما منزل بيتا فكان معتماً. أوقد أحدهم النار في مطبخي. جلست على كرسي هزّاز أمام الموقد، ثم أمسكت برسالة والدتي.

قال هايميتش: «حسناً. أراكِ غداً».

ما إن تلاشت الأصوات الناتجة عن تصادم زجاجات الشراب في حقيبته حتى قلت هامسةً: «أشك في ذلك».

عجزت عن ترك الكرسي. كان ما تبقى من أرجاء المنزل بارداً وفارغاً ومظلماً. وضعت وشاحاً قديماً حول جسمي ثم راقبت ألسنة اللهب. أعتقد أنني غفوت لأنني عندما استفقت كان الصباح قد حل. رأيت غريسي سي وهي تجول حول الموقد. حضّرت لي بيضاً وخبزاً محمصاً، ثم جلست هناك حتى تناولت كل ما حضّرته لي. لم نتكلم كثيراً. كانت حفيدتها الصغيرة تعيش في عالمٍ خاصٍّ بها، وما لبثت أن أخذت كرة زرقاء اللون من سلة خيوط الحياكة العائدة لوالدتي، حتّى أمرتها غريسي سي بإعادتها إلى مكانها، لكنّني قلت لها إنه بإمكانها الاحتفاظ بها. لم يعد في وسع أحد في هذا المنزل حياكة أي شيء بعد الآن. غسلت غريسي سي الأطباق بعد أن فرغنا من تناول الفطور ثم غادرت المنزل، لكنها عادت وقت الغداء كي تحملني على تناول الطعام مجدداً. لا أعلم إذا كانت تقوم بدورها هذا بصفتها جارتي، أم أنها موظفة لدى السلطات، لكنها كانت تأتي مرتين يومياً. كانت تطبخ وأنا أستهلك. حاولت التفكير في خطوتي التالية. لم يعد أمامي الآن أي شيء يعيقني عن إنهاء حياتي. لكن، يبدو أنني أنتظر حدوث شيء ما.

كان الهاتف يرنّ أحياناً ويستمر بالرنين، لكنّني لم أجب مطلقاً. لم يزرني هايميتش قطّ خلال هذه الفترة. يُحتمل أنه غيّر رأيه وغادر المقاطعة، وذلك بالرغم من اعتقادي أنه ثمل. لم يأتِ أحد لزيارتي غير غريسي سي وحفيدتها. وبدتا لي وكأنهما جمهرة من الناس بعد تمضيتي أشهراً انعزلت فيها عن بقية الناس.

قالت لي: «تفوح رائحة الربيع في الهواء هذا اليوم. يتعيّن عليك أن تخرجي. يمكنك أن تخرجي للصيد».

لم أغادر منزلي منذ وصولي إليه، حتى إنني لم أغادر المطبخ إلا عندما كنت أقصد حمّامي الصغير الذي يبعد عنه خطوات قليلة. بقيت مرتديةً ثيابي ذاتها التي كنت أرتديها عندما غادرت الكابيتول. كنت أجلس إلى جانب الموقد كي أحدّق إلى الرسائل غير المفتوحة التي كانت تتراكم على رف الموقد. «لا أملك قوساً».

قالت لي: «يمكنك أن تبحثي في القاعة».

فكرت بعد مغادرتها في القيام بجولة في القاعة، لكنني قررت عدم القيام بها. قمت بهذه الجولة بعد ساعات عدة على أي حال. سرت من دون حذائي، واكتفيت بارتداء زوج من الجوارب التي لا تحدث صوتاً، وذلك كي لا أوقظ الأشباح. عثرت في المكتب الذي شاركت فيه الرئيس سنو شرب الشاي على سترة الصيد التي كان والدي يستخدمها، وعلى دفتر النباتات، وعلى صورة زفاف والديّ، وكذلك على أنبوب الاستقطار الذي أرسله إليّ هايميتش، وكذلك على القلادة التي توضع فيها صورة، والتي أعطاني إياها بيتا في ميدان الساعة. وجدت كذلك القوسين وحافظة السهام التي أنقذها غايل ليلة القصف بالقنابل الحارقة التي تعرضت لها المقاطعة، وكانت كلها موضوعة على طاولة المكتب. ارتديت سترة الصيد وتركت بقية الأغراض وشأنها. غفوت على الأريكة في غرفة المعيشة

الرئيسة، ورأيت كابوساً مرعباً. إذ رأيت نفسي في قعر قبرٍ عميق. كان كل الذين أعرفهم يأتون كي يلقوا فوقي ملء رفشٍ من الرماد. كان كابوساً طويلاً جداً نظراً إلى لائحة الأسماء الطويلة، كما صعب عليّ التنفس كلما ازداد المكان عمقاً. حاولت أن أناديهم، وتوسلت إليهم أن يتوقفوا، لكن الرماد ملأ فمي وأنفي، وهكذا لم أتمكن من إصدار أي صوت. لكن الرماد المتساقط فوقي لم يتوقف...

استيقظت مرتعبة، وكانت أنوار الصباح الشاحبة قد بدأت بالظهور على جوانب الستائر. لكن أصوات الرفوش لم تتوقف. بقيت تحت تأثير شبه كابوس ونزلت راكضة نحو القاعة، ثم خرجت من الباب الأمامي، وتابعت جولتي حول المنزل، وذلك لأنني تأكدت الآن من قدرتي على الصراخ. توقفت على الفور عندما رأيته. كان وجهه متورداً بعد المجهود الذي بذله في حفر الأرض تحت النوافذ. رأيت في عربة اليد خمس عرائش ملتفة على بعضها.

قلت: «أرى أنك قد عدت».

قال بيتا: «رفض الدكتور أورليوس السماح لي بمغادرة الكابيتول حتى البارحة، وبالمناسبة، كلّفني أن أقول لك إنّه لا يمكنك التظاهر بأنه سيعالجك إلى الأبد. يتعيّن عليك الردّ على الهاتف».

بدا بصحةٍ جيدة. كان نحيفاً، غير أنّ وجهه كان مليئاً بآثار الحروق، أي مثلي أنا، لكن عينيه افتقدتا إلى تلك النظرة الغامضة والمعذبة. عبس قليلاً عندما تفحصني. بذلت جهداً شبه عفوي كي أرفع الشعر عن عيني لكنّني اكتشفت أنه مضفر على شكل خصلاتٍ متعددة. أخذت موقفاً دفاعياً وقلت: «ماذا تفعل؟».

قال لي: «توجهت إلى الغابات هذا الصباح، واستخرجت هذه النباتات. فكّرت في أنه يمكننا غرسها إلى جانب المنزل».

نظرت إلى العرائش، وإلى كتل التراب الملتصقة بجذورها، والتقطت أنفاسي عندما رسخت في ذهني كلمة زهرة. كنت على وشك الصراخ بأشياء سيئة في وجه بيتا عندما تذكرت الاسم الكامل لتلك العرائش. لم تكن تلك زهرة عادية بل زهرة الربيع (بريم روز) وهي التي سُمّيت شقيقتي على اسمها. أومأتُ موافقةً نحو بيتا وأسرعت عائدةً إلى المنزل، ثم أوصدت الباب ورائي جيداً. لكن الشر كان في أعماق نفسي، وليس في خارجها. ارتجفتُ نتيجة الضعف والقلق، لذلك صعدت راكضةً إلى الطابق العلوي. تعثّرت حين وصلت إلى الدرجة الأخيرة فوقعت على الأرض. أجبرت نفسي على النهوض، ثم دخلت غرفتي. كانت الرائحة خفيفة جداً لكنها ملأت الأجواء مع ذلك. رأيت الوردة البيضاء مع مجموعة أخرى من الأزهار المجفّفة الموضوعة في إناء. كانت الأزهار ذابلة وهشة، لكنها بقيت محافظة على ذلك الكمال غير الطبيعي الذي جرى تطويره في البيت الزجاجي الذي كان سنو يهتم به. أمسكت إناء الزهور، ثم نزلت مترنحةً نحو المطبخ، ورميت محتوياته فوق الجمار. اشتعلت الأزهار فانتشرت ألسنة لهبٍ زرقاء ما لبثت أن غلّفت الوردة والتهمتها. تغلبت النيران مجدداً على الأزهار. حطمت إناء الأزهار فوق أرضية المطبخ فتهشم تهشيماً.

عدت إلى الطابق العلوي، وفتحت نوافذ غرفة النوم، وذلك من أجل طرد ما تبقى من تلك الرائحة الكريهة المتبقية من سنو. لكن الرائحة بقيت، وعلى الأخص على ملابسي والمسامّ في جلدي. خلعت ملابسي، وما لبثت أن تساقطت منها رقاقات من جلدي تبلغ الواحدة منها حجم ورقة اللعب. تجنبت النظر إلى المرآة في أثناء وقوفي تحت الدش، ثم نظّفت الزهور من شعري، وعن جسمي، وفمي. عثرت على ملابس نظيفة كي أرتديها، وكانت ذات لون زهري ناصع. استغرقني الأمر نصف ساعة من الوقت لتسريح شعري. فتحت غريسي سي الباب الأمامي، وانهمكت

بتحضير طعام الفطور، بينما انشغلت أنا بإلقاء الثياب التي خلعتها في الموقد كي تكون طعاماً للنيران. قلّمت أظفاري بالسكين، وذلك بحسب ما نصحتني.

سألتها عندما بدأنا بتناول الطعام: «إلى أين ذهب غايل؟».

قالت لي: «ذهب إلى المقاطعة 2 لإتمام مهمة رائعة له هناك. أشاهده على شاشة التلفزيون بين وقتٍ وآخر».

بحثت في أعماق نفسي في محاولة مني للعثور على مشاعر الغضب، أو الكراهية، أو الشوق تجاهه لكنني لم أجد غير الارتياح.

قلت لها: «سأخرج للصيد هذا اليوم».

أجابتني: «حسناً، لن أرفض بعض الطرائد الطازجة في هذه الحال».

تسلحت بقوسي وسهامي وخرجت. اعتزمتُ الخروج من المقاطعة 12 عن طريق المرج. رأيت قرب الباحة الكبيرة فرقاً من رجالٍ مقنّعين مع عرباتٍ تجرّها الخيول. كانوا يفتشون في كل ما يقع تحت ثلوج هذا الشتاء. كانوا يجمعون الأشلاء. رأيت عربةً واقفة أمام منزل رئيس البلدية. عرفت من بين الحاضرين طوم، وهو زميل غايل القديم وتوقفت لحظةً كي أمسح العرق عن وجهه بقطعة قماش. أتذكر أنني رأيته ذات مرة في المقاطعة 13، لكن لا بد من أنه عاد. شجعني الحديث معه على طرح سؤالٍ عليه: «هل عثروا على أحدٍ هناك؟».

أبلغني طوم: «وجدوا الأسرة بأكملها، بالإضافة إلى الشخصين اللذين عملا عند الأسرة».

تذكرت مادج الهادئة والعطوفة والشجاعة. أعطتني تلك الفتاة الدبوس الذي منحني لقبي. ابتلعت ريقي بصعوبة. تساءلت إذا كانت ستنضم إلى كوابيسي هذه الليلة، وإن كانت ستشارك في دفع الرماد إلى داخل فمي. «اعتقدت، بما أنه رئيس البلدية، فإنهم...».

قال طوم: «لا أعتقد أن كون المرء رئيس بلدية في المقاطعة 12 يساهم في تحسين حظوظه».

أومأت ثم تابعت سيري. حرصت على عدم النظر إلى ما تحمله تلك العربة المتوقفة. كان الوضع هو نفسه في المدينة أو في السيم: حصاد الموتى. اقتربت من خرائب منزلي القديم، ولاحظت أن هناك عربات أكثر تملأ الطريق. اختفى المرج، أو على الأقل، تغيّر كثيراً. رأيت في المكان حفرة عميقة إلا أن العمال بدأوا بملئها بالعظام. كانت الحفرة مقبرةً جماعية للناس الذين أعرفهم. تجولت حول الحفرة، ثم دخلت الغابات من المكان المعتاد. لم يعد ذلك السياج مهمًّا لأنه لم يعد مكهرباً بعد الآن، لكنه بات يحمل الآن فروع أشجارٍ طويلة من أجل إبعاد الحيوانات المفترسة. لكن، كم يصعب التخلي عن العادات القديمة. فكّرت في التوجه إلى البحيرة، لكنّني شعرت بضعفٍ شديد حيث تمكنت بصعوبة من الوصول إلى المكان الذي كنت ألتقي فيه غايل. جلست على الصخرة حيث صوّرتنا كريسيدا، لكنها بدت واسعة جداً من دون وجود جسده قربي. أغمضت عينيّ عدة مرات وعددتُ إلى العشرة، وفكّرت في أنني سأجده قربي عندما أفتحهما، أي كما اعتاد أن يفعل مراراً ثم اضطررت إلى تذكير نفسي بأن غايل موجود الآن في المقاطعة 2، وربما يقبّل شفتين أخريين.

كان يوماً جميلاً يماثل ذاك الذي كانت كاتنيس تحبه في الماضي، فقد كان يوماً من أيام أوائل الربيع. كانت الغابات تستفيق بعد شتاءٍ طويل، لكن الطاقة التي تترافق مع ظهور أزهار الربيع تلاشت بعيداً. عدت إلى السياج وأنا أشعر بأنني مريضة ومرتبكة. اضطر طوم إلى نقلي في عربة الموتى، وساعدني كذلك على الوصول إلى الأريكة في غرفة المعيشة. مكثت هناك حيث راقبت ذرات الغبار وهي تتطاير في أضواء المساء الآخذة بالتلاشي. التفتّ بسرعة عندما سمعت مواءً يشبه الهسيس، لكنّني استغرقت

407

بعض الوقت لتصديق أنه حقيقي. كيف أمكنه الوصول إلى هنا؟ تمعنت في مخالب ذلك الحيوان البري، ولاحظت أنه يرفع مخلبه الخلفي قليلاً عن الأرض، ولاحظت عظامه البارزة في وجهه. اجتاز هذا المخلوق كل تلك المسافة من المقاطعة 13 سيراً على قوائمه. يُحتمل أنهم طردوه، أو يُحتمل أنه لم يتمكن من تحمّل الحياة هناك دونها، وهكذا جاء كي يبحث عن شخصٍ يأنس له.

قلت له: «كانت تلك رحلة من دون جـدوى. إنها ليست هنا». ماءَ الحوذان مجدداً. «إنها ليست هنا. يمكنك أن تموء كما تشاء، لأنك لن تعثر على بريم». رفع رأسه سعيداً عندما سمع اسمها، ورفع أذنيه المنبسطتين، كما بدأ بالمواء على أمل العثور عليها. «اخرج!». تجنّبَ الوسادة التي رميتها نحوه. «ابتعِد من هنا! لم يبقَ لديك أي شيء هنا!». بدأت بالارتجاف، وشعرت بالغضب تجاهه. «إنها لن تعود! إنها لن تعود أبداً إلى هنا مجدداً!». أمسكت وسادةً أخرى، ونهضتُ كي أتمكن من التصويب بشكلٍ أفضل. لا أعرف كيف فاضت الدموع على خديّ. «إنها ميتة». تكورت على نفسي في محاولة مني لتخفيف الألم الذي أشعر به. جلست بعد ذلك وهززتُ الوسادة، ثم استغرقتُ في البكاء. «إنها ميتة أيها الهرّ الغبي. إنها ميتة». أصدر جسدي صوتاً جديداً اختلط فيه بعض البكاء، وبعض الغناء. كان ذلك يأسي الذي اكتسب صوته. بدأ الحوذان بالعويل بدوره. رفض الهرّ المغادرة بغض النظر عما فعلته به. دار حولي، وحافظ على مسافة معقولة مني. استمرت نوبات النشيج بالسيطرة على جسدي إلى أن سقطتُ أخيراً فاقدةً الوعي. يتعيّن عليه أن يفهم، ويجب عليه أن يعرف أن الأمر الذي لم يكن معقولاً قد حدث. أما إذا أراد البقاء، فسيتوجب عليه القيام بأمور كانت مستبعدة جداً في السابق. وجدته قربي، وتحت ضوء القمر، عندما أويت إلى سريري. جثم قربي، وكانت عيناه الصفراوان

منتبهتين وكأنهما تحرسانني من الظلمة.

جلس حزيناً في الصباح بينما انهمكتُ بتنظيف جروحه، لكن إزالة الأشواك من مخالبه استدعت جولةً جديدة من المواء. انتهى بنا الأمر بالبكاء مجدداً، لكن الفرق هذه المرة كان في أننا واسينا بعضنا. تشجعت نتيجة هذا الوضع، وفتحت الرسالة التي أرسلتها إليّ والدتي مع هايميتش. طلبت رقم الهاتف، وبكيت معها. ظهر بيتا مع غريسي سي حاملاً رغيفاً ساخناً من الخبز. حضّرت لنا غريسي سي طعام الفطور، لكنّني قدّمت قطعة اللحم إلى الحوذان.

مرّت أيام كثيرة، لكنّني تمكنت من العودة إلى حياتي الطبيعية، وإن ببطء. حاولت اتّباع نصيحة الدكتور أورليوس، ونفذت الحركات التي نصحني بها، لكنّني دهشت عندما لاحظت أن إحداها حملت لي معاني كبيرة. أبلغته بفكرتي المتعلقة بالكتاب، وهكذا لم تتأخر علبة كبيرة تحتوي على الأوراق عن الوصول في أول قطارٍ آتٍ من الكابيتول.

حصلت على الفكرة من كتاب النباتات الخاص بعائلتنا. لا يُمكن ترك أمور كهذه إلى الذاكرة وحدها. تبدأ الصفحة بصورة الشخص، أعني إذا وُجدت الصورة. أما إذا لم تتوافر، فإن بيتا يقوم برسم صورته أو تخطيطها. تأتي بعد ذلك التفاصيل التي كان نسيانها جريمة، وكنت أكتبها بخط يدي مع أكبر قدرٍ ممكن من العناية. تضمن الكتاب صورة لايدي (العنزة) وهي تلعق خدّ بريم، وصورة لوالدي وهو يضحك، وصورة والد بيتا حاملاً قطع الحلوى. وكتبت أنا عن لون عينَي فينيك، وكذلك عمّا تمكّن سينّا من القيام به بواسطة قطعة من الحرير. كتبت كذلك عن بوغز وهو يعيد برمجة جهاز الهولو، وعندما وقفت رو على رؤوس أصابعها ومدّت ذراعيها قليلاً، فبدت مثل طائر يستعد للتحليق. ضمّ الكتاب أشياء أخرى كذلك. كنا نختم الصفحات بماءٍ مالح ووعود بأن نعيش جيداً كي نعطي قيمة لموتهم. انضمّ

هايميتش إلينا أخيراً، وساهم بإعطائنا معلوماتٍ عن ثلاثة وعشرين مجالداً اضطرّ إلى أن يكون مرشدهم. أخذت الإضافات تقلّ شيئاً فشيئاً، بينما كانت الذكريات القديمة تطفو على سطح الذاكرة في بعض الأحيان. رأيت زهرة ربيع قديمة بين الصفحات، وكذلك مقاطع غريبة وصغيرة توحي بشيء من السعادة، مثل صورة لطفل فينيك وآني بعد وقتٍ قليلٍ من ولادته.

تعلمنا مجدداً كيفية إبقاء أنفسنا منشغلين. انهمك بيتا بصنع الخبز، بينما انصرفت أنا للصيد، فيما واصل هايميتش تناول الشراب إلى أن يفرغ مخزونه منه. كان يربي الإوز بعد ذلك إلى أن يحين موعد القطار التالي. كانت جماعة الإوز، لحسن الحظ، تعرف كيفية الاعتناء بنفسها جيداً. لم نكن وحدنا، لأن بضع مئات من الناس عادوا بدورهم إلى المقاطعة 12، لأن هذا المكان يبقى موطننا بغض النظر عما حدث. أُقفلت المناجم، وحُرث الرماد مع التراب، وزُرعت المزروعات. سمحت الآلات الجديدة الآتية من الكابيتول ببناء مصنعٍ جديد لصنع الأدوية. وعاد اللون الأخضر إلى المرج بالرغم من أنّ أحداً لم يزرع فيه شيئاً.

عدت أنا وبيتا للعيش معاً مرة أخرى. وبقيت هناك لحظات كان يتمسك فيها بالكرسي ويتحمّل إلى أن تزول الذكريات المؤلمة. أما أنا فكنت أستيقظ صارخةً في بعض الأحيان بسبب كوابيسي التي تتضمن المخلوقات المتحولة، والأطفال الضائعين. لكن ذراعيه كانتا هناك لتريحاني، وكذلك كانت شفتاه في آخر الأمر. كنت أشعر في الليل أحياناً بذلك الشيء، أي بالجوع الذي سيطر عليّ عند الشاطئ. علمت أن ذلك لا بد من أن يحدث على أيّ حال. كنت أعلم أن ما أحتاج إليه للبقاء ليس نيران غايل المتأججة بالغضب والكراهية، إذ إنني أمتلك الكثير من النيران في نفسي، إنّ ما أحتاج إليه هو تلك الهندباء البرية في الربيع. إنني بحاجة إلى ذلك اللون الأصفر الساطع الذي يعني الولادة الجديدة بدلاً من

التدمير. أحتاج إلى وعدٍ بأن الحياة ستستمرّ بغضّ النظر عن مدى جسامة الخسائر، وأنها يُمكن أن تكون حسنة مجدداً. أعرف كذلك أن بيتا وحده من يمكنه أن يعطيني كل هذه الأمور.

وكان يهمس لي: «أنتِ تحبّينني. هل هذه حقيقة أم غير حقيقة؟».

كنت أقول له: «حقيقة».

تذييل

كانا يلعبان في المرج، الفتاة الراقصة بشعرها الداكن وعينيها الزرقاوين، والصبي بضفائره الشقراء، والذي تجاهد ساقاه الطفوليتان الممتلئتان للّحاق بها. استغرقني الأمر خمس، أو عشر، أو خمس عشرة سنة كي أوافق. لكن بيتا أرادهما بشدة. اجتاحني الرعب عندما شعرت بها وهي تتحرك في داخلي للمرة الأولى. كان رعباً قديماً بمثل قِدم الحياة ذاتها. لكن بهجة حملها بين ذراعيّ هي فقط التي ساعدتني على ترويض هذا الرعب. كان حمل الفتى أسهل قليلاً، لكن ليس كثيراً.

كانت الأسئلة في بداية ورودها. تعرضت جميع الميادين للتدمير التام، وأُقيمت النصب التذكارية، ولم تعد هناك أيّ مباريات جوعٍ جديدة. لكنهم يدرّسون هذه المباريات في المدارس، وهكذا عرفت الفتاة أنني لعبت دوراً فيها. أما الصبي فسيعرف ذلك في غضون سنواتٍ قليلة. كيف سأتمكّن من إخبارهما عن العالم من دون أن أُدخل الرعب حتى الموت إلى قلوبهما؟ يأخذ ولداي كلمات هذه الأغنية وكأنها من المسلمات:

هناك في عمق المرج، وتحت شجرة الصفصاف
وفوق بقعة العشب، وسادة خضراء ناعمة
أسند رأسك، وأغمِض عينيك الناعستين
وعندما تفتحهما مجدداً، ستكون الشمس قد طلعت.

هنا الأمان، هنا الدفء
وهنا تحرسك أزهار الأقحوان من كل أذى

هنا أحلامك حلوة ويحقّقها لك الغد

أحبك هنا، في هذا المكان.

لا يعلم ولداي أنهما يلعبان فوق مقبرة.

يقول بيتا إنّه لا بأس في ذلك، وإننا نمتلك بعضنا، وكذلك الكتاب. يمكننا أن نجعلهما يفهمان كل شيء بطريقة تجعلهما أكثر شجاعة. أعلم أنني سأضطر في يومٍ من الأيام إلى التحدث عن كوابيسي، وعن السبب الذي يجعلها تنتابني ليلاً، وعن السبب الذي يجعلها لا تفارقني أبداً.

سأخبرهما كيف تمكنت من البقاء على قيد الحياة. سأخبرهما أنني أستصعب في الصباحات المكفهرة الاستمتاع بأي شيء، وذلك نتيجة خوفي من احتمال حرماني منها. يحدث هذا عندما أحضّر في ذهني لائحة بكل الأفعال الخيّرة التي رأيت أحداً ما يقوم بها. تبدو هذه وكأنها مباراة، لكنها مباراة متكررة. أشعر بعد مرور أكثر من عشرين عاماً بأنها متعبة بعض الشيء.

لكن، سنضطر إلى خوض مباريات أكثر سوءاً بكثير.